Komplexe Forschungsansätze

Handbuch der empirischen Sozialforschung
Herausgegeben von René König

Band 4

Komplexe Forschungsansätze

Deutscher
Taschenbuch
Verlag

Ferdinand Enke
Verlag
Stuttgart

Prof. Dr. *René König*
Forschungsinstitut für Soziologie
der Universität zu Köln

Die Bände 1 bis 4 der Taschenbuchausgabe stellen
die 3., umgearbeitete und erweiterte Auflage vom
„Handbuch der empirischen Sozialforschung", Band I, dar.

Satz und Druck: Druckhaus Dörr, Inhaber Adam Götz, Ludwigsburg

ISBN dtv 3 423 04239 7
ISBN Enke 3 432 02185 2

Vorwort des Herausgebers zur dritten Auflage

Es ist ein erfreuliches Zeichen für die noch immer wachsende Intensität des Interesses an der empirischen Sozialforschung, daß auch die zweite Auflage dieses Handbuches in kürzester Zeit vergriffen war. So konnte ich an die Vorbereitung einer dritten Auflage gehen, die jetzt unter viel günstigeren Voraussetzungen als bei der Herausgabe der zweiten Auflage unternommen werden konnte. Da diesmal das Werk neu gesetzt werden mußte, konnte eine völlige Reorganisation des Inhalts, insbesondere aber eine Neubearbeitung aller Kapitel und eine beträchtliche Erweiterung der Bibliographien vorgenommen werden. Außerdem konnte der Band wieder in eine einheitliche Gestalt gebracht werden, so daß die „Anhänge" verschwunden sind, die für manchen Leser die Handhabung der zweiten Auflage etwas erschwert hatten. So kann man sagen, daß diese Auflage jetzt sowohl im Text als auch in den Bibliographien dem Stand der Forschung im Jahre 1973 angepaßt worden ist.

Allerdings hat das Handbuch in seiner neuen Auflage eine wesentliche Veränderung erfahren, die mit dem Neudruck verbunden ist. Da die Neuauflage als Taschenbuch-Ausgabe erscheint, wurde eine Aufteilung des Inhalts auf vier Bände notwendig. Diese Bände enthalten im wesentlichen den erweiterten Inhalt der zweiten Auflage, wobei nur eine kleinere innere Umstellung vorgenommen worden ist. Jeder der Bände enthält zudem ein doppeltes Inhaltsverzeichnis, nämlich 1. das allgemeine Inhaltsverzeichnis des ganzen Werkes und 2. das detaillierte Inhaltsverzeichnis des jeweiligen Bandes, so daß der Leser mit einem Blick den Zusammenhang zwischen einem beliebigen Kapitel und dem Gesamtwerk herstellen kann. Jeder einzelne Band enthält zudem ein Namen- und Sachregister; am Schluß des Werkes folgt ein Gesamtregister für die vier Bände, die dem ersten Band des Handbuches in seiner ursprünglichen Ausgabe entsprechen. Auf diese Weise ist jeder Band für sich benutzbar; gleichzeitig gibt es aber am Ende des vierten Bandes eine Übersicht über das Gesamtwerk.

Im folgenden geben wir eine kurze Zusammenfassung der einleitenden Bemerkungen, die wir ursprünglich der ersten Auflage des ersten Bandes vorausgeschickt hatten.

*

Das vorliegende „Handbuch der empirischen Sozialforschung" ist sowohl aus den Bedürfnissen des akademischen Unterrichts wie aus dem Bemühen entstanden, eine einigermaßen systematische und zusammenfassende Darstellung der methodologischen Hauptprobleme der empirischen Soziologie und ausgewählter Ergebnisse der heutigen Forschung darzubieten. Dies drückt sich auch in der Entstehungsgeschichte des „Handbuchs" aus, das zunächst aus den Erfahrungen des „Forschungsinstituts für Soziologie der Universität zu Köln" erwachsen ist, wo wir uns seit mehr als zwanzig Jahren um den systematischen Ausbau der empirischen Soziologie in Unterricht und Forschungspraxis bemüht haben. Andererseits ist aber das Gebiet derart ausgedehnt, daß es niemals von einem Autor allein bewältigt werden kann. So bestand eine Hauptaufgabe bei der Zusammenstellung dieses Werkes in der Sammlung von etwa fünfzig Mitarbeitern, deren Beiträge sich auf zwei starke Bände verteilten. Während wir unsere ersten publizistischen Bemühungen auf diesem Gebiet darauf beschränkt hatten, an anderem Orte entstandene und veröffentlichte Leistungen bekanntzumachen (*René König*, Hrsg., Praktische Sozialforschung, Bd. I: Das Interview. Formen, Technik, Auswertung, 7. Aufl. Köln 1972 [zuerst 1952]; Bd. II: Beobachtung und Experiment, 8. Aufl. Köln 1972 [zuerst 1956]), sind sämtliche Kapitel, die in diesem Werk vereinigt sind, ausnahmslos auf Veranlassung des Herausgebers eigens für dies Werk nach einigermaßen einheitlichen Direktiven und nach einem einheitlichen Plan verfaßt worden, die weiter unten noch erläutert werden sollen. So stellt das Ergebnis eine relativ geschlossene Konzeption dar, in der sich in der Tat die Erfahrungen der akademischen Forschungspraxis mit einem bestimmten theoretischen Bilde der Soziologie vereinen. Letzteres spricht sich insbesondere in der Auswahl der zur Mitarbeit herangezogenen Autoren aus, die alle durch eine einheitliche Vorstellung der Soziologie und ihrer Aufgabe verbunden sind, so weit sie auch sonst in Einzelheiten voneinander abweichen mögen. Wir haben allerdings ausdrücklich darauf verzichtet, die Umrisse der allgemeinen Soziologie und ihrer Kategorienlehre in diesem Band darzustellen, teils um das Ganze nicht zu sehr zu belasten und nicht allzu heterogene Teile in einem Zusammenhang zu vereinen, teils auch, weil wir selber schon an anderer Stelle versucht haben, eine erste Übersicht über die allgemeine Soziologie und ihre Hauptprobleme zu geben. Die dort (*René König*, Hrsg., Soziologie, Neuausgabe, 333.—352. Tausend, Frankfurt/Main 1973 [zuerst 1958]) entwikkelten Linien sind im vorliegenden Werke weiterverfolgt worden, wie auch die beiden Werke teilweise gleichzeitig bearbeitet wurden; es ist kein Wunder, daß ein Unternehmen, an dem ein halbes Hundert Mitarbeiter beteiligt ist, länger zur Reife benötigt als eines, das in einem kleinen Kreise von Mitarbeitern aus der Vertrautheit der täglichen Zusammenarbeit entstanden ist. In diesem Sinne stellt das vorliegende „Handbuch" einen Abschluß unserer

Unternehmungen dar, die mit einer ersten planmäßigen Diskussion methodologischer Probleme begannen, sich in zahlreichen Forschungsprojekten immer mehr mit konkretem Inhalt erfüllten und schließlich zu einer ersten Zusammenfassung der allgemeinen theoretischen Soziologie und ihrer Grundkategorien führten, und es sollte auch in diesem Gesamtzusammenhang betrachtet werden.

Das heißt natürlich auch gleichzeitig, daß sich die Entwicklung des heute abgeschlossen vorliegenden Projektes durch unzählige Diskussionen und Korrespondenzen über viele Jahre hinzog, wobei zwischen einem engeren Kreise unterschieden werden muß, mit dem sich der Herausgeber ständig beriet, und einem weiteren Kreise, der über große Teile der Welt verstreut ist und mit dem der Herausgeber die Gestaltung der einzelnen Kapitel besprach. Daß im zweiten Falle auch vielfach freundschaftliche und kollegiale Beziehungen leitend waren, wird wohl niemanden verwundern. Denn letztlich realisieren sich alle unsere rein sachlichen Pläne, Absichten und Leistungen durch Menschen hindurch, mit denen einen die mehr oder weniger zufälligen Umstände des Lebens in Verbindung gebracht haben. Letzteres gibt dem Ganzen die menschlich relativ gleichgestimmten Akzente, die den sachlichen Kern wie eine Aura der Kollegialität und der direkten Kooperation umgeben. Das gleiche drückt sich auch aus in den vier Namen, die auf dem Widmungsblatt des ersten Taschenbuchbandes stehen: sie bedeuten nicht nur Erinnerung an Vergangenes und empfangene Einflüsse, nicht sachliche Entscheidungen, sondern gerade auch eine Zusammengehörigkeit in bestimmten Wertvorstellungen, für die die einen lebten und die anderen starben.

Die Diskussionen um den Aufbau des Handbuchs fanden statt im Rahmen des „Forschungsinstituts für Soziologie der Universität zu Köln", dessen Mitarbeiter sehr tatkräftigen Anteil an der Gesamtdisposition und der Umschreibung des Inhalts der einzelnen Kapitel nahmen. Hier gebührt großer Dank insbesondere meinen langjährigen Mitarbeitern im Forschungsinstitut und im soziologischen Seminar, Prof. Dr. *Erwin K. Scheuch,* Universität Köln, und Prof. Dr. *Dietrich Rüschemeyer,* heute Brown University, Providence, Rhode Island. Unmittelbar beteiligt an den zentralen Diskussionen war auch Dr. *Franz-Joseph Stendenbach,* heute OECD, Paris, der überdies zahlreiche Übersetzungen besorgte. An weiteren Übersetzern arbeiteten noch mit *Hartmut Esser,* Prof. Dr. *Josef Gugler,* Prof. Dr. *Fritz Sack, Axel Schmalfuß,* Dr. *Heiner Treinen* und Prof. Dr. *Rolf Ziegler;* bei der Übersetzung aus dem Polnischen waren *Felix Gallisch* und Dr. *Johannes J. Schulz* hilfreich. Die Gesamtredaktion der einzelnen Kapitel und Übersetzungen sowie die definitive Anordnung des ganzen Werkes führte der Herausgeber durch. Vor allem aber möchte ich meinem Kollegen Prof. Dr. *Heinz Maus*, Universität Marburg, danken, auf den die ursprüngliche Initiative zu diesem Handbuch zurückgeht und der sowohl einige Mitarbeiter gewann als auch mit vielen Ratschlägen bei der Durchführung des Projekts half und schließlich selber aktiv mit zum ersten Bande beitrug. Aber dieses Werk hätte sicher nicht das Gesicht erhalten, das es heute trägt, wenn nicht der Herausgeber in zahllosen Gesprächen mit den verschiedenen Mitarbeitern die einzelnen Kapitel immer wieder überdacht und an Hand von ihren Ratschlägen modifiziert hätte. Ihnen allen sei an dieser Stelle unser herzlichster Dank ausgesprochen. Als Redaktionsassistent für die dritte Auflage wirkte *Axel Schmalfuß* entscheidend mit, wie Prof. Dr. *Hans Joachim Hummell* an der zweiten Auflage. Schließlich muß aber auch der mutige Enke-Verlag in Stuttgart erwähnt werden, der nicht nur das beträchtliche Risiko der Herausgabe dieses umfangreichen und kostspieligen Werkes auf sich nahm, sondern gleichzeitig liebenswürdige Geduld bewies, wenn die Arbeiten wegen immer neu auftauchender Schwierigkeiten manchmal nur schleppend vorangingen. Wir möchten der Hoffnung Ausdruck geben, daß das in den Herausgeber und die Mitarbeiter gesetzte Vertrauen sich in einer entsprechenden Aufnahme des Werkes ausdrücken möge. Schon vor vierzig Jahren hat der Ferdinand Enke Verlag die gleiche erfreuliche Initiative bewiesen, als er das „Handwörterbuch der Soziologie", das von *Alfred Vierkandt* betreut wurde, herausgab (Neuausgabe Stuttgart 1959). Da Vierkandt damals zu meinen akademischen Lehrern gehörte und mich auch an der Universität Berlin habilitieren und als seinen Nachfolger sehen wollte (was durch den Ausbruch des Nationalsozialismus und meine erzwungene Emigration vereitelt wurde), bestehen nicht nur äußere, sondern auch innere Beziehungen zwischen jenem ersten Versuch einer zusammenfassenden Darstellung der Soziologie in deutscher Sprache und dem heutigen. Heute, nach Abschluß des ganzen Projekts, möchte ich sogar meinen, daß trotz der vierzigjährigen Distanz und des unheilvollen Unterbruchs von zwölf Jahren die Momente der Kontinuität stärker wirken als die Distanz; denn die erste Einführung in die amerikanische Soziologie erhielt ich neben *Vierkandt* durch meinen anderen Lehrer an der Universität Berlin, *Richard Thurnwald,* von dem ich überdies lernte, daß Soziologie ohne soziale und kulturelle Anthropologie ein Unding ist, und der gleichzeitig in Deutschland am energischsten gegen die blicklose soziologische Spekulation auftrat und für die Vereinigung der verschiedensten Perspektiven, von der allgemeinen Anthropologie über die Psychiatrie und Psychoanalyse bis zur Sozialpsychologie und empirischen Kulturwissenschaft, eintrat. Dies waren die gleichen Gedanken, die ich von meinen französischen Lehrern *Marcel Mauss* und *Maurice Halbwachs* vermittelt erhielt, deren Namen darum auch mit dem von Vierkandt auf dem Widmungsblatt dieses Bandes stehen. Durch *Theodor Geiger* erfuhr ich schon früh die Bedeutung der Statistik für den Ausbau einer positiven Soziologie als Erfahrungswissenschaft, dazu aber noch die Lehren einer *„furchtlosen Sozialwissenschaft"*, die sich angesichts der theoretischen und kulturellen, aber auch der sozialen und politischen Vorurteile zu behaupten hat, wozu wir beide in der Auseinandersetzung mit dem Nationalsozialismus und während der sorgenreichen Zeit der Emigration wahrlich Gelegenheit genug gehabt haben. Und die Aufgabe dauert noch immer an, heute wie ehedem, angesichts des Aufstiegs neuer Vorurteile, radikaler und reaktionärer zugleich, die sich mit der Macht verbinden und von denen sich die Zurückhaltung des Wissenschaftlers gleich weit entfernt zu halten hat.

Dem inneren Aufbau nach zerfällt das vorliegende Werk in vier Hauptteile. Der erste Hauptteil dient gewissermaßen der Vorbereitung; hier werden Geschichte und Grundprobleme der empirischen Soziologie abgehandelt, erst historisch, dann wissenschaftslogisch, ferner im aktuellen Zusammenspiel von Theorie und Forschung, und schließlich in bezug auf neue Techniken der Datenverarbeitung.

Der zweite Hauptteil bringt eine weitgespannte Darstellung der grundlegenden Methoden und Forschungstechniken der empirischen Soziologie, die gewissermaßen in allen ihren Zweigen wirksam sind. Dieser Teil ist in seinem Aufbau am stärksten systematisch ausgerichtet, selbst wenn es nicht unser Ehrgeiz sein konnte, auch nur annähernd nach Vollständigkeit zu streben. Die innere Linie dieses Teils läuft von der Beobachtung zum Experiment, das am anderen Ende des Kontinuums steht, zwischen relativ lockerer Beobachtung und einer auf höchste Präzision ausgerichteten Experimentalanordnung. Das Interview als eine der wichtigsten Formen der extensiven Beobachtung erfährt eine eingehende systematische Darstellung, die sowohl durch eine Betrachtung von Panel-Untersuchungen, d. h. wiederholten Interviews, wie durch eine Darstellung der Technik der Gruppendiskussionen zur Vertiefung des Interviews und einer Zusammenfassung der Soziometrie zur Vertiefung und präziseren Ausgestaltung der Beobachtung von Gruppenphänomenen ergänzt wird. Ist schon im Vorhergehenden immer stärker die Technik der quantitativen Datenbehandlung zutage getreten, so bemühen sich die folgenden Kapitel, eine eingehende Darstellung der Statistik für Soziologen und Sozialforscher zu geben; diese reicht von den Grundbegriffen der Statistik und ihrer Rechenmethoden über eine kritische Darstellung der Auswahlverfahren und der Skalierungstechniken, die in der Auswertung eine so zentrale Rolle spielen, bis zur Faktorenanalyse, ohne die eine Analyse ex post überhaupt nicht voranzukommen vermöchte. Dieser Hauptteil wird durch eine Darstellung des Experiments in der Soziologie abgerundet, das sich in den letzten zwanzig Jahren als immer bedeutungsvoller erwiesen hat, nachdem ihm die älteren Vertreter der empirischen Soziologie wie *Auguste Comte* und selbst *Emile Durkheim* so zurückhaltend und teilweise sogar ablehnend gegenübergestanden hatten.

Der dritte Hauptteil befaßt sich mit den „komplexen Forschungsansätzen" in der empirischen Soziologie. Diese unterscheiden sich insofern von den grundlegenden Methoden und Techniken des zweiten Hauptteils, als sie nicht für alle Zweige der Forschung gelten, sondern bereits „gegenstandsspezifisch" sind, d. h. auf einzelne Aspekte der sozialen Phänomene ausgerichtet. Gleichzeitig zeichnen sich alle diese Ansätze dadurch aus, daß sie durchschnittlich mehrere Methoden vereinen. Diese Kapitel sind geordnet nach Maßgabe des steigenden Grades an kultureller und historischer Durchdringung. So beginnen wir mit der Darstellung der stark natural bedingten Phänomene, wie genetische Bevölkerungsentwicklung und räumliche (ökologische) Verteilung der Bevölkerung, gehen von da aus über die Gemeindeforschung, die Soziographie, Volkskunde und biographische Methode zur systematischen Inhaltsanalyse und der historischen Soziologie, um diesen Teil mit einem kurzen Ausblick über den „interkulturellen Vergleich" abzuschließen.

Das ist der Inhalt der ersten drei Hauptteile, die in der ersten und zweiten Auflage dieses Werkes im ersten Band vereinigt waren. Sie sind jetzt also auf vier Bände der Taschenbuchausgabe verteilt. In entsprechender Zeit wird nun auch der vierte Hauptteil in der gleichen Ausstattung erscheinen, der eine Reihe ausgewählter Probleme aus der empirischen Sozialforschung gibt, wie sie bisher im zweiten Band des Werkes erschienen sind, zu dem eine besondere „Einleitung" einführen wird. Selbst wenn die folgenden Kapitel keinen Anspruch auf Vollständigkeit erheben, so haben sie doch einen Zug gemeinsam, daß sie nämlich jeweils solche Fälle hervorheben, die das Zusammenspiel von Theorie und Forschung besonders eindringlich zeigen und bei denen vorher als selbstverständlich angenommene Theorien durch die Forschung widerlegt und durch neue theoretische Ansätze ersetzt wurden.

René König

Inhaltsübersicht der Bände 1 bis 4

Band 1

Geschichte und Grundprobleme der empirischen Sozialforschung

Band 2

Grundlegende Methoden und Techniken der empirischen Sozialforschung. Erster Teil

Band 3 a

Grundlegende Methoden und Techniken der empirischen Sozialforschung. Zweiter Teil

Band 3b

Grundlegende Methoden und Techniken der empirischen Sozialforschung. Dritter Teil

Band 4

Komplexe Forschungsansätze

Inhalt Band 4

Komplexe Forschungsansätze

Bevölkerungslehre und Demographie

Von Kurt Mayer

I. Das Verhältnis zwischen Demographie und Bevölkerungslehre

Die Demographie beschäftigt sich mit der Ermittlung von

a) Zahl, Merkmalen und Verteilung der Bevölkerung eines bestimmten Gebietes,

b) der Feststellung von Veränderungen in Zahl, Merkmalen und Verteilung in der Zeit und

c) Erklärung der Hauptfaktoren dieser Veränderungen.

Die Erklärung von Bevölkerungsveränderungen stützt sich auf drei Grundvariablen: Fruchtbarkeit, Sterblichkeit und Wanderung; denn jedweder Faktor, der auf Zahl und Verteilung einer Bevölkerung einwirkt, muß über eine oder mehrere dieser Variablen wirksam werden; eine Bevölkerung kann sich auf keine andere Weise ändern. Das statistische Messen von Fruchtbarkeit, Sterblichkeit und Wanderung * bildet das Kernstück formaler oder reiner demographischer Analyse. Die formale Demographie nimmt mit ihrer starken Hervorhebung der Quantifizierung und ihrer beharrlichen Verwendung präziser mathematischer Modelle und verschiedener statistischer Techniken unter den Sozialwissenschaften eine hervorragende Stelle ein.

Doch beschränkt sich das Studium der Bevölkerung nicht auf Messen, Zählen, Sammeln und Analysieren statistischer Angaben. Denn es versteht sich, daß Fruchtbarkeit, Sterblichkeit und Wanderung keine unabhängigen Variablen sind; sie sind in starkem Maße sozial oder biologisch bestimmt. Die Geburten, Sterbefälle und Wanderungen werden von einer großen Menge physischer, biologischer, sozialer und psychischer Faktoren beeinflußt. Umgekehrt haben Bevölkerungsveränderungen weitreichende Wirkungen auf die soziale Ordnung und das Wirtschaftssystem der Gesellschaften, in denen sie sich abspielen. Jede sinnvolle Interpretation der Ursachen und Wirkungen von Bevölkerungsveränderungen muß daher über ein formales statistisches Messen der Komponenten des Wandels hinausgehen und den theoretischen

---

* Das Problem der Wanderung wird in diesem Aufsatz nicht behandelt werden, da es Gegenstand eines speziellen Artikels in diesem Handbuch ist. Siehe *Kurt Horstmann* und Mitarbeiter, Die horizontale Mobilität.

Rahmen mehrerer anderer Wissenschaften zur Unterstützung heranziehen. Diese Analyse der Hauptdetermination und Folgen des Bevölkerungswechsels bildet den Hauptgegenstand der Bevölkerungslehre. Die Demographie befaßt sich also mit den inneren oder formalen Variablen des Bevölkerungssystems, wogegen die Bevölkerungslehre sich die äußeren oder letzten Variablen, die biologischer, ökonomischer oder soziologischer Art sind, zum Gegenstand macht.

Jedes adäquate Verstehen von Bevölkerungsentwicklungen erfordert offensichtlich die strenge Wechselbeziehung zwischen formaler demographischer Analyse mit ihren strengen, aber begrenzten mathematischen Modellen und ihren wohldefinierten statistischen Techniken und der Bevölkerungslehre, die eine ganze Reihe von Disziplinen zur theoretischen Interpretation heranzieht. Trotz ihrer gegenseitigen logischen Abhängigkeit haben sich jedoch formale Demographie und Bevölkerungslehre geschichtlich nicht im gleichen Tempo entwickelt. Der Fortschritt auf dem Gebiete demographischen Messens hing teilweise mit der Entwicklung der mathematischen Statistik und in starkem Maße mit der Bereitstellung grundlegender demographischer Statistiken zusammen, die unter großem öffentlichen Aufwand, oft mehr zu Verwaltungs- als zu wissenschaftlichen Zwecken, zusammengetragen wurden. Auf der anderen Seite war die Entwicklung der Bevölkerungslehre nicht nur durch die Verfügbarkeit demographischer Angaben bedingt, sondern ebenso durch das Wachstum anderer Wissenschaften, von denen einige, wie Soziologie und Psychologie, ziemlich jungen Datums sind. Überdies stellte die Entscheidung darüber, welche Wissenschaft den angemessensten Bezugsrahmen für die Kausalanalyse demographischer Vorgänge abgibt, vor eine heikle Frage, die im Laufe der Zeit verschiedene Antworten erhielt. Als Folge ihres ungleichen Fortschreitens waren die Beziehungen zwischen Demographie und Bevölkerungslehre oft dürftig. Zu manchen Zeiten entwickelte sich die formale Analyse demographischer Variablen auf streng empirischen Pfaden unter geringer Berücksichtigung kausaler Interpretationen. Die Entwicklung der Bevölkerungslehre wurde jedoch durch wechselnde Interessen und eine ausschließliche Beschäftigung mit den jeweiligen wirtschaftlichen, sozialen und politischen Problemen beeinflußt. Ihr Fortschritt war durch einen ständigen Streit gekennzeichnet, der oft eine rein spekulative und deduktive Wendung nahm und sich nur schwach und nur gelegentlich empirischen demographischen Erscheinungen zuwandte. Das Studium von Bevölkerungsvorgängen wurde also durch die zusammenhangslose Weise, in der sich Bevölkerungslehre und Demographie fortentwickelten, gehemmt. Glücklicherweise gibt es einige Anzeichen dafür, daß zu guter Letzt eine Bevölkerungswissenschaft entsteht, in der formale demographische Analyse und kausale Interpretation besser integriert und enger miteinander verwoben sind. Indes können wir die jüngsten Entwicklungen auf diesem komplexen Gebiet ohne einen kurzen Überblick über ihren historischen Ursprung nicht richtig verstehen.

II. Die Entwicklung von Demographie und Bevölkerungslehre

a) Die Anfänge der Demographie: Politische Arithmetik

Historisch gesehen liegen die Anfänge der formalen Demographie um ein volles Jahrhundert vor der Entwicklung einer systematischen Bevölkerungslehre. Freilich haben spekulative Vermutungen über Ursachen und Wirkungen des Bevölkerungswechsels seit dem Altertum die Staatsmänner und Philosophen beschäftigt. Gelegentlich nahm ein isolierter Gelehrter wie *Ibn Khaldun* im 14. Jahrhundert spätere Theorien voraus; aber ein systematisches Theoriegebäude entwickelte sich erst spät im 18. Jahrhundert, als ein lebhafter Streit über nationale Bevölkerungstrends in England und Frankreich entbrannte (*David Glass* 1952; *Joseph J. Spengler* 1942).

Die ersten empirischen Untersuchungen demographischer Daten gehen andererseits auf die Merkantilisten und Kameralisten des 17. Jahrhunderts zurück, die ihre Arbeiten „politische Arithmetik" nannten. 1662 veröffentlichte *John Graunt* seine *Natural and Political Observations ... Made upon the Bills of Mortality.* Diese „bills of mortality" waren Wochenberichte über Beerdigungen und Taufen im Gebiet von London. Bei der Analyse dieser Materialien beobachtete *Graunt* die zahlenmäßige Regelmäßigkeit von Todesfällen und Geburten, berechnete Sterblichkeits- und Fruchtbarkeitsziffern sowie die Sexualproportionen, klassifizierte Todesfälle und Sterbeziffern nach den Ursachen und konstruierte das Schema für eine Londoner Sterbetafel. Sein Werk hatte großen Einfluß auf *Sir William Petty,* der ähnliche Beobachtungen über die Dubliner Sterblichkeitslisten von 1676 und 1683 veröffentlichte, auf den Astronomen *Halley,* der 1693 eine viel eingehendere Sterbetafel auf Grund von Breslauer Angaben über die Sterblichkeit aufstellte, die von *Kaspar Neumann* 1689 bereitgestellt und analysiert wurden, und schließlich auf *Johann Peter Süßmilch,* der 1742 die erste vollständige Abhandlung über Bevölkerung, *Die göttliche Ordnung in den Veränderungen des menschlichen Geschlechts aus der Geburt, dem Tode und der Fortpflanzung desselben erwiesen,* schrieb. Aber, und der Titel von *Süßmilchs* Arbeit macht es deutlich, während die demographischen Messungen dieser Verfasser wissenschaftlich waren, waren es ihre Kausalinterpretationen nicht. Sie deuteten die Einheitlichkeit und Voraussagbarkeit demographischer Erscheinungen als Manifestationen der göttlichen Ordnung menschlichen Geschehens. Dieser naive theologische Lösungsversuch hemmte, wie *Wilhelm Bickel* (1956) darlegt, die Weiterentwicklung der neuen Disziplin: Die Entdeckung vorher unbekannter quantitativer Beziehungen im Lebensablauf wurde als ein Selbstzweck betrachtet; da sie ja den Willen Gottes repräsentierte, war es überflüssig, nach Kausaldeutungen zu suchen.

Mangels einer angemessenen Theorie konnte sich die politische Arithmetik nicht zu einer reifen Wissenschaft entfalten. Ihre empirischen Forschungsmethoden entwickelten sich auf einer ziemlich engen Basis weiter: der Sterblichkeitsanalyse und Formulierung von Lebenserwartungen, die durch das Verlangen der Versicherungsgesellschaften nach genaueren statistischen Werten und durch die zunehmend wissenschaftliche Handhabung der Krankheitskontrolle durch die öffentlichen Gesundheitsbehörden (*Frank Lorimer* 1958) vorangetrieben wurden.

b) Die Ursprünge der Bevölkerungslehre

Systematische Kausaldeutungen der Bevölkerungsvorgänge begannen sich zu entwickeln, als die Aufklärung die christliche Metaphysik ersetzte und theologische Erklärungen demographischer Erscheinungen in einem Zeitalter der Aufklärung nicht länger zufriedenstellend schienen. Statt dessen wurden Bevölkerungsprozesse als durch Naturgesetze bestimmt interpretiert, die auf biologische Faktoren gründen. Bevölkerungsbewegungen wurden erklärt als das Ergebnis fester universaler Beziehungen zwischen der biologischen Natur des Menschen und der psychischen Umwelt. Obgleich nicht der erste Vertreter dieser Lehren, wurde *Malthus' Essay on the Principle of Population*, zuerst 1798 erschienen, zur berühmtesten und einflußreichsten Darstellung der biologischen These. Voraussetzend, daß die Zeugungskräfte des Menschen immer und überall größer sind als die Fähigkeit der Natur, Nahrung zu erzeugen, behauptete *Malthus*, der Mensch könne seine Unterhaltsmittel nur in arithmetischer Progression steigern, wogegen die Bevölkerung dazu neige, in einem geometrischen Verhältnis zu wachsen. Daher hatte die Bevölkerung immer das Bestreben, über die Unterhaltsgrenze hinaus zu wachsen, wurde aber in Grenzen gehalten durch die Einwirkung positiver Hemmnisse wie Hungersnot, Krieg und Krankheit, die die Sterbeziffer in die Höhe treiben, und durch vorbeugende Hemmnisse in Form von Heiratsaufschub und Enthaltung innerhalb der Ehe, die die Geburtenziffer herabdrücken.

Malthus' Abhandlung beschwor einen stürmischen Streit herauf, der die Literatur des ganzen 19. Jahrhunderts prägte und noch heute nicht vollständig verklungen ist. In der Tat teilten viele, wenn auch keineswegs alle, Widersacher von *Malthus* den biologischen Standpunkt. Indem sie seine pessimistischen Schlußfolgerungen heftig angriffen, setzten sie andere biologische Erklärungen ein und behaupteten, die fortschreitende Zivilisierung führe zu einer Verminderung der natürlichen Fruchtbarkeit. Wenn auch die Beweisführung bei den verschiedenen Verfassern wie *Spencer*, *Doubleday* und *Sadler* unterschiedlich war, so akzeptierten sie doch alle die zugrundeliegende Kausalhypothese, nach der die Bevölkerungsentwicklung durch das Verhältnis des Menschen zu seiner physikalischen Umwelt bestimmt ist. Wie später zu zeigen sein wird, ist diese Unterstellung irrig: da menschliche Bevölkerungen ohne kulturelle und soziale Ordnung nicht bestehen können, sind die Hauptursachen der Bevölkerungsentwicklung sozialer und kultureller Art und können nicht allein biologisch oder naturalistisch erklärt werden.

Wiewohl der biologische Ansatz in der Bevölkerungsliteratur des 19. Jahrhunderts vorherrschte, so brachte der Streit um *Malthus* doch auch andere Theorien hervor, die sich mehr an einen soziologischen oder ökonomischen Bezugsrahmen als an einen biologischen anlehnten. Einer der ersten, die das Bestehen allgemeingültiger Bevölkerungsgesetze zurückwiesen, war *Marx*, der behauptete, daß jede historische Produktionsweise ihre eigenen Bevölkerungsgesetze habe, die nur in dieser Periode ihre historische Geltung haben. *Marx* und seine Nachfolger anerkannten die Existenz eines Bevölkerungsdrucks auf die Rohstoffquellen, schrieben aber seine Ursachen den besonderen Merkmalen der kapitalistischen Produktionsweise und nicht den biologischen Anlagen des Menschen zu. Nach *Marx* (1867) zwingt der technologische Fortschritt im Kapitalismus die wetteifernden Kapitalisten, ihre Mittel in wachsendem Maße in Kapitalgütern zu investieren und ihre Fabriken zu mechanisieren. Dies führt zu fortwährender Freisetzung eines Teiles der Arbeiterschaft, der seinerseits zu einer Überschußbevölkerung wird und eine „industrielle Reservearmee" bildet. Dies vollzieht sich unabhängig von der jeweiligen Wachstumsrate der Bevölkerung, die *Marx* einfach als gegeben hinnahm, als eine notwendige Folge der Kapitalakkumulation. Sie ist auch eine notwendige Voraussetzung für Bestand und Fortführung der kapitalistischen Wirtschaftsordnung; denn diese Produktionsweise verläßt sich auf eine jederzeit ausbeutbare Reserve von Arbeitslosen, die die Unternehmer in die Lage versetzt, schnell und in rentabler Weise auf veränderte Marktbedingungen zu reagieren. Gleichzeitig hält die ständige Drohung der Arbeitslosigkeit die Löhne auf einem Minimum und saugt die Arbeiterklasse aus. Es ist darum zutreffend, was *Malthus* sagte, daß nämlich Laster und Elend die Fortpflanzungsfähigkeit der Arbeiterklasse einschränken; die Ursachen aber sind ökonomische, nicht biologische. Solange das kapitalistische System fortbesteht, ist keine Verbesserung möglich; die Übervölkerung wird nur verschwinden, wenn das Privateigentum an den Produktionsmitteln abgeschafft und durch eine Kollektivwirtschaft verdrängt wird. Leider hatte *Marx* explizit wenig zu der Art und Weise zu sagen, wie die Bevölkerung später wachsen werde, auch analysierte er nicht die Faktoren, die die Bevölkerungsentwicklung in primitiven oder Feudalgesellschaften lenken. Aber das Verdienst von *Marx* liegt eben darin, erstens die Vorstellung von einem allgemein gültigen Bevölkerungsgesetz bestritten und zweitens die Kausalbetrachtung auf soziale und ökonomische statt auf biologische Faktoren verlegt zu haben.

c) Die Entwicklung der Bevölkerungsstatistik:

Quellen des Grundlagenmaterials

Merkwürdigerweise hat die Fülle von Schriften, die in der Auseinandersetzung um *Malthus* entstand, einen relativ geringen unmittelbaren Einfluß auf die Entwicklung der eigentlichen Demographie ausgeübt. Wohl hat *Malthus* selbst, der bei der Veröffentlichung der ersten Auflage seines *Essays* im Jahr 1798 mit demographischer Forschung noch wenig vertraut war, in der Folgezeit nichts unversucht gelassen, um empirische Angaben zur Stützung seiner Beweisführung heranzuziehen. Die späteren Auflagen des *Essays* enthalten eine Fülle konkreter Angaben. Nichtsdestoweniger enthält die Masse der vielen Bücher, Streitschriften und Artikel über die „Bevölkerungsfrage“, die um die Mitte des 19. Jahrhunderts erschienen, nur schwache und gelegentliche Hinweise auf irgendwelche empirischen demographischen Angaben. Dies gilt auch für *Marxens* scharfen Angriff gegen *Malthus*. Nur einige wenige Forscher, die sich an der theoretischen Diskussion beteiligten, führten ernsthafte empirische Untersuchungen durch, so vor allem *Sadler*, der anscheinend als erster Verhältniszahlen zwischen Kindern und Frauen im gebärfähigen Alter auf Grund von Zensusangaben errechnete und sie für einen Fruchtbarkeitsindex verwendete (*Frank Lorimer* 1958).

Das heißt natürlich nicht, daß die eigentliche Demographie während dieser Periode überhaupt keinen Fortschritt gemacht hätte. In der Tat wurden während des 19. Jahrhunderts auf dem Gebiet der Entwicklung der Volkszählungen und Bevölkerungsregistrierung beträchtliche Fortschritte erzielt. Aber die Entwicklung der grundlegenden Quellen für demographische Angaben wurde nur sehr indirekt durch den Streit um die Bevölkerungsfrage angeregt. Die Demographie wurde vielmehr in erster Linie vorangetrieben durch die Verwaltungsanforderungen der Regierungen, die in wachsendem Maße gründliche Informationen zur Erfüllung ihrer rasch zunehmenden Funktionen benötigten. Die erste zuverlässige periodische Volkszählung, die bis heute fortgeführt wird, wurde in Schweden im Jahre 1749, in den Vereinigten Staaten im Jahre 1790 und in England und Frankreich im Jahre 1801 eingeführt. Danach wurde die Praxis regelmäßiger Volkszählungen von einer ständig wachsenden Zahl von Nationen übernommen. Zur gleichen Zeit dehnte sich der Bereich der Zählungen aus, und die Zählungen selbst wurden ständig verbessert. Aber selbst heute gibt es weite unterentwickelte Gebiete, wo noch nie zuverlässige Zählungen vorgenommen wurden und wo wir noch immer auf sehr grobe Schätzungen angewiesen sind. Diese Gebiete enthalten etwa 40 Prozent der Weltbevölkerung.

Systematische Aufzeichnungen der Geburten, Todesfälle und Eheschließungen lassen sich bis ins 15. und 16. Jahrhundert zurückverfolgen, wo die Kleriker in den meisten europäischen Ländern angehalten waren, über alle Eheschließungen, Taufen und Begräbnisse, zu denen sie amtierten, Register zu führen. In England und Irland wurden die kirchlichen Aufzeichnungen durch unabhängig davon zusammengestellte und veröffentlichte „Sterblichkeitslisten" ergänzt. Wie schon vorher erwähnt, bildeten diese Listen die grundlegenden Quellen für die „politische Arithmetik" des 17. und frühen 18. Jahrhunderts.

Die Kirchenregister legten den Grundstein zu der folgenden Entwicklung der Statistiken der Bevölkerungsbewegung auf gesamtnationaler Ebene, eine Umgestaltung, die allerdings beträchtliche Zeit in Anspruch nahm. Sie wurde zuerst in Schweden ausgeführt, wo die ununterbrochene Fortschreibung der Bevölkerungsbewegung auf gesamtgesellschaftlicher Ebene seit 1749 besteht. Dies ermöglichte dem Astronomen *Per Wargentin* die Veröffentlichung der ersten Reihe alters- und geschlechtsspezifischer Sterbeziffern für das gesamte Land im Jahre 1766, ein Meilenstein für den Fortschritt der demographischen Statistik (*Frank Lorimer* 1958). In England und Wales wurde ein staatliches System der Bevölkerungsbewegungs-Statistik im Jahre 1837 eingeführt; andere europäische Länder schlossen sich etwas später im 19. Jahrhundert an. Im allgemeinen lief die Entwicklung der Statistik der Bevölkerungsbewegung parallel mit der Entwicklung der Volkszählungen, allerdings mit Ausnahme der Vereinigten Staaten, wo zwischen der Einführung einer periodischen Volkszählung und der Einrichtung eines Fortschreibungssystems auf Bundesebene mehr als ein Jahrhundert verstrich.

III. Bevölkerungslehre und Demographie nach 1870

Beginnend mit den siebziger Jahren, leitete ein Zusammenspiel von Ereignissen und wissenschaftlichen Entwicklungen eine neue Ära des Fortschritts sowohl für die Bevölkerungslehre wie für die eigentliche Demographie ein. Erstens verbesserte ein rasches Anwachsen der wirtschaftlichen Produktion in den verarbeitenden und Grundstoffindustrien die Verhältnisse in den westlichen Ländern erheblich. Im Westen verloren darum die *Malthus*schen positiven Hemmnisse ihre Bedeutung, und die früher ausschließliche Beschäftigung der Theoretiker mit dem Verhältnis zwischen Bevölkerung und Unterhaltsmitteln erschien nicht länger relevant. Zweitens begann in einigen der wirtschaftlich fortgeschrittensten Länder die Geburtenziffer in den siebziger Jahren zu sinken; in anderen Ländern begann ein jäher Fall um die Jahrhundertwende. Dies war verursacht durch die zunehmende Verbreitung der Geburtenbeschränkung in der Ehe, ein Faktor, den weder *Malthus* noch *Marx* in Betracht gezogen hatten. Drittens stellten die große Verbesserung und Ausdehnung der Zensus- und Registrierungsstatistiken eine gewaltige Menge nützlicher und relativ genauer Angaben zur Verfügung, die jetzt weitere Verfeinerungen der Methode zur Analyse demographischer Statistiken ermöglichten. Die Methoden zur Messung und formalen Analyse der Sterblichkeit, die sich ununterbrochen seit dem 18. Jahrhundert erhalten hatten, konnten jetzt, wo das Sinken der Geburtenziffer das Interesse an diesem Gegenstand steigerte, auch auf die Fruchtbarkeitsmessung angewendet werden. Nettoreproduktionsziffern wurden erstmals in den achtziger Jahren errechnet, während Bruttoreproduktionsziffern einige 20 Jahre später zur Anwendung kamen (*Richard Boeckh* 1884; *Robert R. Kuczynski* 1907). Der Gebrauch dieser neuen Maße gab den Demographen die Möglichkeit zu der Feststellung, daß trotz fortdauerndem und allseits verbreitetem Überhang der Geburten über die Todesfälle die unbereinigten (rohen) natürlichen Wachstumsraten durch die bestehende Altersverteilung der Bevölkerung künstlich in die Höhe getrieben wurden. Die steigenden Bevölkerungszahlen verdeckten also in einigen Staaten und bestimmten sozialen Gruppen Fruchtbarkeitsrückgänge und Reduzierungen der Familiengröße bis zu einem Punkt unterhalb des langfristigen Niveaus der Bevölkerungserneuerung.

a) Soziale und kulturelle Theorien sinkender Fruchtbarkeit

Der Einfluß der Geschehnisse und Entdeckungen, die die *Malthus*ianischen Befürchtungen für den Westen grundlos machten, veranlaßten jedenfalls viele zeitgenössische Bevölkerungstheoretiker, ihre Aufmerksamkeit auf das Sinken der Geburtenziffern zu richten. Die Ursachen dieses Absinkens wurden zum Gegenstand einer Reihe von Vermutungen und Kontroversen, während seine Wirkungen mit großem Alarm betrachtet wurden. Das Interesse richtete sich besonders auf das Phänomen der differentiellen Fruchtbarkeit. Fruchtbarkeitsunterschiede nach sozialen Klassen bestanden in der westlichen Welt schon lange; sie wurden in der Tat schon von mehreren Schriftstellern der Antike beobachtet und erläutert. Aber diese Unterschiede waren zunächst relativ gering und ziemlich stabil. Das Einsetzen des Geburtenrückgangs vergrößerte jedoch die bestehenden Gruppenunterschiede beträchtlich. Wenn auch alle beruflichen und wirtschaftlichen Gruppen schließlich von dem allgemeinen Absinken der Fruchtbarkeit betroffen wurden, so waren die Gruppen mit dem höchsten sozio-ökonomischen Status doch eindeutig führend bei dem Rückgang. Zahlreiche von 1890 an in vielen Ländern unternommene statistische Untersuchungen kamen im wesentlichen zu ähnlichen Ergebnissen: einem fast allgemein gültigen umgekehrten Verhältnis zwischen sozialem Status und Fruchtbarkeit; je günstiger die sozialen und wirtschaftlichen Umstände einer Gruppe oder Klasse, desto geringer ihre Fruchtbarkeit. Wie *Dennis Wrong* (1958) nachweist, war während der fünfundzwanzig Jahre vor dem ersten Weltkrieg die negative Korrelation zwischen Fruchtbarkeit und sozial-ökonomischem Status in den westlichen Ländern wahrscheinlich ausgeprägter als jemals vorher oder nachher.

Der größte Teil derjenigen Theorien, die eine kausale Erklärung des allgemeinen Absinkens der Geburtenziffer und der wachsenden Unterschiede in der Fruchtbarkeit zu geben versuchten, lieferten eine Art soziologischer Interpretation, obgleich ihre Vertreter ihres Zeichens oft mehr Volkswirtschaftler als Soziologen oder Demographen waren. Zu den hervorragendsten Erklärungen gehörte eine Zeitlang die Wohlstandstheorie, die viel Aufsehen erregte, zunächst in Frankreich, dem klassischen Lande sinkender Fruchtbarkeit, und später auch in Deutschland. Im späten 19. Jahrhundert stellten französische Gelehrte wie *Leroy-Beaulieu, Bertillon, Levasseur* und andere die These auf, daß der Wunsch nach hohem Lebensstandard oder Wohlstand die Ehepartner dazu veranlasse, ihren Nachwuchs einzuschränken; je größer der Wohlstand der Familie, desto geringer ihre Größe. Die extremste Formulierung dieser Theorie erschien nach der Jahrhundertwende in den Schriften der deutschen Volkswirtschaftler *Paul Mombert* und *Lujo Brentano. Brentano* z. B. gab eine rein hedonistische Erklärung für die unterschiedliche Fruchtbarkeit: der Mensch ist von Natur ein Genießer, aber die verfügbaren Genußmittel hängen weitgehend von seiner wirtschaftlichen Lage ab. Da die Auswahl an Vergnügungen, die den Armen zugänglich sind, gering ist, finden sie die stärkste Kompensation für die vielen Entbehrungen des Lebens in sexueller Befriedigung, und darum sind ihre Familien groß. Den wohlhabenderen Klassen hingegen stehen viele anderweitige Befriedigungen außer Hause zur Verfügung, aber all diese Vergnügen sind kostspielig. Sie stehen somit vor einer Alternative: Falls sie der vielen konkurrierenden Vergnügen teilhaftig werden wollen, müssen sie ihre Familiengröße beschränken (*Lujo Brentano* 1909).

Eine verfeinerte Abwandlung der Wohlstandstheorie gegenüber diesem groben Versuch, die unterschiedliche Fruchtbarkeit einfach durch ein Grenznutzenschema zu erklären, entstand ebenfalls in Frankreich. So wies *Arsène Dumont* (1890) darauf hin, daß keine direkte Kausalbeziehung zwischen sinkender Fruchtbarkeit und wachsendem Wohlstand besteht, sondern daß beide als Resultate einer zugrundeliegenden gemeinsamen Ursache zu sehen seien: das Bestreben der Individuen, in der Prestige-Hierarchie der Gesellschaft aufzusteigen. *Dumont* verglich den Trieb des Einzelnen nach sozialer Anerkennung mit der Kapillarität von Flüssigkeiten: wo immer eine soziale Hierarchie besteht, ist der Einzelne bestrebt, sich nach oben zu bewegen. Aber wenn das Prinzip sozialer Kapillarität auch allgemeingültig ist, so wirkt es doch nicht überall mit der gleichen Kraft. Es ist weniger wirksam in Gesellschaften mit strengen Schichtungssystemen, wo kastenmäßige oder gesetzlich verankerte Statusschranken die soziale Mobilität der Einzelnen hemmen. Andererseits ist die soziale Kapillarität am wirksamsten in offenen Klassengesellschaften, wo die Hindernisse der Bewegung von einer Klasse zur anderen ziemlich gering sind. Hier besteht eine Tendenz, daß der wichtigste Weg der sozialen Mobilität über den Erwerb von Wohlstandsgütern führt. Dabei sind Kinder zugleich eine Last, die den Kampf des Einzelnen um sein Vorwärtskommen nur verzögern oder gar verhindern. Deshalb, so schließt *Dumont*, ändert sich der Wohlstand proportional, die

Fruchtbarkeit jedoch umgekehrt proportional zur sozialen Kapillarität.

Wenn auch *Dumonts* Begriff der sozialen Kapillarität zu mechanistisch und seine Theorie zu allgemein gehalten ist, so ist doch seine These, daß sozialer Aufstieg negativ mit der Familiengröße korreliert, im Grunde recht plausibel. Sie wurde durch mehrere neuere Untersuchungen in Frankreich (*Marcel Bresard* 1950), England (*Jerzy Berent* 1952) und den Vereinigten Staaten (*Digby E. Baltzell* 1953) bestätigt. Trotz beträchtlicher Unterschiede in der Anlage und den näheren Ergebnissen zeigen doch alle diese Untersuchungen, daß Personen, die die Klassenleiter hinaufgestiegen sind, im Durchschnitt die kleinsten Familien haben, jene, die abgestiegen sind, hingegen die größten Familien, und Familien, die sich überhaupt nicht bewegt haben, sind von mittlerer Größe. Nach *Charles F. Westoffs* (1953) Auffassung behandelt keine dieser Forschungen unmittelbar die subjektiven Aspekte sozialer Mobilität, d. h. die sozial-wirtschaftlichen Ambitionen oder die Antizipation des Aufstiegs, die vermutlich die Entscheidungen über die Familiengröße bestimmen. Diese Motivation kann nur indirekt abgeleitet werden, in jedem Falle aber zeigt die statistische Analyse der tatsächlichen Mobilität unmißverständlich die Verbindung zwischen sozialem Aufstieg und geringer Fruchtbarkeit.

Zusammen mit sozialer Mobilität und wachsendem Wohlstand wurde auch die Verstädterung oft als ein wesentlicher Faktor für die Einstellung des Einzelnen zur Elternschaft betrachtet. Der Geburtenrückgang wurde in allen westeuropäischen Ländern eingeleitet und begleitet von einer mächtigen Bevölkerungsverschiebung vom Lande zur Stadt. *Leroy-Beaulieu, Dumont* und viele andere stellten daher die These auf, daß die rasche Zunahme des in Städten lebenden Teiles der Bevölkerung mit der sinkenden Fruchtbarkeit ursächlich im Zusammenhang stehe. Es war schon lange bekannt, daß die Stadtbevölkerung allgemein weniger fruchtbar ist als die Landbevölkerung. Die Unterschiede in der Fruchtbarkeit zwischen Stadt und Land bestanden in vielen Ländern lange vor Beginn des Absinkens der Geburtenziffer. In einigen Ländern können derartige Unterschiede bis zum 17. und 18. Jahrhundert zurückverfolgt werden (*United Nations* 1953). Wie im Falle der Klassenunterschiede, vergrößerte das allgemeine Sinken der Geburtenziffer die bestehenden Fruchtbarkeitsunterschiede zwischen Stadt und Land, da die Fruchtbarkeit in den städtischen Gebieten zunächst schneller sank.

Viele Forscher, die sich mit verschiedenen Aspekten des Stadtlebens beschäftigten, von denen sie glaubten, daß sie die Familienbeschränkung begünstigten, äußerten sich hierzu: Erstens ist die

Aufzucht der Kinder in der Stadt kostspieliger. Zweitens ist das Familienleben in der Stadt weniger fest gefügt und spielt eine geringere Rolle. Der Erwachsene in der Stadt ist leicht in weitem Umfang in außerhäuslichen Interessen und Tätigkeiten verwickelt, die ihn von zu Hause wegziehen; eine große Familie würde diesen vielseitigen städtischen Inanspruchnahmen im Wege stehen. Drittens sind, wie *Dumont* in seiner Erörterung über soziale Kapillarität herausstellte, die Gelegenheiten zur Befriedigung von Statusansprüchen in den Städten reichlich vorhanden. Diejenigen aber, die diese Gelegenheiten nutzen möchten, empfinden Kinder bei ihrem Bemühen vorwärtszukommen als eine Belastung.

Einige Autoren sahen in der städtischen Umwelt eine wesentliche Bedingung für die abnehmende Familiengröße und interpretierten die andernorts abnehmende Fruchtbarkeit als Folge der Ausbreitung bestimmter Seiten städtischen Lebens und städtischer Mentalität von den Städten her (*Oswald Spengler* 1918/22). Sie vertraten den Standpunkt, daß es mehr die „städtische Mentalität" ist als Wohnsitz innerhalb der Stadt, die für die abnehmende Familiengröße verantwortlich ist (*Maurice Halbwachs* 1946; *Philippe Ariès* 1948). Andere Beobachter jedoch schrieben das Sinken der Fruchtbarkeit einem ganzen Komplex zu, in dem die Verstädterung lediglich ein Faktor neben anderen Entwicklungen ist, wie zunehmende Demokratisierung des politischen Lebens, abnehmendes religiöses Interesse und die veränderte Stellung der Frau in der modernen Gesellschaft (*United Nations* 1953).

Im Laufe der Zeit wurde es immer klarer, daß das Sinken der Fruchtbarkeit sich nicht nur auf die oberen Klassen und die städtische Bevölkerung beschränkte. Mit dem zweiten und dritten Jahrzehnt dieses Jahrhunderts war die Geburtenbeschränkung in den Arbeiterklassen und unter der bäuerlichen Bevölkerung vieler westlicher Länder weit verbreitet. Damit schien erwiesen, daß die Theorien, die den Geburtenrückgang ausschließlich oder vorwiegend solchen Faktoren wie städtischem Wohnsitz, wachsendem Wohlstand, Wettbewerb um sozialen Aufstieg usw. zuschrieben, keine ausreichende Erklärung eines Phänomens zu geben vermochte, das sehr verschiedene Bevölkerungsgruppen betraf. Eine brauchbare Theorie mußte nicht nur die geringe Fruchtbarkeit der Oberklassen erklären, sondern auch den gegenwärtigen Fruchtbarkeitsrückgang im Proletariat und bei den Landwirten.

Einige Autoren entwickelten daraufhin Theorien, die die Ursache des allgemeinen Fruchtbarkeitsrückganges auf die Verbreitung einer rationalistischen Gesinnung zurückführten. So behauptete zum Beispiel *Roderich von Ungern-Sternberg* (1931), daß der Fruchtbarkeitsrückgang gänzlich geistigen Ursprungs sei. Er betrachtete den Typ des Denkens, der die Familienbegrenzung fördert, als ein spezifisches Produkt des Kapitalismus. Er wohnt dem Geist des Kapitalismus inne, der dem städtischen Bürgertum entsprang, aber schließlich alle Gesellschaftsklassen durchdrang. Das Proletariat ahmt jetzt das Verhalten der Oberklassen nach und übernimmt deren rationalistische Lebenseinstellung sowie ein entsprechendes rationalistisches Verhaltensmuster der Fortpflanzung (a. a. O. S. 131). *Paul Mombert,* der 20 Jahre vorher eine Theorie des wachsenden Wohlstands aufgestellt hatte, verlagerte jetzt den Akzent und vertrat einen ökonomischen Rationalismus (1929, S. 314—316). *Joseph A. Schumpeter* verglich die Einstellung der modernen Ehepartner zum Familienleben mit einem Kostenrechnungssystem (1947, S. 157). Nach *Rudolf Heberle* (1941) treten solche rationalistischen Einstellungen zur Frage der Fortpflanzung erst auf einer späteren Stufe des Kapitalismus auf und sind begleitet von der Entwicklung von Trusten, Kartellen, Protektionismus und Gewerkschaften. Andere Autoren haben jedoch gewarnt vor einer Übertreibung des Zusammenhangs zwischen Kapitalismus und den Motiven, die das Fortpflanzungsverhalten moderner Ehepartner bestimmen, und einige haben sogar die Anrufung jedes nichtquantifizierbaren „Geistes" zur Erklärung historischer Wandlungen im Fortpflanzungsverhalten als einen deus ex machina in Bausch und Bogen verworfen (*Sidney H. Coontz* 1957; *Gerhard Mackenroth* 1953, S. 320/21).

Trotz beträchtlicher Unterschiede in der Lagerung der Schwerpunkte stimmen die bisher besprochenen Theorien allgemein darin überein, daß die Erklärung des Fruchtbarkeitsrückganges in einem Zusammenspiel verschiedener sozialer und ökonomischer Faktoren und in ihren Wirkungen auf die Einstellungen der einzelnen Partner zu suchen ist. Was den Kausalzusammenhang zwischen sozialen Faktoren und individuellen Einstellungen angeht, so konnten die meisten Theorien nicht mehr als plausibel erscheinende Schlußfolgerungen anbieten. Freilich mangelte es nicht an empirischen Untersuchungen, die die statistischen Beziehungen zwischen Fruchtbarkeit und sozialökonomischen Faktoren entdeckten und bestätigten. Gewöhnlich waren die Angaben dieser Untersuchungen jedoch primäre Bevölkerungsstatistiken vom Zensustyp. Das heißt, diese Angaben wurden zu anderen Zwecken gesammelt, und die Theorien zur Erklärung der entdeckten statistischen Beziehungen wurden ex post facto aufgestellt.

Anfang der dreißiger Jahre wurde jedoch eine Reihe von Untersuchungen durchgeführt, die sich besonders zur Aufgabe machten, die Rolle der Empfängnisverhütung bei der Entstehung klassenspezifischer Fruchtbarkeitsunterschiede zu erforschen (*Raymond Pearl* 1939; *Regine Stix* und *Frank W. Notestein* 1940; *Gilbert W. Beebe* 1942). Diese Untersuchungen lieferten gute Belege dafür, daß klassenmäßige Fruchtbarkeitsunterschiede fast ausschließlich auf Unterschiede in der Verbreitung und Wirksamkeit empfängnisverhütender Praktiken zurückführbar sind. Allerdings fußten die Untersuchungen auf ziemlich einseitig ausgewählten Bevölkerungsgruppen wie Patienten von Beratungsanstalten für Empfängnisverhütung und Entbindungsheimen. Überdies untersuchten sie nicht die Ursachen der unterschiedlichen Anwendung empfängnisverhütender Methoden. Offenbar ist die Empfängnisverhütung das direkteste Mittel zur Familienbeschränkung; Ursachen jedoch sind die Faktoren, die zur Ausübung ermutigen bzw. davon abhalten. Kurz gesagt, wenn auch viele plausible Hypothesen von den empirischen Angaben angeregt oder abgeleitet wurden, so waren doch die Methoden der Datensammlung nicht zu dem Zwecke ersonnen worden, Kausaltheorien zu überprüfen.

Im Jahre 1938 wurde in den Vereinigten Staaten ein Ausschuß von Demographen, Soziologen und Psychologen eingesetzt mit dem besonderen Zweck, eine Feldarbeit über die sozialen und psychischen Faktoren vorzunehmen, die dem Fortpflanzungsverhalten zugrundeliegen. Diese Forschungsarbeit, allgemein bekannt als *Indianapolis Study* (*Pascal K. Whelpton* und *Clyde Kiser* 1946 ff.), war die erste größere empirische Untersuchung zur Überprüfung von Kausalhypothesen durch eine direkte Erforschung der Motivationen und Einstellungen Verheirateter in bezug auf Planung sowie tatsächliches Gebären von Kindern und der Faktoren, die die Unterschiede in der Fruchtbarkeit bewirken.

Aus verschiedenen Gründen entschied sich der Ausschuß für eine Beschränkung der Untersuchung auf einheimische Weiße, protestantische Stadtbewohner, die in Indianapolis ansässig und 12 bis 15 Jahre verheiratet waren. Vor Befragung der Ehegatten wurden 23 Hypothesen aufgestellt, die sich um solche Variablen drehen wie: Gefühl wirtschaftlicher Sicherheit, Unterschied zwischen tatsächlichem und erwünschtem Lebensstandard, Interesse und Gefallen an Kindern, das Gefühl, daß Kinder auf die persönliche Freiheit störend wirken, Traditionsgebundenheit, religiöses Interesse, Gefühl der Zufriedenheit mit sich selbst, eheliche Anpassung und anderes. Viele der Hypothesen wurden von verschiedenen oben erwähnten Theorien über die Ursachen des Fruchtbarkeitsrückganges abgeleitet, waren aber leider nicht durch ein integrierendes Theoriegebäude oder ein organisatorisches Prinzip aufeinander abgestimmt. Alsdann wurde ein repräsentatives Sample von 1444 zeugungsfähigen Ehepartnern aufgestellt und mit jeder Frau drei

Interviews und jedem Manne ein Interview durchgeführt. Die Feldarbeit fand 1941 statt, aber der zweite Weltkrieg verzögerte die Analyse des Materials und die Veröffentlichung der Ergebnisse. Die *Indianapolis Study* brachte viele aufschlußreiche Ergebnisse, von denen hier nur einige wenige der bedeutenderen zusammenfassend dargestellt werden können.

Die Untersuchung bestätigte eindeutig sowohl die Bedeutung der Empfängnisverhütung für den allgemeinen Rückgang in der Fruchtbarkeit wie auch die Schlüsselstellung des sozial-ökonomischen Status hinsichtlich der Wirksamkeit der empfängnisverhütenden Methoden. Irgendeine Form der Empfängnisverhütung wurde praktisch von jedem Ehepaar des Samples ausgeübt, aber trotzdem kam etwas mehr als die Hälfte der Geburten während der Ausübung der Geburtenkontrolle zustande. Wie erwartet, veränderte sich die Wirksamkeit der empfängnisverhütenden Methoden unmittelbar mit dem sozialökonomischen Status: je höher Einkommen, beruflicher Status, Bildung und dergleichen, desto größer der Anteil der Ehepaare, die die Empfängnisverhütung wirksam übten. Ebenfalls verbunden mit erfolgreicher Kinderplanung, jedoch in weit geringerem Maße, waren gute eheliche Anpassung, starkes Gefühl der Zufriedenheit mit sich selbst, geringes religiöses Interesse, geringe Traditionsgebundenheit und die allgemeine Tendenz zu rationalem Planen.

Von besonderer Bedeutung war jedoch die Entdeckung, daß unter den Ehepartnern, die die Geburtenbeschränkung mit Erfolg ausübten und daher keine ungeplanten Schwangerschaften hatten, eine positive Beziehung zwischen Fruchtbarkeit und sozialökonomischem Status bestand: je höher Einkommen, berufliche Stellung und Bildung, desto größer die geplante Familie. Wie später noch ausführlich zu zeigen sein wird, deutet dieses Ergebnis auf eine neuerliche Vergrößerung der Familie in den oberen Klassen hin, und im Zusammenhang damit auf eine deutliche Verringerung der klassenspezifischen Fruchtbarkeitsunterschiede. Noch ein weiterer Faktor war ebenfalls stark mit der geplanten Familiengröße verbunden: das Gefühl wirtschaftlicher Sicherheit. Familien, die sich wirtschaftlich sicher fühlten, hatten größere geplante Familien, eine Beziehung, die teilweise vom sozialökonomischen Status unabhängig war. Die Beziehung anderer Variablen zur geplanten Familiengröße war jedoch bei konstant gehaltenem sozialökonomischem Status entweder schwach oder stark vermindert.

Die *Indianapolis Study* war ein bahnbrechender Versuch, über die Sammlung primärer Bevölkerungsstatistiken hinauszugehen und einige der komplexen Kausalfaktoren zu untersuchen, die dem Fortpflanzungsverhalten zugrundeliegen. Die Studie war indes in ihrem Versuch, die diesen Verhältnissen zugrundeliegenden sozialen und psychischen Variablen herauszuarbeiten, weniger erfolgreich. Auf Grund einer Reihe von Schwächen in der begrifflichen Konzeption, Begrenzungen im Sample und Unzulänglichkeiten der Angaben wurden die meisten der 23 Hypothesen weder gebührend bestätigt noch entscheidend widerlegt. Die *Indianapolis Study* fügt den verschiedenen Theorien, die den allgemeinen Fruchtbarkeitsrückgang zu erklären versuchten, also relativ wenig hinzu. Das gleiche gilt von einer anderen größeren Arbeit über die Familienbegrenzung. Sie wurde 1946 in Großbritannien im Namen der *„Royal Commission on Population"* durchgeführt (*E. Lewis-Faning* 1949). Diese Untersuchung ist auf Interviews mit 10 297 weiblichen Patienten allgemeiner Krankenhäuser aufgebaut, die über das ganze Land verteilt sind. Die Ergebnisse erweisen deutlich die ständig wachsende Anwendung der Geburtenbeschränkung in Großbritannien seit Beginn des Jahrhunderts. Auch sie zeigen das geläufige umgekehrte Verhältnis zwischen Ausübung der Geburtenkontrolle und sozialer Klasse, geben aber auch zu der Vermutung Anlaß, daß mit der Verbreitung des Wissens um die Empfängnisverhütung und ihrer Ausübung in allen Klassen die Unterschiede geringer werden. Wenn auch die Ergebnisse dieser Untersuchung unser tatsächliches Wissen um die Ausübung der Geburtenkontrolle stark erweitern und für internationale Vergleiche besonders wertvoll sind, so war die Arbeit doch rein empirisch und fügte den bestehenden Theorien über die Verminderung der Fruchtbarkeit nichts Neues hinzu.

Die meisten dieser Theorien leiden an derselben wichtigen Einschränkung: sie sind alle ad-hoc-Theorien, die sich nur mit einem ganz bestimmten historischen Phänomen befassen, der Verminderung der Geburtenziffer und der Familiengröße in der westlichen Welt während des 19. und 20. Jahrhunderts. Räumlich und zeitlich begrenzt, genügen diese Theorien nicht den besonderen Anforderungen einer umfassenden Theorie der Bevölkerungsveränderung, die Kausalerklärungen auch der Bevölkerungsvorgänge anderer Gesellschaften und verschiedener historischer Epochen zu geben in der Lage sein muß. Obgleich bisher nur geringe Fortschritte in der Ausarbeitung einer wahrhaft umfassenden soziologischen Theorie der Bevölkerungsveränderung gemacht wurden, hat es nicht an Versuchen gefehlt, allgemeingültige Gesetze des Bevölkerungswachstums außerhalb des soziologischen Bezugsrahmens zu finden. Während soziologisch orientierte Theoretiker ihre Aufmerksamkeit hauptsächlich auf das Phänomen allseitig abnehmender

Fruchtbarkeit und der Fruchtbarkeitsunterschiede richteten, entwickelten Biologen und Volkswirtschaftler einige anspruchsvolle Theorien von beträchtlich größerer Reichweite. Zur gleichen Zeit wurde auch ein beachtlicher Fortschritt in der Entwicklung und weiteren Verfeinerung formaler demographischer Modelle erzielt.

b) Biologische Theorien des Bevölkerungswechsels

Die Suche nach biologischen Gesetzen des Bevölkerungswachstums, die den frühen *Malthus*ianischen Streit beherrschte, erfuhr in diesem Jahrhundert eine kräftige, wenn auch kurze Wiederbelebung. In den zwanziger Jahren wirbelte der amerikanische Biometriker *Raymond Pearl* durch die Neuaufstellung der Hypothese vom biologischen Determinismus und durch die Aufstellung einer mathematischen Formel für das Bevölkerungswachstum beträchtlichen Staub auf. Wie andere biologische Theoretiker vertrat *Pearl* die Ansicht, daß das Gesetz des menschlichen Bevölkerungswachstums im Grunde dasselbe sei wie dasjenige, welches das Wachstum von Pflanzen und Tieren bestimmt. Die biologische Forschung zeigt, daß alle lebenden Organismen ein rhythmisches Wachstumsmuster entfalten: die Körpergröße nimmt in zyklischer Weise zu, und zwar anfangs rasch, dann langsamer werdend, bis der Organismus schließlich stirbt.

Mit Hilfe dieser Analogie kommt *Pearl* (1924, 1925) zu der Feststellung, daß das Wachstum von Kollektiven wie etwa ganzen Bevölkerungen dem von Einzelorganismen ähnele: es verlaufe in genau denselben Zyklen, die für alle lebende Materie gelten. Da Bevölkerungen immer in einem begrenzten Raume wachsen, müssen sie eine obere Grenze haben. Im Falle menschlicher Bevölkerungen können jedoch mehrere aufeinanderfolgende Wachstumszyklen im gleichen Gebiet auftreten. Sie spiegeln dann Wandlungen in der Wirtschaftsorganisation der betreffenden Gesellschaft wider. So schafft z. B. der Übergang von einer Agrar- zu einer Industriegesellschaft die Möglichkeit eines zusätzlichen Bevölkerungswachstums in einem neuen Zyklus. In den Frühstadien eines jeden Wachstumszyklus wächst die Bevölkerung bis zum mittleren Punkt hin in einer beschleunigten Rate, danach nimmt die Wachstumsrate wieder ab. Graphisch dargestellt, bilden diese Zyklen eine langgezogene S-Kurve, die vor dem mittleren Punkte konkav, dahinter konvex ist.

In der mathematischen Terminologie ist dieses Wachstum als logistische Kurve bekannt, die zuerst von *Pierre F. Verhulst* (1838) entdeckt worden war, der die Gleichung auf Ersuchen von *Adolphe Quételet*, dem Vater der modernen Statistik, aufgestellt hatte.

Verhulst benutzte die Formel zur Vorausschätzung der künftigen Bevölkerung Belgiens, wobei er als Maximum 9,4 Millionen angab. Bis zur Wiederentdeckung der logistischen Kurve im Jahre 1920 durch *Pearl* und *Lowell J. Reed* war *Verhulsts* Arbeit fast völlig der Vergessenheit anheimgefallen. Vergleiche der berechneten Kurvenwerte mit den Angaben der Volkszählungen mehrerer Länder erbrachten eine beachtliche Übereinstimmung; daraus schloß *Pearl,* daß die Bevölkerungsentwicklung der Zukunft mit einiger Zuverlässigkeit vorausgesagt werden könne.

Pearl war jedoch mit dem rein empirischen Charakter der logistischen Formel nicht zufrieden und versuchte, den dahinterliegenden Kausalmechanismus zu erklären: der Grund für das logistische Wachstum einer Bevölkerung in einem abgegrenzten Gebiet liegt darin, daß die Fruchtbarkeit mit der Bevölkerungsdichte negativ korreliert. *Pearl* hielt dies für ein biologisches Gesetz, das das Wachstum aller lebenden Materie universell regelt, und stützte sich dabei zum Beweis auf das Verhalten der Hefezellen und der Fruchtfliegen in einer Flasche. Aber wie *A. B. Wolfe* (1928) hervorhob, ist dies eine allzu simple Analogie zur Erklärung der Komplexheit des menschlichen Fortpflanzungsverhaltens unter rasch wechselnden sozialen Bedingungen. Tatsächlich widerlegten *Pearls* (1939) eigene spätere Untersuchungen über empfängnisverhütende Methoden, die den unbedeutenden Einfluß aller sozialen Bedingungen außer der Bevölkerungsdichte nachweisen sollten, seine eigene These. Die Folge war, daß die Erregung über die logistische Formel abklang; es wird heute allgemein anerkannt, daß hinsichtlich menschlicher Bevölkerungen die logistische Kurve eine rein empirische Formel ist, die manchmal den vergangenen Ablauf eines Bevölkerungswachstums in einem bestimmten Gebiet genau beschreibt, aber nicht notwendigerweise auch die künftige Entwicklung voraussagt.

Die eindeutigen Ergebnisse von *Pearls* Untersuchungen wie auch diejenigen anderer Untersuchungen über Vorkommen und Art empfängnisverhütender Methoden widersprechen auch den Theorien anderer Zeitgenossen, die den Einfluß biologischer Faktoren auf die Fruchtbarkeit unterstrichen. Es sei daran erinnert, daß während des Streits um *Malthus* im 19. Jahrhundert mehrere Theorien aufkamen, die unter verschiedenen Voraussetzungen behaupteten, daß mit wachsendem Wohlstand die menschliche Reproduktionskraft zurückzugehen tendiere. Ähnliche Ideen lebten im 20. Jahrhundert bei einigen Autoren wieder auf, die die sinkende Fruchtbarkeit und die Vergrößerung der gruppenspezifischen Fruchtbarkeitsunterschiede dem Rückgang der Reproduktionskraft zuschrieben.

Die vielleicht am weitesten entwickelte Theorie dieses Typus ist *Corrado Ginis* (1930) Theorie der Bevölkerungszyklen. *Gini* behauptete, daß die Reproduktionsziffer einer Bevölkerung sich einer Parabel annähere. Ein Bevölkerungszyklus beginnt in der Folge einer Kreuzung klar unterschiedener Bevölkerungsgruppen. Die Fruchtbarkeit steigt, und die Wachstumsrate der Bevölkerung beschleunigt sich infolge selektiver Fortpflanzung, wobei jede Generation im wesentlichen das Produkt der relativ fruchtbareren Elemente der vorigen Generation ist. Mit der Zeit jedoch werden die Fruchtbarkeitszuwächse aufgewogen und schließlich überwogen durch die physische Erschöpfung der dekadenten Oberklasse, deren Keimzellen sich verschlechtert haben. Mit dem Aufstieg wachsender Bevölkerungsteile auf der Klassenleiter verschlechtert sich die Qualität ihrer Keimzellen ebenfalls. Folglich nimmt die Fruchtbarkeit ab und das Bevölkerungswachstum geht zurück oder hört ganz auf, sofern die Bevölkerung nicht durch eine weitere Kreuzung mit neuen Elementen, wie zum Beispiel Einwanderern, neu belebt wird. *Gini* sammelte eine große Menge statistischen Materials zur Unterbauung seiner biologischen Erklärung des zyklischen Auf- und Niedergangs von Bevölkerungen.

Das sich häufende Material über das Ausmaß der Empfängnisverhütung machte jedoch ziemlich deutlich, daß keine klassenbedingten Unterschiede der physischen Zeugungskraft bestehen. In der *Indianapolis Study* fand man zum Beispiel einen annähernd gleichen Anteil von unfruchtbaren Ehepaaren in jeder sozio-ökonomischen Statusgruppe, und bei den fruchtbaren Ehepaaren waren die Fruchtbarkeitsziffern in den Perioden ungeschützten Verkehrs (ohne Anwendung empfängnisverhütender Methoden) in allen sozialen Klassen nur wenig voneinander verschieden (*P. K. Whelpton* und *Cl. V. Kiser* 1946 ff., Bd. II, S. 372—373). Angesichts solcher Belege änderte *Gini* teilweise seinen Standpunkt. Er akzeptierte die Tatsache, daß der größere Teil des Sinkens der Fruchtbarkeit die Folge von Empfängnisverhütung war, aber er hielt an der These fest, daß die Verbreitung der empfängnisverhütenden Praktiken selbst das Ergebnis einer biologischen Dekadenz sei, eine Behauptung, die weder er noch irgendwer sonst zu prüfen in der Lage war.

c) Der Begriff der Optimumbevölkerung

Im Gegensatz zu den Vertretern des biologischen Ansatzes waren viele Volkswirtschaftler, die Beiträge zur Bevölkerungslehre lieferten, weniger an der Feststellung und Erklärung der Ursachen des Bevölkerungswechsels interessiert als an der Abschätzung seiner Folgen. Sie waren mehr an den wirtschaftlichen und sozialen Auswirkungen von Bevölkerungszu- oder -abnahmen auf Rohstoffquellen, an Arbeitsangebot, Produktions- und Konsumtionsniveau usw. interessiert als an der Art und Weise oder dem Verhältnis, nach dem sich die Bevölkerung ändert. Bei dem Versuch einer Analyse der komplexen und verwickelten Wechselbeziehungen zwischen Bevölkerung und Wirtschaft stellten bestimmte Volkswirtschaftler die vielversprechende Frage: „Welche Bevölkerungsgröße ist unter gegebenen Umständen ökonomisch am vorteilhaftesten?" Der Grundgedanke, daß es eine bestimmte Bevölkerungsgröße gibt, die in einem gegebenen Raum und unter gegebenen Bedingungen einem höchsten erreichbaren Lebensniveau (Lebensstandard) entspricht, ist in der Tat sehr alt; er erscheint in den Werken von *Konfuzius* und anderen alten chinesischen Philosophen ebenso wie in den Lehren von *Plato* und *Aristoteles* (*United Nations* 1953, S. 21—22). In seiner modernen Ausprägung erschien der Begriff einer Optimumbevölkerung erstmals in dem volkswirtschaftlichen Hauptwerk von *John Stuart Mill* und wurde in der Folge systematisch weiterentwickelt von *Edwin Connan* (1888), *Knut Wicksell* (1913), *Alexander M. Carr-Saunders* (1922), *A. B. Wolfe* (1936), *Lionel Robbins* (1927), *Manuel Gottlieb* (1945), *Leo Buquet* (1956) und anderen.

Die Theorie einer optimalen Bevölkerungsgröße ist das Ergebnis der Synthese zweier verschiedener Teilsysteme der allgemein anerkannten ökonomischen Theorie. Auf der einen Seite steht die Feststellung, daß eine wachsende Bevölkerung sich in einem vergrößerten Markt und größerer Arbeitsteilung auswirkt und folglich eine Zunahme der Produktivität pro Kopf mit sich bringt. Auf der anderen Seite steht die Lehre vom abnehmenden Ertrag, die behauptet, daß ceteris paribus die Produktivität pro Kopf zurückgeht, wenn die Zahl der arbeitenden Bevölkerung bei gegebenen Rohstoffquellen über einen bestimmten Punkt hinaus anwächst. Aus einer Kombination dieser beiden Lehren folgt logischerweise, daß es einen Punkt geben muß, an dem die beiden einander entgegengesetzten Tendenzen sich im Gleichgewicht befinden, ein Optimalpunkt, bei dem eine gegebene (optimale) Bevölkerungsgröße ein Maximum an Produktivität pro Kopf erreicht. Zwei weitere Begriffe lassen sich aus dieser Grundannahme herleiten: wenn die Bevölkerungsgröße den (optimalen) Punkt des höchstmöglichen Ertrages pro Kopf überschreitet, so ist das Gebiet übervölkert. Wenn umgekehrt die Bevölkerungsgröße unterhalb des Optimums liegt, ist das Gebiet untervölkert.

Es wurde auch darauf hingewiesen, daß der Optimalpunkt niemals stationär ist, sondern dauernd wechselt, da sich Quantität und Qualität der Rohstoffe und die Technologie laufend verändern. Es ist somit klar, daß die empirische Messung der Optimumbevölkerung erhebliche Schwierigkeiten schafft, und es überrascht auch nicht, daß bis heute trotz häufiger Versuche noch keine zufriedenstellenden statistischen Indikatoren der Übervölkerung oder Untervölkerung entwickelt wurden. Noch ist die Theorie der Optimumbevölkerung rein begrifflicher Art, sie ist ein idealtypischer Begriff, der es uns ermöglicht, den Einfluß der Bevölkerungsgröße auf die wirtschaftliche Produktivität hypothetisch zu verstehen. Bei dem gegenwärtigen Stand des Wissens kann der Begriff des Optimums jedoch nicht in präziser Weise empirisch gefaßt und daher auch nicht als ein Instrument praktischer Bevölkerungspolitik benützt werden, dies trotz der verheißungsvollen Terminologie.

d) Formale Demographie

Während der letzten 30 Jahre wurde in der Entwicklung eines anderen Systems abstrakter und logisch verbundener Prinzipien, das als Leitfaden zur Untersuchung und Interpretation empirischer Angaben über Bevölkerung fruchtbarer erscheint, ein beachtlicher Fortschritt erzielt. Diese Theorie beschäftigt sich mit den allgemeingültigen Beziehungen, die stets zwischen den Grundvariablen des Bevölkerungswechsels bestehen, der Fruchtbarkeit, Sterblichkeit und Wanderung; sie nannte sich je nachdem analytische Theorie (*Alfred J. Lotka* 1956; *Frank Lorimer* 1958), reine Demographie (*Adolphe Landry* 1945) oder formale Demographie. Die Tatsache, daß eine Bevölkerung aus Organismen besteht, die den unentrinnbaren biologischen Prozessen von Geburt, Reifung und Tod unterliegen, macht es möglich, jede menschliche Bevölkerung als eine Geschlechts- und Altersgliederung zu betrachten, die durch Lebensprozesse und Wanderung bestimmt ist. Bei Außerachtlassung der Wanderung ist die Alters- und Geschlechtsgliederung einer „geschlossenen" Gesellschaft zu irgendeinem gegebenen Zeitpunkt das Ergebnis spezifischer Sterblichkeits- und Fruchtbarkeitshäufigkeiten der Vergangenheit. Umgekehrt beeinflußt und begrenzt diese Gliederung zukünftige Veränderungen der Fruchtbarkeit und Sterblichkeit. Somit ist es möglich, deduktiv eine Reihe mathematischer Theoreme, sehr ähnlich den geometrischen Axiomen, aufzustellen, die die Beziehungen zwischen Geschlechts- und Altersgliederung und Fruchtbarkeits- und Sterblichkeitsziffern abgrenzen.

Die reine demographische Theorie enthält als Kern den Begriff der „stabilen Bevölkerung", ein hypothetisches Modell einer besonderen Alters- und Geschlechtsgliederung, die sich in jeder Bevölkerung mit über eine längere Zeitperiode unveränderten altersspezifischen Fruchtbarkeits- und Sterblichkeitsziffern und unter der Bedingung, daß in der Zwischenzeit keine Wanderungen oder andere Verteilungseinflüsse stattfinden, entwickeln würde. Die Bevölkerung, die sich schließlich nach einem langfristigen Bestand konstanter Sterblichkeits- und Fruchtbarkeitsziffern bilden würde, wird „stabil" genannt, weil der Anteil der Bevölkerung in jeder Altersgruppe sich nicht in der Zeit verändert, selbst wenn die Bevölkerungsgröße im ganzen ansteigen oder absinken sollte. In einer stabilen Bevölkerung bleiben Geburtenziffer, Sterbeziffer und natürliche Wachstumsquote konstant und können mathematisch errechnet werden.

Die Entdeckung des Grundprinzips einer stabilen Bevölkerung geht zurück auf die Entwicklung von *Halleys* Sterbetafel im Jahre 1693. Eine Sterbetafel kann auf zwei Arten interpretiert werden: auf der einen Seite zeigt sie die Zahl der von der Geburt bis zu den verschiedenen Altersstufen Überlebenden und ihre mittlere Lebenserwartung, vorausgesetzt, daß die gegebenen altersspezifischen Sterblichkeitsziffern für die ganze Generation Gültigkeit hätten. Dies ist ihr aktuarischer Gebrauch. Zusätzlich aber dient die Sterbetafel noch als ein sehr nützliches theoretisches Modell bei der demographischen Analyse, da es die Berechnung der „stationären Bevölkerung" erlaubt. Eine stationäre Bevölkerung ist ein besonderer Typ der stabilen Bevölkerung — eine hypothetische Bevölkerung, in der die Zahl der Geburten in jedem Jahr gleich der Zahl der Sterbefälle ist und die altersspezifischen Sterblichkeitsziffern dieselben wie in der Sterbetafel sind. Ein zweiter wichtiger Schritt in der Entwicklung der Grundprinzipien einer stabilen Bevölkerung wurde 1760 von dem Schweizer Mathematiker *Euler* gemacht, der zeigte, daß eine solche Bevölkerung eine feste Altersverteilung und andere genau bestimmbare Eigenschaften haben müsse, sei die Bevölkerung nun stationär oder nicht. Eine vollständige Analyse der mathematischen Beziehungen in den Bevölkerungsvorgängen einer stabilen Bevölkerung wurde aber erst 150 Jahre später unternommen, als *Alfred J. Lotka* 1907 anfing, seine systematische Theorie der stabilen Bevölkerung auszuarbeiten.

Die Theorie wurde 1925 weiterentwickelt, als *Lotka* in Zusammenarbeit mit *Louis I. Dublin* den Gedanken der Reproduktion der Generationen (Generationswechsel) in die Analyse der stabilen Bevölkerung einführte. Die mathematische Analyse des Reproduktionsprozesses (der Fähigkeit einer Bevölkerung, ihre Zahl aufrechtzuerhalten) war tatsächlich schon seit der zweiten Hälfte des 19. Jahrhunderts in Deutschland durchgeführt worden. Wie schon früher erwähnt, wurden Netto-Reproduktionsziffern erstmals 1884 von dem damaligen Direktor des Berliner statistischen Amtes, *Richard Boeckh,* errechnet (1884, S. 30—34) und erlangten durch *Kuczynski* im 20. Jahrhundert eine große Publizität (*Robert R. Kuczynski* 1931, 1932, 1936). Eine Netto-Reproduktionsziffer ist eine Maßzahl für die Zahl der Töchter, die eine Gruppe neugeborener Mädchen gebären würde, falls die altersspezifischen Fruchtbarkeits- und Sterblichkeitsziffern der gegebenen Sterbetafel bis zum Ende ihres gebärfähigen Alters fortbestehen würden. Eine Netto-Reproduktionsrate ist somit ein Schätzwert des Ausmaßes, in dem eine Gruppe von Frauen einer tatsächlichen Bevölkerung sich reproduzieren wird, vorausgesetzt, daß die bestehenden Fruchtbarkeits- und Sterblichkeitsbedingungen unverändert fortbestehen. Da aber die bestehenden Umstände kaum unverändert bleiben, sollte die Nettoreproduktionsziffer nicht, wie es oft irrigerweise geschah, dazu verwendet werden, künftigen Bevölkerungswechsel vorauszusagen. Die Sache ist genau analog einem Geschwindigkeitsmesser, der die gerade vorhandene Geschwindigkeit anzeigt, aber nicht voraussagen kann, ob diese Geschwindigkeit auch künftig beibehalten werden wird.

Ganz offenbar ohne Kenntnis der vorherigen deutschen Arbeiten entwickelten *Dublin* und *Lotka* (1925) die Ziffer selbständig und verwendeten sie bei der Analyse stabiler Bevölkerungen. Sie wiesen nach, daß sowohl die stabile Altersverteilung als auch die Nettoreproduktionsziffer sich aus den gleichen Voraussetzungen ergeben, nämlich einem langfristigen Bestehen konstanter altersspezifischer Fruchtbarkeits- und Sterblichkeitsziffern. Darum stellt die Nettoreproduktionsziffer nicht nur einen Reproduktionsindex einer gegebenen Bevölkerung dar, sondern auch die schlußendliche Wachstumsrate einer stabilen Bevölkerung. Wenn man nun diese Wachstumsrate auf ein Jahr statt auf eine Generation bezieht, so entspricht sie der echten oder „wahren" natürlichen Wachstumsrate einer gegebenen Bevölkerung. Die entsprechenden echten oder „wahren" Geburten- und Sterbeziffern der gegebenen Bevölkerung (die gleichzeitig auch die unbereinigten Sterbe- und Geburtenziffern der stabilen Bevölkerung sind) lassen sich leicht berechnen. Da bei all den drei „echten" Ziffern der Einfluß des Alters kontrolliert ist, können diese Ziffern dazu benutzt werden, die Fortpflanzungstätigkeit bestehender Gesellschaften, ungeachtet der Unterschiede in der Alters- und Geschlechtszusammensetzung, zu vergleichen. „Echte" Werte, wie die Nettoreproduktionsziffer, messen die jeweilige Fortpflanzungstätigkeit einer bestehenden Bevölkerung genau, aber wie die Nettoreproduktionsziffer haben sie keine Voraussagekraft.

Das Modell der stabilen Bevölkerung, die Nettoreproduktionsziffer und die „echten" Geburten- und Sterbeziffern werden in der demographischen Forschung zur Aufdeckung von Beziehungen verwendet, die den aktuellen Lebensprozessen zugrundeliegen, aber in den unbereinigten Geburten-, Sterbe- und natürlichen Wachstumsziffern nicht sichtbar werden — genauso wie geometrische Modelle in der technischen Praxis zur Messung ganz konkreter Verhältnisse verwendet werden. Neben dem Problem der ständigen Erneuerung der Bevölkerung widmeten die Bevölkerungstheoretiker dem Phänomen des Alterns der Bevölkerungen in den westlichen Ländern, das in diesem Jahrhundert augenfällig wurde, große Aufmerksamkeit. Zunächst wurden die Verschiebungen im Altersaufbau dem gemeinsamen Einfluß veränderter Fruchtbarkeits- und Sterblichkeitsziffern zugeschrieben. Mit der Zeit wurde jedoch klar, daß Veränderungen der Fruchtbarkeit die Hauptrolle spielten, und in allerjüngster Zeit konnten mehrere Forscher unter Benutzung des Modells der stabilen Bevölkerung und seiner Funktionen unabhängig voneinander zeigen, daß der in der Vergangenheit ständig gewachsene Anteil der Alten fast ausschließlich eine Funktion der sinkenden Fruchtbarkeit allein war (*Ansley J. Coale* 1956; *Alfred Sauvy* 1952, 1954; *Vasilios G. Valoaras* 1950). *Wilhelm Winklers* Untersuchungen (1952, 1969), die einige weitere hypothetische Bevölkerungsmodelle entwickeln, beruhen ebenfalls auf der Analyse des Einflusses der Altersgliederung auf die Variablen des natürlichen Wachstums.

Das Hauptinteresse jedoch richtete sich auf die Reproduktionsindices, besonders in den zwanziger und dreißiger Jahren dieses Jahrhunderts. Zu dieser Zeit hatte der Rückgang der Geburtenziffer vorübergehend den Anteil der Personen im gebärfähigen Alter künstlich in die Höhe getrieben. Folglich schien die unbereinigte natürliche Wachstumsziffer in den westlichen Nationen fälschlicherweise hoch und bot damit ein Bild fortschreitenden Bevölkerungswachstums. Zur gleichen Zeit jedoch zeigten Berechnungen der echten Ziffer einen Überschuß der „wahren" Sterbeziffern über die „wahren" Geburtenziffern und eine Nettoreproduktionsziffer, die in vielen Ländern unter der erforderlichen Einheit lag und somit darauf hinwies, daß die jeweils gebärfähigen Frauen nicht genügend Töchter bekamen, um sich selbst zu ersetzen. Daraus schlossen die Demographen, daß die beobachteten Geburten- und Sterbeziffern tatsächlich einen Trend zu einer beginnenden Schrumpfung verschleierten. Sie zögerten daher nicht, das Ende des Bevölkerungswachstums und sogar eine Bevölkerungsschrumpfung für die überschaubare Zukunft vorauszusagen (*Warren S. Thompson* 1929, 1943; *Frank W. Notestein* u. a. 1944).

Das unerwartete Anschwellen der Geburtenziffern nach dem Kriege brachte jedoch den meisten Ländern, die als diejenigen einer „beginnenden Schrumpfung" abgestempelt worden waren, einen massiven Bevölkerungszuwachs, besonders in den USA und Kanada. Dies machte peinlich klar, daß Nettoreproduktionsziffern und „echte" Ziffern nicht als Instrumente der Voraussage dienen können, da Fruchtbarkeit und Sterblichkeit bei ihrer Berechnung als konstant angenommen werden – eine Tatsache, auf die *Lotka* im Jahre 1938 selbst mit aller Deutlichkeit hingewiesen hatte, die aber offensichtlich übersehen wurde. Eine weitere Schwierigkeit liegt darin, daß die Nettoreproduktionsziffer durch Summierung der altersspezifischen Fruchtbarkeitsziffern aller Frauen im gebärfähigen Alter während eines *einzelnen Jahres* berechnet wird. Die Nettoreproduktionsziffer stellt also eine Querschnittsbetrachtung der Fortpflanzungstätigkeit einer hypothetischen Generation, einer künstlichen Gruppe, dar. Sie ist darum nicht in der Lage, die grundlegenden Änderungen im Fruchtbarkeitsverhalten der wirklichen Gruppen in der Zeit zu messen.

Diese Beschränkung zeigt sehr deutlich das Bedürfnis nach einer Längsschnittanalyse der Reproduktion, und zwar für wirkliche Gruppen von Frauen, zum Beispiel alle Frauen der Bevölkerung, die im selben Jahr geboren wurden oder im selben Jahr heirateten. Die Bedingungen, unter denen ein wirklicher Jahrgang von Frauen in der Zeit ihres gebärfähigen Alters Kinder gebiert, sind niemals in einem anderen wirklichen Jahrgang genau die gleichen. Das Fortpflanzungsverhalten irgendeiner gegebenen Gruppe wird nicht nur durch die augenblicklichen Verhältnisse, sondern auch durch verflossene Umstände und durch Vorwegnahme künftiger Bedingungen bestimmt. Die Fruchtbarkeitsgeschichte einer jeden wirklichen Gruppe wird somit von Faktoren geformt, die bei verschiedenen Gruppen nicht unbedingt alle auf die gleiche Weise wirken. Es ist daher dringend geboten, das Fruchtbarkeitsverhalten im Zeitablauf zu untersuchen, sofern man echte Trends zu ergründen sucht.

Intensive Bemühungen um die Erforschung der Fruchtbarkeit und Fortpflanzung unter dem Gesichtspunkt der wirklichen Gruppe und der Längsschnittbetrachtung gingen zuerst von *Pierre Depoid* (1941) aus. Kurz danach wurde gleichzeitig in verschiedenen Nationen eine Anzahl solcher Untersuchungen durchgeführt (*Pascal K. Whelpton* 1949, 1954; *J. Hajnal* 1947; *Louis Henry* 1953; *Hannes Hyrenius* 1951), und diese Arbeitsweise ist auch heute noch in der formalen Demographie vorherrschend.

Die wesentlichen Ergebnisse dieser Untersuchungen zeigen 1., daß die meisten der kräftigen Fluktuationen in den unbereinigten Geburtenziffern der dreißiger und vierziger Jahre Veränderungen widerspiegeln, die auf gruppenbedingte Unterschiede im Verhalten gegenüber der Wahl des Zeitpunktes der Familiengründung zurückzuführen sind. Depression, Krieg und Nachkriegswohlstand bewirkten einen Großteil des Aufschubs, des Nachholens und schließlich der Aufwärtsbewegung der Geburten. 2. Jenseits solcher zeitlichen Verschiebungen der Geburten zeigt sich aber eine entscheidende Änderung in dem langfristigen nach unten gerichteten Trend. *Whelpton* (1954) stellte zum Beispiel fest, daß in den Vereinigten Staaten die Gesamtzahl an Kindern pro 1000 Frauen, die von jedem Jahrgang eingeborener weißer Frauen geboren wurden, vom Jahrgang 1875 bis zum Jahrgang 1909 kontinuierlich abnimmt, insgesamt um ein Drittel. Die Jahrgänge von Frauen hingegen, die 1910 und später geboren wurden, haben allem Anschein nach den Trend umgekehrt. Doch zeichnet sich eine Generation später abermals eine Wendung ab. Die nach dem Zweiten Weltkrieg geborenen Frauen scheinen den von ihren Müttern unterbrochenen Trend zur kleinen Familie wieder fortsetzen zu wollen, wie noch zu zeigen sein wird.

e) Umfassende strukturelle Bevölkerungstheorien

Das Fehlen eines angemessenen Bezugsrahmens, der uns ein Verständnis der grundlegenden sozialen Wandlungen erlauben würde, die wichtige Veränderungen im Fortpflanzungsverhalten nicht nur in den westlichen, sondern auch in vielen anderen Gesellschaften erklären könnten, hat erst in jüngster Zeit wieder zu Versuchen geführt, umfassende soziologische Theorien der Bevölkerungsvorgänge zu formulieren.

Eine solche Theorie, die in den letzten dreißig Jahren, besonders von amerikanischen und britischen Demographen, entwickelt wurde, ist in der Literatur bekannt als Theorie des demographischen Übergangs *(theory of demographic transition)* oder, wie es auch manchmal heißt, der *„vital revolution"* (*Warren S. Thompson* 1929; *Norman E. Himes* 1935; *Alexander M. Carr-Saunders* 1936; *Frank W. Notestein* 1945, 1950; *Kingsley Davis* 1945). Kurz dargestellt, erklärt diese Theorie das rasche Wachstum der Weltbevölkerung während der letzten 300 Jahre als Ergebnis eines Übergangs von hohen zu niedrigen Geburten- und Sterbeziffern, dem sich Gesellschaften im Verlauf der Industrialisierung und Modernisierung unterziehen. Dieses Wachstum begann mit einem Rückgang der Sterblichkeit in Europa, verursacht durch eine Zunahme des Nahrungsangebotes als Folge landwirtschaftlicher Neuerungen und verbesserter Verkehrsmöglichkeiten, die dann später noch von erstaunlichen sanitären und medizinischen Fortschritten gefolgt wurden. Die Fruchtbarkeit, die gegenüber den Modernisierungsprozessen etwas unempfindlicher war, sank zunächst weniger rasch. Die sich ausweitende Kluft zwischen den beiden Ziffern brachte das ungeheure Wachstum der europäischen Bevölkerung mit sich und führt zu deren Auswanderung nach Übersee. Schließlich aber gaben die neuen Lebensverhältnisse in den Industriestädten den Ehepartnern starke Anreize zu einer Einschränkung ihrer Fruchtbarkeit durch Geburtenbeschränkung, bis schließlich ein neues demographisches Gleichgewicht zwischen niedriger Sterblichkeit und niedriger Fruchtbarkeit hergestellt war, das zu einer annähernden Bevölkerungsstabilität und zu einem möglichen Bevölkerungsrückgang führte.

Diese demographische Revolution entfaltet sich wie die industrielle Revolution, mit der sie eng zusammenhängt: verschiedene Länder im Westen erreichen verschiedene Stadien des demographischen Zyklus' zu verschiedenen Zeiten, und als Folge der Ausbreitung kultureller Kontakte und der Diffusion gilt dasselbe auch für nicht-westliche Gesellschaften. Es ist mithin möglich, die Weltbevölkerung in drei Kategorien aufzuteilen, je nach den Stadien des Übergangszyklus, die sie erreicht haben: 1. Länder der „beginnenden Bevölkerungsschrumpfung", die den Übergang nahezu abgeschlossen haben. Diese umfassen die Bevölkerungen von Nordwest- und Mitteleuropa, Nordamerika, Australien und Neuseeland. 2. Länder im Stadium „explosiver Bevölkerungszunahme", wo die Sterblichkeit stark zurückgeht und die Fruchtbarkeit zu sinken begonnen hat, aber noch hinterherhinkt, so daß diese Bevölkerungen nun ein sehr rasches Wachstum erfahren. Die Nationen in dieser Phase sind die Länder Osteuropas, Rußland, Japan und Teile Lateinamerikas. 3. Länder mit „hohem Wachstumspotential", die den Übergang noch nicht angetreten haben oder gerade an der Neige stehen. Hier sind sowohl Geburten wie auch Todesfälle noch hoch, und das Wachstum geht langsam, könnte aber explosiv werden, falls und wenn die charakteristische Kluft zwischen Sterblichkeits- und Fruchtbarkeitsrückgang sich bildet. Der größte Teil von Afrika, Asien, dem Nahen Osten und große Teile von Lateinamerika gehören in diese Kategorie. Neuere Untersuchungen haben die Stadien 1 und 2 nochmals unterteilt und unterscheiden somit 5 Stadien der Bevölkerungsentwicklung (*C. P. Blacker* 1947; *United Nations* 1954 a u. b).

Die Theorie des demographischen Übergangs ist überzeugend als Beschreibung der Kräfte, die die Bevölkerungsbewegungen der westlichen Welt in den letzten drei Jahrhunderten bestimmt zu haben scheinen, aber die Voraussagen künftigen Bevölkerungswachstums und die angenommenen Abläufe, auf denen sie beruhen, sind ernsthaftem Zweifel ausgesetzt. Einige Demographen, die neuere Bevölkerungstrends in unterentwickelten Gebieten analysieren, bezweifeln stark, daß die Länder, die sich im Stadium explosiver Bevölkerungszunahme befinden sollen, tatsächlich entweder die demographischen oder die industriellen Erfahrungen des Westens durchmachen werden und halten dem entgegen, der Zyklus sei allein für den Westen geltend (*Irene B. Taeuber* 1952, 1954; *Kingsley Davis* 1954). Außerdem wirft die starke Fruchtbarkeitszunahme in einigen Ländern des „beginnenden Zerfalls" in den Nachkriegsjahren Zweifel an der Voraussagekraft der Theorie auf, auch wenn ihre Anwendbarkeit auf den Westen beschränkt bleibt. Kritiker der jüngsten Zeit weisen daher darauf hin, daß der Theorie des demographischen Übergangszyklus weitere Phasen hinzugefügt werden sollten.

So bemerkt *Donald Olen Cowgill* (1949), daß in vielen westlichen Ländern, die den Übergang vollzogen haben und auf niedrigen Geburten- und Sterbeziffern angelangt sind, eine Wiederbelebung des Bevölkerungswachstums durch vorübergehende Anstiege der Geburtenziffern eingesetzt hat, das nach einem Rückgang der Geburtenziffer auf ihren früheren niedrigen Stand aufhören wird. Wenngleich er glaubte, dieses Schema gebe die Entwicklungen in den Vereinigten Staaten wieder, so scheint es doch besser mit den Nachkriegserfahrungen Nordwesteuropas übereinzustimmen. Ein anderer Kritiker, *Joseph Davis* (1950, 1953), stellt fest, daß die Vereinigten Staaten und die britischen Dominions einer speziellen Theorie bedürfen. „Sie gehören zu einer neuen Gruppe von Ländern, in denen eine wirklich wesentliche Wachstumsrate der Bevölkerung durch eine Kombination sehr geringer Sterblichkeit, gemäßigter Fruchtbarkeit und gemäßigter Einwanderung aufrechterhalten werden kann und wahrscheinlich auch wird" (1950, S. 348—349).

Solche Modifikationen und Veränderungen reduzieren die Vorstellung vom demographischen Übergang nur auf eine andere adhoc-Theorie, die zeitlich und räumlich begrenzt und nur für eine bestimmte historische Situation gültig ist. Es scheint daher nur vernünftig, wenn Bevölkerungstheoretiker und Demographen endlich das Kapitel lernen wollten, das zwei Jahrhunderte fortwährender Fehlschläge lehren: es gibt einfach kein Universalgesetz des Bevölkerungswechsels; Versuche der Entwicklung allgemeiner Theorien zur Erklärung von Bevölkerungsveränderungen, die unter weit voneinander abweichenden sozialen und kulturellen

Bedingungen vor sich gehen, durch dieselbe Gruppe von Kausalfaktoren, sind notwendigerweise zum Scheitern verurteilt. Das bedeutet jedoch nicht, daß die Bevölkerungslehre sich auf rein empirische Generalisierungen oder ad-hoc-Hypothesen beschränken muß. Im Gegenteil, es besteht ein dringendes Bedürfnis nach umfassenden soziologischen Analysen der Bevölkerungsdynamik, aber solche Theorien müßten die kulturelle Relativität der demographischen Phänomene klar erkennen. Soziologisch brauchbare Theorien müssen zeigen, wie Veränderungen der sozialen Struktur und des Kulturzusammenhanges Unterschiede in der Bevölkerungsstruktur mit sich bringen. Aber sie werden nicht einen einzelnen oder durchgehenden Faktor aufzeigen, der als Ursache für die verschiedenen Maße des Bevölkerungswechsels gelten kann. Sie werden statt dessen auf besondere Reihen von Kausalfaktoren hinweisen müssen, die in verschiedenen sozialen Zusammenhängen verschiedene Wirkungen zeigen.

Obwohl noch immer ein passender Bezugsrahmen für eine annehmbare strukturelle Bevölkerungslehre fehlt, stimmt es doch ermutigend, nunmehr Ansätze zu wirklichem Fortschritt zu bemerken. Einige vorbereitende erste Schritte in dieser Richtung wurden in den Vereinigten Staaten von *Frank Lorimer* (1954) und *Kingsley Davis* (1949, 1954) getan, die bei der Analyse bestimmter Aspekte der Gesellschaftsordnung und kultureller Normen, welche in einer funktionalen Beziehung zu Fruchtbarkeits- und Sterblichkeitskontrollen in verschiedenen Gesellschaften stehen, von einem *strukturell-funktionalen Ansatz* ausgingen. Ihre Arbeit gibt ein Beispiel für das, was man als *interkulturellen Vergleich* bezeichnen könnte, und führt zu einer vergleichenden Soziologie der Bevölkerungsdynamik. Es fehlt jedoch der historische Hintergrund, den einige neuere europäische Theorien zu geben versuchen.

In Frankreich unterschied *Adolphe Landry* (1945), der Nestor der französischen Demographie, teilweise auf den Beobachtungen des Merkantilisten *Cantillon* von vor 200 Jahren aufbauend, drei Typen demographischer Systeme, die sozialen Entwicklungsstadien entsprechen. 1. In primitiven Gesellschaften wird die Fruchtbarkeit durch soziale Bräuche kontrolliert, aber das Bevölkerungswachstum hängt von Fluktuationen der Sterblichkeit ab, die ihrerseits direkt durch die Subsistenzmittel bestimmt ist. Sowie die Bevölkerung wächst, sinkt der Lebensstandard und die Sterblichkeit nimmt zu, bis sie um das Fruchtbarkeitsniveau herum fluktuiert. In den primitiven demographischen Systemen üben wirtschaftliche Faktoren keinen Einfluß auf die Fruchtbarkeit aus, wohl aber auf die Sterblichkeit und damit auf das Bevölkerungswachstum.

2. Beim Übergang von primitiven zu modernen Verhältnissen beeinflussen dann wirtschaftliche Faktoren die Fruchtbarkeit, aber nur auf dem Umweg über Heiratsbeschränkungen. In diesem demographischen Zwischenstadium suchen die Individuen und Familien einen gewohnten Lebensstandard aufrechtzuerhalten, was zu einer Anpassung an die wirtschaftlichen Wandlungen durch Aufschiebung und Begrenzung der Eheschließungen führt. 3. In den modernen Gesellschaften, die die demographische Revolution durchgemacht haben und durch „begrenzte Fortpflanzung" charakterisiert sind, laufen Bevölkerungswechsel nicht mehr nach irgendeinem Gesetz oder automatischem Mechanismus ab, und wirtschaftliche Faktoren bestimmen die Bevölkerungstrends nicht mehr. In den ersten beiden Systemen wird das Bevölkerungswachstum in erster Linie durch technologische Fortschritte ausgelöst; dies gilt jedoch nicht mehr für die modernen Gesellschaften, wo der technologische Fortschritt zwar groß ist, aber das Bevölkerungswachstum nicht direkt beeinflußt. In den modernen Gesellschaften ist das Fortpflanzungsverhalten von sozialen und psychischen Faktoren abhängig, die durch politische Maßnahmen beeinflußt werden können.

Eine soziologisch und historisch etwas verfeinerte Theorie wurde in Deutschland von *Gerhard Mackenroth* (1953) in einem bedeutenden Werk entwickelt, das auch eine kurze, aber ausgezeichnete Analyse durch den schweizerischen Volkswirtschaftler und Demographen *Wilhelm Bickel* (1956) anregte. Ausgehend von der ursprünglich *Marx*schen Einsicht, daß jede historische Epoche ihre eigenen Bevölkerungsgesetze hat, skizziert *Mackenroth* die historische Entwicklung verschiedener europäischer Bevölkerungen vom Mittelalter bis in die Gegenwart, indem er in jedem Falle die spezifischen Gestaltmerkmale der sich wandelnden sozialen Strukturen zu dem reproduktiven Verhaltensmuster in Beziehung setzt, das für den besonderen historischen Zusammenhang typisch ist. Bei einer Ausdehnung der Analyse auch auf europäische Ansiedlungen in Übersee und auf nicht-westliche Gesellschaften unterscheidet *Mackenroth* typische *„Bevölkerungsweisen"* oder *„Bevölkerungsdynamiken"*, wie *Bickel* sie nennt, von denen jede historisch einzigartig ist, abhängig von den Wechselbeziehungen zwischen sozialer Struktur, Kultur und Fortpflanzungsverhalten.

Wie *Mackenroth* jedoch hervorhebt, wird eine Analyse dieser Wechselbeziehungen durch zwei Faktoren kompliziert. Da jede Gesellschaft sozial differenziert und geschichtet ist, ist ihre Bevölkerungsweise nicht einheitlich; jede größere soziale Gruppe hat ihre eigenen generativen Verhaltensmuster, die jeweils für sich festgestellt werden müssen. Da weder soziale Strukturen noch die

Bevölkerungsweisen stationär sind, gibt es außerdem kaum eine Synchronisation zwischen ihnen. Ganz im Gegenteil überlagert das Reproduktionsverhalten einer bestimmten Gruppe oder Gesellschaft als ganzes häufig verschiedene historische Epochen, wodurch Überlagerungsphänomene zustande kommen.

Der neueste Versuch, eine umfassende strukturelle Bevölkerungstheorie zu formulieren, ist derjenige von *Andreas Miller* (1962), der an *Malthus* anknüpfend eine Equilibriumstheorie postuliert. *Miller* geht von der Annahme aus, daß alle Bevölkerungen im Normalzustand ein Gleichgewicht zwischen Geburtenhäufigkeit und Sterblichkeit aufweisen, das nur durch kurzfristige Abweichungen gestört wird.

Miller unterscheidet drei idealtypische Bevölkerungen, die in gewissem Sinne auch drei Stufen in der historischen Entwicklung der menschlichen Gesellschaft bilden: 1. Der „Naturzustand ohne jegliche Kultur". Hier ist die Fruchtbarkeit konstant, sie ist keinen kulturellen Schranken unterworfen und erreicht ständig ihr Maximum. Die Sterblichkeit wird durch die vorhandenen Nahrungsmittel auf dem der Geburtlichkeit entsprechenden Niveau gehalten. Obwohl es eine solche primitive Bevölkerung in Wirklichkeit nie gegeben hat, ist sie als Grenzfall für die Bevölkerungstheorie interessant, denn sie vermittelt einen Maßstab der Fruchtbarkeit. *Miller* zitiert hier Studien, die sich mit den Reproduktionsleistungen einiger besonders fruchtbarer Bevölkerungen befassen, wie z. B. die Franco-Kanadier und die Hutteriten. Er stellt auch eigene Berechnungen der „natürlichen" Fruchtbarkeit moderner Bevölkerungen an, die auf den Ergebnissen englischer und amerikanischer Untersuchungen beruhen. Dabei kommt er zum Schluß, daß der Durchschnittswert der maximalen Fruchtbarkeit zwischen 10 und 12 Kindern liege.

Der zweite Typus ist die „vor-malthusianische Bevölkerung", wo sowohl Fruchtbarkeit wie Sterblichkeit durch kulturelle Faktoren aufeinander abgestimmt werden. Die Fruchtbarkeit wird durch Schwankungen in der Heiratshäufigkeit und im Heiratsalter reguliert. Diesem Typus entsprechen die meisten historischen und viele moderne nichteuropäische Völker. Bei primitiven Völkern spielte das demographische Gleichgewicht zwischen den die Fruchtbarkeit fördernden und den sie einschränkenden Kulturfaktoren im allgemeinen weit weniger zuverlässig als im vorindustriellen Europa, wo die strengen Agrarverfassungen ein nahezu vollkommenes System der Fruchtbarkeitsregulierung ergaben.

Für den dritten Typus, die „malthusianische Bevölkerung", ist die Sterblichkeit eine Konstante und wird als gegeben betrachtet. Den regulierenden Faktor stellt die Geburtenhäufigkeit dar, die sich der Sterblichkeit anzupassen hat. Die Geburtlichkeit wird hier nicht unmittelbar durch die Kulturkräfte reguliert wie im zweiten Typus, sondern durch die Änderung der Kinderzahl innerhalb der einzelnen Familien. Das Gleichgewicht wird dadurch erreicht, daß die Fruchtbarkeit in jeder Ehe rational geplant und mit Hilfe der Geburtenkontrolle durchgeführt wird. Die Kulturordnung bestimmt die Entscheidung der Eltern nicht direkt, wohl aber indirekt durch den „Preis" der Kinder. Jedes Ehepaar entscheidet selbst über die gewünschte Kinderzahl, indem es die Kosten und Bedürfnisse verschiedener Möglichkeiten gegeneinander abwiegt. Die Lage eines „malthusianischen Ehepaares", das die Zahl seiner Kinder rational plant, entspricht daher der Situation des Konsumenten, der zwischen verschiedenen Gütern wählen muß. Solche Entscheidungen können mittels der Konstruktionen der Nachfragetheorie theoretisch erfaßt werden. *Miller* arbeitet die Alternativen, die ein Familienoptimum ergeben, systematisch durch Anwendung von Indifferenz-Kurven heraus. Sodann wendet er das gewonnene Modell zur Untersuchung des Gleichgewichtsmechanismus der malthusianischen Bevölkerung als Ganzes an.

Miller versucht auch, obwohl nur andeutungsweise, die Bevölkerungsdynamik auf Grund der von ihm konstruierten Idealtypen zu erklären. Das rasche Wachstum vieler „vor-malthusianischer" Bevölkerungen resultiert aus der Zerstörung ihres Gleichgewichts durch einen Eingriff von außen, der plötzlich die Sterblichkeit herabsetzt. Ein neues Gleichgewicht wird sich nur durch Industrialisierung und Europäisierung auf radikal veränderter Grundlage herstellen lassen. Der Geburtenrückgang in Westeuropa zwischen den beiden Weltkriegen ist durch den raschen Übergang „vor-malthusianischer" Bevölkerungsgruppen zum „malthusianischen" Typus verursacht worden. Die plötzliche Zunahme der Fruchtbarkeit während des zweiten Weltkrieges schreibt *Miller* einem Schwinden der Rationalität, also einem Rückschlag auf dem Wege zur „malthusianischen" Bevölkerung zu. Die Nachkriegsentwicklung der Fruchtbarkeit hingegen erklärt sich durch eine Verschiebung des realisierten Familienoptimums innerhalb der „malthusianischen" Bevölkerung.

Millers Gleichgewichtstheorie stellt einen verdienstvollen neuen Ansatz dar, der den richtigen Weg weist zur weiteren Ausarbeitung einer umfassenden soziologischen Bevölkerungstheorie. Dazu muß aber wohl der Begriff des demographischen Gleichgewichts erheblich weiter gefaßt werden, als es in der vorliegenden Fassung geschieht. Ein Gleichgewicht im soziologischen und wirtschaftlichen Sinn liegt nicht nur dann vor, wenn sich die Sterblichkeit und die Fruchtbarkeit genau die Waage halten. Unter gegebenen Umständen befindet sich auch eine wachsende Bevölkerung im Gleichgewicht. Wenn genügend Raum zur Verfügung steht und die steigende Produktivität die wirtschaftliche Kapazität ständig erweitert, kann die Fruchtbarkeit die Sterblichkeit lange Zeit übersteigen, ohne die Gesellschaft aus dem Gleichgewicht zu bringen. Der Gleichgewichtsbegriff wird sich daher auf die soziale und wirtschaftliche Struktur im ganzen beziehen müssen, nicht nur auf die demographischen Komponenten im engeren Sinn. Dies würde es auch möglich machen, eine vergleichende Untersuchung der Nachkriegsfruchtbarkeit, die sich in den industrialisierten Überseeländern anders entwickelte als in Westeuropa, in die theoretische Analyse mit einzubeziehen.

f) Feldforschungen über die Reproduktivität

Die Bemühungen, die Bevölkerungsvorgänge durch systematische historisch-kulturelle Analysen zu erhellen, haben die Bevölkerungslehre zwar auf die richtige Bahn verwiesen und beachtliche Fortschritte gezeitigt, doch ist das Ziel noch lange nicht erreicht. Die theoretische Arbeit simmert heute sozusagen auf kleiner Flamme weiter, weil sich nur wenige Gelehrte mit ihr befassen. Im Gegensatz dazu stehen die großangelegten empirischen Untersuchungen über die Reproduktivität, die vor allem in den USA in den letzten zwei Jahrzehnten mit großem Aufwand an Mitteln und Fachkräften energisch vorangetrieben wurden. Der unerwartete „baby-boom", der sich nach dem zweiten Weltkrieg in allen westlichen Ländern einstellte und in den überseeischen Industrieländern, vor allem in USA, Kanada und Australien stärkere Ausmaße annahm als in Westeuropa, hatte alle Bevölkerungsprognosen über den Haufen geworfen. Es entstand daher das dringende Bedürfnis, besseren Einblick über das Verhalten der noch im gebärfähigen Alter befindlichen Frauen zu gewinnen, um realistischere Voraussagen machen zu können. Wie bereits erwähnt, war es klar geworden, daß verschiedene Jahrgänge (Kohorten) von Frauen sich in ihrem reproduktiven Verhalten voneinander unterscheiden, und es deshalb nötig ist, die durchschnittliche Kinderzahl, die jede einzelne Kohorte von Frauen im Laufe ihres gebärfähigen Alters gebären wird, ermessen zu können. Zwar kann man die durchschnittliche Kinderzahl einer Kohorte mit Sicherheit erst dann erkennen, wenn dieser Jahrgang seine Gebärtätigkeit beendet hat, also mindestens das 45. Altersjahr erreicht hat. Jedoch können Rückblicke nur die Trends der Vergangenheit belegen, aber nichts darüber aussagen, was die Kohorten von Frauen, die noch im gebärfähigen Alter sind, tun werden. Genau das ist aber das Problem: man möchte wissen, wie sich die Fortpflanzungstätigkeit in der Gegenwart ändert, damit man zuverlässigere Prognosen machen kann.

Man hat daher in neuerer Zeit versucht, das Fortpflanzungsverhalten auch derjenigen Frauen abzuschätzen, die noch im gebärfähigen Alter sind, indem man die durchschnittliche Geburtenzahl, die bestimmte Altersjahrgänge bereits erreicht haben, mit derjenigen derselben Alterskohorten früherer Jahrgänge vergleicht. Also etwa die durchschnittliche Kinderzahl der heute 30—34jährigen Ehefrauen mit der durchschnittlichen Kinderzahl derjenigen, die vor 10 oder 20 Jahren in dieser Altersgruppe waren. So zeigten z. B. solche Berechnungen in den USA, daß im Jahre 1962 die damals 34jährigen Ehefrauen im Schnitt bereits 2,74 Kinder geboren hatten, während diejenigen Ehefrauen, die 20 Jahre früher, also 1943 34 Jahre alt waren, damals erst 1,87 Kinder geboren hatten (*Pascal K. Whelpton* und *Arthur A. Campbell* 1964). Wohl hatten diese beiden Kohorten ihre Gebärtätigkeit im Alter von 34 Jahren noch nicht völlig beendet, diejenigen des Jahrgangs 1908, die 1943 34jährig waren, hatten 15 Jahre später bei beendeter Gebärtätigkeit eine durchschnittliche Kinderzahl von 2,42 Kindern erreicht. Aber das waren weniger, als die jüngere Kohorte 20 Jahre später schon mit 34 Jahren erreicht hatte. Man kann daher die Schlußfolgerung ziehen, daß die durchschnittliche Kinderzahl pro Ehe der 1928 geborenen Frauen per Saldo um etliches höher liegen wird als diejenige der 1908 geborenen, wenn auch wahrscheinlich diese jüngere Kohorte nicht noch ihre Kinderzahl im vorgerückteren Gebärfähigkeitsalter noch um ein Drittel erhöhen wird, wie das die ältere Kohorte tat.

Indem man alljährlich solche Berechnungen der Kohorten-Fruchtbarkeit der noch im gebärfähigen Alter befindlichen Frauen fortsetzt, kann man daher mutmaßliche Veränderungen der mittleren Nachkommenschaft pro Ehe schon einigermaßen abschätzen, bevor jede Kohorte von Ehefrauen das ganze gebärfähige Alter durchlaufen hat. Der Vergleich der 34jährigen Amerikanerinnen zeigte z. B., daß tatsächlich in der Nachkriegszeit wieder ein Anstieg der durchschnittlichen Familiengröße stattgefunden hatte und daß es sich nicht bloß um temporäre Verschiebungen der Geburtentätigkeit handelte. Aber diese Schätzungen sind natürlich doch mit gewissen Unsicherheitsfaktoren behaftet, und für Frauen, die jünger als 30—34 Jahre sind, sind die Unsicherheitsfaktoren so groß, daß man wenig Schlüssiges über den letztendlichen Verlauf ihrer Gebärtätigkeit sagen kann.

Es wird deshalb in letzter Zeit auch versucht, durch direkte Befragungen von Frauen im gebärfähigen Alter deren Wünsche und Absichten über die von ihnen gewünschte, beziehungsweise beabsichtigte Gesamtgeburtenzahl laufend zu ermitteln. Auf diese Weise lassen sich Veränderungen im reproduktiven Verhalten frühzeitig erkennen, ebenso zeigen sich Unterschiede im Fortpflanzungsverhalten verschiedener Bevölkerungsgruppen. Dabei gibt es grundsätzlich zwei verschiedene Feldforschungsmethoden, die beide zum Ziel führen können: 1. ein Längsschnittverfahren, bei dem dasselbe Sample im Ablauf längerer Zeit wiederholt befragt wird, und 2. eine periodische Befragung verschiedener Samples, die aber so ausgewählt werden, daß die Ergebnisse ohne Schwierigkeiten miteinander verglichen werden können. Beide Methoden sind in den USA in großangelegten Untersuchungen angewandt worden.

Eine longitudinale Untersuchung wurde vom *Office of Population Research* an der Universität Princeton durchgeführt und ist deshalb als *Princeton Studie* bekannt. Durch eine Zufallsstichprobe wurden 1165 weiße eingeborene Ehepaare in sieben großstädtischen Agglomerationen ausgewählt, die alle 1956 ein zweites Kind bekommen hatten. Diese Ehepaare wurden 1957 erstmals befragt (*Charles F. Westoff, Robert G. Potter Jr., Philip Sagi* und *Elliot G. Mishler* 1961). Die zweite Umfrage fand drei Jahre später statt (1960), wobei noch 905 Ehepaare erreicht wurden (*Charles F. Westoff, Robert G. Potter Jr.* und *Philip Sagi* 1963). In den Jahren 1963—67 wurden dieselben Frauen zum dritten und letzten Mal befragt, wobei in fünf Schüben die älteren zuerst, die jüngsten zuletzt interviewt wurden. Diese Streuung der Interviews hatte zur Folge, daß bei allen Frauen ein Zeitraum von rund fünf Jahren seit der letzten Geburt verstrichen war. Das durchschnittliche Alter beim dritten Interview betrug 36,5 Jahre, im Durchschnitt waren seit der Heirat 14 Jahre verstrichen. Es wurden bei der dritten Runde noch 814 Paare erfaßt (*Larry F. Bumpass* und *Charles F. Westoff* 1970).

Die *Princeton Studie* ging direkt von den Ergebnissen und Erfahrungen der *Indianapolis Studie* aus und versuchte, nicht nur Informationen über Schwangerschaften, Empfängnisverhütung, Abstand zwischen Geburten, Wünsche und Absichten betreffend die Gesamtkinderzahl zu ergründen, sondern auch die damit verbundenen Einstellungen, Persönlichkeitsmerkmale und eheliche Anpassung zu erheben. An sich wäre es wünschenswert gewesen, die Ehepaare direkt nach ihrer Heirat zu erfassen, doch hätte sich die Studie dann über ca. 25 Jahre erstrecken müssen, um ungefähr die gesamte gebärfähige Periode zu erfassen. Um den Zeitraum abzukürzen, wurden nur Paare ausgewählt, die bereits zwei Kinder hatten; denn das Hauptinteresse der Forschung in den 50er Jahren konzentrierte sich auf die Erklärung des „baby-booms". Die Beschränkung des Samples auf sieben Großstädte statt auf das ganze Land erfolgte aus finanziellen Gründen. Allerdings ist die Aussagekraft der Ergebnisse durch diese Beschränkung des Samples limitiert.

Die *Princeton Studie* hat wichtige Schwankungen der Wünsche betreffs der letztendlichen Familiengröße angezeigt. Nur ein Drittel der befragten Frauen gaben dieselbe gewünschte Kinderzahl bei allen drei Umfragen an. Jedoch ergaben 85 Prozent der Antworten eine Zahl, die um nicht mehr als ein Kind von der ursprünglich genannten Zahl abwich. Trotz dieser erheblichen Schwankungen traf aber die Voraussage der gesamten tatsächlich erwarteten Kinderzahl fast genau zu. Im ersten Interview waren durchschnittlich 3,3 Kinder gewünscht worden und acht Jahre später, als die voraussichtliche Gebärtätigkeit dieser Frauen zu mehr als 90 Prozent beendet war, waren durchschnittlich genau 3,3 Kinder geboren worden. Allerdings ergab sich dieses genaue Resultat aus der Kompensation von zahlreichen Irrtümern: nur 41 Prozent der befragten Frauen hatten genau die von ihnen gewünschte Kinderzahl erreicht, 14 Prozent hatten zwei oder mehr Kinder mehr oder weniger geboren, als ursprünglich erwünscht.

Die Hauptunterschiede in der Fruchtbarkeit sind konfessioneller Natur. Die katholischen Frauen hatten durchschnittlich 3,6 Kinder geboren, die protestantischen 3,0, die jüdischen 2,6. Diese Unterschiede entsprachen auch fast genau den Wünschen, nur die jüdischen Frauen hatten sich etwas mehr Kinder gewünscht (2,7), als sie tatsächlich gebaren. Alle herkömmlichen Unterschiede zwischen den verschiedenen Einkommens-, Bildungs- und Berufsgruppen haben sich stark verwischt. Bei den Protestanten besteht zwar noch die traditionell negative Beziehung zwischen Fruchtbarkeit und sozial-ökonomischem Status, während umgekehrt bei den Katholiken und den Juden diese Beziehungen positiv sind, aber die Korrelationen sind in allen Fällen niedrig.

Es bestehen direkte Zusammenhänge zwischen der Kinderzahl der befragten Frauen und derjenigen ihrer drei engsten Freundinnen. Das Geschlecht der Kinder spielte ebenfalls eine Rolle: Paare, die bisher nur Kinder desselben Geschlechts hatten, hatten mehr zusätzliche Geburten als diejenigen mit Kindern beider Geschlecher. Dagegen erwiesen sich alle Hypothesen über Zusammenhänge zwischen sozialpsychologischen Variablen und Fruchtbarkeit als unergiebig. Die *Princeton Studie* ergab auch keine Bestätigung der

Mobilitäts-Hypothese, was allerdings damit zusammenhängen mag, daß es sich nur um städtische Ehepaare handelt. Die Mobilität von landwirtschaftlichen zu städtischen Berufen, die nachgewiesenermaßen einen negativen Einfluß auf die Fruchtbarkeit ausübt (*Peter M. Blau* und *Otis Dundley Duncan* 1967), konnte in der *Princeton Studie* nicht erfaßt werden.

Die Ergebnisse der zweiten großen Serie von Feldforschungen stimmen weitgehend mit denjenigen der *Princeton Studie* überein. Im Jahre 1955 wurden 2,713 Interviews mit verheirateten weißen Frauen im Alter von 18—39 Jahren durchgeführt, die nach einem Gebiets-Wahrscheinlichkeits-Sample auf gesamtnationaler Ebene ausgewählt wurden. Den Frauen wurden Fragen zu folgenden Sachgebieten gestellt: sozial-ökonomischer Status, Verlauf der Ehe, Schwangerschaften, physische Beeinträchtigung der Fruchtbarkeit, Methoden der Geburteneinschränkung und Einstellungen zum Präventivverkehr, Erwartungen betreffend Zahl und Geburtsdaten weiterer Kinder und Gründe dieser Erwartungen, Vorstellungen über die „ideale" Familiengröße und Einstellung zu Kindern (*Ronald Freedman, Pascal K. Whelpton* und *Arthur A. Campbell* 1959).

1960 wurde nach demselben Auswahlverfahren ein zweites nationales Sample von diesmal 3,322 verheirateten weißen Frauen im Alter von 18—44 Jahren interviewt, dazu kam noch ein kleines Sample von 270 farbigen verheirateten Frauen (*Pascal K. Whelpton, Arthur A. Campbell* und *John E. Patterson* 1966). 1965 wurde die ganze Prozedur ein drittes Mal durchgeführt. In der dritten Runde wurden 5,617 verheiratete Frauen von 18—55 Jahren befragt, davon waren 4,416 weiße und 1,201 farbige Frauen (*Norman B. Ryder* und *Charles F. Westoff* 1971).

Erwarteten die weißen Frauen im Jahre 1955 durchschnittlich 3,0 Kinder, so waren es im Jahre 1960 3,1 und 1965 gar 3,3. Allerdings glauben die Forscher, daß die letzte Zahl um etwa 3 Prozent überschätzt ist. Auch zeigt der Vergleich der jüngeren Jahrgänge mit den älteren im 1965er Sample, daß die jüngeren Kohorten ihre Kinder nicht mehr so schnell hintereinander bekommen werden und daß sie später mit der Gebärtätigkeit einsetzen als ihre Vorgängerinnen, ebenso daß sie insgesamt weniger Kinder erwarten. Die Forscher schätzen den voraussichtlichen Rückgang der Gesamtkinderzahl der Geburtskohorten 1941—45 auf 10 Prozent im Vergleich zu den Kohorten 1936—40. Wie in der *Princeton Studie* zeigen sich auch hier ausgeprägte Unterschiede nach Konfessionen, die sich seit 1955 noch vergrößert haben. 1955 erwarteten die Protestanten durchschnittlich 2,9 Kinder, die Katholiken 3,4. 1965 waren es 3,0 bei den Protestanten, 3,9 bei den Katholiken. Die jüdischen Frauen erwarteten 1955 2,4 Kinder, 1965 2,9.

Die farbigen Frauen erwarteten 1965 sogar durchschnittlich 4,0 Kinder. Während sich die weißen Frauen nicht weniger Kinder wünschten, als sie erwarteten, ist das bei den farbigen Frauen nicht der Fall; sie wünschten sich durchschnittlich 3,2 Kinder, hatten aber bereits 3,3 Kinder geboren, während die weißen Frauen erst 2,6 Kinder geboren hatten. Der Überschuß der Erwartungen bei den farbigen Frauen erklärt sich aus ihrer sozial-ökonomischen Schichtung, sie sind unverhältnismäßig stark in den untersten Schichten vertreten, vor allem auf den Farmen in den Südstaaten. In diesen Schichten ist die Kenntnis und die Anwendung von Verhütungsmitteln noch sehr mangelhaft.

Der Gebrauch von Verhütungsmitteln nimmt rasch zu: 1955 hatten 70 Prozent aller Frauen Verhütungsmittel angewendet, 1965 waren es bereits 84 Prozent und weitere 6 Prozent erklärten die Absicht, in Zukunft Mittel anzuwenden. Die Zunahme war vor allen Dingen stark bei den katholischen Frauen, die auch mehrheitlich von der Rhythmus-Methode zu anderen, zuverlässigeren Methoden übergegangen sind. Verließen sich 1955 noch 54 Prozent der katholischen Frauen, die überhaupt eine Methode anwendeten, auf die Rhythmus-Methode, so waren es 1965 nur noch 36 Prozent, dies trotz der 1968 neuerlich bekräftigten Ablehnung der Kirche in der Enzyklika *Humanae Vitae*.

Seit 1960, als sie erstmals gesetzlich erlaubt wurde, hat sich der Gebrauch der Pille stark verbreitet; sie wurde 1965 von — Schätzungen auf Grund der Erhebung — 6,4 Millionen verheirateten amerikanischen Frauen verwendet und 4,7 Millionen weitere bekundeten die Absicht, in Zukunft die Pille zu verwenden. Dazu kommen natürlich noch die unverheirateten Frauen, die von dieser Studie nicht erfaßt wurden. Trotz der verbreiteten Anwendung von Verhütungsmitteln kamen die Forscher in der Studie von 1965 zum Schluß, daß immer noch etwa 20 Prozent der Geburten unbeabsichtigt sind. Es ist daher anzunehmen, daß dieser Prozentsatz sich in Zukunft dank der vermehrten Anwendung absolut sicherer Mittel wie der Pille merklich vermindern wird. Es bestehen auch bereits Anzeichen, daß sich seit dem Abschluß der dritten Befragung von 1965 die Dinge in dieser Richtung bewegen. Es werden nämlich jetzt auch vom amerikanischen Mikrozensus periodisch Fragen nach der erwarteten Kinderzahl gestellt. Zum ersten Mal hat diese Befragung im Jahre 1971 einen deutlichen Rückgang der Erwartungen bei den jüngeren Frauen ergeben. Während 1967 die verheirateten Frauen im Alter von 18—24 Jahren durchschnittlich noch 2,9 Kinder erwarteten, gab diese Altersgruppe 1971 nur noch eine Erwartung von 2,4 Kindern an. Auch die 25—29jährigen Ehefrauen erwarteten 1971 weniger Kinder: 2,6 statt 3,0 im Jahre 1967 (*Current Populations Reports* 1972). Was hinter diesem plötzlichen Rückgang der Erwartungen steckt, ist noch nicht klar; es erscheint aber durchaus möglich, daß der starke Nachkriegs-„baby-boom" jetzt beendet ist und die durchschnittliche Familiengröße in USA wieder etwas abnehmen wird. Diese rückläufige Bewegung ist weltweit, sie zeigt sich seit der zweiten Hälfte der 60er Jahre in den rohen Geburtenziffern und in den ehelichen Fruchtbarkeitsziffern aller westlichen Länder.

Bemerkenswert sind auch die Ergebnisse von Befragungen, die in Deutschland (*Ronald Freedman, Gerhard Baumert* und *Karl Martin Bolte* 1959) und in der größten Schweizer Stadt Zürich (*Andreas Miller* 1963) durchgeführt worden sind. Sowohl in Deutschland wie in Zürich wurden pro Ehepaar durchschnittlich 2,2 Kinder erwartet, also rund ein Kind weniger als in USA. Die Ursachen dieses erheblichen Unterschieds sind bisher noch nicht ergründet worden, aber die Auswirkungen auf das Bevölkerungswachstum könnten sehr bedeutend sein. 2,2 Kinder sind kaum mehr, als nötig ist, um die bestehende Bevölkerungsgröße zu gewährleisten, während sich die amerikanische Bevölkerung bei einem Durchschnitt von 3,0—3,3 Kindern im Laufe von 50—60 Jahren verdoppeln würde. Selbstverständlich setzen derartige Berechnungen voraus, daß sich keine wesentlichen Veränderungen in den angegebenen Werten ergeben, eine Voraussetzung, die nach den erwähnten Anzeichen äußerst zweifelhaft ist. Außerdem ist der Einfluß von Wanderungen, die sehr erheblich sein können, nicht berücksichtigt.

Auch in den deutschen und schweizerischen Befragungen wünschten und erwarteten die katholischen Frauen mehr Kinder als die protestantischen. Die *Princeton Studie* und eine Untersuchung in Belgien (*Hubert Gerard* 1970) haben auch gezeigt, daß bei den katholischen Frauen Unterschiede in der Fruchtbarkeit nach Religiosität bestehen, die streng orthodoxen Frauen wünschen und erwarten mehr Kinder als die weniger strenggläubigen. Es muß allerdings vermerkt werden, daß die Fruchtbarkeit der Katholiken nicht überall höher ist als diejenige der Protestanten. Die Fruchtbarkeit der Katholiken ist typisch nur in denjenigen Ländern höher, in denen sie eine Minderheit der Bevölkerung bilden: England, Holland, Deutschland, Schweiz, USA, Kanada, Australien. In Ländern mit katholischer Mehrheit hingegen, vor allem in Frankreich, Belgien, Italien und Österreich, ist die Fruchtbarkeit der Katholiken niedrig, sogar häufig niedriger als diejenige der Nicht-Katholiken (*Lincoln M. Day* 1968). Eine Erklärung für dieses interessante Phänomen steht noch aus, möglicherweise reflektiert es auch verschiedene Grade der Religiosität der katholischen Bevölkerung in verschiedenen Ländern.

Alles in allem erscheinen Befragungen, vor allem wenn sie in regelmäßigen Abständen wiederholt werden und somit Vergleiche des tatsächlichen reproduktiven Verhaltens mit den verbalen Erwartungen ermöglichen, wie beispielsweise die *Princeton Studie*, ein geeignetes Mittel, um mit der Zeit zu zuverlässigen Schätzungen der Veränderungen in der Familiengröße zu gelangen, als dies bisher der Fall war. Obwohl die *Princeton Studie* abgeschlossen ist, wurde 1970 eine neue longitudinale Untersuchung, diesmal auf gesamtnationaler Ebene unter der Ägide des amerikanischen Erziehungs-, Gesundheits- und Wohlfahrtministeriums in die Wege geleitet, gleichzeitig mit einer vierten Runde der alle 5 Jahre wiederholten Umfragen (*William F. Pratt* 1972). Erste Ergebnisse dieser *National Fertility Study*, bei der 5,884 verheiratete Frauen unter 45 Jahren befragt wurden, bestätigen die rasche Zunahme des Gebrauchs der zuverlässigsten Verhütungsmittel sowie der Sterilisation. Am dramatischsten ist diese Tendenz heute bei den katholischen Frauen, vor allem in der Altersgruppe von 20—24 Jahren. Hatte sich diese junge katholische Gruppe 1965 im Schnitt noch 3,45 Kinder gewünscht, so hatte sich diese Zahl 1970 um 20 Prozent auf 2,75 Kinder reduziert.

IV. Das zukünftige Wachstum der Weltbevölkerung

Während sich die großangelegten empirischen Untersuchungen über die Fruchtbarkeitswünsche und Erwartungen auf die westlichen Länder beschränken, wo das Wachstum der Bevölkerung nur mehr in mäßigem bis langsamem Tempo fortschreitet, erregt neuerdings die explosive Zunahme der Bevölkerung in den Entwicklungsgebieten mehr und mehr die Aufmerksamkeit sowohl der Demographen wie eines weiteren Publikums. Während der Westen den demographischen Übergang beendet hat, sind die Länder der Dritten Welt erst im Begriff, sich diesem Prozeß zu unterziehen. Bis vor kurzem befanden sich noch alle Entwicklungsländer im Stadium hoher bis sehr hoher Geburten- und Sterbeziffern. Seit dem zweiten Weltkrieg ist aber die Sterblichkeit in vielen Entwicklungsländern sehr rasch abgesunken und hat in vielen Fällen das westliche Sterblichkeitsniveau erreicht. Dieser Rückgang der Sterblichkeit ist nicht durch langsame interne Verbesserungen der Lebensbedingungen zustande gekommen, sondern durch die Intervention des Westens, durch die Anwendung moderner westlicher

Medizin. Dadurch konnte die Sterblichkeit in der Dritten Welt viel rascher reduziert werden als seinerzeit im Westen. Da aber die Geburtenziffer bisher unverändert hoch geblieben ist, ist das Resultat eine drastische Störung des demographischen Gleichgewichts, ein explosives Bevölkerungswachstum, wie es noch nie dagewesen ist. Zuwachsraten, bei denen sich die Bevölkerung alle 25 Jahre verdoppelt, sind in Entwicklungsländern keine Seltenheit, während sich im 19. Jahrhundert keine europäische Bevölkerung in weniger als 50 Jahren verdoppelt hatte.

Angesichts solcher außerordentlichen Zuwachsgeschwindigkeiten wird heute vielfach Alarm geschlagen und dazu aufgerufen, dem Bevölkerungswachstum sofort Einhalt zu gebieten. In den USA z. B. gibt es ein *Population Crisis Committee* und eine *Zero Population Growth* Bewegung. Um diesen Aufrufen dramatisches Gewicht zu verleihen, werden nicht selten langfristige Berechnungen über das zukünftige Bevölkerungswachstum gemacht, die aber auf zweifelhaften Voraussetzungen beruhen. So wird etwa die Zuwachsrate der Weltbevölkerung von 1900 bis 1965, 17 auf tausend Einwohner jährlich, als gleichbleibend angenommen und in die ferne Zukunft projiziert. Das ergäbe eine Verdoppelung alle 41 Jahre, so daß die Weltbevölkerung, die heute 3,6 Milliarden beträgt, im Jahre 2100 34 Milliarden und im Jahre 2400 gar über 500 Milliarden erreichen würde (*David M. Heer* 1968).

Solche Zahlen sind völlig phantastisch. Die Maximalzahl von Menschen, die nach optimistischsten Schätzungen bei ständiger Verbesserung der Technik und neuen Erfindungen überhaupt erreicht werden könnte, ist auf 50 Milliarden geschätzt worden (*Harrison Brown* 1954). Diese Zahl wäre bei der obigen konstanten Zuwachsrate bereits in 120 Jahren erreicht. Auf die Dauer kann die Zuwachsrate nicht konstant bleiben, sie muß wieder abnehmen. Es ist daher auch nicht realistisch, Vorausberechnungen zu erstellen, die mit konstanten Zuwachsraten über Jahrhunderte hinweg rechnen.

Die nachfolgende Übersicht gibt eine Prognose des Bevölkerungswachstums bis zum Jahre 2000 wieder, die kürzlich von der UNO aufgestellt worden ist. Darüber hinaus kann man keine seriösen Prognosen wagen. Die UNO glaubt annehmen zu dürfen, daß gegen Ende dieses Jahrhunderts eine Abnahme der Zuwachsraten auch in der Dritten Welt einsetzen und daß die Zuwachsrate der Weltbevölkerung bis zum Jahr 2030 auf 10 auf tausend jährlich abgesunken sein wird, was den gegenwärtigen Zuwachsraten der hochentwickelten Regionen entspricht. Aber selbst bei einer Zuwachsrate von 10 auf tausend würde sich die Erdbevölkerung alle

65 Jahre verdoppeln. Auf lange Sicht muß daher das Wachstum der Menschheit einmal ganz zum Stillstand gebracht werden. Wann dieser Zeitpunkt erreicht sein wird, ist allerdings heute nicht abzusehen, obwohl Berechnungen, die im Auftrag des *Club of Rome* auf den Computern des *Massachusetts Institute of Technology* durchgespielt worden sind (*Dennis L. Meadows* 1972), ergeben, daß das Wachstum der Weltbevölkerung innerhalb der nächsten 100 Jahre aufhören muß, wenn ein Kollaps vermieden werden soll.

Geschätztes Wachstum der Weltbevölkerung 1970—2000, nach Regionen

	Hochentwickelte Regionen		*Entwicklungsgebiete*		*Welt im ganzen*	
Jahr	Mill.	Jahrliche Zuwachsrate	Mill.	Jährliche Zuwachsrate	Mill.	Jährliche Zuwachsrate
1970	1,090	10	2,542	24	3,632	21
1980	1,210	10	3,265	25	4,457	23
1990	1,336	9	4,102	24	5,438	22
2000	1,454	8	5,040	21	6,494	19

Quelle: *United Nations* 1970, S. 6.

Um das Bevölkerungswachstum zu vermindern und schlußendlich ganz zum Stillstand zu bringen, müssen die Entwicklungsländer, die ihre Sterblichkeit derjenigen des Westens angeglichen haben, auch ihre Geburtenrate entsprechend reduzieren. Nun ist es keineswegs sicher, daß die Entwicklungsländer die weiteren Phasen des demographischen Übergangs in ähnlicher Form durchlaufen werden wie vorher der Westen. Im Westen hat der Rückgang der Sterblichkeit zur Geburtenbeschränkung und daher zum Geburtenrückgang geführt. Es handelt sich dabei nicht um eine automatische Anpassung sondern um einen sehr komplexen Prozeß des sozialen Wandels, der aus mehreren Stufen besteht. Wenn die Sterblichkeit fällt, muß sich die Bevölkerung der Tatsache bewußt werden, daß die durchschnittliche Familiengröße zunimmt. Dann müssen die Konsequenzen dieser Veränderungen für das Schicksal des einzelnen und der Gruppe transparent und als unerwünscht betrachtet werden. Schließlich müssen sozial annehmbare Methoden der Geburtenverhütung entwickelt, verbreitet und allgemein akzeptiert werden. Selbst unter den günstigsten Umständen braucht dieser Prozeß geraume Zeit, wie die westliche Erfahrung bewiesen hat. In vielen Entwicklungsländern ist die Ausgangsposition aber völlig anders als im vorindustriellen Europa, weil die Familienstruktur und die Agrarverfassung verschieden sind. Vor allem in Asien und in Afrika dominieren die Großfamilie und kollektiver Grundbesitz, während in West- und Mitteleuropa die Zwei-Generationenfamilie mit relativ individuellem Grundbesitz seit Jahrtausenden vorherrschte. Daher sind die Wandlungen der Sozialstruktur, die in den Entwicklungsländern nötig sind, damit die Transparenz entstehen kann, die zur Geburtenbeschränkung führt, tiefgreifender und die Widerstände sind entsprechend hartnäckiger.

Auf der andern Seite muß aber auch in Betracht gezogen werden, daß heute neue Faktoren im Spiel sind, welche den Übergang forcieren und beschleunigen können. Der soziale Wandel und der Drang zur Modernisierung hat heute auch die Entwicklungsländer erfaßt. In den letzten Jahren ist es mehr und mehr Regierungen klar geworden, daß die wirtschaftliche Entwicklung durch zu großes Bevölkerungswachstum gehemmt wird. Sie versuchen daher, ihre Völker zur Geburtenregelung zu motivieren. Dabei werden sie zunehmend von den industrialisierten Nationen im Rahmen der Entwicklungshilfe unterstützt. Moderne Methoden der Massenkommunikation machen es möglich, neue Ideen rascher zirkulieren zu lassen als früher und obsolet gewordene Normen zu verändern. Die moderne Technik produziert wirksamere Verhütungsmittel und arbeitet mit Hochdruck an weiteren Verbesserungen. Es ist deshalb anzunehmen, daß auch die Entwicklungsländer früher oder später den demographischen Übergang nachvollziehen werden. Allerdings ist heute noch kaum abzusehen, in welchem Tempo sich die Anpassung vollziehen wird, obwohl viel davon abhängt, das Bevölkerungswachstum der Dritten Welt rasch in den Griff zu bekommen, wenn katastrophale Entwicklungen vermieden werden sollen.

Ausgewählte Literatur

Ariès, Philippe, Histoire des populations françaises et de leurs attitudes devant la vie depuis le XVIIIe siécle, Paris 1948.

Axelrod, Morris, Ronald Freedman, David Goldberg und *Doris Slesinger,* Fertility Expectations of the United States Population: A Time Series, in: Population Index, Bd. 29 (1963).

Baltzell, Digby E., Social Mobility and Fertility within an Elite Group, in: Milbank Memorial Fund Quarterly, Bd. 31 (1953).

Beebe, Gilbert W., Contraception and

Fertility in the Southern Appalachians, Baltimore 1942.

Berent, Jerzy, Fertility and Social Mobility, in: Population Studies, Bd. 5 (1952).

Berent, Jerzy, Causes of Fertility Decline in Eastern Europe and the Soviet Union, in: Population Studies, Bd. 24 (1970).

Bickel, Wilhelm, Bevölkerungsdynamik und Gesellschaftsstruktur, in: Schweizerische Zeitschrift für Volkswirtschaft und Statistik, Bd. 92 (1956).

Blake, Judith, Demographic Science and the Redirection of Population Policy, in: Journal of Chronic Diseases, Bd. 18 (1965).

Blacker, C. P., Stages in Population Growth, in: The Eugenics Review, Bd. 39 (1947).

Blau, Peter M., und *Otis Dudley Duncan*, The American Occupational Structure, New York 1967.

Boeckh, Richard, Statistisches Jahrbuch der Stadt Berlin, Berlin 1884.

Bogue, Donald J., und *James A. Palmore*, Some Empirical and Analytic Relations Among Demographic Fertility Measures, with Regression Models for Fertility Estimation, in: Demography, Bd. 1 (1964).

Borrie, W. D., The Growth and Control of World Population, London 1970.

Brass, W., und *H. Cillov*, Report on Population Data Needs and the Use of Such Data in Demographic and Social Analysis, Strasbourg 1971.

Brentano, Lujo, Die Malthussche Lehre und die Bevölkerungsbewegung der letzten Dezennien, in: Abhandlungen der Historischen Klasse der Königlich Bayerischen Akademie der Wissenschaften, Bd. 24, 3. Abteilung, München 1909.

Bresard, Marcel, Mobilité sociale et dimension de la familie, in: Population, Bd. 5 (1950).

Girard, Alain, Mobilité sociale et dimension de la famille. Deuxieme Partie: Enquête dans les lycées et les facultés, in: Population, Bd. 6 (1951).

Brown, Harrison, The Challenge of Man's Future, New York 1954.

Brunsman, Howard G., Significance of Electronic Computers for Users of Census Data, in: *Milbank Memorial Fund* (Hrsg.), Emerging Techniques in Population Research, New York 1963.

Bumpass, Larry F., und *Charles F. Westoff*, The Later Years of Childbearing, Princeton 1970.

Buquet, Leon, L'Optimum de population, Paris 1956.

Carr-Saunders, Alexander M., The Population Problem: A Study in Human Evolution, Oxford 1922.

Carr-Saunders, Alexander M., World Population, Oxford 1936.

Coale, Ansley J., The Effects of Changes in Mortality and Fertility on Age Composition, in: Milbank Memorial Fund Quarterly, Bd. 34 (1956).

Coale, Ansley J., und *Melvin Zelnik*, New Estimates of Fertility and Population in the United States, Princeton 1963.

Coontz, Sidney H., Population Theories and the Economic Interpretation, London 1957.

Cowgill, Donald Olen, The Theory of Population Growth Cycles, in: American Journal of Sociology, Bd. 55 (1949).

Cowgill, Donald Olen, Transition Theory as General Population Theory, in: Social Forces, Bd. 41 (1963).

Current Population Reports, Population Characteristics. Birth Expectations Data: June 1971. Series P-20, No. 232, Washington 1972.

Damas, H., und *L. Neundörfer*, *Rapport sur les aspects démographiques* de vieillissement de la population en Europe et ses conséquences sociales et économiques, Strasbourg 1971.

David, Henry P., Family Planning and Abortion in the Socialist Countries of Central and Eastern Europe, New York 1970.

Davis, Joseph S., Population and Resources, in: Journal of the American Statistical Association, Bd. 45 (1950).

Davis, Joseph S., The Population Upsurge and the American Economy, 1945—1980, in: Journal of Political Economy, Bd. 61 (1953).

Davis, Kingsley, The World Demographic Transition, in: Annals of the American Academy of Political and Social Science, Bd. 237 (1945).

Davis, Kingsley, Human Society, New York 1949.

Davis, Kingsley, Fertility Control and the Demographic Transition in India, in: Milbank Memorial Fund, The Interrelations of Demographic, Economic, and Social Problems in Selected Underdeveloped Areas, New York 1954.

Davis, Kingsley, The Theory of Change and Response in Modern Demographic History, in: Population Index, Bd. 29 (1963).

Davis, Kingsley, und *Judith Blake*, Social Structure and Fertility: An Analytic Framework, in: Economic Development and Cultural Change, Bd. 4 (1956).

Day, Lincoln M., Natality and Ethnocentrism, in: Population Studies, Bd. 22 (1968).

Depoid, Pierre, Reproduction nette en Europe depuis l'origine des statistiques de l'état civil, Paris 1941.

Dublin, Louis I., und *Alfred J. Lotka*, On the True Rate of Natural Increase, as Exemplified by the Population of the United States, 1920, in: Journal of the American Statistical Association, Bd. 20 (1925).

Dumont, Arsène, Dépopulation et civilisation, Paris 1890.

Edin, Karl Arvid, und *Edward P. Hutchinson*, Studies of Differential Fertility in Sweden, London 1935.

Eversley, D. E. C., Social Theories of Fertility and the Malthusian Debate, New York 1959.

Feichtinger, G., Bevölkerungsstatistik, Bonn 1972.

Festy, Patrick, Evolution de la fécondité en Europe occidentale depuis la guerre, in: Population, Bd. 25 (1970).

Freedman, Ronald, The Sociology of Human Fertility: A Trend Report and Bibliography, in: Current Sociology, Bd. 10/11 (1961—62).

Freedman, Ronald (Hrsg.), Population: The Vital Revolution, New York 1964.

Freedman, Ronald, Gerhard Baumert und *Karl Martin Bolte*, Expected Family Size and Family Size Values in West Germany, in: Population Studies, Bd. 13 (1959).

Freedman, Ronald, Pascal K. Whelpton und *Arthur A. Campbell*, Family Planning, Sterility and Population Growth, New York 1959.

Freedman, Ronald, David Goldberg und *Doris Slesinger*, Current Fertility Expectations of Married Couples in the United States, in: Population Index, Bd. 29 (1963).

Freedman, Ronald, David Goldberg und *Doris Slesinger*, Fertility Expectations in the United States: 1963, in: Population Index, Bd. 30 (1964).

Freedman, Ronald, David Goldberg und *Larry Bumpass*, Current Fertility Expectations of Married Couples in the United States: 1963, in: Population Index, Bd. 31 (1965).

Gérard, Hubert, Catholicisme et fécondité: Recherche exploratoire, Louvain 1970.

Gini, Corrado, The Cyclical Rise and Fall of Population, in: Population:

Lectures of the Harris Foundation, Chicago 1930.

Glass, David, The Population Controversy in Eighteenth-Century England, in: Population Studies, Bd. 6 (1952).

Glass, D. V., und *E. Grebenik,* The Trend and Pattern of Fertility in Great Britain, in: Papers of the Royal Commission on Population Bd. VI, London 1954.

Goldberg, David, Harry Sharp und *Ronald Freedman,* The Stability and Reliability of Expected Family Size Data, in: Milbank Memorial Fund Quarterly, Bd. 37 (1959).

Gottlieb, Manuel, The Theory of Optimum Population for a Closed Economy, in: The Journal of Political Economy, Bd. 53 (1945).

Greep, Roy O. (Hrsg.), Human Fertility and Population Problems, Cambridge, Mass., 1963.

Gutman, Robert, In Defense of Population Theory, in: American Sociological Review, Bd. 25 (1960).

Hajnal, J., The Analysis of Birth Statistics in the Light of the Recent International Recovery of the Birth Rate, in: Population Studies, Bd. 1 (1947).

Halbwachs, Maurice, Réflexions sur un équilibre démographique, in: Annales, Bd. 1 (1946).

Hansluwka, H. E., und *A. Smith,* The Demographic Aspects of Differential Mortality and Morbidity According to Age and Sex in Europe. Their Social and Economic Consequences, Especially in the Field of Excess Male Mortality, Strasbourg 1971.

Hauser, Philip M., und *Otis Dudley Duncan* (Hrsg.), The Study of Population: An Inventory and Appraisal, Chicago 1958.

Heberle, Rudolf, Social Factors in Birth Control, in: American Sociological Review, Bd. 6 (1941).

Heer, David M., Society and Population, Englewood Cliffs 1968.

Henry, Louis, Fécondité des mariages: nouvelle méthode de mesure, Paris 1953.

Himes, Norman E., The Vital Revolution, in: Survey Graphic, Bd. 24 (1935).

Hugon, Paul, Démographie, Paris 1971.

Hyrenius, Hannes, Reproduction and Replacement: A Methodological Study of Swedish Population Changes during 200 Years, in: Population Studies, Bd. 4 (1951).

Kaufmann, Franz Xaver, Die Überalterung: Ursachen, Verlauf, wirtschaftliche und soziale Auswirkungen des demographischen Alterungsprozesses, Zürich 1960.

Kiser, Clyde V., Changes in Fertility by Socio-Economic Status During 1940—1950, in: Milbank Memorial Fund Quarterly, Bd. 33 (1955).

Kiser, Clyde V., Elliott G. Mishler, Charles F. Westoff und *Robert G. Potter, Jr.,* Development of Plans for a Social Psychological Study of the Future Fertility of Two-Child Families, in: Population Studies, Bd. 10 (1956).

Kuczynski, Robert R., Bericht über den XIV. Kongreß für Hygiene und Demographie, Berlin 23.—29. September 1907, Bd. III.

Kuczynski, Robert R., The Balance of Births and Deaths, Bd. I, New York 1928; Bd. II, Washington 1931.

Kuczynski, Robert R., Fertility and Reproduction, New York 1932.

Kucynski, Robert R., Population Movements, London 1936.

Landry, Adolphe, Traité de démographie, Paris 1945.

Leibenstein, Harvey, A Theory of Economic Demographic Development, Princeton 1954.

Lewis-Faning, E., Report on an Enquiry into Family Limitation and its

Influence on Human Fertility During the Past Fifty Years, in: Papers of the Royal Commission on Population, Bd. I, London 1949.

Livi Bacci, Massimo, A Century of Portuguese Fertility, Princeton 1971.

Lorenz, Charlotte, Bevölkerungslehre, in: *Werner Ziegenfuß* (Hrsg.), Handbuch der Soziologie, Stuttgart 1956.

Lorimer, Frank, Culture and Human Fertility, Paris 1954.

Lorimer, Frank, The Development of Demography, in: *Philip M. Hauser* und *Otis Dudley Duncan* (Hrsg.), The Study of Population: An Inventory and Appraisal, Chicago 1958.

Lotka, Alfred J., Relation between Birth Rates and Death Rates, in: Science, Bd. 26 (1907).

Lotka, Alfred J., Some Recent Results in Population Analysis, in: Journal of the American Statistical Association, Bd. 33 (1938).

Lotka, Alfred J., Population Analysis, in: *Joseph J. Spengler* und *Otis Dudley Duncan* (Hrsg.), Population Theory and Policy, Glencoe, Ill., 1956.

Mackenroth, Gerhard, Bevölkerungslehre, Berlin 1953.

Mayer, Kurt, Fertility Changes and Population Forecasts in the United States, in: Social Research, Bd. 26 (1959).

Mayer, Kurt B., Einführung in die Bevölkerungswissenschaft, Stuttgart 1973.

Meadows, Dennis L., Die Grenzen des Wachstums, Stuttgart 1972.

Miller, Andreas, Kultur und menschliche Fruchtbarkeit, Stuttgart 1962.

Miller, Andreas, Die gewünschte Kinderzahl und die ideale Familiengröße, in: Zürcher Statistische Nachrichten, Bd. 40 (1963).

Mishler, Elliott G., und *Charles F. Westoff,* A Proposal for Research on Social Psychological Factors Affecting Fertility: Concepts and Hypotheses, in: Milbank Memorial Fund, Current Research in Fertility, 1955.

Mombert, Paul, Bevölkerungslehre, Jena 1929.

National Bureau of Economic Research, Demographic and Economic Change in Developed Countries, Princeton 1960.

Notestein, Frank W., Population — The Long View, in: *Theodore W. Schultz* (Hrsg.), Food for the World, Chicago 1945.

Notestein, Frank W., The Population of the World in the Year 2000, in: Journal of the American Statistical Association, Bd. 45 (1950).

Notestein, Frank W., Irene B. Taeuber, Dudley Kirk, Ansley J. Coale und *Louise K. Kiser,* The Future Population of Europe and the Soviet Union, Geneva 1944.

Notestein, Frank W., Elliot G. Mishler, Robert G. Potter, Jr., und *Charles F. Westhoff,* Pretest Results of a New Study of Fertility in the United States, in: Bulletin de l'Institut International de Statistique, Bd. 36 (1958).

Orcutt, Guy H., Martin Greenberger, John Korbell und *Alice M. Rivlin,* Microanalysis of Socioeconomic Systems: A Simulation Study, New York 1961.

Pearl, Raymond, Studies in Human Biology, Baltimore 1924.

Pearl, Raymond, The Biology of Population Growth, New York 1925.

Pearl, Raymond, The Natural History of Population, New York 1939.

Pearl, Raymond, und *Lowell J. Reed,* On the Rate of Growth of the Population of the United States since 1790 and its Mathematical Representation, in: Proceedings of the National Academy of Sciences, Bd. 6 (1920).

Petersen, William, Marx versus Malthus: The Men and the Symbols, in: Population Review, Bd. 1 (1957).

Pratt, William F., The U.S. National

Survey of Family Growth. Major Objectives and Developments, Paper presented at the annual meetings of the Population Association of America, Toronto 1972.

Pressat, Roland, Avancement de l'enseignement et de la recherche demographiques en Europe, Strasbourg 1971.

Reinhard, Marcel, und *André Armengaud,* Histoire générale de la Population Mondiale, Paris 1961.

Robbins, Lionel, The Optimum Theory of Population, in: London Essays in Economics in Honour of Edwin Cannan, London 1927.

Ryder, Norman B., und *Charles F. Westoff,* Reproduction in the United States 1965, Princeton 1971.

Sauvy, Alfred, Théorie générale de la population, Bd. 1: Economie et population, Paris 1952; Bd. 2: Biologie sociale, Paris 1954.

Sauvy, Alfred, Le vieillissement des populations et l'allongement de la vie, in: Population, Bd. 9, 1954.

Sauvy, Alfred, La population, sa mesure, ses mouvements, ses lois, Paris 1970.

Sauvy, Alfred, Les charges économiques et les avantages de la croissance de la population, in: Population, Bd. 27 (1972).

Schumpeter, Joseph A., Capitalism, Socialism and Democracy, New York 1947.

Spengler, Joseph J., French Predecessors of Malthus: A Study in Eighteenth Century Wage and Population Theory, Durham, N. C., 1942.

Spengler, Josef J., und *Otis Duncan Dudley* (Hrsg.), Demographic Analysis, Glencoe, Ill., 1956.

Spengler, Joseph J., Population Theory and Policy, Glencoe, Ill. 1956.

Spengler, Oswald, Der Untergang des Abendlandes, München 1918/22.

Stix, Regine, und *Frank W. Notestein,* Controlled Fertility, Baltimore 1940.

Tabah, L., Rapport sur les relations entre la fécondité et la condition sociale et économique de la famille en Europe: leurs répercussions sur la politique sociale, Strasbourg 1971.

Taeuber, Irene B., The Future of Transitional Areas, in: *Paul K. Hatt,* Hrsg., World Population and Future Resources, New York 1952.

Taeuber, Irene B., Demographic Transitions in Japan: Omens for the Future of Asian Populations, in: Milbank Memorial Fund, The Interrelations of Demographic, Economic, and Social Problems in Selected Underdeveloped Areas, New York 1954.

Thompson, J. H., Birth Spacing Data: The New Needs, Strasbourg 1971.

Thompson, Warren S., Population, in: American Journal of Sociology, Bd. 34 (1929).

Thompson, Warren S., und *P. K. Whelpton,* Population Trends in the United States, New York 1933.

Thompson, Warren S., Estimates of Future Population of the United States, Washington 1943.

Ungern-Sternberg, Roderich von, The Causes of the Decline in the Birthrate within the European Sphere of Civilization, Cold Spring Harbor, N. Y., 1931.

United Nations, Population Division, Framework for Future Population Estimates, 1950 to 1980, by World Regions, in: United Nations, Proceedings of the World Population Conference, 1954, Bd. 3.

United Nations, Population Division, The Past and Future Population of the World and its Continents, in: United Nations, Proceedings of the World Population Conference, 1954, Bd. 3.

United Nations, Department of Social Affairs, Population Division, The

Determinants and Consequences of Population Trends, New York 1953.

United Nations, Proceedings of the World Population Conference, 1954, 7 Bde., New York 1956.

United Nations, A Concise Summary of the World Population Situation in 1970, New York 1971.

Valaoras, Vasilios G., Patterns of Aging of Human Populations, in: Eastern States Health Education Conference, The Social and Biological Challenge of Our Aging Population, New York 1950.

Verhulst, Pierre F., Notice sur la loi que la population suit dans son accroissement, in: Correspondance Mathématique et Physique publiée par *A. Quételet*, Bd. 10, Brüssel 1838.

Vincent, Paul, Recherches sur la fécondité biologique, Paris 1961.

Wagemann, E. F., Menschenzahl und Völkerschicksal, eine Lehre von den optimalen Dimensionen gesellschaftlicher Gebilde, Hamburg 1948.

Westoff, Charles F., The Changing Focus of Differential Fertility Research: The Social Mobility Hypothesis, in Milbank Memorial Fund Quarterly, Bd. 31 (1953).

Westoff, Charles F., Differential Fertility in the United States, 1900 to 1952, in: American Sociological Review, Bd. 19 (1954).

Westoff, Charles F., Social Change and Fertility in the United States: Theory and Research, in: Transactions of the Third World Congress of Sociology, Bd. IV, London 1956.

Westoff, Charles F., Robert G. Potter, Jr. und *Philip C. Sagi*, The Third Child, Princeton 1963.

Westoff, Charles F., Robert G. Potter, Jr. und *Philip C. Sagi*, Some Selected Findings of the Princeton Fertility Study: 1963, in: Demography, Bd. 1 (1964).

Westoff, Charles F., Robert G. Potter, Jr., Philip C. Sagi und *Elliot G. Mishler*, Family Growth in Metropolitan America, Princeton 1961.

Whelpton, Pascal K., Cohort Analysis of Fertility, in: American Sociological Review, Bd. 14 (1949).

Whelpton, Pascal K., Cohort Fertility Native White Women in the United States, Princeton (New Jersey) 1954.

Whelpton, Pascal K., Future Fertility of American Women, in: Eugenics Quarterly, Bd. 1 (1954).

Whelpton, Pascal K., A Study of the „Expected" Completed Fertility of a National Sample of White Women, in: Milbank Memorial Fund, Current Research in Fertility, New York 1955.

Whelpton, Pascal K., und *Ronald Freedman*, A Study of Growth of American Families, in: American Journal of Sociology, Bd. 61 (1956).

Whelpton, Pascal K., und *Clyde V. Kiser*, Social and Psychological Factors Affecting Fertility, 5 Bde., New York 1946—1958.

Whelpton, Pascal K., und *Arthur A. Campbell*, Fertility Tables for Birth Cohorts of American Women, Vital Statistics of the United States, Bd. 1, Washington 1964.

Whelpton, Pascal K., Arthur A. Campbell und *John E. Patterson*, Fertility and Family Planning in the United States, Princeton 1966.

Wicksell, Knut, Vorlesungen über Nationalökonomie auf Grundlage des Marginalprinzips, Jena 1913.

Winkler, Wilhelm, Typenlehre der Demographie, Wien 1952.

Winkler, Wilhelm, Demometrie, Wien 1969.

Wolfe, A. B., The Population Problem since the World War: A Survey of Literature and Research, in: The Journal of Political Economy, Bd. 36 (1928).

Wolfe, A. B., The Theory of Optimum Population, in: Annals of the American Academy of Political and Social Science, Bd. 188 (1936).

Wolfenden, Hugh H., Population Statistics and Their Compilation, revid. Auflage, Chicago 1954.

Wrong, Dennis H., Population, New York 1956.

Wrong, Dennis H., Class Fertility Trends in Western Nations, in: Canadian Journal of Economics and Political Science, Bd. 34 (1958).

Theorie und Forschung in der Sozialökologie

Von Amos H. Hawley

Einleitung

Der Begriff „Sozialökologie" taucht in der soziologischen Literatur erstmals in dem von *Robert E. Park* und *Ernest W. Burgess* 1921 herausgegebenen Werk *„An Introduction to the Science of Sociology"* auf. Ihm folgte kurz darauf (1925) ein kleines Buch unter dem Titel „The City", in dem die ersten drei Aufsätze in systematischer Weise sowohl die theoretische Bedeutung als auch die praktische Anwendung der ökologischen Betrachtungsweise auf die Untersuchung der menschlichen Gesellschaft behandeln. Auf diese Weise erfuhr die amerikanische Soziologie die fruchtbarste theoretische Anregung, die ihr in den folgenden zwei Jahrzehnten zuteil werden sollte. Die Sozialökologie lieferte den Rahmen für eine eingehende empirische Behandlung des Problems der Gesellschaftsstruktur und besonders ihres modernsten und einzigartigen Aspektes: des Entstehens einer massiven Verstädterung. Eine der vielen Auswirkungen jener frühen Forschung war die Festlegung der Richtung und des Inhaltes eines Großteils der darauf folgenden soziologischen Entwicklung.

Warum sich der Begriff „Ökologie", der derselben Wurzel entstammt wie das ältere Wort „Ökonomie" und unter dem man gemeinhin die Erforschung der Beziehungen zwischen Organismen und ihrer Umwelt versteht, im soziologischen Denken eingebürgert hat, dies festzustellen ist Sache historischer Nachforschung. Ein paar in diesem Zusammenhange interessante Tatsachen seien jedoch erwähnt. Zunächst einmal beeinflußte die großartige Leistung der biologischen Evolutionstheorie die sich entfaltende Soziologie grundlegend, was ein dauerhaftes Interesse der Soziologie für die Biologie zur Folge hatte. Später im 19. Jahrhundert brachte die rasche Entwicklung städtischer Zusammenballungen als Ergebnis der Industrialisierung eine Reihe neuer Probleme und eine Intensivierung vieler alter. Das Vorherrschen von Armut, Kinderarbeit, Grausamkeit und nachlässiger Handhabung der Strafeinrichtungen, die weite Verbreitung kommunaler Korruption und Mißwirtschaft, von monopolistischen Praktiken im Geschäftsleben und viele andere Zeugnisse menschlichen Versagens in der Vorbereitung auf das städtische Leben riefen eine Reformbewegung auf breitester Ebene hervor, an der die Soziologen mit Begeisterung teilnahmen. Dieser Bewegung parallel ging die Durchführung zahlreicher Untersuchungen, welche die für die Reform nötigen Unterlagen lieferten. Was an diesen Erhebungen für die Entwicklung der Sozialwissenschaft wichtig war, waren nicht so sehr die gesammelten Fakten als vielmehr die erworbene Erfahrung und die angewandten Techniken der Feldbeobachtung. Die Hoffnungen auf eine empirisch fundierte Soziologie waren damit ihrer Verwirklichung um einen beachtlichen Schritt näher gerückt. Nach dem Abebben des reformerischen Interesses einerseits und ihrer Einsetzung als anerkannte Universitätsdisziplin andererseits erfuhr die Soziologie erneut eine wissenschaftliche Fundierung. Ohne eine theoretische Position, die sich der praktischen Forschung unmittelbar aufgeschlossen zeigte, wäre die Soziologie jedoch möglicherweise ein Zweig der Philosophie geblieben. An diesem Punkte nun erregten die neueren Arbeiten von Pflanzen- und Tierökologen wie *Eugenius Warming* (1909), *F. E. Clements* (1905) und *V. E. Shelford* (1913) die Aufmerksamkeit der Soziologen (*American Sociological Society* 1926). Die rechtzeitige Entdeckung einer Reihe von Begriffen und Feldtechniken, die bei der Untersuchung sozialer Phänomene, zunächst allerdings bei niederen Lebensformen, entwickelt worden waren, erfüllte ein dringliches Bedürfnis unter den Soziologen, die sich darum bemühten, ihre Untersuchungen des menschlichen Soziallebens auf fruchtbare Weise zu systematisieren. Auf diese Weise entstand die Ökologie mehr als ein Spezialgebiet der Soziologie denn ein solches der Ökonomie, Geographie oder einer sonstigen Sozialwissenschaft.

Wenn es auch scheint, als habe sie nur eine Herkunftsquelle, so kann die Ökologie doch auf eine ganze Reihe verschiedener Definitionen zurückblicken. Die unilineare Herkunft ist tatsächlich mehr scheinbar als wirklich. Pflanzen- und Tierökologen weisen sowohl in den Problemstellungen als auch in ihren theoretischen Begriffsbildungen, die sie für nützlich halten, Unterschiede auf. Und innerhalb jeder Gruppe finden sich Unterschiede hinsichtlich der Setzung der Schwerpunkte und der Konzeptionen. Die Soziologen nun machten ihre Anleihen bei dem einen oder anderen Vertreter der älteren Disziplin, wobei es nicht selten geschah, daß sie bei ihren Bemühungen um die Formulierung einer zusammenhängenden Theorie zur weiteren Erforschung menschlicher sozialer Phänomene die Beiträge mehrerer Wissenschaften miteinander vermischten.

Die erste formale Definition des Gegenstandes der Sozialökologie als „eine Untersuchung der räumlichen und zeitlichen Beziehungen menschlicher Lebewesen, wie sie durch die selektiven, distributiven und adaptiven Kräfte der Umwelt bewirkt werden", gab *Roderick D. McKenzie* (1925). Diese Auffassung kehrt wieder in verschiedenen kurz darauf erscheinenden Aufsätzen von *Park*

(1926, 1936) und bei *Louis Wirth* (1945). Aber *Park* hob als kausalen Faktor mehr den Wettbewerb oder was er manchmal etwas vieldeutig als wettbewerbsmäßige Kooperation bezeichnet denn die Umweltkräfte hervor. Für ihn war der Wettbewerb ein sozialer Prozeß, dessen Ausgang „natürlich" ist, jedenfalls in dem Sinne, daß er ungeplant und ungewollt ist. *James A. Quinn* (1934, 1940, 1950) ging in der Auffassung des sozialen Wettbewerbs viel weiter als *Park;* für ihn wurde er zum zentralen Begriff seiner Definition der Ökologie. Sozialökologie, wie er sie verstand, ist die Untersuchung derjenigen Aspekte räumlicher Systeme und Verteilungen, die durch den Wettbewerb verursacht sind, der als ein elementarer sozialer Prozeß wirkt. Diesen selbst nannte er *„ökologische Interaktion"*. Nach einer Überprüfung der theoretischen Beiträge der Pflanzen- und Tierökologen kam *Amos H. Hawley* (1944, 1950) zu dem Schlusse, daß rein logisch gesehen die Sozialökologie als Untersuchung von Form und Entwicklung der menschlichen Gemeinde definiert werden müsse. Bei seiner Betonung der Struktur der Beziehungen, die sich in einer räumlich begrenzten Umgebung als ein Anpassungsmechanismus entwickeln, wird der räumliche Aspekt in eine sekundäre Position verwiesen als ein Gesichtspunkt unter mehreren, die Beachtung verdienen (siehe auch *A. H. Hawley* 1971).

Während diese vier Auffassungen der Sozialökologie den Bereich des soziologischen Interesses abgrenzen, geben sie doch nicht die ganze Vielfalt der Definitionen wieder, die sich in der Literatur finden. Denn der Begriff breitete sich in viele verwandte Gebiete aus. Erfolglose Versuche, die Sozialökologie mit der Geographie zu identifizieren, wurden unternommen von *H. H. Barrows* (1923) sowie *C. Langdon White* und *George T. Renner* (1948). Physische Anthropologen verwendeten ebenfalls ökologische Begriffe in ihren Untersuchungen über die menschliche Entwicklung, ohne jedoch eine formale Definition des Gegenstandes zu geben (*G. A. Bartholomew* und *J. B. Birdsell* 1953; *Marshall T. Newman* 1953). Eine stärkere Beschäftigung mit einer systematischen Ökologie zeigte sich bei *Julian H. Steward* (1955). Er definierte den Gegenstand als Untersuchung der Anpassung der Kultur an die physische Umwelt. Diese Auffassung wird auch von anderen Anthropologen wie *A. Irving Hallowell* (1948), *Waldo R. Wedel* (1953) und *Betty J. Meggars* (1954) geteilt. Ökologische Begriffe traten schließlich auch in der Ökonomie, der Psychologie, der Epidemiologie und auf anderen Gebieten auf. So ist die Popularität, die dieser Begriff erlangte, in der Tat etwas irritierend, zudem er oft ziemlich ungenau gebraucht wird, um ein allgemeines Sammelsurium von Bezügen zur Umwelt anzudeuten.

In dieser Darstellung ist jedoch unsere Aufmerksamkeit auf die Sozialökologie, wie sie von Soziologen konzipiert und weiterentwickelt worden ist, beschränkt. Das soll indes nicht heißen, daß die Soziologen die einzigen waren, die zur Aufstellung ihrer Hypothesen beitrugen, oder gar, daß sie selbst alle die Hypothesen hervorgebracht hätten, mit denen sie arbeiteten. Es ist vielmehr so, daß die Interessen der soziologischen Anthropoökologen auf bestimmte Probleme und Formulierungen zu konvergierten, die dann in der Folge als ein besonderer Ansatz zur Untersuchung der Gesellschaft angesehen wurden. Trotz den Bemühungen, die Sozialökologie als einen Lösungsversuch des allgemeinen Problems sozialer Organisation überhaupt (*A. H. Hawley* 1950) zu definieren, blieb die räumliche Strukturierung der Gesellschaft das Hauptanliegen ökologischer Forschung. Mit nur wenigen Ausnahmen beziehen sich alle untersuchten Hypothesen auf den einen oder anderen Zug räumlicher Verteilung oder Strukturierung.

Dies läßt sich noch deutlicher zeigen durch eine detaillierte Überprüfung der Hypothesen, welche die ökologische Forschung geleitet haben. Im übrigen umfassen diese durchaus nicht alle potentiell fruchtbaren Ableitungen aus der ökologischen Theorie. Es gibt viele, die überhaupt erst noch in Hypothesen gefaßt werden müssen. Das Hauptinteresse unserer Darstellungen richtet sich jedoch auf vorliegende Forschungsergebnisse, insbesondere sofern sie für die theoretische Entwicklung der Soziologie von Bedeutung sind.

I. Ballung und Gradient

Vielleicht das allgemeinste Merkmal menschlicher Siedlungsformen ist das Vorherrschen relativ dichter *Ballungen von Bevölkerung* an bestimmten Punkten im Raume und eine mit der Entfernung von diesen Punkten abnehmende Dichte in Form eines *„Gradienten"*. Wenn auch diese Erkenntnis zweifellos einfacher empirischer Beobachtung entstammt, so sind doch die der Hypothese zugrunde liegenden theoretischen Annahmen unschwer zu entdecken. Die Notwendigkeit der Interdependenz sowie das damit zusammenhängende Erfordernis der leichten Zugänglichkeit zwischen den einzelnen Einheiten schaffen eine stark zentripetale Tendenz. Andererseits aber bewirken Raumbedarf und andere Standortvorteile sowie ungleiche Wettbewerbsfähigkeit eine umgekehrte oder zentrifugale Tendenz. Wenn man diese einander entgegenwirkenden Tendenzen der Tatsache gegenüberstellt, daß der Gebietsumfang mit dem Quadrat der Entfernung von einem Punkte wächst, so geben sie zu der Erwartung Anlaß, daß die Besiedlungsdichte pro Gebietseinheit mit der Entfernung von einem

Zentrum abnehmen muß (*A. H. Hawley* 1950, 1971; *Cahiers de l'Institut d'Aménagement et d'urbanisme de la Région Parisienne*, Paris et huit métropoles mondiales, Paris 1965).

Colin Clark (1951) hat darauf hingewiesen, daß der Gradient der Wohnbesiedlung in Städten exponential abnimmt. Er schlug als einen angemessenen Ausdruck dafür die Gleichung $y = Ae^{-bx}$ vor, wobei y die Einwohner pro Gebietseinheit, x die Entfernung vom Stadtkern und A die Dichte im Zentrum bedeutet. Der Parameter $^{-b}$ ist die Ziffer für die Abnahme der Dichte pro Entfernungseinheit. Die deskriptive Richtigkeit der Gleichung wurde unter Verwendung amerikanischer Angaben von *Otis Dudley Duncan* (1958) mit Erfolg überprüft. Abweichungen von dem erwarteten Gefälle werden Unterschieden in der Transporttechnik zugeschrieben, die um die Zeit in Anwendung war, als die Städte ihr stärkstes Wachstum erlebten. Es ist durchaus möglich, daß der Exponent des Dichtegradienten unter Voraussetzung konstanter Entfernungsintervalle für jedes Stadium technischer Entwicklung verschieden ist. Je effizienter die Transportmöglichkeiten, desto flacher der Gradient.

Eine Methode zur Messung der Unterschiede in der Dichte großer Gebiete wurde von *John Q. Stewart* (1947) in einer Maßzahl entwickelt, die er „Bevölkerungspotential" nannte. Vorausgesetzt, daß der gegenseitige Einfluß von Personen der sie trennenden Entfernung umgekehrt proportional ist, wird das „Potential" oder die Anziehungskraft eines gegebenen Standortes durch die Größe $\frac{Pi}{Di}$ gemessen. Hierin bezeichnet Pi die Bevölkerung des Gebietes i und Di die Distanz des Gebietes i von einem bestimmten Punkte. Wenn auch diese Formel noch nicht theoretisch untermauert ist, so scheint ihr doch, wie *Duncan* (1958) zeigte, ein beachtlicher deskriptiver Wert zuzukommen.

Das Phänomen des Gradienten ist nicht nur kennzeichnend für die räumliche Verteilung der Bevölkerung, sondern auch für diejenige einer Vielzahl von qualitativen Merkmalen der Raumnutzung. So verlaufen z. B. Bodenpreise, wie *Homer Hoyt* für Chicago (1933), *Roderick D. McKenzie* für verschiedene Großstadtgebiete (1933) und *A. H. Hawley* für Manila und Okayama (1954, 1955) zeigte, in Form eines Gradienten. Dies gilt auch für die Häufigkeit von Verbrechen und demographischen Merkmalen (*Ernest W. Burgess* 1927), für das Vorkommen wirtschaftlicher Bodennutzung (*Harland Bartholomew* 1932), für die Verteilung der Bevölkerung während des Tages (*Donald J. Foley* 1954), um nur einige wenige der untersuchten Variablen zu nennen. Die Anwendbarkeit dieses

Begriffs ist so allgemein, daß dem Gradienten zweifellos eine über die bloße Beschreibung von Verteilungen hinausgehende Bedeutung zukommt. Er wird in der Tat als ein Instrument zur Abgrenzung des Einflußbereiches einer Gemeinde oder eines Stadtzentrums verwendet. Zu diesem Zweck wurde der Gradient ursprünglich von *C. J. Galpin* (1915) in seiner Arbeit über ländliche Versorgungszentren verwendet, wurde dann von *R. D. McKenzie* (1933) zur Anwendung auf Großstadtgebiete umformuliert und ist heute ein Standardwerkzeug zur Bestimmung von funktionellen im Unterschied zu amtlich festgelegten Grenzen (*Robert R. Dickinson* 1947).

Die Brennpunkte der Ballung, die Punkte größter Dichte, finden sich gewöhnlich am Schnittpunkt von Verkehrslinien. *Charles H. Cooley* (1894) hob schon hervor, daß solche Punkte wesentlich an der Entwicklung der Großstädte beteiligt sind, da an ihnen der Menschen- und Güterstrom unterbrochen wird. Entweder sind diese Schnittpunkte Plätze des Warenumschlages (kommerzielle Unterbrechungen), oder das Zusammentreffen verschiedener Arten von Verkehrslinien fordert die Umladung auf andere Warenträger (physische Unterbrechungen). In jedem Falle sammelt sich die Bevölkerung an solchen Punkten, um den durchreisenden Menschen und Gütern zu dienen, und Städte werden geboren. Diese Auffassung hebt eine Auswirkung der Überschneidung von Verkehrsadern auf Kosten eines anderen hervor. Die Überschneidung ist nämlich auch von strategischer Bedeutung für den Zugang zum Hinterland. Und eine Stadt ist eben sowohl ein Dienstleistungs- und Verwaltungszentrum für die umliegende Bevölkerung als auch eine Vermittlungsstelle zwischen der Lokalbevölkerung und der Außenwelt.

Channey D. Harris und *Edward L. Ullmann* (1945) unterscheiden: 1. Städte im Sinne von zentralen Orten; 2. Verkehrsstädte im Sinne von *Cooley* und 3. Städte mit Spezialfunktionen. Jeder dieser Typen, so meinen sie, stellt andere Anforderungen bezüglich des Standortes. Ihre Klassifikation war der früheren Arbeit von *Walter Christaller* (1933) nachgebildet, der sich um statistische Gesetze für die räumliche Verteilung von Städten und Geschäftszentren bemühte. Klassifikationen ohne Berücksichtigung der Lage wurden von *Grace M. Kneedler* (1945) und *Beverly Duncan* und *Albert J. Reiss* (1950) vorgenommen. *Kneedlers* umfassende Klassifikation machte jedoch keinen Unterschied zwischen den beiden Primärfunktionen eines städtischen Zentrums, das heißt, er übersah die Tatsache, daß alle Städte sich in bezug auf ihre lokalen Dienstleistungen mehr oder minder gleichen, mit geringen Unterschieden je nach ihrer Größe (*Edgar M. Hoover* 1955), daß sie aber eine Vielfalt in bezug auf diejenigen Tätigkeiten zeigen, durch die sie mit der Außenwelt verbunden sind. *Duncan* und *Reiss* erkannten diesen Unterschied und bauten ihre einfachere Klassifikation auf den Produktions- und Exportfunktionen der Städte auf. Eine Standortanalyse ihrer Funktionstypen würde instruktiv sein.

II. Zonenbildung in der Großstadt

Ein weiterer Schritt in der Analyse der räumlichen Verteilung der Bevölkerung war die Hypothese von *Ernest W. Burgess* (1924) von der *konzentrischen Zonenbildung* bei der Bodennutzung. Die theoretischen Ursprünge dieser Hypothesen werden von ihrem Autor nicht angegeben. Offenbar sind sie weitgehend empirischer Natur, und zwar teilweise begründet auf der Beobachtung von Gradienten und teilweise auf Beobachtung einer bestimmten Tendenz zur Segregation bei der Bodennutzung. Gemäß der Hypothese sind die Typen der Bodennutzung in einer Reihe von konzentrischen Zonen um den Stadtkern verteilt, wobei jeweils die nächst äußere Zone eine weniger intensive Form von Bodennutzung aufweist. *Burgess* definierte die Zonen als a) Geschäftszentrum, b) gemischte Zone mit Geschäften, Industrie- und Slumquartieren, c) eine Zone von Arbeiterwohnungen, d) eine Zone von Einfamilienhäusern und e) eine äußere oder Pendlerzone. Die Ähnlichkeit mit *Johann Heinrich von Thünens (1863)* konzentrischer Theorie landwirtschaftlicher Bodennutzung ist unschwer zu erkennen.

Burgess belegte seine Hypothese der konzentrischen Zonen mit Angaben über die Stadt Chicago. Die Hypothese wurde aber fast unverzüglich als allgemeines Prinzip räumlicher Verteilung verschiedener Lebensformen in Großstädten akzeptiert. Nur gelegentlich kam es zu praktischen Anwendungen, wie z. B. in *Raymond V. Bowers'* Arbeit über Rochester, New York (1939). Heftige Kritik an der Hypothese übte *Maurice R. Davie* (1937) in seiner Arbeit über New Haven, Connecticut. *Davie* fand, daß die Zonen sowohl die Symmetrie als auch die Homogenität in der Bodennutzung, wie sie sich *Burgess* vorstellte, vermissen ließen. Eine Gegenkritik brachte *J. A. Quinn* (1940) vor, indem er betonte, daß die Zonen nicht in linearen Einheiten, sondern nach Zeit- und Kosteneinheiten gemessen werden sollten. Inzwischen wurde die Hypothese weiterhin als maßgebliche Darstellung der Zonenbildung in der Großstadt behandelt.

Die Geschichte des Begriffs der konzentrischen Zonenbildung bietet ein interessantes Beispiel für den Mißbrauch einer Hypothese.

Sie wurde auf Grund isolierter Einzelfallstudien bestätigt und verworfen. Niemals wurde sie jedoch einer methodischen Überprüfung in einem Sample von Städten, unter Kontrolle der relevanten Faktoren, unterworfen. Wäre ihre Geltung als allgemeines Prinzip erwiesen worden, so hätte sie freilich trotzdem nicht jede einzelne Stadt individuell getreu beschrieben. Aber eines steht fest: Die Hypothese der Zonenbildung ist zweifellos leichter für individuelle Formen der Bodennutzung aufzustellen als für Kombinationen von zwei oder mehr Typen (siehe dazu auch das Kapitel „Großstadt" von *René König* in diesem Handbuch).

Die Konzeption der ökologischen Gemeindestruktur nach konzentrischen Zonen bildet den ersten Versuch einer Beschreibung der Bodennutzung nach Standorten. Einer Verfeinerung dieser groben Standorttheorie wurde vergleichsweise wenig Aufmerksamkeit geschenkt. Eine Ausnahme bildet *Quinns* (1943) Hypothese der mittleren Lage. Er suchte die räumliche Lagerung spezialisierter Tätigkeiten und insbesondere des Geschäftszentrums als Ganzes nach dem Grad der Erreichbarkeit einer bestimmten Lokalität zu erklären. Betrachtungen dieser Art sollen also unter sonst gleichbleibenden Bedingungen die Lokalisierung bestimmter spezialisierter Tätigkeiten auf einen mittleren Punkt in einer gegebenen Bevölkerung bestimmen. Diese Hypothese wurde bei einer empirischen Untersuchung in einer kleinen mexikanischen Stadt teilweise überprüft (*Thomas F. Hoult* 1954). Hier wurden die Wirkungen beobachtet, die der Umzug eines Hauptgeschäftes an einen neuen Ort, vier Häuserblöcke von der alten Lage entfernt, auf die Verteilung der Wohnungen der Kunden hatte. Der Bevölkerungsmedian verschob sich ungefähr um dieselbe Entfernung und in derselben Richtung wie das Geschäft. Abgesehen von dieser einfachen Untersuchung blieb die Standorttheorie den Ökonomen überlassen (*Edgar M. Hoover* 1948; *August Lösch* 1940). Diese aber handelten die Lageprobleme auf regionaler Ebene ab und vernachlässigten ihre Behandlung in lokalen Dimensionen. Am Rande sei vermerkt, daß *George K. Zipf* (1949) eine allgemeine Formulierung der *Quinn*schen Hypothese vorschlug, die er das „Prinzip des geringsten Aufwandes" nannte. Dieses Prinzip gelangte jedoch nie über ein deduktives Stadium hinaus.

Was auch immer als Theorie der Zonenbildung in der Großstadt entwickelt werden mag, so besteht kaum irgendein Zweifel darüber, daß die räumliche Verteilung der Elemente der Stadt eine beachtliche Widerstandskraft gegen Veränderungen aufweist. Untersuchungen über den Wiederaufbau kriegszerstörter Städte in Europa und Asien haben gezeigt, daß sie ihre Vorkriegsformen bis in die Details wieder übernehmen (*Fred C. Ikle* 1950, 1951,

1958; *A. W. Hawley* 1954, 1955). Wahrscheinlich ist aber die Quelle dieses Widerstandes gegen Veränderungen mehr in der sozialen als in der physischen Struktur der Stadtgemeinde zu suchen. Die Hypothese der konzentrischen Zonen wurde jedoch in erster Linie als ein Prinzip für das Wachstum und die Ausdehnung der Städte aufgestellt. Nach *Burgess* entwickelt sich die Stadt am schnellsten im Zentrum. Der angestaute Druck auf den verfügbaren Raum in der innersten Zone oder dem Zentrum zwingt dieses, sich durch „*Invasion*" in die nächstäußere Zone auszudehnen. Das Wachstum geht also so vor sich, daß jede Zone in die angrenzende nächstäußere Zone vordrängt (*E. W. Burgess* 1924). Ein anderes Expansionsmodell wurde von *Homer Hoyt* (1939) entwickelt. Er folgerte aus einer Reihe nicht gerade überzeugender Beispiele, daß die Expansion nach einem „Sektorenmuster" vor sich geht. Das heißt, wenn sich einmal ein bestimmter Typ der Bodennutzung in einem Sektor einer Zone durchgesetzt hat, so behält er diese Stellung bei und dehnt sich durch Zuwachs am äußeren Ende aus, wobei er radiale Sektoren homogener Bodennutzung schafft. Sowohl die Wachstumsauffassung von *Burgess* als auch die von *Hoyt* scheinen Vereinfachungen von *Richard M. Hurds* (1903) eher vertretbarer These zu sein, daß die Expansion eine Kombination von zentralem und axialem Wachstum bedeutet. Alle drei Autoren stimmen jedoch in der Annahme einer monozentrischen Stadt und einer zentrifugalen Ausbreitung des Wachstums überein. Wenn auch vielleicht diese beiden Grundannahmen auf die Stadt der zwanziger Jahre und vorher anwendbar waren, so haben die jüngsten Verbesserungen des Transportwesens beide doch mehr oder minder außer Kurs gesetzt. Die Vermehrung von Unterzentren in den Städten und die wachsende Bedeutung des peripheren Wachstums schränkten die Möglichkeiten einer einfachen Formel für das Wachstumsmodell beträchtlich ein.

In bezug auf dieses letztere Problem ordnete *Warren S. Thompson* (1948) die Wachstumsraten der Wohnbevölkerung von 16 amerikanischen Großstädten zwischen 1930 bis 1940 nach Entfernungsintervallen von jeweils einer Meile vom Geschäftszentrum. Seine Berechnungen zeigen, daß viele der inneren Zonen — in einigen größeren Städten von bis zu 5 Meilen Ausdehnung — Bevölkerungsverluste erlitten haben. Die positiven Wachstumsziffern stiegen dagegen mit jeder zusätzlichen Meile Entfernung vom Zentrum bis auf Entfernungen von 8 bis 12 Meilen an. Diese Ergebnisse wurden durch eine spätere Untersuchung von *Hart Blumenfeld* (1949) bestätigt. Es ist klar, daß sich das städtische Wachstum aus vielen zusätzlichen Typen von Bodennutzung zusammensetzt. Und die Bewegung hoher Wachstumsziffern der Bevölkerung nach den Außenbezirken hin ist möglicherweise durch steigenden Druck im Innern bedingt. Es gibt jedoch eine ganze Reihe von Belegen dafür, daß sich das Wachstum der Städte mehr und mehr in den Randbezirken vollzieht.

III. Einige Grundbegriffe der Sozialökologie

a) Gebietseinheiten

Eine erste Verfeinerung der groben Homogenität der konzentrischen Zonen, die schon früh ausgebildet wurde, bildete den Begriff der *„natürlichen Gebiete"* *(natural area)*. Dieser Terminus bezeichnete ein kleines Gebiet mit ganz bestimmtem inneren Aufbau, das insofern „natürlich" ist, als es sich ohne äußere Absicht oder Plan gebildet hat (*Louis Wirth* 1945; *Harvey Zorbaugh* 1926, 1929). Die Einwandererkolonien, Rassenenklaven, Bohemienviertel, die Theater-, Finanz-, Warenhaus-, Industrie- und andere Bezirke, die sich in Großstädten finden, sind Beispiele dafür. Vermutlich läßt sich die Segregation der verschiedenen Bodennutzungen oder Bevölkerungstypen zu natürlichen Gebieten aus der Tatsache herleiten, daß ähnliche Einheiten ähnliche Standortansprüche haben und sich daher an ausgewählten Stellen anhäufen.

Die Art und Weise, wie der Begriff des natürlichen Gebiets ursprünglich konzipiert wurde, warf eine Reihe von Fragen auf, die teilweise beantwortet werden konnten, teilweise aber nicht. Wie *Paul K. Hatt* (1946) sehr richtig feststellte, wurden sowohl der Charakter als auch die Bedeutung der internen Homogenität übertrieben. Im Gegensatz zu dem Eindruck, den die älteren Autoren hervorriefen, ist Homogenität in dem einen oder anderen Sinne nicht notwendigerweise auch begleitet von Homogenität in jeder anderen Hinsicht (*William Form* 1954). Überdies ist die Bedeutung des Begriffs der Gebietseinheit, abgesehen von der bloßen Beschreibung einer Bevölkerungsverteilung, noch zu erweisen. Der Begriff des natürlichen Gebiets scheint also seinen wesentlichen Nutzen als eine statistische Einheit zu besonderen Zwecken zu haben; kaum aber kann er als eine wirkliche Wesenheit mit eigenem Leben und einer besonderen Funktion in der städtischen Gemeinde angesehen werden. *Walter Firey* (1947) griff das naturalistische Element im Begriff an und beschuldigte die Ökologen des räumlichen Determinismus. In seiner Analyse der Bodennutzungen in Boston suchte er zu zeigen, daß Gefühlsbeziehungen und Symbolbedeutungen die Wahl des Standorts bestimmen. Es gelang *Firey* jedoch nicht, die relative Bedeutung solcher Wertelemente darzulegen, noch zu zeigen, ob sie Ursache oder Wirkung sind (über die weitere Diskussion *René König* 1958).

Als heuristisches Instrument wurde das natürliche Gebiet durch den Zählbezirk der amtlichen Statistik verdrängt. So, wie er ursprünglich definiert war als ein relativ homogenes Gebiet mit 3000 bis 8000 Einwohnern, hatte der Begriff des Zählbezirks eine gewisse Ähnlichkeit mit dem des natürlichen Gebietes (*Howard Whipple Green* 1932). Er wird seit jener Zeit jedoch allgemein als eine rein statistische Einheit für Zensusberichte und die Analyse sozialer Merkmale von Großstadtgebieten angesehen. Bei der Volkszählung von 1950 wurden 70 der größten Städte in Bezirke unterteilt, und in 47 Fällen wurden auch die umliegenden metropolitanen Gebiete in der gleichen Weise aufgeteilt. Bevölkerungszahlen und Angaben über einige 20 demographische und Siedlungsmerkmale werden nunmehr nach Bezirken veröffentlicht. Sie finden infolgedessen eine weite Verwendung beim Sampling sowie zu anderen Zwecken der Forschung und der Verwaltung.

Die übliche Verwendung der Zählbezirke in der Forschung nahm die Form von Korrelationsanalysen an, die auf Prozenthäufigkeiten oder Medianwerten in Einzelbezirken aufbauen, und zwar für Variable wie Alter, Schulbildung, Beruf, weibliche Berufstätigkeit, Fruchtbarkeit u. a. Diese Praxis wurde von *W. S. Robinson* (1950) wegen der angeblichen Tendenz, aus Korrelationen, die auf Aggregaten aufbauen, Schlüsse über Verbindungen individueller Merkmale zu ziehen, scharf kritisiert. Im Verfolg seines Mißverständnisses über den Gebrauch von Korrelationen zwischen Aggregaten oder Gebietswerten konnte *Robinson* nicht einsehen, daß es ein legitimes Interesse an Aggregaten als solchen geben kann, ohne Rücksicht auf die sie bildenden Individuen. *Otis Dudley Duncan* (1953) zeigte jedoch, daß es möglich ist, bei bestimmten Arten von Daten vermittels von Aggregat-Korrelationen eine Annäherung an Individual-Korrelationen zu erreichen.

Eine neuartige Form der Verwendung von Zählbezirken besteht in einer Kombination homogener Zählbezirke zu sogenannten *„sozialen Gebieten“ (social area)* (*Eshref Shevky* und *Marilyn Williams* 1949; *Eshref Shevky* und *Wendell Bell* 1955). Dies geschieht in Form zusammengesetzter Indices des sozialen Status und der Verstädterung sowie eines einfachen Segregationsindexes auf Grund von Prozenthäufigkeit oder Medianwerten. Es zeigt sich aber, daß das „soziale Gebiet“ keinesfalls ein Gebiet im strengen Sinne ist, es ist vielmehr nur eine Klasse in einer Klassifikation von Zählbezirken. Offensichtlich besteht der Sinn einer solchen Klassifikation in der Beschaffung einer Mehrzweck-Typologie von Charakterzügen. Ob ein derartiges Unternehmen fruchtbar oder überhaupt der Mühe wert ist, mag dahingestellt sein. Eine Entscheidung dieser Frage ist unmöglich, bevor nicht ein klares theoretisches Argument vorgebracht worden ist. Bis jetzt ist dies jedenfalls noch nicht geschehen.

Neben der Diskussion über die Verwendung kleiner Gebiete als statistische Einheiten wendet sich das heutige Forschungsinteresse an kleinen Bezirken innerhalb einer Stadt der Integration ihrer Bewohner zu einer Art von Einheit zu. Eine frühe Arbeit von *Roderick D. McKenzie* (1923) unterstrich die Bedeutung der räumlichen Nähe für die Häufigkeit der Interaktion. Einige jüngere Arbeiten versuchten in gleicher Weise die Bedeutung von persönlichen Werten und Statusmerkmalen zu begründen. In dieser Absicht verwendeten *Theodore Caplow* und *Robert Forman* (1950) eine sogenannte Nachbarschafts-Interaktionsskala und soziometrische Techniken in einer relativ homogenen Nachbarschaft in Minneapolis. Ein verblüffendes Ergebnis ihrer Arbeit ist die überragende Bedeutung der räumlichen Nähe und leichten Zugänglichkeit für die Gruppenbildung in der Nachbarschaft. Es ist interessant genug zu vermerken, daß eine parallele jedoch unabhängige Studie dieselben Resultate berichtete (*Leon Festinger* u. a. 1950). In einer dritten Untersuchung in einem repräsentativen Mittelklassenwohnbezirk von St. Louis versuchte *Donald L. Foley* (1950) festzustellen, in welchem Ausmaße die Bewohner lokale Einrichtungen (z. B. zum Einkauf, zur Erholung, oder solche religiöser oder bildender Art) denjenigen sonstwo in der Stadt vorzogen. Man fand, daß eine ganze Anzahl lokaler Einrichtungen stark benutzt wird, und zwar vor allem von Nichtbesitzern von Automobilen, von Kindern, Alten, Frauen und Leuten mit geringerer formaler Bildung. Aber ihre Tätigkeiten reichten doch auch weit über die Stadt hin. Weder in St. Louis noch in einer späteren in Rochester (*Donals L. Foley* 1952) durchgeführten Untersuchung war eine klare Trennung von Nachbarschaftstyp und urbanisiertem Typ von Bewohnern möglich. Wenn auch keine dieser Untersuchungen restlos überzeugend ist, so werfen sie doch relevantere Fragen über das kleine Gebiet auf, als es eine Untersuchung über den Homogenitätsgrad tut. Sie scheinen einiges Licht auf die Organisation der Großstadt zu werfen. In Europa wurden diese Fragen von *René König* (1958) diskutiert. Siehe auch *P.-H. Chombert de Lauwe* (1959/60); *H. Swedner* (1960); *O. Dollfus* (1970).

b) Dominanz

Dominanz ist ein anderer in der Sozialökologie vielbenutzer Strukturbegriff. In Analogie zur Pflanzenökologie (*F. E. Clements* und *Victor E. Shelford* 1939) bezeichnet der Terminus die Funktion des Organismus, welche die für die Funktionen aller zusammenhängenden Organe wesentlichen Voraussetzungen kontrolliert. Aufgabe der dominanten Funktion sind die Stabilisierung, Koordinierung und Erhaltung des Wachstums (*Robert E. Park* 1952). Leider wurde diese kühne Konzeption von den Ökologen, trotz der Möglichkeiten, die sie hinsichtlich einer Strukturanalyse anbietet, in ihrer Forschungsarbeit nicht genügend ausgewertet. Der landläufige Sinn des Begriffs leitet sich dementsprechend mehr von der Physiologie als der Pflanzenökologie her. In seiner Verwendung in der Physiologie bezieht sich der Begriff der Dominanz auf die Lage desjenigen Mechanismus im Organismus, der dessen Reaktionen auf seine Umwelt kontrolliert. Nach einer bestimmten evolutionären Theorie hat sich dieser Mechanismus von der Peripherie zu einer zentralen Stelle hin verschoben (*C. M. Child* 1924). *McKenzie* (1927) wandte diese Idee in einem Vergleich zwischen alten und modernen Städten an. Nach seiner Auffassung war die ältere Stadt, wie er am Beispiel der chinesischen Städte zeigt, eine mehr oder weniger amorphe Masse; die Zone ihrer größten Empfindlichkeit gegen äußere Einflüsse war die Peripherie, an der Märkte und Messen abgehalten wurden. Sie war folglich eine Struktur geringen Integrationsgrades und unfähig, ihre Dominanz über ein größeres Gebiet auszuüben. Aber mit der Entwicklung eines höheren Integrationsgrades und zahlreicherer und weiterreichender sozialer Beziehungen entstand im Herzen der Stadt ein Kommunikations- und Verwaltungszentrum. So übt die moderne Stadt ihre Dominanz auf ein weites Gebiet durch die in ihrem Geschäftszentrum konzentrierten Institutionen aus. Ganz abgesehen von der besonderen Bedeutung seiner historischen Betrachtungsweise stellte *McKenzie* damit den Begriff der Dominanz als ein Maß für den Einfluß einer Stadt auf die Bewohner des umliegenden Landes auf. In seiner späteren, nun schon klassischen Arbeit über die „metropolitane Gemeinde" (1933) entwickelte *McKenzie* die Implikationen dieses Begriffs weiter.

Die anspruchsvollste Anwendung des Begriffes der Dominanz in der Forschung ist *Donald J. Bogues* (1949) Analyse des großstädtischen Einflusses in den USA. Er ging von der Überlegung aus, daß die großstädtische Dominanz durch das Ausmaß der Abweichung von einer rein zufälligen Verteilung bei Bevölkerung, Gewerbe und Industrie, Klein- und Großhandel und Dienstleistungen in den 67 wichtigsten Großstädten des Landes nachgewiesen werden könnte. Indem er zu einem bestimmten Zeitpunkt die Neigungswinkel der Verteilungsgradienten mehrerer Variablen untersuchte, und zwar einmal entlang den Hauptverkehrslinien und zum anderen zwischen ihnen, gelang es ihm einwandfrei, die Ausbildung der Verteilungen mit Rücksicht auf das Stadtzentrum sowie viele kleine Verschiedenheiten in den Verteilungen aufzuzeigen. Ob diese Ergebnisse tatsächlich Funktionen der Dominanz sind, bleibt der Interpretation überlassen, wenn auch vorläufig die sie stützenden Belege alles andere als überwältigend sind; denn sowohl *Bogues* als auch andere Arbeiten, die auf derselben Annahme beruhen (*Walter Isard* und *Vincent Whitney* 1949; *Rupert B. Vance* und *Sara Smith* 1954) geben keinen Einblick in die Art und Weise, wie die Dominanz irgendeine gegebene Verteilung hervorbringt.

c) Sukzession

Die Hypothese vom Wachstum der Städte in konzentrischen Zonen ist die Spezialanwendung einer allgemeineren Gesetzmäßigkeit des sozialen Wandels, die das Interesse der Ökologen in Anspruch nahm. Die *Sukzession,* wie die allgemeine Gesetzmäßigkeit heißt, ist eine weitere Analogie, die aus der biologischen Ökologie übernommen wurde. Der Terminus bezieht sich auf den nacheinander erfolgenden Austausch von Bevölkerungen in einem gemischten Gebiet. Diese Entwicklung kulminiert in einer Klimaxphase, in der die Bevölkerung so gut an die Umwelt angepaßt ist, daß sie ihre Kontrolle über das Gebiet unbegrenzt aufrechterhalten kann. Die Sozialökologen entlehnten den Begriff ursprünglich mit nur geringen oder gar keinen Modifikationen, obgleich die Aufmerksamkeit auf eine einzelne Phase oder Periode in diesem Prozeß konzentriert war. Jede einzelne Phase oder Periode wurde als Invasion bezeichnet und jede Invasion als drei Stadien umfassend angesehen: a) ein Anfangsstadium; b) ein Sekundär- oder Entwicklungsstadium und c) ein Klimaxstadium (*R. E. Park, E. W. Burgess* und *R. D. McKenzie* 1925).

Die erste systematische Anwendung des Begriffs in der Forschung findet sich in *McKenzies* (1929) Arbeit über die Entwicklung der Siedlungsformen im Bereich des Puget Sound. Er beobachtete drei Sukzessionsphasen: a) die Periode der Pionierbesiedlung, beruhend auf Wasserverkehr; b) die Periode der Verstädterung, basierend auf Bahnverkehr und c) die Periode der Zentralisierung und der Ausbildung eines metropolitanen Gebiets, die durch den Autoverkehr ermöglicht wurde. Jede Phase war gekennzeichnet durch eine charakteristische Bevölkerungsverteilung, Bodennutzung und regionale Organisation. Das Schema von *McKenzie* kehrte wieder bei *Norman S. Hayner* (1929) in einer ähnlichen Arbeit über die San Juan Inseln im Puget Sound. In beiden Arbeiten wird offenbar, daß der Begriff der Sukzession für historische Erklärungen von Nutzen ist. Keine der beiden Arbeiten prüfte jedoch die Hypothese, ob der Wandel über eine bestimmte Reihe von Phasen verläuft. Sofern der Übergang von der Pionierbesiedlung zum großstädtischen Gebiet von einer Reihe dramatischer Umwälzungen im Transportwesen begleitet ist, entsteht die Illusion, daß die Identifikation der Endzustände und Anfänge der einzelnen Phasen entwaffnend einfach ist. Leider wurden keine klaren Kriterien zur Identifizierung der einzelnen Phasen des Prozesses angegeben.

Einige der darauffolgenden Arbeiten über die Sukzession behandelten die Ortswechsel der Bewohner von Stadtgebieten, unterließen jedoch jedwede Diskussion über den gesetzmäßigen Ablauf der Vorgänge, die mit dem Wechsel zusammenhängen (*A. B. Hollingshead* 1938; *Paul F. Cressey* 1938). Eine Ausnahme bildet *Harold A. Gibbards* (1941) Arbeit über die Substitution der weißen durch farbige Bewohner in Detroit. In seiner Behandlung einer Einzelperiode des Wandels als Sukzession hielt er sich ziemlich eng an die oben aufgeführten Invasionsstadien. *Gibbards* Arbeit löste jedoch nicht die dem Begriff inhärenten grundlegenden theoretischen Probleme. Schließlich bezog *R. E. Park* (1938) eine höchst extreme Stellung in bezug auf die Allgemeinheit des Begriffs. Er behauptete, der Begriff der Sukzession gebe eine Beschreibung der Form, nach der aller Wandel verläuft. Mit anderen Worten, die Geschichte kann als Naturgeschichte angesehen werden, und Naturgeschichte ist die verallgemeinerte Form der Sukzession. In einer neue Arbeit über die Negerbevölkerung von Chicago (*Otis Dudley Duncan* und *Beverly Duncan* 1957) wurde der Begriff in einer eher brauchbaren Form wieder eingeführt. In dieser Untersuchung verwandte man die Invasionsstadien zur Klassifikation der Zählbezirke; d. h. je größer der Anteil der farbigen Bewohner, desto fortgeschrittener das Invasionsstadium. Mit Hilfe der Operationalisierung des Begriffs der Invasion zu einer Variablen wurde also die Beziehung zwischen Invasionsstadien und verschiedenen Merkmalen der Bezirke und Einwohner analysiert. Eine der Schlußfolgerungen der Autoren ist die, daß die bezirksspezifischen Eigenheiten weniger eine Funktion des Invasionsstadiums als vielmehr breitere Kräfte sind, die in der Stadt am Werk sind und gebietsmäßige Differenzierungen hervorrufen.

Wie schon angedeutet, macht das Mißlingen eines Versuchs zur Spezifizierung der Kriterien von einzelnen Stadien oder Phasen auch die Sukzessionstheorie des Wandels zu einem unpräzisen Forschungsinstrument. Aber trotz alledem ist die zyklische Konzeption des Wandels doch der ökologischen Theorie am adäquatesten. Bis eine zureichende Operationalisierung dieses Begriffs erreicht ist, wird jedoch die zyklische Theorie zugunsten der einfacheren Auffassung der Expansion als eines linearen Prozesses zurückgestellt.

IV. Bevölkerungsgröße

Die *Bevölkerungsgröße* ist neben dem Raum eine der wichtigsten Variablen der Sozialökologie. Wie wir schon früher darlegten, wird die Abnahme der Bevölkerungsdichte mit wachsendem Abstand von einem Betätigungszentrum zur Messung der Ausdehnung der Gemeinde benutzt. Ebenso wäre es denkbar, daß der Umfang der Bevölkerung ein Maß für die Struktur der Tätigkeiten in einer Gemeinde abgibt. Betrachtet man die Gemeinde als ein System von untereinander in Beziehung stehenden Funktionen, so muß sie genügend Menschen einschließen, die das Personal für die vielen Funktionen bereitstellen. So ist also ein gewisser Umfang der Bevölkerung eine hinreichende, wenn nicht gar notwendige Bedingung der Gemeindestruktur.

Obwohl diese Beziehung schon seit langem beobachtet worden ist, wurde sie doch erst jüngstens empirischen Untersuchungen unterzogen. *William J. Reilley* (1929) war einer der ersten, der darauf hinwies, daß — nach den Angaben über Texas, die er analysierte — die Spezialisierung im Einzelhandel mit einer Bevölkerungsgröße bis zu 60 000 Einwohnern wuchs. Dieselbe Beziehung wurde später für die USA im ganzen (*Clarence Schettler* 1943) und für Großbritannien beobachtet (*P. Forde* 1949). Anzeichen einer gewissen Unstabilität in dieser einfachen linearen Abhängigkeit veranlaßten *Hawley* dazu (1941), die Wirkung der Zusammensetzung der Bevölkerung zu analysieren. An Hand einer Auswahl von 1700 amerikanischen Städten wies er nach, daß sich Volumen und Vielseitigkeit des Einzelhandels nach Alter, Einkommen, Beschäftigungsart und Größe der Stadt unterscheiden. Eine Methode zur Darstellung und Verteilung des Einzelhandels nach Klassen der Einwohnerzahl einer Stadt, die sogenannte *„Urbanisierungskurve"*, wurde von *Duncan* (1952) entwickelt. Bei ihr werden für aufeinanderfolgende Größenklassen die kumulativen Verkaufsprozentzahlen der einen Art von Einzelhandel den kumulativen Verkaufszahlen aller Arten des Einzelhandels gegenübergestellt. Die sich ergebende *Lorenz*kurve kann dann optisch mit der Diagonale einer gleichmäßigen oder erwarteten Verteilung verglichen werden. Oder aber der Vergleich kann auf einen Index zurückgeführt werden, indem man den Bereich zwischen der Kurve und der Diagonale berechnet und dies in Form eines Verhältnisses zu der Gesamtfläche unterhalb der Diagonale ausdrückt.

Die Größe einer Stadt wurde auch unter dem Gesichtspunkt eines eventuellen Optimalpunktes in der Größenordnung untersucht. *Colin Clark* (1945) analysierte die Verwaltungskosten in britischen Städten im Hinblick auf deren Größe und kam zu dem

Schluß, daß das Optimum bei einer Einwohnerzahl von 250 000 liegt, d. h. bei dieser Größe schienen die Kosten pro Kopf am niedrigsten zu sein. Eine kompliziertere Untersuchung wurde von *Duncan* (1951) an Hand einer großen Auswahl an Funktionen und Eigenschaften von Städten durchgeführt. Die meisten Ergebnisse seiner Untersuchung deuten eher auf eine kontinuierliche Veränderung mit der Größe hin als auf eine Tendenz zu einem Optimalpunkt. Die Voraussetzungen, auf denen eine Optimumtheorie der Großstädte aufbaut, sind noch zu entwickeln. Es ist noch nicht einmal klar, ob sich das Optimum auf eine höchste erstrebenswerte Größe bezieht oder aber auf eine solche, jenseits deren fixe Größenzunahmen von abnehmenden Bewegungen eines zur Diskussion stehenden Merkmales begleitet werden.

Wieder ein anderer Aspekt des Größenproblems, der einige Bedeutung für die Hypothese des Optimalpunktes haben dürfte, wurde von *Hawley* (1951) erforscht. Seine Korrelationsanalyse der Verwaltungskosten in den Kernstädten von Großstadtgebilden ergab, daß diese Kosten in stärkerem Maße mit der außerhalb der Kernstädte lebenden Bevölkerung des metropolitanen Gebiets zusammenhängen als mit der innerhalb des Kerns ansässigen Bevölkerung. Das legt nahe, nicht nur die innerhalb der politischen Gemeindegrenzen Wohnenden, sondern die Gesamtheit der an den Alltagstätigkeiten einer Gemeinde Mitwirkenden zu den Berechnungen der Größenrelationen heranzuziehen.

Ein interessantes Charaktermerkmal der Größe, das zuerst von *Alfred J. Lotka* (1925) und später von *Walter Christaller* (1933) beobachtet wurde, ist die Tatsache, daß sich die Häufigkeitsverteilung der Städte umgekehrt proportional zu ihrer Größe verhält, und zwar nach einer Kurve, die sich der *Pareto*-Kurve nähert. *George K. Zipf* (1941) beobachtete ein harmonisches Verhältnis zwischen Stadtgröße und Rangordnung. Diese Beziehung könnte über die etwa 12 größten Städte hinaus nur auf einem doppelten logarithmischen Raster ausgedehnt werden. So bestechend diese empirischen Ergebnisse auch sind, ihre theoretische Bedeutung steht noch in Frage.

Die bisherigen Forschungsarbeiten über die Bevölkerungsgröße haben den Problemkreis abgesteckt und einige Parameter gefunden. Ein wesentlicher Fortschritt über den gegenwärtigen Stand hinaus wird eine befriedigende operationale Verwendbarkeit des Begriffs der sozialen Struktur abzuwarten haben. Dann mag es möglich werden, nicht nur das Verhältnis zwischen Größe und Struktur, sondern auch die strukturelle Toleranz gegenüber geringeren Größenschwankungen präzise zu bestimmen.

V. Das metropolitane Gebiet

Das Phänomen der Expansion der Gemeinde hat von Anfang an das Interesse der Sozialökologen erregt. Anfänglich nur im Zusammenhang mit der Stadt allein gesehen, erkannte man bald, daß der Expansionsprozeß auch das Verhältnis zwischen Stadt und umliegendem Gebiet betrifft. *McKenzie* (1933) wies darauf hin, daß die Expansion der Stadt eine Funktion der Expansion des von ihr abhängigen Gebiets sei und daß die beiden Phasen des Prozesses in der Tat einen neuen Typ urbaner Einheit schaffen: die *metropolitane Gemeinde.* Die Beschleunigung in der Entwicklung metropolitaner Gebiete unter dem Einfluß der wachsenden Geschwindigkeit und Flexibilität des Verkehrs- und Kommunikationswesens bestätigte *McKenzies* Schlüsse. Die vielen verheißungsvollen theoretischen Fragen und die große Anzahl praktischer Probleme, welche die städtische Expansion mit sich bringt, haben einen beträchtlichen Teil der Forschung auf diese metropolitanen Gebiete gelenkt.

In Fortführung von *McKenzies* Pionierleistung veröffentlichte *Donald J. Bogue* (1949) seine umfassende Analyse der territorialen Ausbreitung metropolitaner Gebiete in den USA. Danach erschien *Hawleys* (1956) Arbeit über die Bevölkerungsverteilung in den metropolitanen Gebieten während der 50 Jahre von 1900 bis 1950. In dieser Untersuchung zeigte der Autor, daß von 1900 bis 1920 ein Trend zu steigender Konzentration der Großstadtbevölkerung in Kernstädten bestand. Nach 1920 wurde die Dekonzentration zum herrschenden Trend und kündete damit den Beginn der metropolitanen Entwicklung an. Der Autor untersuchte auch die Beziehungen zwischen Einwohnerzahl, Wachstumsrate, Entfernung zwischen den Kernstädten, Standorttyp und industrieller Dekonzentration einerseits und der Neuverteilung der Bevölkerung andererseits.

Die Konzentration in der gewerblichen Wirtschaft wurde ebenfalls untersucht. *Evelyn M. Kitagawa* und *Donald J. Bogue* (1955) fanden, daß zwischen 1929 und 1950 die gewerbliche Dekonzentrierung geringer war als die der Bevölkerung. Sie fanden auch starke Unterschiede in den Werten für verschiedene metropolitane Gebiete. Eine multiple Regressionsanalyse konnte jedoch keine einzige Variable entdecken, die in einer eindeutigen Beziehung zur Neuverteilung in Gewerbe und Industrie stand. Eine ähnliche Untersuchung wurde über den Bewegungstrend in den Dienstleistungsgewerben in 125 metropolitanen Gebieten durchgeführt (*Raymond P. Cuzzort* 1955). Hier wurde gezeigt, daß die rasche Dekonzentrierung der Dienstleistungsgewerbe in signifikantem

Zusammenhang steht mit der Einwohnerzahl in den Außenbezirken, mit dem Prozentsatz des Anteils der Bevölkerung in den Außenbezirken, die in ländlichen Gegenden lebt, und mit dem mittleren Familieneinkommen (Medianeinkommen).

Obwohl man sich über eine Definition des *Vorortes* bisher nicht einigen konnte, hat sich die Forschung inzwischen mit den Eigenheiten der Dorf- und Stadtgemeinden nahe den Großstadtzentren als Repräsentanten eines bestimmten Vororttyps befaßt. *Leslie Kish* (1954) maß unter Verwendung von Intra-Klassenkorrelationen das Ausmaß an Differenzierung in diesen Orten. Er fand, daß die Differenzierung umgekehrt proportional der Entfernung von den Kernstädten ist. *C. D. Harris* (1943) und *Leo F. Schnore* (1957) haben dann die Hauptvororttypen herausgearbeitet. Nach *Schnores* Ergebnissen umfassen die Wohntypen und Geschäftstypen drei Viertel aller Vororte. Und von diesen beiden hat der Wohntyp die größten Wachstumsraten aufzuweisen. Es ist möglich, daß die Wohnvororte am unteren Ende der Größenskala zusammengedrängt sind. Wenn dem so ist, dann stimmen *Schnores* Ergebnisse mit der häufig beobachteten Tatsache überein, daß die Wachstumsraten am höchsten sind in den kleinsten Orten innerhalb des metropolitanen Gebiets und ganz besonders hoch in den nicht eingemeindeten Gebieten.

Vororte werden auch definiert als der Teil einer Stadt, der das gesamte Gebiet außerhalb der Kernstadt einschließlich des eingemeindeten und nicht eingemeindeten Landes umfaßt. Auf Grund dieser Definition wurden die demographischen Merkmale der Vorortbewohner mit denen der Bewohner der Kernstädte verglichen. Dabei zeigte sich, daß mit allgemein geringen Unterschieden die Vorortbevölkerung jünger und gebildeter ist, höheres Einkommen hat, häufiger nicht farbig und eingeboren ist und relativ mehr aus vollständigen Familien besteht als die Bevölkerung der Kernstadt (*Beverly Duncan* und *Albert J. Reiss* 1950; *A. B. Hollingshead* 1938). Es wurde behauptet, daß Personen mit den Merkmalen der Vorortbewohner sich eher den größeren Zeitaufwand und die Kosten, die mit dem entfernten Wohnen vom Stadtzentrum verbunden sind, leisten können als andere Leute. Mit anderen Worten, die Vororte wirken selektiv. Diese Hypothese ist noch nicht sorgfältig untersucht worden. Zweifellos würde man zwischen verschiedenen Vororten große Unterschiede in der Zusammensetzung der Bevölkerung finden. Überdies reduziert der Trend zur Dekonzentration von Gewerbe und Industrie die Anziehungskraft des Stadtzentrums und nimmt der Entfernung vom Zentrum etwas ihre Bedeutung. Dennoch aber muß die offenkundige Selektivität der Vororte noch näher erklärt werden.

Anscheinend in Unkenntnis des selektiven Charakters der Vororte sah *Walter T. Martin* (1953) in der Vorortlage einen Widerspruch zu den ortsbestimmenden Wirkungen des Strebens nach leichter Zugänglichkeit. Er versuchte statt dessen nachzuweisen, daß die Anpassung an die Vorortlage eine Funktion der Einstellungen der Bewohner ist. Seine Schlüsse waren nicht nur nicht überzeugend, sondern standen auch in keiner Beziehung zu dem Hauptgedanken; denn seine Daten schlossen Entfernungsunterschiede nicht ein. Die Behauptung, daß das Wohnen in einem Vorort, ungeachtet des Bevölkerungstyps, eine spezifische Lebensweise mit sich bringt, ist implizit in *Martins* und anderen Arbeiten (*Sylvia F. Fava* 1956) enthalten.

Die Struktur der städtischen oder großstädtischen Gemeinde, die für die Sozialökologie von größtem Interesse ist, besteht aus den Wechselbeziehungen, durch die eine gemeinsame Bevölkerung ein einheitliches Leben aufrecht erhält. Sie ist eine auf aktiven Beziehungen aufgebaute Struktur, ihr Bestand ist garantiert durch die tagtägliche Demonstration der Interdependenz dieser Beziehungen. Die Darstellung des räumlichen Aufbaus ist *eine* Möglichkeit der Entwicklung dieser Struktur. Eine andere wäre die Beschreibung des Zyklus der Bevölkerungsumschichtung, die routinemäßig während der 24 Stunden des Tages geschieht. Ein Ansatz zur Beschreibung und Messung der funktionell bestimmten Alltagsbewegungen in einer Gemeinde ging aus von der während der Arbeitszeit im Geschäftszentrum anwesenden Bevölkerung. Tabulierungen wurden vorgenommen nach dem Umfang dieser Bevölkerung und den Häufungen nach demographischem Typ (*Gerald W. Breese* 1949), nach dem benutzten Verkehrsmittel und dem Zweck der Ortsveränderung (*Harry P. Sharp* 1954). Es wurde auch gezeigt, daß der Anteil der Großstadtbewohner, die *zum* Geschäftszentrum fahren, und ihre Akkumulationsziffer proportional ist (*Donald L. Foley* 1952). Hieraus ergibt sich folgender Schluß: je größer die Großstadtbevölkerung, desto weniger ist sie von zentralen Diensten abhängig und desto verstreuter sind die Dienste, die sie in Anspruch nimmt.

Ein zweiter Versuch konzentriert sich auf die tägliche Fahrt zu und von der Arbeit. Die Vergrößerung der Entfernung zwischen Wohnung und Arbeitsstätte wurde als Migrationsersatz und Erweiterung der Beschäftigungsmöglichkeiten für die Arbeiter interpretiert (*Kate K. Liepman* 1944). Untersuchungen über die Verteilung der Arbeiterwohnungen an Hand eines Gradienten, je nach Entfernung vom Arbeitsplatz, führten *J. Douglas Carroll* (1949) zu der Schlußfolgerung, daß die Arbeiter trotz erhöhter Beweglichkeit ihre tägliche Fahrt zur Arbeit zu verkürzen suchen. Diese

Feststellung wurde von *Leo F. Schnore* (1954) scharf kritisiert. Unter Verwendung von Angaben aus einer einzelnen Gemeinde zeigte er, daß die Lage der Wohnung gleichermaßen von der zahlenmäßigen Stärke der Arbeiterschaft, dem Alter der Fabrik, der Schicht oder Arbeitszeit wie auch von der Entfernung der Arbeitsstätte abhängig ist. Es wurde auch darauf hingewiesen, daß die Entfernung zwischen Wohnung und Arbeitsplatz unmittelbar mit dem sozial-ökonomischen Status und dem Ausmaß der Zentralisierung der Arbeitsplätze variiert (*Beverly Duncan* 1956).

In seiner Untersuchung über Vorortbewohner von Milwaukee erhielt *Richard Dewey* (1948) Schätzwerte für die Entfernungen, die die Leute bei verschiedenen gewohnheitsmäßigen Tätigkeiten wie Schulbesuch, Einkauf, persönliche Dienstleistungen, Fahrten zur Entspannung und Fahrten zum Arbeitsplatz zurückzulegen gewillt waren. So interessant diese Angaben auch sind, die mangelnde Bereitstellung vergleichbarer Daten für eine Nicht-Vorortbevölkerung schränkt den Wert seines Beitrages ein. *C. T. Jonassen* (1955) behandelte in einer umfassenderen Arbeit den relativen Reiz von Vorort-Einkaufszentren und städtischen Geschäftszentren. Diese und andere noch laufende Arbeiten über Verkehrsmuster werden noch einiges Licht auf das funktionale System einer metropolitanen Gemeinde werfen.

In dieser kurzen zusammenfassenden Darstellung war es nur möglich, einige Grundzüge der wichtigsten Probleme zu berühren. Viele wurden ausgelassen, vor allem die theoretischen Entwicklungen, die noch nicht zu empirischen Untersuchungen geführt haben. Vielleicht aber ist klar geworden, daß die Forschung auf dem Gebiet der Sozialökologie in ihrer kurzen Geschichte sich vorwiegend der Feststellung von Variablen und Parametern, der Verbesserung von Techniken der Forschung und der Überprüfung von Hypothesen gewidmet hat. In all diesen Fällen beschäftigte sie sich ausschließlich mit der Gemeinde als physische Gegebenheit, d. h. als einem beobachtbaren Phänomen mit angebbaren räumlichen und zeitlichen Dimensionen. Dabei wurde regelmäßig unterstellt, daß die mehr ephemeren Lebensphasen der Gemeinde, die Wechselbeziehungen und Funktionen, von denen sie ihre Einheit ableitet, in diesen Größen meßbar sei. Die Sozialökologie hat einen Reifegrad erreicht, wo sie diese Aussage und ihre Folgesätze überprüfen kann. Zuvor muß jedoch der Teil der Theorie, der der eingehenden empirischen Überprüfung standgehalten hat, systematisch zusammengefaßt werden. Vieles ist seit den letzten Bemühungen um eine Synthese geschehen (*A. H. Hawley* 1971; *James A. Quinn* 1940). Die gegenwärtige theoretische Arbeit von *Otis Dudley Duncan* und anderen verspricht, der Ökologie für ihren weiteren Fortschritt das Rüstzeug zu liefern. Daß sie rasch voranschreiten wird, dafür bürgt das wachsende Ausmaß an Forschungstätigkeit. Die einzige Ungewißheit ist die theoretische Richtung, die sie einschlagen wird.

VI. Neuere Entwicklungen

Neuere Entwicklungen in der Lösung von Problemen, mit denen sich Sozialökologen seit langer Zeit befaßt haben, führten dazu, daß sie sich für so viele Disziplinen und so viele Aspekte dieser Probleme interessieren, daß ein Überblick über die getane Arbeit nur in einem großen Band gegeben werden könnte (*Ph. M. Hauser* und *L. F. Schnore* 1965). Während Demographen, Ökonomen, Geographen, Historiker, politische Wissenschaftler und Soziologen — sei es mit oder ohne eine ökologische Perspektive — die Organisation der Stadt in fortgeschrittenen Gesellschaften immer intensiver untersucht haben, haben sich Archäologen und Anthropologen sehr schnell ökologischen Modellen zugewandt, mit deren Hilfe sie ihre Probleme bei der Untersuchung einfacher Gesellschaften formulierten. Mittlerweile besteht die Tendenz, daß beide Interessenrichtungen zum Urbanisierungsphänomen in sich entwickelnden Gesellschaften hin konvergieren.

Die vorherrschenden Themen in Schriften, die sich mit fortgeschrittenen Gesellschaften befassen, sind u. a. *die Implikationen der abnehmenden städtischen Konzentration,* der *Organisation und Ausübung von Macht in städtischen Systemen* und *städtischer Regionalismus.* Das erste dieser Themen umfaßt so viele Probleme, daß die gesamten Sozialwissenschaften für ihre Lösung relevant sind (z. B. *W. A. Dobriner* 1958; *E. M. Hoover* und *R. Vernon* 1959), obwohl die zentralen Interessen die sich wandelnde demographische und funktionale Organisation einer sich ausbreitenden Stadt und deren Wirkungen auf das Zentrum sind. Diese Schriften sind überwiegend entweder deskriptiv, oder sie befassen sich mit spezifischen analytischen Problemen. Bis jetzt gibt es noch keine bemerkenswerten theoretischen Formulierungen.

Forschungen über die *Ausübung von Macht in der sozialen und politischen Organisation der Stadt* sind spezifischer angelegt. Auf den Anfang von *Floyd Hunters* (1953) Untersuchung der Machtkonzentration in einer einzelnen Stadt unter Benutzung von Expertenpanels und soziometrischer Analyse — eine Technik, die als „reputational method" bekannt geworden ist — folgten viele Studien, die die Methode auf andere städtische Zentren angewandt haben (*R. J. Pellegrin* und *C. H. Coates* 1956; *R. E. Agger* und

D. Goldrich 1958). Dabei ist eine Kontroverse darüber entstanden, ob es eine einzige Clique von Personen, die die Macht innehat, gibt, oder ob verschiedene Machtgruppen jeweils für eine bestimmte Klasse von Problemen bestehen (*R. O. Schulze* 1961; *N. W. Polsby* 1963). Diese Untersuchungen haben jedoch selten den Einfluß der Machtkonzentration untersucht, nachdem er identifiziert wurde. Eine Ausnahme ist eine Untersuchung von *A. Hawley* (1963), der von dem ökologischen Begriff der Dominanz ausging und eine positive Beziehung zwischen der Machtkonzentration in Städten und dem Grad, in dem sie bei städtischen Sanierungsprogrammen erfolgreich waren, fand. Obwohl die Machtstudien als ein fruchtbarer Ansatz zur Lösung breiterer Probleme der sozialen Organisation in den städtischen Gebieten vielversprechend zu sein scheinen, haben sie sich doch bis jetzt noch nicht als fruchtbar erwiesen (vergl. dazu in diesem Band das Kapitel von *René König* über „Neuere Strömungen der Gemeindesoziologie").

Die bemerkenswertesten Fortschritte wurden in Untersuchungen des *städtischen Regionalismus* gemacht. Diese lösten sich von der älteren simplen Annahme der Dominanz bezüglich der Reichweite städtischen Einflusses und behandelten Beziehungen innerhalb von Gruppen von Städten. Sie haben sich ebenfalls gelöst von der Theorie der zentralen Orte (*J. H. Schultze* 1959, *J. L. Berry* und *A. Pied* 1961) und befassen sich mit funktionalen und nicht mit territorial lokalisierten Hierarchien. Durch eine Untersuchung der Bankverrechnungsstellen zwischen Städten konnten *Otis D. Duncan* und seine Mitarbeiter ein hierarchisches System unter den städtischen Zentren in den Vereinigten Staaten herausfinden (*O. D. Duncan* 1960). In ähnlicher Weise untersuchte *Ralph W. Pfouts* (1962) die Beziehungen innerhalb einer regionalen Gruppe von Städten. Kurz gesagt, diese Schriften zeigen einen Trend zu einer breiten interregionalen Skala urbaner Organisation, die auf einer Vielzahl miteinander in Beziehung stehender Städte basiert, angefangen von den kleinsten bis zu den größten.

In einer etwas anderen Hinsicht wurde die städtische Organisation in bezug auf die Verteilung von Städten nach ihrer Größe innerhalb nationaler Staaten untersucht (*J. M. Beckman* 1958). *Brian J. L. Berry* (1961) ging von den älteren Werken von *George K. Zipf* und *John Q. Stewart* aus und untersuchte die Beziehung zwischen der Verteilung von Städten nach ihrer Größe und dem Ausmaß ökonomischer Entwicklung. Seine negativen Ergebnisse waren ohne Zweifel zum Teil durch seine willkürliche Benutzung der nationalen Grenzen für die Abgrenzung der Volkswirtschaften beeinflußt.

Archäologische Untersuchungen einfacher Gesellschaften, die in diesem Zusammenhang relevant sind, sind solche, die sich primär mit der Entwicklung der städtischen Gesellschaft befassen. Neuere Arbeiten dieser Art sind weniger wegen ihres Themas bemerkenswert als vielmehr deshalb, weil sie ökologische Konzepte und Problemformulierungen benutzen (*R. J. Braidwood* und *G. R. Willey* 1962; *R. Adams* 1965; *R. J. Braidwood* und *Ch. G. Reed* 1957). Die Anwendung dieser Perspektive führte sie dazu, ihre Aufmerksamkeit auf Typen der Landnutzung in vorhistorischen Zeiten, auf Schätzungen der Bevölkerungsgröße und wahrscheinlichen Anteile regionaler Bevölkerungen, die anders als durch die Gewinnung von Naturprodukten erhalten werden könnten, zu richten. Eine Synthese von *O. D. Duncan* (1964), der eine Verbindung vieler archäologischer Ergebnisse mit historischen und modernen Trends zeigte, brachte Ordnung in das umfassende Material. Gleichzeitig fanden Anthropologen ökologische Prinzipien immer nützlicher, besonders bei ihren Untersuchungen der Umwelt und der sozialen Struktur (*C. Geertz* 1963; *J. P. Mencher* 1966; *Symposium* 1961; *J. Helm* 1962). Obwohl behauptet werden könnte, daß das Umweltkonzept von Anthropologen etwas eng definiert wird (*E. H. Ferdon* 1959), beschreiben sie nichtsdestoweniger die Sozialstruktur schriftloser Völker detaillierter als jemals zuvor. Diese Leistung ist in nicht geringem Ausmaße auf ein wiederbelebtes Interesse an vergleichenden Studien (*M. Sahlens* 1958; *W. Goldschmidt* 1959; *M. Nash* 1966; *N. Naroll* 1956; *M. J. Bowman* und *A. C. Anderson* 1955) zurückzuführen, das den lange vernachlässigten Werken von *L. T. Hobhouse, G. C. Wheeler* und *M. Ginsberg* (1915) folgte.

Das *Interesse an vergleichenden Untersuchungen* ist auch eine auffallende Entwicklung bei anderen Sozialwissenschaftlern. Ein fruchtbares Gebiet für die Kultivierung dieses Interesses findet man bei den gegenwärtig sich entwickelnden Gebieten. Trends zur Modernisierung in solchen Gebieten bieten Gelegenheiten, Hypothesen neu zu überprüfen, die in den fortgeschrittenen Gesellschaften des Westens entwickelt wurden (*H. Kuper* 1965; *R. Turner* 1962). In vielen Fällen ist eine solche Vorgehensweise jedoch fragwürdig, denn der Vergleich einer sich entwickelnden Gesellschaft ist dann am angemessensten, wenn er an westlichen Gesellschaften zu den Zeiten durchgeführt wird, als sie sich in ähnlichen Wachstumsperioden befanden, und nicht an westlichen Gesellschaften der Gegenwart (*G. Sjoberg* 1965). Obwohl diese Studien häufig durch fragmentarische Daten erschwert werden, erweitern sie doch in jedem Falle ganz eindeutig die Grundlage ökologischen Wissens.

Im allgemeinen scheint es, daß das ökologische Denken sich vorwiegend zu einer immer intensiveren Beschäftigung mit Problemen der sozialen Organisation entwickelt und auch ihr Interesse an demographischen und Umweltvariablen wird ohne Zweifel auch weiterhin die Ökologie als einen eigenen Ansatz von anderen Ansätzen unterscheiden. In der Tradition dieses Ansatzes hat *A. Hawley* neuerdings eine vorläufige Fassung einer axiomatischen Theorie der Organisation, die auf Gleichgewichtsannahmen beruht, vorgelegt (*A. Hawley* 1967).

Ausgewählte Literatur

Adams, Robert McC., The Evolution of Urban Society: Early Mesopotamia and Prehispanic Mexico, Chicago 1965.

Agger, Robert E., und *Daniel Goldrich*, Community Power Structure and Partisanship, in: American Sociological Review, Bd. 23 (1958).

American Sociological Society, The Urban Community as a Spatial Pattern and a Moral Order, Publications XX, 1926.

Barrows, H. H., Geography as Human Ecology, in: Annals of the Association of American Geographers, Bd. 13 (1923).

Bartholomew, Harland, Urban Land Uses, Cambridge, Mass. 1932.

Bartholomew, G. A., und *J. B. Birdsell*, Ecology and the Protohominids, in: American Anthropologist, Bd. 55 (1953).

Beaujeu-Garnier, Jaqueline, und *Georges Chabot*, Traits de géographie urbaine, Paris 1963.

Beckman, J. Martin, City Hierarchies and the Distribution of City Size, in: Economic Development and Cultural Change, Bd. 6 (1958).

Berry, Brian J. L., City Size Distribution and Economic Development, in: Economic Development and Cultural Change, Bd. 9 (1961).

Berry, Brian J. L., und *Allen Pred*, Central Place Studies: A Bibliography of Theory and Application, Philadelphia 1961.

Blumenfeld, Hart, On the Concentric-Circle Theory of Urban Growth, Land Economics, Bd. 25 (1949).

Bogue, Donald J., The Structure of the Metropolitan Community: A Study of Dominance and Subdominance, Ann Arbor, Mich., 1949.

Bowers, Raymond V., Ecological Patterning of Rochester, in: American Sociological Review, Bd. 4 (1939).

Bowman, Mary Jean, und *Arnold C. Anderson*, Wirtschaftstypen, in: Schmollers Jahrbuch, Bd. 75 (1955).

Braidwood, Robert J., und *Charles G. Reed*, The Achievement and Early Consequences of Food Production: A Consideration of Archaeological and Natural History Evidence, in: Cold Spring Harbor Symposium on Quantitative Biology, Bd. 22 (1957).

Braidwood, Robert J., und *Gordon R. Willey* (Hrsg.), Courses toward Urban Life, Chicago 1962.

Breese, Gerald W., The Daytime Population of the Central Business District of Chicago, Chicago 1949.

Burgess, E. W., The Growth of the City: An Introduction to a Research Project, in: Proceedings of the American Sociological Society, Bd. 18 (1924).

Burgess, E. W., The Determination of Gradients in the Growth of the

City, in: Publications of the American Sociological Society, Bd. 21 (1927).

„Paris et Huit Metropoles Mondiales", Cahiers de l'Institut d'Aménagement et d'urbanisme de la Région Parisienne (Paris 1965), vol. 2.

Caplow, Theodore, und *Robert Forman,* Neighborhood Interaction in a Homogeneous Community, in: American Sociological Review, Bd. 15 (1950).

Carroll, J. Douglas, Some Aspects of Home-Work Relations of Industrial Workers, in: Land Economics, Bd. 25 (1949).

Chabot, Georges, Les Villes: Aperçu de Géographie Humaine, Paris 1948.

Child, C. M., Physiological Foundations of Behavior, New York 1924.

Chombart de Lauwe, Paul-Henry, Paris et l'agglomération parisienne, 2 Bde., Paris 1952.

Chombart de Lauwe, Paul-Henry, Famille et Habitation, 2 Bde. Paris 1959/60.

Chombart de Lauwe, Paul-Henry, Paris. Essais de Sociologie, Paris 1965.

Christaller, Walter, Die zentralen Orte Süddeutschlands, Jena 1933.

Clark, Colin, The Economic Functions of a City in Relation to its Size, in: Econometrica, Bd. 13 (1945).

Clark, Colin, Urban Population Density, in: Journal of the Royal Statistical Society, Series A, Bd. 14 (1951).

Clements, F. E., Research Methods in Ecology, Lincoln, Nebraska, 1905.

Clements, F. E., und *Victor E. Shelford,* Bioecology, New York 1939.

Cooley, Charles H., The Theory of Transportation, in: Publications of the American Economic Association, Bd. 9 (1894).

Cressey, Paul F., Population Succession in Chicago, 1898—1930, in: American Journal of Sociology, Bd. 44 (1938).

Cuzzort, Raymond P., Suburbanization of Service Industries within Standard Metropolitan Areas. Studies in Population Distribution No. 10, Oxford, Ohio 1955.

Davie, Maurice R., The Pattern of Urban Growth, in *George P. Murdock* (Hrsg.), Studies in the Sciences of Society, New Haven, Conn., 1937.

Desse, Georges, Modelage de l'homme; Ecologie humaine, Paris 1969.

Dewey, Richard, Peripheral Expansion in Milwaukee Country, in: American Journal of Sociology, Bd. 53 (1948).

Dickinson, Robert R., City, Region and Regionalism, London 1947.

Dobriner, William A. (Hrsg.), The Suburban Community, New York 1958.

Dollfus, Olivier, L'Espace Géographique, Paris 1970.

Dorselaer, Jaime, Las funciones socio-economicas de las ciudades latinoamericanas, in: *L. Calderón, A. Calle* und *J. Dorselaer,* Problemas de Urbanización en America Latina, Friburgo y Bogota 1963.

Duncan, Beverly, Factors in Work-Residence Separation: Wage and Salary Workers, Chicago, 1951, in: American Sociological Review, Bd. 21 (1956).

Duncan, Beverly, und *Albert J. Reiss,* Social Characteristics of Urban and Rural Communities 1950, New York 1956.

Duncan, Otis Dudley, Optimum Size of Cities, in: *Paul K. Hatt* und *Albert J. Reiss* (Hrsg.), Reader in Urban Sociology, Glencoe, Ill., 1951.

Duncan, Otis Dudley, Urbanization and Retail Specialization, in: Social Forces, Bd. 30 (1952).

Duncan, Otis Dudley, An Alternative to Ecological Correlation, in: American Sociological Review, Bd. 18 (1953).

Duncan, Otis Dudley, Population Distribution and Community Structure, in: Symposium on Animal Ecology and Demography, 1956.

Duncan, Otis Dudley, Social Organization and the Eco-System, in: *Robert E. L. Faris* (Hrsg.), Handbook of Modern Sociology, Chicago 1964.

Duncan, Otis Dudley, und *Beverly Duncan,* The Negro Population of Chicago: A Study of Residential Succession, Chicago 1957.

Duncan, Otis Dudley, und *Leo F. Schnore,* Cultural, Behavioral and Ecological Perspectives in the Study of Social Organization, in: American Journal of Sociology, Bd. 65 (1959).

Duncan, Otis D., u. a., Metropolis and Region, Baltimore 1960.

Fava, Sylvia F., Suburbanism as a Way of Life, in: American Sociological Review, Bd. 21 (1956).

Ferdon, E. H., Agricultural Potential and the Development of Culture, in: Southwestern Journal of Anthropology, Bd. 15 (1959).

Festinger, Leon, Stanley Schachter und *Kurt Back,* Social Influence, New York 1950.

Firey, Walter, Land Use in Central Boston, Cambridge, Mass., 1947.

Foley, Donald, L., The Use of Local Facilities in a Metropolis, in: The American Journal of Sociology, Bd. 56 (1950).

Foley, Donald L., Neighbors or Urbanists, Rochester, N. Y., 1952.

Foley, Donald L., The Daily Movement of Population into Central Business Districs, in: American Sociological Review, Bd. 17 (1952).

Foley, Donald L., Urban Daytime Population: A Field for Demographic-Ecological Analysis, in: Social Forces, Bd. 32 (1954).

Form, William, u. a., The Compatibility of Alternative Approaches to the Delimitation of Urban Sub-Areas, in: American Sociological Review, Bd. 19 (1954).

Forde, P., Excessive Competition in the Retail Trades, 1901—1931, in: American Sociological Review, Bd. 6 (1941).

Galpin, C. J., The Social Anatomy of an Agricultural Village, Agricultural Experiment Station of the University of Wisconsin, Research Bulletin 34, Madison, Wis., Mai 1915.

Geertz, Clifford, Agricultural Involution: The Processes of Ecological Change in Indonesia, Berkeley, Calif., 1963.

Gibbard, Harold A., The Status Factor in Residential Successions, in: American Journal of Sociology, Bd. 46 (1941).

Gist, Noel P., Developing Patterns of Urban Decentralization, in: Social Forces, Bd. 30 (1952).

Goldschmidt, Walter, Man's Way: A Preface to the Understanding of Modern Society, New York 1959.

Green, Howard Whipple, Cultural Areas in the City of Cleveland, in: American Journal of Sociology, Bd. 38 (1932).

Hallowell, A. Irving, The Sign of Algonkian Hunting Territories: A Function of Ecological Adjustment, in: American Anthropologist, Bd. 51 (1949).

Hardoy, Jorge Enrique, und *Richard P. Schoedel,* El Proceso de urbanización in America desde sus origines hasta nuestros dias, Buenos Aires, 1969.

Harris, Chauney D., Suburbs, in: American Journal of Sociology, Bd. 49 (1943).

Harris, Chauney D., und *Edward L. Ullman,* The Nature of Cities, in: The Annals of the American Academy of Political and Social Science, Bd. 242 (1945).

Hatt, Paul, The Concept of Natural Area, in: American Sociological Review, Bd. 11 (1946).

Hauser, Philip M., und *Leo F. Schnore* (Hrsg.), The Study of Urbanization, New York 1965.

Hawley, Amos H., An Ecological Study of Urban Service Institutions, in: American Sociological Review, Bd. 6 (1941).

Hawley, Amos H., Ecology and Human Ecology, in: Social Forces, Bd. 22 (1944).

Hawley, Amos H., Human Ecology: A Theory of Community Structure, New York 1950.

Hawley, Amos H., Metropolitan Population and Municipal Government Expenditures in Central Cities, in: Journal of Social Issues, Bd. 7 (1951).

Hawley, Amos H., Land Use Patterns in Manila, in: Papers in Demography and Public Administration, Manila 1954.

Hawley, Amos H., Land Value Patterns in Okayama, Japan, 1940 and 1952, in: American Journal of Sociology, Bd. 60 (1955).

Hawley, Amos H., The Changing Shape of Metropolitan America, Glencoe, Ill. 1956.

Hawley, Amos H., Community Power and Urban Renewal Success, in: American Journal of Sociology, Bd. 68 (1963).

Hawley, Amos, H., Human Ecology, in: International Encyclopedia of the Social Sciences, New York 1967.

Hawley, Amos H., Urban Society: An Ecological Approach, New York 1971.

Hayner, Norman S., Ecological Succession in the San Juan Islands, in: Publications of the American Sociological Society, Bd. 23 (1929).

Helm, June, The Ecological Approach in Anthropology, in: American Journal of Sociology, Bd. 67 (1962).

Higgens, Martin und *Reynaud, Les* Orientations du dévelopment économique régional dans la province de Québec, Montreal 1970.

Hobhouse, Leonard T., Gerald C. W. C. Wheeler und *Morris Ginsberg,* The Material Culture and Social Institutions of the Simpler Peoples, London 1915.

Hollingshead, A. B., Changes in Land Ownership as an Index of Succession in Rural Communities, in: American Journal of Sociology, Bd. 43 (1938).

Hoover, Edgar M., The Location of Economic Activity, New York 1948.

Hoover, Edgar M., The Concept of a System of Cities, in: Economic Development and Cultural Change, Bd. 3 (1955).

Hoover, Edgar Malone, und *Raymond Vernon,* Anatomy of a Metropolis, Cambridge, Mass., 1959.

Hoult, Thomas F., Research Note on the Hypothesis of Median Location, in: American Journal of Sociology, Bd. 59 (1954).

Hoyt, Homer, One Hundred Years of Land Values, Chicago 1933.

Hoyt, Homer, The Structure and Growth of Residential Neighborhoods in American Cities, Washington, D.C., 1939.

Hunter, Floyd, Community Power Structure, Chapel Hill, N.C., 1953.

Hurd, Richard M., Principles of City Land Values, New York 1903.

Ikle, Fred C., Reconstruction and Population Density in War-Damaged Cities, in: Journal of the American Institute of Planners, Bd. 16 (1950).

Ikle, Fred C., The Effect of War Destruction upon Ecology of Cities, in: Social Forces, Bd. 29 (1951).

Ikle, Fred. C., The Social Impact of Bomb Destruction, Norman, Okl., 1958.

Isard, Walter, und *Vincent Whitney,*

Metropolitan Site Selection, in: Social Forces, Bd. 27 (1949).

Jonassen, C. T., The Shopping Center versus Downtown, Columbus, Ohio, 1955.

Kish, Leslie, Differentiation in Metropolitan Areas, in: American Sociological Review, Bd. 19 (1954).

Kitagawa, Evelyn M., und *Donald J. Bogue*, Suburbanization of Manufacturing Activity, in: Studies in Population Distribution No. 9, Oxford, Ohio, 1955.

Kneedler, Grace M., Economic Classification of Cities, in: The Municipal Yearbook, 1945, Chicago 1945.

König, René, Grundformen der Gesellschaft: Die Gemeinde, Hamburg 1958 (engl. Übers. London 1968).

Kuper, Hilda (Hrsg.), Urbanization and Migration in West Africa, Berkeley, Calif., 1965.

Liepman, Kate K., The Journey to Work, New York 1944.

Lotka, Alfred J., Elements of Physical Biology, Baltimore 1925.

Lösch, August, Räumliche Ordnung der Wirtschaft, Jena 1940.

Martin, Walter T., The Rural Urban Fringe: A Study of Adjustment to Residence Location, Eugene, Oregon 1953.

McKenzie, Roderick D., The Neighborhood, Chicago 1923.

McKenzie, Roderick D., The Ecological Approach to the Study of the Human Community, in: American Journal of Sociology, Bd. 30 (1925). Abgedruckt in: *Robert E. Park, E. W. Burgess* und *R. D. McKenzie* (Hrsg.), The City.

McKenzie, Roderick D., The Concept of Dominance and World Organization, in: American Journal of Sociology, Bd. 33 (1927).

McKenzie, Roderick D., The Metropolitan Community, New York 1933.

McKenzie, Roderick D., Ecological Succession in the Puget Sound Region, in: Publications of the American Sociological Society, Bd. 23 (1929).

Meggars, Betty J., Environmental Limitation on the Development of Culture, in: American Anthropologist, Bd. 56 (1954).

Mencher, J. P., Kerala and Madras: A Comparative Study of Ecology and Social Structure, in: Ethnology, Bd. 5 (1966).

Naroll, Raoul, A Preliminary Index of Social Development, in: American Anthropologist, Bd. 58 (1956).

Nash, Manning, Primitive and Peasant Economic Systems, San Francisco 1966.

Newman, Marshall T., The Application of Ecological Rules to the Racial Anthropology of the Aboriginal New World, in: American Anthropologist, Bd. 55 (1953).

Nicolas, J. Diez, Determinación de la población urbana en Espana en 1960, Centro de Estudios Sociales, La concentración urbana en Espana, Anales de Moral Social y Economica, Madrid 1969.

Palerm, Angel, et al., Studies in Human Ecology: A Series of Lectures Given at the Anthropological Society of Washington, Washington 1957.

Park, Robert E., Human Ecology, in: American Journal of Sociology, Bd. 42 (1936).

Park, Robert E., Einleitung zu *Andrew W. Lind*, An Island Community: Ecological Succession in Hawaii, Chicago 1938.

Park, Robert E., Human Communities, Hrsg. von *Everett C. Hughes* u. a., Chicago 1952.

Park, Robert E., und *Ernest W. Burgess*, An Indroduction to the Science of Sociology, Chicago 1921.

Park, Robert E., Ernest W. Burgess

und *Roderick D. McKenzie* (Hrsg.), The City, Chicago 1925.

Pellegrin, R. J., und *C. H. Coates*, Absentee Owned Corporations and Community Power Structure, in: American Journal of Sociology, Bd. 51 (1956).

Pfeil, Elisabeth, Großstadtforschung. Entwicklung und gegenwärtiger Stand, 2. neubearb. Aufl., Hannover 1972.

Pfouts, Ralph W., Patterns of Economic Interaction in the Crescent, in: *F. Stuart Chapin*, Jr., und *Shirley F. Weiss* (Hrsg.), Urban Growth Dynamics in a Regional Cluster of Cities, New York 1962.

Polsby, Nelson W., How to Study Community Power: The Pluralist Alternative, in: Journal of Politics, Bd. 22 (1963).

Quinn, James A., The Nature of Human Ecology: Reexamination and Redefinition, in: Social Forces, Bd. 18 (1934).

Quinn, James A., The Burgess Zonal Hypothesis and Its Cities, in: American Sociological Review, Bd. 5 (1940).

Quinn, James A., Human Ecology and Interactional Ecology, in: American Sociological Review, Bd. 5 (1940).

Quinn, James A., The Hypothesis of Median Location, in: American Sociological Review, Bd. 8 (1943).

Quinn, James A., Human Ecology, New York 1950.

Reilley, William J., Methods for the Study of Retail Relationships, University of Texas Bulletin 2944, Austin, Texas, 1929.

Robinson, W. S., Ecological Correlations and the Behavior of Individuals, in: American Sociological Review, Bd. 15 (1950).

Sahlens, Marshall, Social Stratification in Polynesia, Seattle, Wash., 1958.

Schettler, Clarence, Relation of City Size to Economic Services, in: American Sociological Review, Bd. 8 (1943).

Schnore, Leo F., The Separation of Home and Work: A Problem for Human Ecology, in: Social Forces, Bd. 32 (1954).

Schnore, Leo F., The Growth of Metropolitan Suburbs, in: American Sociological Review, Bd. 22 (1957).

Schultze, Joachim H. (Hrsg.), Zum Problem der Weltstadt, Berlin 1959.

Schulze, R. O., The Bifurcation of Power in a Satellite City, in: *Morris Janowitz* (Hrsg.), Community Political Systems, Glencoe, Ill., 1961.

Sharp, Harry P., The Non-Residential Population of the Central Business District of Flint, Michigan: A Study in Human Ecology, Social Science Research Project, University of Michigan, Ann Arbor, Mich., 1954.

Shelford, V. E., Animal Communities im Temporal America, Chicago 1913.

Shevky, Eshref, und *Marilyn Williams*, The Social Areas of Los Angeles, Berkeley und Los Angeles, Calif., 1949.

Shevky, Eshref, und *Wendell Bell*, Social Area Analysis, Stanford, Calif., 1955.

Sjoberg, Gideon, Theory and Research in Urban Sociology, in: *Philip M. Hauser* und *Leo F. Schnore* (Hrsg.) 1965.

Stewart, John Q., Empirical Mathematical Rules Concerning the Distribution and Equilibrium of Population, in: Geographical Review, Bd. 37 (1947).

Steward, Julian H., Theory of Culture Change, Urbana, Ill., 1955.

Swedner, Harald, Ecological Differentiation of Habits and Attitudes, Lund 1960.

Symposium: Patterns of Land Utilization and Other Papers, Proceedings of the 1961 Annual Spring Meeting of the American Ethnological Society, Seattle, Wash., 1961.

Thompson, Warren S., The Growth of Metropolitan Districts in the United States: 1900 to 1940, Washington, D. C., 1948.

Thünen, Joh. Heinr. von, Der isolierte Staat in Beziehung auf Landwirtschaft und Nationalökonomie, 3 Bände, Hamburg und Rostock 1826–1863.

Turner, Roy (Hrsg.), India's Urban Future, Berkeley, Calif., 1962.

Vance, Rupert B., und *Sara Smith*, Dominance and Integration, in: *Vance, Rupert B.*, und *Nicholas J. Demerath* (Hrsg.), The Urban South, Chapel Hill, N. C., 1954.

Warming, Eugenius, Ecology of Plants, Oxford 1909.

Wedel, Waldo R., Some Aspects of Human Ecology in the Central Plains, in: American Anthropologist, Bd. 55 (1953).

White, C. Langdon, und *George T. Renner*, Human Geography: An Ecological Study of Society, New York 1948.

Wirth, Louis, The Ghetto, Chicago 1928.

Wirth, Louis, Human Ecology, in: American Journal of Sociology, Bd. 50 (1945).

Zipf, George K., National Unity and Disunity, Bloomington, Ind., 1941.

Zipf, George K., Human Behavior and the Principle of Least Effort, Cambridge 1949.

Zorbaugh, Harvey, The Natural Areas of the City, in: *E. W. Burgess (Hrsg.)*, The Urban Community, Chicago 1926.

Zorbaugh, Harvey, The Gold Coast and the Slum, Chicago 1929.

Soziologie der Gemeinde

I. Die Gemeinde als Objekt und als Paradigma

Von Conrad M. Arensberg

Die steigende Bedeutung und Verfeinerung der Gemeindeforschung als methodologisches Instrument ist eine der ermutigendsten Entwicklungen in der gegenseitigen Annäherung der verschiedenen Zweige der empirischen Sozialwissenschaften heute (*Conrad M. Arensberg* 1954; *August B. Hollingshead* 1948; *René König* 1956, 1958; *I. Chiva* 1958; *Robert Redfield* 1955). Dieser Ansatz ist schon lange zu einem häufig und erfolgreich benutzten Instrument in der Ethnographie geworden. Dort hat er beträchtlich zu der wachsenden Möglichkeit einer komparativen Soziologie der verschiedenen Gesellschaftsformen der Erde beigetragen (*Julian H. Steward* 1950). Die Methode hat natürlich ihre frühen Wurzeln in sozialen Übersichtsstudien *(social surveys)*, ferner in der Land- und Agrarsoziologie, in der Nationalökonomie und in der Sozialgeographie (*Pauline V. Young* 1949; *Logan Wilson* 1945; *Carl T. Taylor* 1945; *Kurt Uterman* 1952; *M. Maget* 1953). Sie ist aber nicht auf kleine und ländliche Gemeinden beschränkt geblieben, sondern ebenfalls in der Stadtsoziologie und bei dem Studium und der Planung des Urbanismus angewandt worden (*Everett C. Hughes* 1938; *Elizabeth Bott* 1956; *Eshref Shevky* 1929; *Thomas S. Simey* 1954; *Georges Balandier* 1955).

Diese Konvergenz verschiedener theoretischer Ansätze auf die Gemeindeforschung als methodologisches Instrument deutet auf eine wachsende Verwendung des Begriffs der Gemeinde für mannigfaltige Zwecke hin. Die Gemeinde hat als Paradigma oder als Untersuchungseinheit für das Studium ganzer Kulturen oder Gesellschaften gedient, als lokale Verkörperung umfassender oder allgemeiner sozialer Probleme oder Phänomene, als Experimentierfeld für geplanten Wandel, für Verbesserungs- oder Entwicklungspläne (*T. R. Batten* 1958; *Phillips Ruopp* 1953; *Caroline Ware* 1952). Diese Annäherung verschiedener Disziplinen auf die Gemeindeforschung markiert somit eine Rückkehr der Gemeinde — der großen wie der kleinen — in das Rampenlicht sozialwissenschaftlichen Interesses. Wir sagen „Rückkehr", weil die Sozialwissenschaft in ihren ersten Anfängen, in der Periode ihrer Grundlegung während der letzten Jahrzehnte des vergangenen Jahrhunderts, in beträchtlichem Umfang die Gemeinde als einen zentralen Untersuchungsgegenstand behandelte. In jener Zeit wurden die wiederkehrenden, oft weitverstreuten elementaren Strukturen des örtlichen Gemeinwesens erforscht; zum Beispiel das Dorf, die Art der Bodennutzung und die Siedlungsformen, die Dorfverfassung; oder die antike Polis und die frühe Stadt (*Henry S. Maine* 1871; *Georg von Maurer* 1854; *Harold Peake* 1954; *Numa Fustel de Coulanges* 1864; *A. Meitzen* 1895). Die Probleme waren damals natürlich anderer Natur, aber die Gemeinde war nichtsdestoweniger das Forschungsfeld, entweder als Gegenstand der Untersuchung selbst oder als Paradigma für ein umfassenderes Universum.

1. Die Gemeinde als Forschungsfeld und Forschungsobjekt

Trotz der langen und nun neubelebten Tradition der Gemeindeforschung als eines zentralen Ansatzes und Arbeitsgebiets der Sozialwissenschaften findet man jedoch hier immer noch beträchtliche Unklarheiten. Das Phänomen als solches, die Gemeinde als Forschungs*objekt* wird nämlich in Theorie und Praxis nur unvollkommen von der Verwendung der Gemeinde als Forschungs*feld* oder als Paradigma abgehoben, wo die Gemeinde lediglich den Rahmen absteckt, in dem die Forschung betrieben wird, Beobachtungen gemacht und Beziehungen untersucht werden. Die Trennung beider Probleme läßt sich abstrakt hinlänglich klar vornehmen; sie ist auch sicherlich erforderlich. Um ein Problem in einer Gemeinde studieren zu können, das heißt in seiner natürlichen Umgebung oder in seiner besonderen Ausgestaltung in einer sorgsam ausgewählten besonderen Gemeinde statt in der Menge ihrer mannigfaltigen lokalen Erscheinungsformen, muß man zunächst eine Gemeinde unter vielen ausmachen und abgrenzen. Erst danach und nach der Feldarbeit oder der örtlichen Erhebung oder dem Experiment muß man sich die Frage vorlegen: inwieweit sind die gefundenen Ergebnisse in dieser konkreten Gemeinde, inwieweit ist das dort gefundene Material zu dem untersuchten Problem repräsentativ und inwieweit kann es für die Interpretation des universellen Auftretens dieses Phänomens und seiner Erscheinungsformen und Ursachen in der gesamten Kultur oder Gesellschaft benutzt werden? Der erste Schritt besteht also in der Abgrenzung der Gemeinde und der Präzisierung des Problems; eine Theorie der Repräsentativität und der Beziehung zwischen Teil und Ganzem ist der zweite Schritt.

Betrachten wir die offenkundige Verschiedenheit dieser beiden Aspekte der Gemeinde etwas näher. Einerseits fragt man, *was eine Gemeinde ist*. Ferner fragt man nach den verschiedenen Gemeindetypen, wie und warum sie sich entwickelt haben, welche Funktionen sie erfüllen. Man untersucht, wie sich die Funktionen in ihrer Eigenart ändern oder verwandeln oder ob die Gemeinde die gegebenen Funktionen erfüllen kann, wenn sich als eine Reaktion auf wirtschaftliche, politische, religiöse oder demographische Einflüsse die Form, das Leben, die Existenzfähigkeit und der Zusammenhalt der Gemeinde verändern und verschiedene Gemeindetypen sich auseinander entwickeln und aufeinander folgen. Ebenso kann man Untersuchungen über die Pathologie der Gemeinde anstellen, über die Wirkungen des Niedergangs oder des übermäßigen Wachsens einer Gemeinde auf das Wohlergehen, die Leistungsfähigkeit oder Sicherheit der Gemeindebewohner; man kann sich die Frage vorlegen, inwieweit die Gemeinde diese menschlichen, kollektiven oder individuellen Eigenschaften mit Erfolg aufrechtzuerhalten oder zu verbessern vermag, ja inwiefern sie nicht sogar eine Notwendigkeit in diesem Sinne darstellt. Wieweit man hier auch immer gehen mag, die Fragen zielen alle auf die Natur der Gemeinde als einem Gegenstand eigener Art hin (*Baker Brownell* 1950; *Maurice Stein* 1960).

Auf der anderen Seite steht die hiervon deutlich unterschiedene Fragestellung, die die Gemeinde als ein Untersuchungsfeld oder Paradigma betrachtet, *innerhalb dessen etwas anderes als die Gemeinde selbst erforscht werden soll.* Wieweit kann man die vorgefundenen Ergebnisse verallgemeinern? Oder umgekehrt ausgedrückt: bis zu welchem Ausmaß kann man sich darauf verlassen, daß sich das Allgemeine in einer oder gerade „dieser" Gemeinde widerspiegelt? In welcher Weise ist irgendeine einzelne, nach Zeit und Raum so einzigartige Gemeinde gleichzeitig auch Muster, „Durchschnitt" oder repräsentativ? Inwiefern ist eine Gemeinde kennzeichnend für alle anderen oder für das Ganze einer Gesellschaft, einer Kultur, einer Zivilisation oder einer Epoche? Ist es legitim, irgendeine Gemeinde — und sei es selbst eine höchst sorgsam ausgewählte — als Mikrokosmos eines gesamtgesellschaftlichen Makrokosmos oder irgendeines anderen viel ausgedehnteren oder bevölkerungsmäßig größeren nationalen, religiösen oder epochalen Ganzen zu betrachten? Ist das, was man in ihr sieht, ein getreues Abbild dessen, was man in allen anderen ungesehenen Teilen des Ganzen auch finden könnte? Wird das, was man in ihr sieht, uns zuverlässig über das Ganze informieren? Andere Denkweisen bieten uns vorläufige Modelle dieser Beziehung zwischen Teil und Ganzem, und sie scheinen es zu rechtfertigen, wenn man die Gemeinde als typisches Untersuchungsfeld oder als Paradigma benutzt. Können sie zu vertretbaren und strengen wissenschaftlichen Methoden verfeinert werden? Inwieweit kann man die Lebensweise der Bewohner einer bekannten Gemeinde als Abbild, als Abriß, als Zeugnis für das Leben, die Natur, das Schicksal, den Charakter und den Geist aller anderen unbekannten Menschen des gleichen Zeitalters und der gleichen Kultur betrachten? Angenommen, man wüßte einiges über diese anderen oder über die Gesamtheit, wie zum Beispiel über ihre Werke oder Kunsterzeugnisse, über ihre sozialen oder psychologischen Probleme, über ihren Nationalcharakter oder ihr nationales Ethos; welche neuen Aspekte würden durch eine genaue und detaillierte Kenntnis der Interaktionszusammenhänge in einer ihrer lokalen Gemeinden gewonnen?

Solcherart sind die Fragen, wenn die Gemeinde als Untersuchungsfeld oder als Paradigma benutzt wird. Sie zielen nicht auf ihre Natur, sondern auf den Gebrauch, den die Wissenschaft von ihr macht. Erst spät ist die Sozialwissenschaft dazu gekommen, den Reichtum der Erfahrung durch Gedankengebilde zu ersetzen, die die Möglichkeit bieten sollen, in einem handlichen und nützlichen Denkinstrument einer Wirklichkeit zu begegnen, die viel zu komplex ist, um als ganze und auf einmal erfaßt zu werden. Humanisten und Künstler haben schon immer das Große durch das Kleine analysiert und symbolisiert, das menschliche Ganze durch das Partikuläre in der Biographie, als Vignette, als Genrebild, als Prunkaufzug auf der Leinwand oder als Drama oder Epos einer Begebenheit oder eines Charakters. Heutzutage ist es besonders der Roman und der Film, die die Gemeinde oder ähnliche Gebilde dichter und komplexer menschlicher Aktivitäten künstlerisch ausgestalten und darstellen.

Es gehört zum Wesen des Sozialwissenschaftlers und nicht des Künstlers, zu systematisieren und die Legitimität einer solchen Auswahl und „Nahaufnahme" des Lebens zu rechtfertigen und zu überprüfen. Der Wissenschaftler in ihm ist gezwungen, Kunst in Methode umzusetzen, Impressionen auf strenge Protokollierung zu reduzieren, mittelbare Regeln des Vorgehens und des Schließens zu entwickeln, die Struktur- und Beziehungsmodelle, deren er sich zur Mitteilung der entdeckten Zusammenhänge bedient, explizit und wirtschaftlich anwendbar zu machen.

Es wäre natürlich unbillig, alle Wissenschaftler, die sich der modernen Methode der Gemeindeforschung bedienen, nach dem Grad der Vollständigkeit zu beurteilen, mit dem sie diese wissenschaftlichen Imperative erfüllt haben. Ebenso unfair würde es sein, wollte man alle Künstler nach der Überzeugungskraft der Symbole beurteilen, mit denen sie ein getreues Abbild des Lebens einzufangen suchen. Nicht alle modernen Wissenschaftler, die sich der Gemeinde als Forschungsinstrument bedienen, haben in irgendeiner Weise eine Definition des von ihnen verwendeten Konzepts der Gemeinde gegeben oder gerechtfertigt, wie sie bei der Interpretation des lokalen Materials in bezug auf das untersuchte allgemeine Problem vorgegangen sind. Der wissenschaftliche Prozeß bedarf für seine Wirksamkeit nicht des bewußten Programms. In vielen Studien, in denen die Gemeinde als Untersuchungsfeld diente, wurde bei der Auswahl der Gemeinde neben der Repräsentativität ebenso die leichte Durchführbarkeit der Untersuchung beachtet. Allein, wenn bei der Untersuchung eines Problems konkretes Material in der Form von wahren Lebensbegebenheiten einer bestimmten Zeit und eines bestimmten Ortes einbezogen wird, ist oft hinreichend empirischer Bezug hergestellt, um falsche Begriffe auszuschalten und fruchtbare Entdeckungen zu garantieren. Wie wir noch sehen werden, ist die Gemeinde nicht das einzige Gebiet, dessen sich die moderne Sozialwissenschaft als Mittler zur empirischen Wirklichkeit bedient. Ebensowenig wird der Gewinn aus solcher empirischen Bezugnahme gänzlich zunichte, wenn letztere ohne Plan und ohne besondere Sorgfalt entwickelt wird.

2. Der Bezug zur Wirklichkeit

Dieser Bezug zur empirischen Wirklichkeit — im Sinne der naturgeschichtlichen Methode in den Wissenschaften vom Leben — ist offenbar von anderem Charakter als der Zugang über experimentelle Studien oder Sozialerhebungen. Die Gemeindestudie als eine Technik der Materialsammlung, als eine Art und Weise, Tatsachen zu sichten und zu sammeln und die zwischen ihnen vermuteten Beziehungen zu überprüfen, ist nur eine unter anderen der modernen Beobachtungsmethoden (*William F. Whyte* 1951). Um ein Problem der Sozial- und Kulturwissenschaft in den Griff zu bekommen, zum Beispiel soziale Desorganisation (*Whyte* 1943, 1958), rassische Vorurteile und Diskriminierung (*Charles Wagley* 1958), Ablehnung entwickelter Technik oder der westlichen medizinischen Erkenntnisse (*Henry Dobyns* 1951; *Eduard Spicer* 1953; *Benjamin D. Paul* 1955), um nur einige wenige der zahllosen Phänomene zu nennen, die durch ein solches Vorgehen erhellt worden sind, bedient man sich am besten der unmittelbaren Beobachtung des Problems in der lokalen Szenerie — üblicherweise einer Gemeinde —, in der man seine Beziehungen zu anderen Erscheinungen feststellen kann, in der man die Bedeutung der untersuchten Frage für die von ihr betroffenen Personen und ihre Mitmenschen beobachten, erforschen und abwägen kann. In einer früheren Behandlung dieser Methode habe ich diese Art des Wirklichkeitsbezuges als *„In vivo-Studien"* bezeichnet, wiederum in Analogie zur Naturgeschichte (*Arensberg* 1954).

Die Gemeinde ist gewiß nicht die einzige Möglichkeit zur Lokalisierung und Spezifizierung von Problemen der Sozialwissenschaft. Der Vorteil in der Anwendung der Gemeindeforschung ist die mit ihr verbundene intensive Versenkung des Forschers in die innere komplexe Wirklichkeit der Gemeinde, wobei naturgeschichtliche Beobachtungen — insbesondere wenn es sich um fremde, ausländische oder sonstwie schicht- oder kulturspezifische Lebensformen handelt (ein nützlicher Imperativ für alle ethnographische Feldarbeit) — beinahe unumgänglich geworden sind. Eine ganz von der natürlichen Erscheinung her begriffene Umschreibung des Untersuchungsfeldes führte so dazu, den interessierten Beobachter vollständig in Anspruch zu nehmen. Abgrenzung und Strukturierung der Gemeinde als Gegenstand oder geschlossenes soziales Gebilde konnten dabei zunächst unberücksichtigt bleiben.

Anders verhält es sich anscheinend mit den übrigen sozialen Gebilden, an denen man durch Beobachtung und Forschung die Erklärung heischenden Probleme mit der nackten Wirklichkeit konfrontierte. Unter diesen ragten in den letzten Jahrzehnten der Arbeitsraum oder Arbeitsplatz, die Methode der Industriesoziologie und der industriellen Beziehungen heraus (*Arensberg* u. a. 1957; *Eugene V. Schneider* 1957; *Georges Friedmann* 1950); ferner das Krankenhaus (*Edith Lentz* und *Temple Burling* 1956), die medizinische Lehranstalt (*Renee Fox* 1959), die psychiatrische Pflegeanstalt (*William Caudill* 1958); ferner der politische Apparat, die Klüngelwirtschaft, der Lobbyismus, die pressure groups (*David B. Truman* 1958) in der politischen Wissenschaft; die Organe der Entscheidungsbildung, Ausschüsse, die verschiedenen Organisationsebenen in industriellen wie in öffentlichen Bürokratien (*Herbert Kaufman* 1960; *H. Guetzkow* 1951); beratende oder problemorientierte Gruppen, einige von ihnen ad hoc oder experimentell gebildet (*Robert F. Bales* 1950). Sogar die amerikanische Richterschaft hat man auf diese Weise untersucht (*Fred Strodtbeck* 1961). Von diesen Untersuchungsanordnungen sind besonders einige einheitlich angelegte Tiefenanalysen von Personen zu nennen, obwohl Ausgangspunkt eher das Individuum als die Gruppe war. Studien über Kultur und Persönlichkeit und über „Nationalcharaktere" sind in den letzten Jahren zu der Vorstellung gelangt, man könne die untersuchte Kultur oder Gesellschaft als Mikrokosmos in der Person wiederfinden. Jeder Angehörige einer Nation kann als „Träger der Kultur" die Gesellschaft widerspiegeln, wie einst, bevor solche Konzepte zu wissenschaftlichen Methoden (*Rhoda Metraux* und *Margaret Mead* 1953) verfeinert wurden, jeder Slawe „l'âme Slave" in sich tragen mußte, wie auch *Salvador de Madariaga* den französischen, spanischen und englischen Nationalcharakter in den einzelnen Angehörigen der betreffenden Nationen darstellen konnte.

Die nach Art und Intention gänzlich verschiedenartigen Anwendungen der Gemeindeforschung verkörpern dann, ebenso wie jene anderen Verfahren zur Einbettung der untersuchten Probleme in das soziale Leben, die Fortentwicklung von empirischen Methoden und Beobachtungsverfahren. Sie ergeben brauchbare Ergebnisse, noch bevor Theorie und strenge Methoden ihr Vorgehen rational erklären. Hierin gleichen sie vielen anderen Entwicklungen in der Wissenschaft — sei es Natur- oder Sozialwissenschaft. Zu einem Teil mindestens rührte ihre Fruchtbarkeit aus der schon erwähnten zwangsweisen Versenkung des Forschers — besonders bei der Feldarbeit — in seinen Untersuchungsgegenstand und der ebenso zwangsweisen Inbezugsetzung seiner Ideen mit den Wirklichkeiten der Gemeinde. Die übrigen konkreten Forschungsansätze erforderten vielleicht vorherige strengere Definition, oder waren schwerer anwendbar, oder machten es dem Forscher leichter, auszuweichen oder sich zurückzuziehen. Die Gemeinde als Forschungsfeld und Paradigma zwang dagegen den Forscher meist dazu — insbesondere wenn er dort erst hinfahren und längere Zeit verweilen mußte —, *teilnehmender Beobachter* zu werden, und zwar beinahe ohne sein eigenes Zutun, einfach als Folge der ganzen Situation. So hat die Gemeindeforschung in der modernen Sozialwissenschaft vielleicht am besten zwei Gebote aller Wissenschaft garantiert: daß Hypothesen formuliert werden aus der empirischen Beobachtung von Beziehungen zwischen relevanten Phänomenen und daß die Verallgemeinerungen durch die erneute Zuwendung zur Wirklichkeit überprüft werden.

Die verschiedenen Anwendungen des Begriffs der Gemeinde als Spiegelbild oder Untersuchungsfeld oder Paradigma für eine weitere Wirklichkeit, wie wir sie als Beispiele angeführt und den Fragen um die Natur der Gemeinde gegenübergestellt haben, sind daher alle untereinander verbunden, ungeachtet der spezifischen oder allgemeinen Begriffe, mit denen sie gerechtfertigt werden. Sie gleichen sich alle darin, daß sie den Bezug zur Wirklichkeit gewährleisten, daß sie Versuche in kontrolliertem Empirismus darstellen, wie auch immer die implizierte Theorie über die Beziehung zwischen Teil und Ganzem aussehen mag und wie verschieden auch immer die auf Gemeindeboden zu erklärenden Probleme sein mögen. Dies entbindet uns allerdings nicht von der Suche nach einer besseren Theorie, und zwar sowohl über die Natur der Gemeinde als auch über ihre Rolle als Teil von ganzen Kulturen, Gesellschaften, Nationen usw. Aber wir sind auch ohne das, wie mir scheint, zu einem großen Vertrauen auf die Ergebnisse der Gemeindeforschung als methodisches Instrument berechtigt, ohne allzu ungeduldig sein zu müssen angesichts der noch nicht restlos gelungenen Rechtfertigung ihrer unterschiedlichen Forschungspläne und Verwirklichungen. Noch heute resultieren die unterschiedlichen Anwendungen der Gemeindeforschung eher aus der Alltagserfahrung der Feldforschung als aus durchdachter Planung.

Die Verwendung der Gemeinde als Spiegelbild ist noch immer am üblichsten in der ethnographischen und ethnologischen Forschung. Dort muß die Kultur als Ganzes noch immer erfaßt und abgegrenzt werden, indem man die Menschen untereinander vergleicht, aber die Feldforschung muß in einer besonderen und begrenzten Gemeinde der „Kulturträger" durchgeführt werden, selbst wenn die untersuchte Frage sich in vielen Völkern oder Kulturen in gleicher Weise stellt oder umgekehrt eine Institution in einigen Gemeinden funktionell eingegliedert ist und in anderen nicht. So findet die Gemeindeforschung als methodisches Instrument eine immer breitere Anwendung bei Problemen der Theorie der Kultur, ihrer Entwicklung und ihrer Natur, wie zum Beispiel des Wesens der Agrarbevölkerung (*R. Redfield* 1956), der Entstehung und der Beziehung von „Hochkulturen" („die großen Traditionen") und „niederen Kulturen" („die kleinen Traditionen") (*M. N. Srinivas* 1952, 1955), der Natur und Nachwirkung der Plantagenkultur (*Steward* 1955, 1956; *Vera Rubin* 1958), der „Großmutter-Familie" (*R. T. Smith* 1956) usw. Sie ist weit verbreitet in Untersuchungen über die Entwicklung und den Wandel von Kultur und Wirtschaft, nicht nur in älteren, außereuropäischen Gebieten (*Alexander Leighton* und *Robert T. Smith* 1952; *Cyrill S. Belshaw* 1957), sondern auch im Herzen der atlantischen (westlichen) Zivilisationen (*Taylor* 1945; *Maget* 1955; *Gerhard Wurzbacher* 1954; *Edward C. Bancroft* 1958; *Julian Pitt-Rivers* 1954).

Analog dazu ist die Gemeinde als Untersuchungsfeld häufiger in den Disziplinen zu finden, in denen die Gesellschaft und Kultur des Forschers als genau bekannt angenommen werden kann und deshalb kein Vergleich mit anderen erforderlich ist. Diese Disziplinen sind die Soziologie, die Sozialpsychologie und die Sozialpsychiatrie. Für so unterschiedliche Probleme wie die Wirkungen der Massenkommunikationsmittel auf soziale Kohäsion und Integration (*Arthur J. Vidich* und *Joseph Bensman* 1958), des Erfolgs der

Wohnungsplanung (*John Mogey* 1958), des Auffindens von Strukturen politischen Einflusses (*Floyd Hunter* 1953; *Hunter, Ruth C. Schaffer* und *Cecil B. Scheps* 1956; *Solon T. Kimball* und *Marion B. Pearsall* 1954), der Bildung der Persönlichkeit (*O. A. Oeser* 1954; *Joseph Eaton* und *Robert J. Well* 1955), der Analyse von sozialen Klassen und deren Struktur (*William Llody Warner* 1952, 1953) – um nur einige wenige zu nennen – war die Gemeinde oft und lange das gewählte Untersuchungsfeld, aus dem sich umfassendere Theorien und Erklärungen ableiten, überprüfen und dokumentieren ließen.

Neuerdings ist die Sozialpsychiatrie dazu übergegangen, einige ihrer Fragen im gleichen Rahmen zu behandeln. Geriatrische Fragen, die Ätiologie der Geisteskrankheiten, die Schwierigkeiten der Fallsuche, die Bedeutung kultureller Faktoren und solcher der Klassenzugehörigkeit sind mit der Erforschung der Struktur, der Sitten, der Spannungen in einer bestimmten, repräsentativen Gemeinde und der in ihr lebenden Menschen verbunden worden (*Jurgen Ruesch* 1949; *Leighton* 1957; *Marvin Opler* 1956). Das Verschmelzen älterer Methoden der Sozialerhebung sowie der statistischen und ökologischen Forschung mit den Einsichten und Techniken der Gemeindeforschung hat gewiß das Studium der sozialen und geistigen Hygiene und des öffentlichen Gesundheitswesens verfeinert und den hierfür verantwortlichen Stellen, den Planungs- und Gesundheitsbehörden einen unmittelbaren und wirkungsvolleren Zugang zu den sozialen und kulturellen Komponenten dieser Probleme verschafft (*Russell Sage Foundation* 1959; *Roland Warren* 1955, 1963, 1966; *Michael Young* und *Peter Wilmott* 1957).

Insgesamt gesehen läßt sich ein derartiger Gewinn durch die Gemeindeforschung und ihre Varianten erhoffen, daß sich die Sozialwissenschaft damit ein höchst lohnendes Methodeninstrument erschlossen hat. Eine bessere Theorie über die Gemeindeforschung und ihre Wirksamkeit wird vielleicht – zum mindesten bis zu einem bestimmten Grad – aus der wachsenden Vertrautheit mit ihr und der steigenden Kenntnis ihrer Möglichkeiten resultieren. Das Instrument scheint aber offensichtlich so brauchbar zu sein, daß wir den Aufbau einer Theorie nicht nur der kumulativen, verschwenderischen und rein pragmatischen Methode von „Versuch und Irrtum" überlassen können. Vielmehr ist einige strengere begriffliche Arbeit erforderlich. Die Rückkehr der Gemeinde ins Zentrum des Interesses der Sozialwissenschaften, die wir heute miterleben, erfordert dringend die Lösung der begrifflichen und methodologischen Probleme, wie sie sich aus den beiden von uns unterschiedenen Fragestellungen über die Gemeinde stellen: Die Gemeinde als Gegenstand der Untersuchung und die Gemeinde als Untersuchungsfeld oder als Paradigma. Der erste Schritt auf dem Wege zu einer besseren Theorie über die Natur der Gemeinde als Untersuchungsobjekt kann nicht auf unbestimmte Dauer vertagt werden; der zweite Schritt zur rationalen Durchdringung der Gemeindeforschung, zu einer besseren Theorie über die Beziehung zwischen Teil und Ganzem, also der Beziehung zwischen den Forschungsergebnissen in einer Gemeinde und der Erklärung von Problemen in einem breiten Universum vieler Gemeinden, sollte nicht im Dunkel vager Modelle wie „Spiegelung" oder „Auswahl" verharren, die man aus unspezifischen und unsystematischen künstlerischen und literarischen Darstellungen ableitet.

3. Definition der Gemeinde

Was man allerdings in einem kurzen, wenn auch zusammenfassenden Aufsatz dazu erarbeiten kann, kann nicht sehr viel sein. Nichtsdestoweniger möchten wir auf dem hier verfügbaren Raum einige der Hauptschwierigkeiten aufgreifen, die von Kritikern oder Praktikern der Gemeindeforschung herausgestellt wurden, und möchten Antworten auf diese Probleme zu geben versuchen, die sich aus einer möglichen, bereits sich andeutenden Theorie der Gemeinde als Gegenstand und als Paradigma herleiten. Die Beschränkung des Raumes wird natürlich keine vollständige Darstellung, geschweige denn eine lückenlose Begründung einer solchen Theorie erlauben; auch bin ich nicht sicher, ob wir zu einer erschöpfenden Darstellung überhaupt imstande sind. Doch scheint mir bereits einiges von dieser Theorie diskutierbar zu sein, so daß wir in einen Zustand versetzt werden, wenn nicht alle der aufgeführten begrifflichen und methodologischen Schwierigkeiten, so doch mindestens einige von ihnen zu lösen.

Die gegen die Methode oder ihre Anwendung in den verschiedenen Studien erhobenen Einwände lassen sich grob vereinfachend unter ein paar Themen zusammenfassen. Es sind im wesentlichen vier Punkte:

1. *Repräsentativität:* Welche Gemeinde soll man wählen? Das Problem ist besonders schwierig zu lösen in Ländern ohne gleichförmige Dörfer, in Ländern mit erheblicher regionaler Differenzierung, mit geschichteten und getrennten sozialen Klassen, in ethnisch gemischten, religiös, vielleicht auch rassisch „pluralistischen" Gesellschaften. Es ist keineswegs leichter in Gebieten, in

denen zwischen den Bevölkerungszentren, zwischen den nach Bevölkerungsgröße und -dichte unterschiedlich großen Metropolen, Städten, Weilern und Streusiedlungen auf dem Lande ökonomische oder administrative oder andere funktionelle Spezialisierungen bestehen.

2. *Vollständigkeit:* Wann ist eine Gemeinde ein Ganzes? Wie grenzt man sie ab, wenn sich — wie es die Regel ist — eine Ansiedlung oder ein nach Interessenausrichtung oder sozialem Kontakt einheitlicher Siedlungskomplex in andere angrenzende stufenweise eingliedert und sie sich gegenseitig überlagern? Was geschieht andererseits, wenn — wie oft — eine Gemeinde auf einer bestimmten Ebene Teil einer anderen, größeren zu sein scheint oder sich darunter in noch kleinere Gebilde unterteilt?

3. *Institutioneller Umfang:* Inwieweit muß eine Gemeinde Institutionen, die kulturellen „Züge", die tragenden Kräfte der ganzen Gesellschaft oder Kultur umfassen, damit sie als Teil, Paradigma oder Spiegelbild verwendbar wird? Wenn in ihr zu wenig gesamtkulturelle oder externe Merkmale oder Einrichtungen sichtbar werden, kann sie dann noch als Abbild des Kulturbereichs gelten, in dem diese Merkmale universell gelten? Wenn sie umgekehrt zuviele solcher Züge aufweist, kann man sie dann noch als eine lebensfähige Gemeinde betrachten?

4. *Kohäsion:* Und schließlich, wann ist eine Gemeinde hinreichend integriert, genügend solidarisch, kooperierend und von gemeinsamen Ideen durchzogen, um zunächst überhaupt eine Gemeinde zu sein? Um auch zweitens die normalen gesamtgesellschaftlichen Spannungen widerzuspiegeln, sie weder über- noch unterzurepräsentieren? Die Gemeinden sind — besonders wenn man sie aus der Nähe und von innen heraus betrachtet — ebensooft in voneinander entfremdete Gruppen, Parteien oder Sekten geteilt, wie sie harmonisch und solidarisch sind. Wie steht es hier mit Grenzen, Gleichgewicht und Einheit?

Offenbar nun betreffen diese vier Punkte die Gemeinde sowohl als Gegenstand wie als Paradigma. Genau wie sich die Stufen der begrifflichen Klärung unterscheiden, je nachdem ob man die Gemeinde als Gegenstand oder ihre Verwendung als Paradigma ins Auge faßt, müssen die Antworten auf die vier Fragen nach beiden Gesichtspunkten getrennt gegeben werden. Auch können die einzelnen Antworten am Schluß nicht völlig isoliert dastehen; man muß eine Gemeinde identifizieren können, und davon hängt ihre Brauchbarkeit für das Verständnis des Ganzen ab, von dem sie ein Teil ist.

Bei anderer Objektivierung oder Lokalisierung der Probleme der Sozialwissenschaft, bei der sich die Methode der Beobachtung anderer Untersuchungsfelder oder Abbilder bedient, stößt die Identifizierung und Abgrenzung des Samples auf keine begriffliche Schwierigkeiten. In Untersuchungen über Nationalcharaktere oder Studien über Kultur und Persönlichkeit kann jedes beliebige Individuum, sofern es nicht marginal, gemischt, übermäßig kompliziert oder idiosynkratisch „ausgefallen" ist, als Träger seiner Kultur dienen (*Mead* 1951; *Metraux und Mead* 1953), wenn ihm nur die entsprechende Rolle und soziale Kategorie von der eigenen Gesellschaft zuerkannt wird. Es gibt auch gewiß keine Probleme der Abgrenzung, da sich eine Person biologisch und ontologisch von den anderen abheben läßt. Bei Fragen, die die Beobachtung von besonderen Arbeitsräumen, Fabriken, Krankenhäusern, kirchlichen Gemeinden oder Büros erforderlich machen, stellt die Repräsentativität zwar auch ein Problem dar, aber es gibt hier formelle organisatorische Kriterien zur Identifizierung und Abgrenzung der Gruppen, in denen die Beziehungen, das Verhalten und die Attitüden untersucht werden sollen. Hingegen weiß man schon lange, daß solche Merkmale mit Sicherheit für die Gemeinde nicht benutzt werden können, bei der in fast allen Ländern administrative und gesetzliche Grenzen die Grenzen der „natürlichen" Gemeinde willkürlich kreuzen und schneiden (*König* 1956, 1958; *Charles Loomis* und *J. Allan Beagle* 1950).

Eine Theorie der Gemeinde, die die genannten vier Fragen sowohl hinsichtlich der Definition und Auswahl einer brauchbaren Gemeinde als auch hinsichtlich der Rechtfertigung ihrer Verwendung als Paradigma oder als Abbild allgemeinerer Probleme beantwortet, muß daher nicht nur expliziter sein, als es bisher in der beobachtenden und empirischen Sozialwissenschaft üblich war. Sie muß auch genügend innere Konsistenz aufweisen, damit sie die nächsten beiden Schritte der Theoriebildung sinnvoll durchführen kann. Sie muß deutlich machen, was eine Gemeinde ist, damit wir die richtige auswählen, und sie muß aussagen, wie eine Gemeinde ihre Kultur oder Gesellschaft widerspiegelt, so daß man vom Muster aufs Ganze rückschließen kann.

Ich habe an anderer Stelle eine Definition der Gemeinde vorgeschlagen, die mir theoretisch wie empirisch am besten diese beiden Zwecke zu erfüllen scheint (*Arensberg* 1954, 1955). Ich werde diese Definition und ihre Begründung aufgreifen und dann zu zeigen versuchen, in welcher Weise sie die oben gestellten Fragen über die Verwendung der Gemeinde zu beantworten vermag.

Gemeinden scheinen soziale Grundgebilde der Organisation und kulturellen Überlieferung innerhalb einer Gesellschaft und ihrer Kultur zu sein. Diese Begriffsbestimmung wird sowohl auf Grund ihres repetitiven Charakters als auch auf Grund der Merkmale ihrer Mitglieder, ihrer Formen und ihrer Funktionen nahegelegt. Die Definition kann nur abgeleitet werden aus der Umformung und Strukturierung des vergleichenden ethnographischen und historischen Materials über menschliche und tierische Gesellschaften, mit entsprechender Beachtung ihrer entwicklungsmäßigen Unterschiede in biologischer und sozialer Hinsicht und unter Berücksichtigung ihrer organisatorischen, soziologischen und politischen Verfassung *zuzüglich* der ökologischen, wirtschaftlichen und sozial-geographischen Aspekte.

Bisher findet man eine viel zu begrenzte Auffassung der Gemeinde und ihrer Variationen. Entweder hat man sich fast ausschließlich auf ökologische Faktoren beschränkt: die Gemeinde wird — eine zwar legitime und brauchbare, aber keineswegs erschöpfende Sichtweise — lediglich als eine Form der Bodennutzung und der Besiedlung, oder als territoriale Einheit und in bezug auf die Reichweite ihrer Verflochtenheit in die Umgebung betrachtet. Oder die Definitionen haben einen psychologischen oder kollektivsoziologischen Ausgangspunkt. So berief man sich auf das vermeintliche Zusammengehörigkeitsbedürfnis des Menschen oder auf die zum Überleben erforderliche Kooperation und Solidarität, ja selbst auf Artbewußtsein und Herdentrieb. Eine Standarddefinition (*George P. Murdock* 1949, S. 79) verbindet den lokalen Aspekt mit einem soziologischen Merkmal und nennt die Gemeinde „die minimale Gruppe von Menschen, die üblicherweise in vertrauter (faco-to-face) Verbindung zusammenwohnen". Alle diese traditionalen oder bewußt erarbeiteten Begriffsbestimmungen sind jedoch begrenzt und unspezifisch. Sie sind völlig unzureichend zur Erklärung der bekannten Unterschiede zwischen menschlichen Gemeinden; sie ermöglichen ferner keine Analyse der bekannten Funktionen und Prozesse der Gemeinde, und sie vermögen die Gemeinde auch nicht klar von anderen lokalen, geographischen oder sozialen Formen des menschlichen Lebens abzuheben. Es bedarf nur eines kurzen Nachdenkens, um zu erkennen, daß keine dieser Definitionen außer der letzten („minimale Gruppe von Zusammenlebenden") den strukturierten und repetitiven Charakter von Gemeinden innerhalb der Gesellschaft impliziert, sie belastet jedoch die Definition mit einer völlig unnötigen Beschränkung des Gemeindelebens auf vertraute (face-to-face) Beziehungen. Nicht alle Mitglieder einer Gemeinde müssen miteinander in Berührung kommen; die Kontakte eines Babys oder eines Sklaven sind nicht die gleichen wie die eines geachteten „Großvaters" oder wie die eines Magnaten.

Nun gibt uns der unbezweifelbare territoriale und geographische Charakter der Gemeinde als einer menschliche Gruppe, die durch einen Bereich der Landnutzung und eine bestimmte ökologische Grundlage gekennzeichnet ist, nur ein erstes vergleichbares Merkmal über die Gemeinde an die Hand. Ohne zusätzliche Begriffsmerkmale können wir nicht ausmachen, warum sich diese Art der Bodennutzung in ziemlich gleichförmiger, ähnlicher Weise in der gesamten Tier- und Menschenwelt auf allen Ebenen kultureller und biologischer Entwicklung wiederholt. Keine Bienenart hat nur einen einzigen Bienenstock, keine Bauern nur ein einziges Dorf, keine Großstädter nur eine einzige Großstadt. Auch können wir die Gemeinde nicht von der Region, der Provinz, dem Verwaltungsbezirk, dem Nomadenverband, der Farm, der Plantage, der Sowchose, einer Kapitalgesellschaft zur Bodennutzung, dem Sprengel, dem Herrenhof, dem Kloster usw. unterscheiden. Alle diese Gebilde mögen Bodeneigentum haben und es nutzen, ja sie mögen sogar ihren Boden in gleiche Stücke aufteilen, aber es ist nicht selbstverständlich, ob sie sinnvoll als Gemeinden behandelt werden können oder nicht.

Was nun die Gemeinde von anderen menschlichen sozialen Gebilden, die ebenfalls auf Territorialität und Bodennutzung basieren, unterscheidet, *ist genau ihr repetitiver Charakter und ihr Charakter umfassender Ganzheit.* Sie stellt sich in gleichartigen Einheiten dar, nicht so sehr nur im Sinne immer wiederkehrender Bündel von kulturellen Merkmalen oder von sozialen Institutionen, sondern vor allem als Bevölkerungsaggregate. Das demographische Merkmal ist also ein Teil der Definition, die uns den Gegenstand zu erkennen gestattet; es ist zugleich jener Teil der Definition, der die Gemeinde als Paradigma nutzbar macht.

In der Biologie mußten die Vertreter der Paläontologie wie auch die Vererbungsforscher die Theorie der Gen-Koppelung erfinden. In der Natur mag die Gen-Koppelung eine territorial bestimmte Zuchteinheit unter den Mitgliedern einer Tierart begründen, die sich auf Grund gemeinsamer Bodennutzung zur Partnerwahl und Fortpflanzung auf einer überfamiliären Grundlage treffen (*Marston Bates* 1956). Nun sind Gen-Koppelungen keine Gemeinden; die entscheidende biologische Tatsache ist die, daß ein minimaler Kern eine ganze Art trägt.

Die Anthropologen weisen mehr und mehr die Vorstellung zurück, daß die soziale Organisation eine bloße Ausdehnung der Familie darstelle oder daß ein Volk lediglich ein ausgedehnter allgemeiner „Stammbaum" sei. Sie sehen vielmehr die kulturelle und die physische Basis der menschlichen Gesellung in der *menschlichen Horde.*

Die menschliche Horde scheint immer drei aufeinanderfolgende Generationen umfaßt zu haben. Sie gruppierte stets Personen verschiedenen Alters zusammen, die gemeinsam leben, gemeinsam umherziehen, sich in Gattenpaare, Familien- und Altersgruppen aufteilen (*Earl W. Count* 1958). Die personelle Grundlage der Gemeinde ist bereits mit dieser Koexistenz von drei Generationen in der menschlichen Horde gegeben; diese Koexistenz wird durch den Lebenszyklus des Menschen erzwungen, da lange Kindheit und späte Pubertät zu Partnerwahl jenseits der Eltern-, Kind- und Verwandtschaftsbeziehung zwingen (*Mariam Slater* 1959). Es nimmt daher nicht wunder, daß sich die brauchbarsten modernen Theorien über primitive soziale Organisation regelmäßig auf die elementarste soziale Einrichtung beziehen: auf die Inzestgebote, die eine außerfamiliäre Partnerwahl verlangen (*Claude Lévi-Strauss* 1949).

Die personelle Grundlage des menschlichen Lebens, Teil des Lebenszyklus der Art, erfordert also ein besonderes Organisationsschema, um einen militärischen Begriff zu verwenden. Dieses Organisationsschema von drei Generationen und zwei Geschlechtern ist der Gemeinde inhärent und ist daher ein Teil ihrer Definition. Die menschliche Gemeinde, gleich jeder Tiergemeinde, stellt so eine Minimaleinheit der Gruppe Mensch dar, die koexistieren muß, um die Arterhaltung zu gewährleisten. Im Falle des Menschen zählen zu dieser Minimaleinheit notwendigerweise einige Mitglieder jener Kategorie von Individuen, in denen sich die Art manifestiert: Erwachsene, Babys, Kinder, Jugendliche und alte Leute beiderlei Geschlechts.

Eine solche Definition der Gemeinde, die über die territoriale und ökonomische Einheit hinaus zu einer Bevölkerungseinheit erweitert worden ist, läßt sinnvolle Parallelen zwischen Tier und Mensch zu, die sowohl den Soziologen als auch den physischen und kulturellen Anthropologen interessieren. Gerade diese Parallelen zwischen menschlichen und Tiergemeinden haben den Wissenschaftlern lange genug zu schaffen gemacht und übten auf sie wegen ihrer Komplexität und intensiven Differenzierung in der menschlichen Kultur und Gesellschaft einen großen Reiz aus. Menschliche Wesen mit Kultur und Tiere ohne Kultur unterteilen sich gleicherweise in Gemeinden, schließen sich voneinander ab und neigen zur Beschränkung der Mitgliedschaft; sie schließen sich zur gegenseitigen Hilfe, Verteidigung und Partnerwahl zusammen; sie entwickeln Strukturen bei der Bodennutzung und bei der Bewegung im Raum. Sie setzen ihrer Wohn-, Familien- und Gemeindeeinheit physische Denkmäler irgendwelcher Art; sie nehmen alte Siedlungen wieder in Gebrauch und bauen ihre Monumente zu neuen Lebensgehäusen auf; oder sie lassen statt dessen, nach dem Vorbild der alten, neue Siedlungs- und Tochtergemeinden entstehen.

Nun muß freilich eine Definition der Gemeinde — der Tier-, wie der Menschengemeinde —, die derart viele Neigungen, Eigenschaften und Artefakte in der ganzen Breite ihres biologischen Vorkommens umfaßt und die zugleich noch anwendbar ist auf sehr verschiedene Gemeindeformen — von Horden bis zu Dörfern, Städten und Metropolen der Menschheitsgeschichte und der modernen Soziologie — nicht nur sehr viele Komponenten enthalten. Diese einzelnen Elemente müssen noch in einem Ganzen Struktur gewinnen.

Ein anderes Bestandteil der Definition und gleichzeitig ein Schlüssel zu diesem Ganzheitsbegriff ist dann nicht so sehr in der territorialen Abgeschlossenheit der Gemeinde zu sehen, wie sie von Geographen und Ökologen schon lange erkundet worden ist (*Amos Hawley* 1950, 1971), sondern statt dessen vielmehr in ihrer *zeitlichen Dimension*. Das Zusammenleben der Menschen in unserem Organisationsschema ist eine zeitliche Aufeinanderfolge verschiedener Lebensläufe. Menschliche und Tiergemeinden existieren gewöhnlich länger als die einzelnen Mitglieder dieser Verbände. Der typische Lebenszyklus der Art besteht darin, daß jedes Individuum die Stadien von der Geburt bis zum Tode durchläuft, denen andere Artgenossen folgen; aber dieser Ablauf vollzieht sich in einem sozialen Feld: der Neugeborene steht erwachsenen Eltern gegenüber, der Jugendliche trifft sich sowohl mit Älteren als auch mit Gleichaltrigen, die alten Leute leben zusammen mit ihren jüngeren Nachfolgern.

So stellt die minimale Bevölkerungsgruppe, die Gemeinde, ein strukturiertes soziales Feld zwischenmenschlicher Beziehungen dar, die sich im Zeitablauf entfalten. Die Gemeinde ist nicht nur eine territoriale und eine organisatorische Einheit; sie wird ebensosehr durch ein rein zeitlich strukturiertes Zusammenleben bestimmt, durch einen zeitlich gegliederten Zyklus der individuellen Entwicklung, der sich von der Geburt bis zum Tode erstreckt, der alle Rollen und Beziehungen umfaßt, die aus der biologischen Art oder der betreffenden Kultur entspringen. Kurz, sie ist das kleinste allgemeine Abbild der Phänomene, die in der Biologie den Lebenszyklus und in der Sozialwissenschaft das entsprechende Analogon bestimmen. Das ist in der Tat der Charakter der Gemeinde als ein in Raum und Zeit fortdauerndes Ding: eine beharrende natürliche Einheit von sozialen Prozessen und sozialer Organisation lebender Erscheinungen. Wo sich das Leben in und mittels der Kultur gestaltet — in einer bestimmten ethnographisch differenzierbaren Lebensweise — ist die Gemeinde auch ein natürliches Abbild und Paradigma, weil sie eine natürliche Einheit des sich wiederholenden Lebens einer bestehenden Kultur und Gesellschaft darstellt.

4. Das Überleben in der Zeit

Von nun an werden empirische Untersuchungen zeitlicher Prozesse der Sozialwissenschaft für das Verständnis der Gemeinde und ihrer Verwendung als Erhebungsauswahl bei der Aufarbeitung soziologischer Daten den vielleicht größten Gewinn vermitteln können. Die Soziologie hat im Gegensatz zur Analyse von Strukturen und stationären Phänomen soziale Abläufe und dynamische Prozesse nur zögernd untersucht, sei es bei der Faktorenanalyse sozialer Variablen, wobei man Korrelationen zwischen simultanen statt sukzessiven Variablen erforschte, oder sei es bei der Analyse von Wandel und Dynamik in der Gesellschaft. Nichtsdestoweniger haben sich auf verschiedenen Gebieten der Soziologie in letzter Zeit einige theoretische Ansätze für das Studium von Verursachungs- und Ablaufsketten ergeben (*Robert MacIver* 1942; *Arensberg* 1951; *Robert F. Bales* 1950; *Peter M. Blau* 1955). Ähnliche theoretische Überlegungen über Entwicklung und Entstehung sozialer Institutionen tauchten in jüngster Zeit in erheblichem Umfang auch in der Ethnologie wieder auf (*Steward* 1955). Die frühzeitigen Entdeckungen „ökologischer" Prozesse (wie zum Beispiel ethnische und klassenbestimmte Sukzessionen) in der amerikanischen Großstadtsoziologie (*Robert E. Park* und *Ernest W. Burgess* 1925) sind nur geringfügig weiterentwickelt worden. Aber die Entwicklung der Gemeindeforschung als Methode hat viele Techniken der Analyse von Prozessen im Leben der Gemeinde standardisiert, die Bestandteile der ethnographischen und sozial-anthropologischen Forschungsmethoden darstellen und die — genau betrachtet — nunmehr zum Verständnis der Gemeinde und der Kultur beitragen können, wenn man letztere als Lebensabläufe und als strukturierte Lebenszyklen begreift. Nicht nur ist der *biographische Ansatz* ein wesentlicher Methodenbestandteil der Untersuchungen über Kultur und Persönlichkeit in der Ethnographie geworden (*Clyde Kluckhohn* 1945), in der — wie bereits gesagt — der einzelne Mensch eher als die Gemeinde als soziale oder kulturelle Erhebungseinheit gewählt wird; vielmehr sind Studien über die Struktur des Lebensablaufs von der Geburt bis zum Tode, durch alle „Übergänge" der universellen Art, wie sie zuerst für alle menschlichen Kulturen in dem berühmten Buch von *Arnold van Gennep* (1909) über die „Übergangsriten" *(rites de passage)* dargestellt wurden, zu einer wichtigen Forschungstechnik für die Gemeindesoziologie geworden.

Nun verlangt die Natur der Gemeinde, die wir soeben in der zeitlichen Dimension definiert haben, sowohl in ökologischen wie in eigentlichen Gemeindestudien eine explizite Behandlung des Rhythmus und der Periodizitäten des tierischen und menschlichen Lebens. In der Theorie muß man dabei noch klar zwischen den inhärenten Zyklen, das heißt den natürlichen Begleitumständen allen sozialen und kulturellen Lebens in allen seinen verschiedenen Erscheinungsformen der einzelnen Gesellschaften und Kulturen, und jenen trennen, die im Gegensatz dazu neuen sozialen und kulturellen Wandel und Entwicklung bedeuten. Gemeinden enthalten natürlicherweise sowohl neue wie alte Strukturen. Sie zeigen bei der Besetzung ihres Territoriums über die Zeiten hinweg viele Periodizitäten, aber nicht alle diese Ereignisse wiederholen sich. Man muß zu unterscheiden verstehen zwischen wiederkehrenden Rhythmen als natürliche Abfolge von Rollen und Beziehungen eines Lebensverlaufs oder einer Lebensweise, so wie sie sich in der Gemeinde einer Art widerspiegeln, und völlig neuen Entwicklungen, die sich in Form radikalen und offenen Wandels ankündigen und entweder eine besondere Gemeinde oder die ganze Gesellschaft verwandeln, von der die Gemeinde ein Teil ist.

Der Beobachter wiederkehrender Phänomene wird erkennen, daß es mit dem Zeitaspekt unserer Definition durchaus vereinbar ist, wenn wir implizit die Periodizitäten des Gemeindelebens mit denen verbinden, die die Sozialwissenschaft in Gesamtgesellschaften oder in den Lebensformen der Menschen untersucht. Das Gemeindeleben spielt sich abwechselnd in lokaler Verstreutheit seiner Bewohner auf den Feldern, auf den Bergweiden — je nach Jahres- oder Tageszeit —, oder in örtlicher Konzentrierung ab, zum Beispiel zur Nachtzeit, bei Feierlichkeiten, bei Gemeindeversammlungen, auf den Märkten, im Kriege. Es gibt Klima- und Wirtschaftszyklen, Kalender, kürzere Perioden der Euphorie und Dysphorie, über Generationen währende Ausdehnungen oder Kolonisationen, monatliche, wöchentliche und tägliche Periodizitäten. All dies gehört zum Standardmaterial, das in der Gemeindeforschung ermittelt werden muß; all dies ist schon — ohne viel Theorie — oft genug angeführt und als Zeugnis für die zeitlichen Abläufe größerer Gesellschaften und Kulturen verwandt worden. Wir können Gesellschaften nicht miteinander vergleichen oder ihre Probleme untersuchen (wie Verkehr oder Kriminalität oder Selbstmord), sofern wir nicht vorerst diese Rhythmen in ihrer zeitlichen Anordnung von einer Gemeinde zur anderen innerhalb und außerhalb ihrer umfassenden Gesellschaften einander gegenüberstellen.

Aber die Theorie, die ein solches Vorgehen rechtfertigt, ist bisher noch unvollkommen entwickelt. Es reicht nicht hin, daß wir schon implizite Vergleiche zwischen Kulturen und Gesellschaften angestellt haben, die auf solchen Rhythmen in der Gemeinde gründen, zwischen straffen „apollinischen" Gemeinden, im Gegensatz zu lockeren „dionysischen" Gemeinden mit gelegentlichen und unregelmäßigen Lebensäußerungen (*Benedict* 1934; *John Embree* 1948). Wir müssen klar erkennen, wie die Rhythmen des Gemeindelebens durch den Zeitgeist und die Institutionen einer Epoche oder einer Gesellschaft geformt werden oder umgekehrt. Wir müssen sehen, daß eine Lebensform — sei es in einer großen Gesellschaft oder in einer kleinen Gemeinde — auch eine zeitliche und inhaltliche Strukturierung des sozialen Lebens und der sozialen Beziehungen bedeutet. Nur wenig ist bisher in dieser Richtung getan worden. So konnten zum Beispiel ethnische Konflikte (*Irvin Child* 1943) unter Jugendlichen in einer Untersuchung über italienisch-amerikanische Jugendliche in New Haven, einer amerikanischen Stadt mit gemischter ethnischer Struktur, beleuchtet werden; aber man vernachlässigte andere Materialien aus dem Leben der gleichen Stadt, welche darauf hinweisen, daß die erwachsenen Italo-Amerikaner sowohl innerhalb wie außerhalb ihrer Minoritätsgruppen in Rollen hineinwachsen und strukturell eingegliedert werden (*W. L. Warner* und *Leo Srole* 1945). Oder — ein anderes Beispiel — nur allmählich läßt sich zeigen — wiederum aus Großstadtuntersuchungen (*Whyte* 1943, 1958; *Frank Tannenbaum* 1939) —, daß zumindest in den Vereinigten Staaten die Jugendkriminalität nur eine Vorstufe zur Anpassung an die erlernte Erwachsenenrolle darstellt, wobei sich innerhalb einer Erwachsenenkultur Konflikte zwischen sozialen Rollen und Wertvorstellungen bei den Mittel- und Unterschichten finden.

Auf diese Weise hat uns die moderne Gemeindeforschung — sei es, daß sie soziale Probleme untersuchte oder kulturelle Vergleiche anstrebte — zu den verschiedenen definitorischen Schritten genötigt, die wir vollzogen haben. Es stellt sich als unabdingbar heraus, daß die Definition der Gemeinde neben der ursprünglichen räumlichen und ökologischen Dimension auch die Dimensionen der Bevölkerung und der zeitlichen Strukturierung mit einschließt.

Aus den gleichen Überlegungen heraus müssen wir zu der Überzeugung gelangen, daß die Definition der Gemeinde auch eine inhaltliche Seite hat, diese Komponente bezieht sich auf ein Inventar des Verhaltens. Und zwar müssen wir sowohl das kulturelle, das institutionelle und das gelernte Verhalten als auch das genetisch-determinierte Verhalten, wie es durch das Attribut „natürlich" angedeutet ist, in die Begriffsbestimmung der Gemeinde als einer natürlichen Organisationseinheit des Lebens und der Lebensweise von Tier und Mensch aufnehmen. Die Gemeinde ist im menschlichen Bereich die natürliche Einheit kultureller Vermittlung; im Bereich der Tierwelt ist sie die natürliche Einheit — ähnlich der Gen-Koppelung — der genetischen Vermittlung. Sie enthält eine „natürliche" Sammlung von Verhaltens- und Kulturmustern oder Institutionen, die den Angehörigen der Art — hier auch der Kultur — bekannt sind, da sie der natürliche Umkreis ist, dessen Inhalte das Kind bei seinem Heranwachsen zu einer sozial-kulturellen Persönlichkeit innerhalb der Gesellschaft zu lernen hat (*John Whiting* 1941; *Kluckhohn* 1951; *R. König* und *A. Schmalfuß* 1972).

Es ist natürlich eine Binsenweisheit, daß die Sozialisierung des Menschen nicht nur individuelles Lernen ererbter Fähigkeiten umfaßt, wie es beim Tier der Fall ist, sondern daß sie auch im kulturellen Erlernen der Rollen und Institutionen besteht, die die Gesellschaft einer menschlichen Kultur oder Zivilisation von den anderen abheben. Die Gemeinde ist die minimale Einheit eines Organisatiosschemas für Menschengruppen, die Kulturträger und Kulturvermittler sein können. Sie ist die kleinste Einheit, in der sich die Kategorien und Leistungen der Kultur in soziale Organisation umsetzen lassen. Sie ist die kleinste Einheit, die Kultur und Institutionen in ihrer partikulären und historischen Bedingtheit in der Gegenwart zu aktualisieren und in die Zukunft zu tradieren vermag. Und *durch* sie wie *in* ihr lernt das Kind von gleichaltrigen Spielgefährten auf der Straße, so wie von Eltern und Lehrern die Kultur seines Volkes und die Dinge, die ihm das Heranwachsen zu einem Mitglied dieses Volkes ermöglichen.

An diesem Punkte müssen wir dann in der Tat nach den funktionalen Ursachen für die universelle Verbreitung der Gemeinde auch im Bereich der menschlichen Gesellschaft suchen, die sich doch so erheblich von der der niederen Tiere unterscheidet. Die Gemeinde (die sich über Generationen erstreckt und so das Leben der einzelnen Mitglieder überdauert) kollektiviert auf ihrem Territorium für ihre Mitglieder und durch ihre Existenz für das individuelle und soziale Leben mannigfache Dienste und Vorteile. Diese bestehen in der Erleichterung der Partnerwahl, der Verteidigung, der Kooperation, des Wirtschaftens, des sozialen Kontakts usw. In der Ökologie wie in der Soziologie hat man diese Funktionen schon lange herausgestellt und sie der Gemeinde zugerechnet, seit den ersten spekulativen Ansätzen der sozialen und politischen Wissenschaft; selbst in der oft zitierten Herleitung der Gemeinde und des politischen Lebens aus dem Wesen des Menschen als „zoon politikon" bei *Aristoteles* finden wir diese Überlegungen wieder. Aber wir können jetzt sehen, daß eine Bezugnahme auf die allgemeinen Funktionen des sozialen Lebens ebenso irreführend und unspezifisch ist wie das Zurückgreifen auf andere überlieferte Definitionen.

Diese Funktionen definieren nämlich den Begriff der Gemeinde keineswegs. Jede Kultur hat ihre spezifischen Formen der Partnerwahl, der Selbstverteidigung, der Sozialisierung, der Herrschaft, die über den Rahmen der Funktionen der Gemeinde hinausreichen und diese Funktionen selbst zu ersetzen vermögen. In gleicher Weise können Gemeinden, wie andere soziale Einrichtungen, dysfunktionale Strukturen entfalten, die die einzelnen Mitglieder belasten und zu Spannungen führen, sie können an Funktionen einbüßen und neue gewinnen, ohne daß die Gemeinde ihre Identität verliert. Die genannten mannigfaltigen Funktionen heben die Gemeinde weder von anderen sozialen Phänomenen ab, noch erklären sie ihre soziale und demographische Struktur.

Es können hingegen einige andere, mehr spezifische Funktionen für die Gemeinde aufgeführt werden. Wie wir bereits hervorgehoben haben, gibt es nahezu immer gewisse lokale und überdauernde Gruppenbildungen von Menschen und Tieren, die größer sind als die Familie oder das Gattenpaar und kleiner als die Gesamtbevölkerung; sie garantieren die Kontinuität der Art. Wo es sich bei der Art um Menschen handelt, das heißt um eine der Kulturen, wie sie von der modernen ethnologischen und soziologischen vergleichenden Forschung untersucht werden, findet man charakteristische Gruppengebilde von bestimmter Mindestgröße — ebenso wie in der Tierwelt —, um das Leben auf einem Territorium zu sichern und über das Leben der einzelnen Gruppenmitglieder hinaus Bestand zu haben. Es ist diese Minimaleinheit, die Gemeinde, die die Kontinuität der nunmehr kulturell definierten Art ermöglicht. Denn einzig im menschlichen Bereich finden wir eine Artdifferenzierung nicht nach genetischen, sondern nach kulturellen Merkmalen, die gelehrt und gelernt werden.

Somit müssen wir festhalten, daß die menschliche Gemeinde — und diese Bestimmung erlaubt uns sowohl eine begriffliche Festlegung als auch die Rechtfertigung zur Benutzung der Gemeinde als Paradigma — in sich ganz spezifische Personen, Rollen und Positionen jedweder Art, oder das überlieferte und erlernte Bewußtsein von ihnen enthält, so die Rolle des Ehemannes, des Künstlers, des Armen, der Mutter, des Priesters, des Kriminellen, des Aristokraten, des Häretikers usw. Diese Liste variiert von Kultur zu Kultur. Dies trifft wie für die menschliche Gemeinde ebenso für einen Ameisenstaat zu, der auch für jede Funktion, die die Art entwickelt hat, bestimmte Rollen vorsieht: Königin, Arbeiter, Ei, Soldat, Larve. Die Mechanismen sind — wie wir wissen — sehr verschieden; die Listen sind von unterschiedlicher Größe; aber die Struktur des Lebensprozesses unter den einzelnen Arten weist bemerkenswerte Parallelen auf.

Es ist offensichtlich, daß bei einer solchen spezifischen und strukturellen Definition der Gemeinde viele der komplexen sozialen und kulturellen Phänomene, die in der Gemeindeforschung untersucht werden, ebenso wie viele der Fragen über die Verwendung der Gemeinde als Forschungsfeld oder als Paradigma für die Untersuchung anderer Zusammenhänge eine neue Gestalt gewinnen. Zunächst erhalten wir hier natürlich eine Rechtfertigung für die Feststellung der reichen und komplexen und in sich geschlossenen Ganzheit der Gemeinde hinsichtlich beider Aspekte — der Gemeinde als solcher und der Gemeinde als Untersuchungsfeld für andere Phänomene —, wie sie in der internationalen Sozialwissenschaft bereits gesichert ist. Wir verstehen, warum andere soziale Objekte keine Gemeinden sind und warum sie es auch nicht sein können, und warum andere noch so komplexe Institutionen ein weniger vollständiges Bild des menschlichen Lebens abgeben. Ein Kloster — wie immer sein geistiges Gepräge sein mag — kann keine Gemeinde sein. Es enthält nur Menschen eines Gechlechts. Ein Bergwerk, ein Altersheim, ein Kinderdorf, eine Armee usw. können nicht als Gemeinde behandelt werden, weder nach der Definition noch nach ihrer methodologischen Verwendung in der Sozialwissenschaft. Wenn wir sagen, daß die Technik, eine Kirche, eine politische Partei dazu tendiert, „das Leben der Menschen in seiner Gesamtheit" zu erfassen, um sich so von einer bloßen Institution zum beherrschenden Faktor in einer Gemeinde zu entwickeln, wissen wir nunmehr, wie das zu verstehen ist.

Robert Redfield hat unter den jüngeren Autoren am treffendsten die so gewonnene Einsicht in der Gemeindeforschung vermittelt. In seiner berühmten Zusammenfassung (1955) ging er von den modernen vergleichenden, empirischen Untersuchungen von Kulturen und Zivilisationen aus, bei denen *„Die kleine Gemeinde"*, wie er sein Buch nannte, das methodische Instrument darstellte, mit dem die Struktur des sozialen und kulturellen Verhaltens der

Menschen auf der ganzen Welt untersucht und erforscht werden kann. Schon seine Kapitelüberschriften offenbaren die Reichhaltigkeit an Erfahrung, die eine Gemeinde als ein lebender Körper den Menschen bietet, wie die in ihr lebenden Menschen auf dem Wege von der Wiege zur Bahre notwendigerweise die nach Situationen verschiedensten Rollen und Positionen einnehmen. Zur Darstellung ihrer Art des Zusammenlebens und des daraus resultierenden sozialen und kulturellen Systems benutzt *Redfield* folgende Titel für seine einzelnen Kapitel: Die kleine Gemeinde als ein Ganzes, als ein ökologisches System, als eine soziale Struktur, als ein typischer Lebenslauf, als ein Persönlichkeitstyp, als eine Art der Lebensbetrachtung („Ethos" oder „Wertsystem"), als ein historisches Ganzes, als eine Gemeinde unter Gemeinden. Eine derartige Bestimmung der Gemeinde liegt gewiß innerhalb der großen Tradition nicht nur der Künste, sondern auch innerhalb der kulturanthropologischen Interpretation von Kulturen als klassenbestimmten Lebensformen und der soziologischen Definition von Klassen als Personen mit gleichen Lebenschancen *(Max Weber)*. Die Strukturierung der gesamten individuellen Lebensspanne und der mit ihr verbundenen Aktivitäten — und *nicht* von weniger dauerhaften und weniger umfassenden Leistungen und Beziehungen zwischen den Menschen — ist das eigentliche Problem der Verwendbarkeit der Gemeindeforschung als Methode in der modernen sozialwissenschaftlichen und ethnologischen Forschung.

5. Die Leistungen der Gemeindeforschung

Wie lassen sich nun mit dieser Erkenntnis die oben gestellten Fragen beantworten? Die vier Fragen bezeichneten die Schwierigkeiten, die bei der Verwendung der Gemeinde als Paradigma auftreten; sie konnten jedoch nicht beantwortet werden, bevor keine bessere Begriffsbestimmung herausgearbeitet war. Sie lauteten im einzelnen: 1. *Repräsentativität:* welche der vielen Gemeinden soll ausgewählt werden? 2. *Vollständigkeit:* Wie könnte man feststellen, daß es sich bei dem ausgewählten Untersuchungsgegenstand um eine vollständige und lebensfähige Gemeinde handelt, und wie soll man sie von anderen abgrenzen? 3. *Institutioneller Umfang:* Wie kann man sich vergewissern, daß die Gemeinde — als Paradigma verwendet — hinreichend die Phänomene, Trends, kulturellen Merkmale, Institutionen, Probleme der umfassenderen Kultur oder Gesellschaft verkörpert, für die sie repräsentativ sein soll? 4. *Kohäsion,* d. h. wieviel Gleichförmigkeit, Solidarität und Zusammenhalt muß in einer Gemeinde vorhanden sein, um uns vor der Auswahl einer Gemeinde zu bewahren, die in sich derart zerfallen ist, daß sie für uns unbrauchbar wird?

Unsere neue und detaillierte Definition gestattet eine Antwort auf alle vier Fragen. Wie auch sonst ermöglicht eine bessere und vollständigere Theorie der Gemeinde nun eine bessere und vollständigere Strategie der Forschung und sicherere Entscheidungen bei der Interpretation.

Eine Gemeinde ist erstens dann repräsentativ, wenn sich in ihr derjenige Personenkreis und diejenige organisatorische Struktur finden, die wir als die demographische Komponente der Definition herausgearbeitet haben; und jede andere Gemeinde mit den genannten Merkmalen ist als Paradigma oder Feld für die Untersuchung eines Problems oder zur vergleichenden Analyse gleicherweise geeignet. Wenn die betreffende Kultur zwei Geschlechter, mehrere Altersstufen, soziale Klassen, Sekten, mehrere ethnische Gruppen inklusive von Majoritäts- und Minoritätsgruppen, mehrere oder viele Spezialisierungen im beruflichen Bereich oder hinsichtlich der technischen und wirtschaftlichen Funktionen kennt, dann muß die ausgewählte Gemeinde mindestens so viele Personen all dieser Gruppen umfassen, daß deren Rollen und Positionen bis zu einem gewissen Minimum besetzt sind.

Die Gemeinde muß zweitens diese Gruppen und die organisatorische Struktur in gewisser Regelmäßigkeit und Kontinuität aufweisen. Die Gemeindemitglieder müssen, wenn auch nur bis zu einem bestimmten Grade, in einem Generationszusammenhang stehen. Die organisatorische Struktur muß sich nach und nach personell bis zu einem gewissen Grade neu rekrutieren, damit der Fortbestand der Gemeinde garantiert werden kann. Nur so ist der zweiten zeitlichen Komponente unserer neuen Definition Genüge geleistet.

Wir können also als Sample jede mindestens so stark geschichtete Gemeinde auswählen, daß in ihr eine gewisse Mindestzahl von Personen jeder Kategorie anzutreffen ist, die sich in der betreffenden Kultur oder Gesellschaft durch Generationen hindurch herausgebildet hat. Der Berg Athos ist keine Gemeinde, obwohl dort nahezu zweitausend Jahre hindurch Mönche gewohnt haben, die keinerlei weibliches Wesen zuließen; ein Wohngebiet mit jungen Ehepaaren und ihren Kindern ist keine Gemeinde — wie intensiv auch immer die nachbarschaftlichen Beziehungen sein mögen —, sofern nicht auch alte Leute und Unverheiratete dort wohnen. Manch ein exogames indisches Dorf ist — wie wir nunmehr wissen — eine landwirtschaftliche Produktionsgenossenschaft und ein abgesondertes Wohngebiet, in das Frauen hinein- und aus dem Töchter herausheiraten und in dem das übliche Kastensystem nur zum Teil verwirklicht sein mag; dagegen ist die indische Gemeinde der Komplex von Dörfern, aus denen die Frauen kommen und innerhalb derer die Töchter heiraten und in denen alle Kasten — ob sie nun in jedem Dorf Mitglieder haben oder nicht — ihre Vertretungen *(panchayat)* besitzen, die miteinander Handel treiben. Umgekehrt ist die nordamerikanische Stadt als Ganzes also, und nicht der einzelne Stadtbezirk, die City, in der die Unverheirateten leben, oder der Teil, in den sich ältere Ehepaare nach der Lebensperiode in den Familienwohnvierteln zurückziehen, die Gemeinde im modernen Amerika. Diese Lebensformen der Verheirateten, der Unverheirateten und der alten Leute wiederholen sich immer wieder, ebenfalls der individuelle Lebensweg durch derartige Verhaltensstrukturen in einer endlosen Folge einzelner Bewegungen, wie sie durch die verschiedenen Altersrollen hindurchgehen, deren Struktur die Erforscher des modernen städtischen Lebens eben erst abzuklären beginnen.

Die Struktur der Gemeinde umfaßt also sowohl das volle Organisationsprinzip als auch die Tiefengliederung der unter dieser Organisationsform lebenden Menschen, die ihre Erfahrungen von Generation zu Generation immer von neuem wiederholen. Eine als Paradigma benutzte Gemeinde muß die beiden Aspekte der Mitgliedschaft und der Tiefengliederung aufweisen.

Wir können auf diese Weise bei der Wahl einer Gemeinde auf das Erfordernis einer umfassenden „Schichtung" der Erhebungsauswahl verzichten. Dieses Kriterium hebt die Gemeindeforschung als Methode klar von den Methoden der sozialen Übersichtsstudien *(social survey)* ab. So mag in der Tat im ersten Falle eine zu strikte Auswahl überflüssig ein, wohingegen sie zum Wesen der letzteren gehört. Gewisse Mindest-, nicht Idealgrößen der einzelnen Bevölkerungsgruppen kennzeichnen die Gemeinde als Paradigma, die nicht notwendigerweise eine vollständige proportionale Schichtung aufweisen muß, wie es bei einer gesamtgesellschaftlich repräsentativen Erhebung erforderlich wäre, bei der man sich nicht auf die natürliche Struktur in der Gemeinde verlassen kann. Die Strenge exakter und repräsentativer Proportionen ist hier weniger bedeutsam als die Erfüllung der strukturellen und temporellen Kriterien unserer Definition. Daß gewisse kontrollierte Zahlenproportionen bei der Anzahl der Mitglieder der einzelnen sozialen Kategorien entsprechend den gesamtgesellschaftlichen Verhältnissen eingehalten werden, ist von geringerer Wichtigkeit als der Umstand, daß die Angehörigen einer jeden sozialen Kategorie unangesehen ihrer Zahl über die Zeit hinweg, durch die individuellen Lebensfolgen hindurch zusammenleben, als *„longitudinal"*.

Die Gründe für einen solchen Ansatz leiten sich eindeutig aus den erworbenen Einsichten in Kultur und Gesellschaft her, und zwar sowohl aus der Forschung als auch aus ihrer theoretischen Interpretation. *Jede* nur in Betracht kommende Person kann — wie wir gesehen haben — Träger von Rollen, Institutionen und Status sein. Sie mögen gewiß über- oder unterbesetzt sein, aber eine gewisse Besetzung ist für das Existieren solcher sozialen Strukturen erforderlich. Ferner impliziert das Lernen der Kultur auch das Erlernen des Verhaltens und der Attitüden der eigenen Kultur für jeden Erfüller einer solchen Rolle. So findet eine Präformierung, eine Art von „Programmierung" im Individuum hinsichtlich der Anerkennung und der Reaktion gegenüber dem ersten auftauchenden Träger einer solchen Rolle statt. Daß ein einziger oder einige wenige erscheinen, ist völlig hinreichend, um vorgeformte Erwartungen und Reaktionen auszulösen.

Aber dieses Minimum, daß eventuell nur ein einziger Träger einer Rolle und Rollenerwartung auftritt und die entsprechende Reaktion auslöst, dessen Existenz wichtiger als seine Zahl ist, *muß* sowohl in dieser Rolle auftreten und bei ihr verharren. Rollen, kulturelle Züge, strukturierte Reaktionsweisen im kulturellen oder sozialen Bereich sind Gewohnheiten von Individuen, die mindestens einiger Wiederholung bedürfen, wenn sie nicht verlöschen sollen, und sie müssen auch an andere Individuen weitergegeben werden, an kulturelle Nachfolger, bei denen wiederum die gleichen Wiederholungen stattfinden müssen. Manchmal genügt vielleicht eine Generation zur Begründung und Übermittlung einiger solcher Verhaltensweisen. Genau wie das Leben der Gemeinde vor allem im Generationszusammenhang seiner individuellen Bewohner sichtbar wird, so ist der Beweis für das Existieren einer kulturellen oder institutionalisierten Rolle oder einer anderen Verhaltensweise die Tatsache, daß sie jenseits der personalen oder sozialen Zufälligkeiten von Rollenträger zu Rollenträger weitergegeben wird. Die Aufeinanderfolge von Individuen vermittels fixierter Verhaltensweisen ist hier von wesentlicher Bedeutung und nicht die Anzahl der Individuen. Die Strukturierung ist von Natur aus unabhängig von der Quantität, handele es sich nun um ein Quadrat, den Rückstoß eines Düsenaggregats, eine Zelle oder ein Königreich. In *diesem* Punkt macht die Sozialwissenschaft keine Ausnahme. Die Zahl vermag solche einmal entstandenen Strukturen zu messen und zu vergleichen; sie kann sie aber nicht definieren.

Die gleichen Überlegungen gelten angesichts sozialer und wirtschaftlicher Schichtung, die keine Altersschichtung ist. Allzu viele Gemeindeuntersuchungen haben ein- oder zweischichtige isolierte Sozialgebilde irrtümlich für Gemeinden gehalten — von Wohnvororten bis zu Bauerndörfern und proletarischen Slums. Zugegeben, das Leben einer Klasse als Subkultur prägt, wie wir seit *Max Weber* wissen, eine Lebensform von der Wiege bis zur Bahre. Zugegeben auch, es verkörpert ein Inventar spezieller Züge gelernten Verhaltens, spezieller Werte, spezieller Formen des institutionalisierten und zwischenmenschlichen sowie gruppenhaften Handelns. Die räumliche Isoliertheit eines Slums, eines Bauerndorfes, einer Nomadensiedlung, einer Gartenstadt der Oberschicht mag ein realitätsgetreues Abbild einer derartigen abgesonderten und abgekapselten Subkultur sein. Aber die einzelne Klasse stellt nur einen Teil der Gesellschaft dar; ihre Kultur ist nur Bestandteil eines umfassenderen Ordnungs- und Zivilisationszusammenhanges; ihre unechte „Gemeinde" ist also nichts als eine abgesonderte Gruppe. Wenn man die Repräsentativität von Ergebnissen aus Gemeindeuntersuchungen beispielsweise über die Klassenstruktur in den Vereinigten Staaten dadurch in Frage stellt, daß man ein Dorf auf dem Lande mit nur zwei Klassen von kleinen Farmern einer Großstadt mit sechs Klassen gegenüberstellt, wie Kritiker es gegenüber *W. Lloyd Warner* getan haben, der in seinen Untersuchungen das Leben des Amerikaners in den sechs Klassen mit ihren Unterschieden und ihren gegenseitigen Ergänzungen in den Mittelstädten von Yankee City, Old South und Jonesville (USA) erforscht hat, so verrät eine derartige Kritik eine Naivität über die Auffassung von Vergleich, Struktur und Gesellschaft, die an Obskurantismus grenzt.

Nichtsdestoweniger müssen wir die Frage des geschichteten Samples in der Gemeindeforschung noch einmal aufgreifen. Eine Gemeinde, die man als Sample oder Untersuchungsfeld eines allgemeinen sozialen Phänomens verwendet, braucht keineswegs die genauen Proportionen der gesamtgesellschaftlichen sozialen Klassen in vollem Umfang widerzuspiegeln. Jeder Dorfbewohner im Mittleren Osten hat Erfahrung mit Beduinen, die er als Plünderer, Erntearbeiter oder Bettler kennengelernt hat; er kennt die Bergbewohner als Arbeiter, Grundbesitzer oder *shitiyyin* (Mitbewohner im Winter). Sein Dorf ist eine vollständige Gemeinde, nicht weil Stadtbewohner, Nomaden oder Bergbewohner mit ihm zusammenwohnen, sondern weil er von ihnen weiß, mit ihnen soziale Beziehungen hat und weil er sein Wissen und seine Rolle (ja sogar seine Furcht) seinen Kindern übermittelt. So ist auch eine

Bergarbeiterstadt oder ein bäuerlicher Marktflecken vollständig genug, wie sehr sich auch der größte Teil der Bevölkerung in seinem allgemeinen Lebenshorizont als Bergarbeiter oder Bauer und in seinem allgemeinen von Verachtung oder Neid geprägten Verhalten den sozial Höher- und Tieferstehenden und gegenüber den Fremden in ihrer Gemeinde gleichen mag, solange sie nur um diese „Eindringlinge" wissen und auch ihre Kinder lehren, woran man sie erkennt und wie man sich ihnen gegenüber zu verhalten hat: also gegenüber dem Grundbesitzer, dem Rechtsanwalt, dem „städtischen Schwindler", dem Landstreicher, dem Priester, dem Lehrer usw., die allesamt die Welt von draußen in die Gemeinde tragen. Analog zu Zellen, die sich im Körper spezialisieren und ihre Form mit der Funktion und anatomischen Position ändern können und dennoch an den Systemen des Stoffwechsels, der Kommunikation und Exkretion teilnehmen, welche sie mit den anderen Zellen des Körpers verbinden, so können spezielle und funktionell unterschiedliche Gemeinden existieren und dennoch Abbilder der entsprechenden Gesamtkultur oder Gesamtgesellschaft sein. Aber es gilt, die Verknüpfungen aufzuzeigen und die Realitäten zu begreifen.

Im Falle der Sozialwissenschaften ist nun einfach diejenige Gemeinde noch repräsentativ, die es mit Personen und Dingen ihrer Kultur und Gesellschaft zu tun hat, solange diese durch eine minimale Anzahl, durch minimale Berührung und durch eine minimale Kontinuität miteinander verknüpft sind. Noch einmal: das Verhaltensmuster und das Bewußtsein davon, die Struktur und die sozialen Beziehungen und nicht die Zahl sind von entscheidender Bedeutung.

Nachdem wir hiermit die Diskussion der Repräsentativität im Lichte unserer strukturellen Definition der Gemeinde abgeschlossen haben, können wir uns nunmehr den anderen Problemen zuwenden, die bei der Verwendung der Gemeinde als Paradigma und Untersuchungsfeld auftauchen.

Was die *Vollständigkeit* anlangt, so sind die einzelnen Kriterien bereits vorgezeichnet. Eine Gemeinde ist vollständig, wenn das Organisationsschema und dessen sukzessiver Rekrutierungsmechanismus vollständig sind. *Redfield* nannte, wir wir hörten, die „Kleine Gemeinde" seines oben zitierten Buches unter anderem eine „Gemeinde unter Gemeinden". Das ist eine allgemeine Sprachfigur; es ist aber unvermeidlich, daß die sozialen Beziehungen und die Tätigkeitsbereiche der Personen in höheren Positionen oder der lokalen „Honoratioren" immer weiter hineinreichen in die sozialen Systeme der Region, der Provinz, der Nation und der Ökumene als die der Kinder oder der Lakaien. Wenn wir die Bewohner einer Gemeinde als Einzelne nehmen, so mögen manche von ihnen weit und hoch rangieren: ihre sozialen Beziehungen mögen sich mit solchen in Nachbargemeinden, in Verwandtschaftsverbänden oder anderen Aufenthaltsorten in der Nähe überschneiden. Die einen Dörfer gruppieren sich um einen Marktflecken oder einen Verwaltungssitz; andere entstehen nach anderen Merkmalen. Alle diese Kreise und Lokalisierungen menschlicher Kommunikation und menschlicher Beziehungen mit oder ohne Zentrum, die einem zunächst ins Auge fallen, hoch und niedrig, aufwärts und abwärts jedes Bereichs immer weiterreichender Verbindungen erhalten Struktur, sowie wir die Kriterien unserer Definition der Gemeinde zur Hilfe nehmen. Die zellenartige und dauernde Wiederkehr der Menschen und ihrer ineinander verwobenen individuellen Lebensläufe faßt diese Kontinua zu Systemen zusammen und grenzt sie von anderen ab; die sich wiederholende örtliche, generationsweise Gruppierung und Strukturierung auch der letzten Träger der wiederkehrenden Rollen sagt uns, wo die konkrete Gemeinde endet, wo die nächste Gemeinde beginnt, wo die Grenze zwischen innen und außen, zwischen Mitgliedern und Außenstehenden verläuft.

Ein bereits genannter Bestandteil der Dynamik im Rhythmus des Gemeindelebens in Raum und Zeit gibt uns ein sehr einfaches, höchst brauchbares Kriterium an die Hand. Wie wir gesehen haben, weist die Gemeinde in steter Abwechslung ein Verstreutsein und ein Zusammensein ihrer Mitglieder auf, wenn dies auch in verschiedenen Kulturen unterschiedlich strukturiert ist. Das leichteste Kriterium mag deshalb sehr wohl folgendes sein: Welche Personen kommen typischerweise zusammen und trennen sich dann wieder? Wenn wir die entsprechend unserem Organisationsschema definierten Mitglieder einer Gemeinde zu einem bestimmten Zeitpunkt versammelt finden und den Grad ihres Zerstreutseins zu einem anderen Zeitpunkt kennen, das nur einen Übergang zu erneutem Sichtreffen zu einem dritten Zeitpunkt darstellt, dann haben wir die Reichweite, den Rhythmus, die Bewohner und die Identität der gesuchten Gemeinde gefunden.

Unsere beiden letzten Fragen lassen sich sehr schnell beantworten, nachdem erst einmal die vorstehenden Kriterien herausgearbeitet und angewandt worden sind. Wenden wir uns zunächst zur Betrachtung des *institutionellen Umfangs.* Da wir die Gemeinde, die als Paradigma oder Untersuchungsfeld dienen soll, nach strukturellen oder systematischen Kriterien definiert und abgegrenzt haben, bedürfen wir als Leitfaden oder Unterscheidungsmerkmal keiner Bestandsaufnahme oder Aufzählung der betreffenden kulturellen Merkmale. Jeder *hapu* (Weiler) der Maori, der Eingeborenen Neuseelands, besaß einen Barden, der den Stammbaum und die Tapferkeit des Lokalhäuptlings besingen konnte; aber die Maori-Kultur kannte nur eine einzige Ausbildungsstätte für solche Sänger. Wir werden natürlich den Ort der Ausbildungsstätte, einen Ort höchster Spezialisierung, als Untersuchungsfeld vermeiden, werden uns aber vergewissern, daß das ausgewählte Dorf einen solchen Sänger entweder besitzt oder andernfalls nach einem Träger dieser sozialen Rolle sucht. Auf jeden Fall wählen wir keine Hauptstadt, keine atomare Forschungsstätte, auch keine Bohème von Künstlern und ihrem Anhang als repräsentativen Ort für das moderne Leben. Aber wir versichern uns, daß die als Sample ausgewählte Stadt die Wirkung der Kapitalwirtschaft aufweist, daß sie die moderne Differenzierung von Fertigkeiten und in ihren Schulen und in ihrer Presse die Ehrfurcht vor der mächtigen Wissenschaft der Physik kennt und sich über die Bohèmiens gleichzeitig wundert und sie ein wenig beneidet. Die Spezialisierungen der Hochkultur („die großen Traditionen") und der niederen Kultur („die kleinen Traditionen"), der populären oder Lokalkultur interessieren uns beide nicht. Wir befassen uns vielmehr mit jenen Personen in der Gemeinde, die an der Nahtstelle beider Ebenen stehen und die in ihrer Gemeinde und durch ihre persönlichen Erfahrungen die kontinuierliche gegenseitige Durchdringung repräsentieren, die diese beiden Arten der Spezialisierung in allen komplexen Gesellschaften überall aufweisen. Hier ist wiederum eine strukturelle Betrachtung erforderlich. Die Verknüpfung, die gegenseitige Durchdringung der einzigartigen gesamtkulturellen oder -zivilisatorischen Differenzierung mit der Differenzierung, die die konkrete kleine Gemeinde erlangt hat, ist das Phänomen, dem wir in einem Paradigma oder in einem Untersuchungsfeld nachgehen. Wir brauchen uns bei unserer Untersuchung nicht um ein rigoroses Ausschließen jeder vom Durchschnitt, vom Mittelmäßigen abweichenden Sache zu bemühen und einzig die universell vorhandenen und einheitlichen kulturellen Phänomene zu erforschen, wie sie in allen Gemeindeformen der betreffenden Kultur oder Gesellschaft vorkommen. Es schadet nichts, wenn die ausgewählte Gemeinde lokale Legenden aufweist, wenn eine zufällige Eigentümlichkeit hervortritt — wie z. B. eine Schule oder ein Kloster —, die sich in der gleichen Form nicht in jeder nächsten Stadt findet. Solange derartige Besonderheiten nicht das Gemeindeleben oder die Kultur in der Gemeinde beherrschen und solange sich die Gemeindebürger der Besonderheit bewußt sind und ihre Kinder lehren, mindestens bis zu einem gewissen

Grade die äußere Tragweite solcher Differenzierungen zu erkennen, die ihre eigentlichen kulturellen Traditionen und Fertigkeiten überschreiten, wird ihre Gemeinde als Sample geeignet sein.

Und letztlich die Frage der *Kohäsion.* Unser strukturell bestimmter Begriff macht die Unterscheidung zwischen einer Gemeinde voller Harmonie und freundlicher Zuneigung und einer solchen mit einem Strom von Haß und Zwietracht überflüssig. Die formale Soziologie *Georg Simmels* und vieler anderer kommt uns hier zu Hilfe. In dem Leben der nach unserem Organisationsschema erfaßten Gemeindebewohner finden wir abwechselnd Streit und Anpassung, Solidarität und Antagonismus; wenn die Gemeindebewohner nach räumlicher Zerstreuung wieder zusammenkommen, dann ist es unerheblich, ob das vorherige Auseinandergehen aus Haß, Uneinigkeit oder Flucht herrührte, oder ob es einfach der Notwendigkeit entsprang, sich zu spärlichen und verstreut liegenden Orten wirtschaftlicher Tätigkeit zu begeben. Es spielt keine Rolle, ob ihr erneutes Zusammentreffen einem gegenseitigen Massaker oder der brüderlichsten Einigkeit dient. Die mit unserer Begriffsbestimmung gegebenen Grenzen der Gemeinde, der zwischen örtlicher Zerstreutheit und Vereinigung abwechselnden Verhaltensweisen in Form eines sozialen Systems, bestärken und bestätigen sich selbst. Ein kollektiver gegenseitiger Vernichtungskrieg, der mit dem vollständigen Massaker einer Partei durch die andere endet, oder ein Auseinandergehen, das zu einer vollständigen Flucht des einen Teils vor dem anderen führt, beendet die Existenz einer Gemeinde und bringt sie zum Erlöschen. Das Organisationsschema ist durchbrochen; die Fortführung der miteinander verwobenen individuellen Leben hat aufgehört. Auch hier wieder geben uns strukturelle Kriterien – in Maße umgesetzt und als solche für die Bewertung gewisser Minimalerfordernisse verwandt – einen Anhaltspunkt. Genau wie Gesamtgesellschaften und ganze Zivilisationen (nach *Arnold Toynbee*), so kennen auch Gemeinden Bürgerkriege, religiöse Schismen, die Flucht in die Emigration, Zeiten der Unruhe. Eine Gemeinde als Paradigma muß sowohl die einigenden als auch die trennenden Aspekte des Verhaltens aufweisen, das sie mit ihrem Organisationsschema als für die Gesamtgesellschaft relevant widerspiegelt. Aber das ist wiederum einzig innerhalb der äußeren Grenzen erforderlich, die durch den Fortbestand der Gemeinde abgesteckt sind.

Ausgewählte Literatur

Arensberg, Conrad M., Behavior and Organization: Industrial Studies, in: *John Rohrer* und *Muzafar Sherif* (Hrsg.), Social Psychology at the Crossroads, New York 1951.

Arensberg, Conrad M., The Community Study Method, in: American Journal of Sociology, Bd. 60 (1954).

Arensberg, Conrad M., American Communities, in: American Anthropologist, Bd. 7 (1955).

Arensberg, Conrad M., u. a. (Hrsg.), Research in Industrial Human Relations, New York 1957.

Arensberg, Conrad M., The Urban in Cross-Cultural Perspective, in: *Elizabeth Eddy*, Hrsg., Urban Anthropology: A Symposion, Athens, Georgia 1968.

Balandier, Georges, Sociologie des Brazzavilles Noires, Paris 1955.

Bales, Robert Freed, Interaction Process Analysis, Cambridge, Massachusetts 1950.

Bancroft, Edward C., The Moral Basis of a Backward Community, Glencoe, Ill., 1958.

Bates, Marston, Anthropology and Ecology, in: *Alfred Kroeber* (Hrsg.), Anthropology Today, Chicago 1956.

Batten, T. R., Communities and Their Development, Oxford 1958.

Belshaw, Cyril S., The Great Village, London 1957.

Benedict, Ruth, Patterns of Culture, Boston 1934.

Blau, Peter M., The Dynamics of Bureaucracy, Chicago 1955.

Bott, Elizabeth, Urban Families: The Norms of Conjugal Roles, in: Human Relations, Bd. 9 (1956).

Brownell, Baker, The Human Community, New York 1950.

Caudill, William, The Psychiatric Hospital as a Small Society, Cambridge, Massachusetts, 1958.

Child, Irvin, Italian or American? New Haven, Connecticut, 1943.

Chiva, I., Rural Communities: Problems, Methods, Types of Research, in: Reports and Papers in the Social Sciences, 10, Unesco 1958.

Count, Earl W., Eine biologische Entwicklungsgeschichte der menschlichen Sozialität, in: Homo, Bd. 9/10 (1958).

Dobnys, Henry, Blunders with Bolsas, in: Human Organization, Bd. 10 (1951).

Eaton, Joseph, und *Robert J. Well*, Culture and Mental Disorders Glencoe, Ill., 1955.

Embree, John, Southeast Asian Culture, in: *Ralph Linton*, Hrsg., The Science of Man in the World Crisis, New York 1948.

Fox, Renee, Experiment Perilous, Glencoe, Ill., 1959.

French, Robert Mills, Hrsg., The Community. A Comparative Perspective, Itasca, Ill., 1969.

Friedmann, Georges, Où va le travail humain? Paris 1950.

Gennep, Arnold van, Les rites de passage, Paris 1909.

Guetzkow, H., Hrsg., Groups, Leadership and Morale, Pittsburgh 1951.

Hawley, Amos H., Human Ecology, New York 1950.

Hawley, Amos H., Urban Society: An Ecological Approach, New York 1971.

Hollingshead, August B., Community Research: Development and Present Condition, in: American Sociological Review, Bd. 13 (1948).

Hunter, Floyd, Community Power Structure, Chapel Hill, North Carolina, 1953.

Hunter, Floyd, Ruth C. Schaffer und *Cecil B. Sheps*, Community Organization, Action and Inaction, Chapel Hill, North Carolina, 1956.

Kaufman, Herbert, The Forestry Service, New York 1960.

Kimball, Solon T., und *Marion B. Pearsall,* The Tallageda Story: A Study in Community Process, University of Alabama 1954.

Kluckhohn, Clyde, The Personal Document in Anthropogical Science, in: *L. Gottschalk, C. Kluckhohn* und *R. Angell, Hrsg.,* The Personal Document in History, Anthropology, and Sociology, Social Science Research Council Bulletin 53, New York 1945.

Kluckhohn, Clyde, The Study of Culture, in: *Daniel Lerner* und *Harold D. Lasswell,* Hrsg., The Policy Sciences, Stanford, California, 1951.

König, René, Die Gemeinde im Blickfeld der Soziologie, in: *Hans Peters,* Hrsg., Handbuch der kommunalen Wissenschaft und Praxis, Bd. I, Berlin 1956.

König, René, Die Gemeindeuntersuchung des deutschen Unesco-Institutes, in: Sonderheft I, Kölner Zeitschrift für Soziologie und Sozialpsychologie, Bd. 8, 1956 (4. Aufl. 1972).

König, René, Soziologie der Gemeinde, in: Sonderheft I, Kölner Zeitschrift für Soziologie und Sozialpsychologie, Bd. 8, 1956 (4. Aufl. 1972).

König, René, Grundformen der Gesellschaft: Die Gemeinde, Hamburg 1958 (engl. Übers. London 1968).

König, René, und *Axel Schmalfuß* (Hrsg.), Kulturanthropologie, Düsseldorf 1971.

Leighton, Alexander, und *Robert J. Smith,* A Comparative Study of Social and Economic Change, in: Proceedings, American Philosophical Society, Bd. 99 (1952).

Leighton, Alexander, u. a., Hrsg., Explorations in Social Psychiatry, New York 1957.

Lentz, Edith, und *Temple Burling,* The Give and Take of Hospitals, Ithaca, New York 1956.

Lévi-Strauss, Claude, Les structures élémentaires de la parenté, Paris 1949.

Loomis, Charles, und *J. Allan Beagle,* Rural Social Systems, New York 1950.

MacIver, Robert, Social Causation, Boston 1942.

Maget, M., Ethnographie métropolitaine. Guide d'étude directe des comportements culturels, Civilisations du Sud, Paris 1953.

Maget, M., Remarques sur le village comme cadre de recherches anthropologiques, in: Bulletin de Psychologie, Bd. 7 (1955).

Maine, Henry Sumner, Village Communities in the East and West, London 1871.

Maurer, Georg von, Einleitung zur Geschichte der Mark-, Hof-, Dorf- und Stadtverfassung und der öffentlichen Gewalt, München 1854.

Mead, Margaret, The Study of National Character, in: *Daniel Lerner* und *Harald D. Laswell,* Hrsg., The Policy Sciences, Stanford, California, 1951.

Mead, Margaret, National Character, in: *Alfred Kroeber,* Hrsg., Anthropology Today, Chicago 1953.

Meitzen, A., Siedlungs- und Agrarwesen der Westgermanen und Ostgermanen, der Kelten, der Römer, Finnen und Slaven, Berlin 1895.

Metraux, Rhoda, und *Margaret Mead,* The Study of Culture at a Distance, Chicago 1953.

Mogey, John, Housing Estate, Oxford 1958.

Murdock, George Peter, Social Structure, New York 1949.

Oeser, O. A., und *F. E. Emery,* Social Structure and Personality in an Australian Community, London 1954.

Opler, Marvin K., Culture, Psychiatry, and Human Values, New York 1956.

Park, Robert E., Ernest W. Burgess und *R. D. Mackenzie*, The City, New York 1925.

Paul, Benjamin D., Hrsg., Health, Culture and Community, Russell Sage Foundation, New York 1955.

Peake, Harold, Village Community, in: Encyclopedia of the Social Sciences, reissued, New York 1954.

Pitt-Rivers, Julian, The People of the Sierra, New York 1954.

Redfield, Robert, The Primitive World and Its Transformation, Ithaca, New York 1953.

Redfield, Robert, The Little Community, Chicago 1955.

Redfield, Robert, Peasant Society and Culture, Chicago 1956.

Rubin, Vera, Hrsg., Caribbean Studies, Institute of Social Research, Jamaica 1958.

Ruesch, Jurgen, Illness and Social Structure, in: *C. Kluckhohn* und *H. A. Murray*, Personality in Culture, Nature and Society, New York 1949.

Ruopp, Phillips, Hrsg., Approaches to Community Development, The Hague 1953.

Russell Sage Foundation, Annual Report, New York 1959.

Sanders, Irwin T., The Community: An Introduction to a Social System, New York 1958.

Schneider, Eugene V., Industrial Sociology, New York 1957.

Shevky, Eshref, und *Marylin Williams*, Social Areas of Los Angeles, University of California Press, Berkeley 1929.

Simey, Thomas S., Hrsg., Neighborhood and Community, Liverpool 1954.

Slater, Mariam, Ecological Factors in the Origin of Incest, in: American Anthropologist, Bd. 61 (1959).

Smith, R. T., The Negro Family in British Guiana, London 1956.

Spicer, Edward, Hrsg., Human Problems in Technological Change, Russel Sage Foundation, New York 1953.

Srinivas, M. N., Religion and Society among the Coorgs of South India, Oxford 1952.

Srinivas, M. N., „Sanskritization", in: *Marriott, McKim*, Hrsg., Village India: Studies in the Little Community, The American Anthropological Association, Bd. 57 (1955).

Stein, Maurice, The Eclipse of Community, Princeton, New Jersey, 1960.

Steward, Julian H., Area Research, Social Science Research Bulletin 63, New York 1950.

Steward, Julian H., Theory of Culture Change, Urbana, Ill., 1955.

Steward, Julian H., u. a., The People of Puerto Rico, Urbana, Ill., 1956.

Tannenbaum, Frank, Criminology, New York 1939.

Taylor, Carl T., Techniques of Community Study and Analysis as Applied to Modern Civilized Societies, in: *Ralph Linton*, Hrsg., The Science of Man in the World Crisis, New York 1945.

Truman, David B., The Governmental Process, New York 1951.

Utermann, Kurt, Aufgaben und Methoden der gemeindlichen Sozialforschung, in: *W. G. Hoffman*, Hrsg., Beiträge zur Soziologie der industriellen Gesellschaft, Dortmund 1952.

Vidich, Arthur J., und *Joseph Bensman*, The Small Town in Mass Society, Princeton, New Jersey, 1958.

Wagley, Charles, und *Marvin Harris*, Minorities in the New World, New York 1958.

Ware, Caroline, Estudio de la Comunidad, Pan-American Union, Washington 1952.

Warner, William Lloyd, Social Class in America, Chicago 1952.

Warner, William Lloyd, American Life: Dream and Reality, Chicago 1953.

Warner, William Lloyd, und *Leo Srole,* The Social Systems of American Ethnic Groups, New Haven, Connecticut, 1945.

Warren, Roland, Studying Your Community, Russell Sage Foundation, New York 1955.

Warren, Roland, The Community in America, Chicago 1963 (dtsch. Übers. Opladen 1970).

Warren, Roland, Hrsg., Perspectives on the American Community, Chicago 1966.

Whiting, John, Becoming a Kwoma: Teaching and Learning in a New Guinea Tribe, New Haven, Connecticut, 1941.

Whyte, William Foote, Street Corner Society: The Social Organization of an Italian Slum, Chicago 1943 (Neuausgabe 1958).

Whyte, William Foote, Observational Field Work Methods, in: *Marie Jahoda, Morton Deutsch, Steward W. Cook,* Hrsg., Research Methods in Social Relations, 2 Bde., New York 1951.

Wilson, Logan, Sociography of Groups, in: *G. Gurvitch* und *W. G. Moore,* Hrsg., Twentieth Century Sociology, New York 1945.

Wurzbacher, Gerhard, Hrsg., Das Dorf im Spannungsfeld industrieller Entwicklung, Stuttgart 1954.

Yang, Hsin-Pao, Factfinding with Rural People, FAO, United Nations 1957.

Young, Michael, und *Peter Wilmott,* Family and Kinship in East London, London 1957.

Young, Pauline V., Scientific Social Surveys and Research, New York 1949

II. Neuere Strömungen der Gemeindesoziologie

Von René König

Einleitung

Während sich die Gemeindesoziologie in der unmittelbaren Nachkriegsperiode zunächst über viele Länder verbreitet hatte (*R. König* 1958, 1972), begann sie in den letzten Jahren, sich auf einige Schwerpunkte zu konzentrieren. So fällt z. B. auf, daß in Kontinentaleuropa unverhältnismäßig wenig geschehen ist, vielleicht mit einziger Ausnahme der Niederlande (siehe dazu das Kapitel „Soziographie" in diesem Handbuch), während die Forschung sowohl in England (*Ronald Frankenberg* 1966) als auch in den Vereinigten Staaten (*Nelson W. Polsby* 1968; *Robert M. French* 1969; *F. M. Cox, J. L. Erlich, J. Rothman, J. E. Tropman* 1970) genau so reichhaltig fließt wie zuvor. Dazu kommt noch als spezielle Erscheinung *eine intensive Beschäftigung mit der lokalen Gemeinde in wirtschaftlich unterentwickelten Gebieten und Ländern* (*Jessie Bernard* 1968; *Irwin T. Sanders* 1968). Offensichtlich hat sich die Gemeindesoziologie als besonders fruchtbar zum Studium von Entwicklungsprozessen erwiesen (siehe dazu das Kapitel von *Bert F. Hoselitz* in diesem Handbuch). Speziell beim Studium der Einführung irgendwelcher Neuerungen in wirtschaftlich unterentwikkelten Gebieten haben sich Gemeindestudien bewährt, welche die Struktur von Führungsgruppen zum Gegenstand haben. Studien dieser Art kommen bereits in nächste Nähe zur angewandten Soziologie und zur Praxis (*Herbert J. Gans* 1968; *Alfred J. Kahn* 1969; *Peter Marris* und *Martin Rein* 1968); sie konzentrieren sich übrigens zumeist auf städtische Gemeinden und werden entsprechend auch im Rahmen der Stadt- und Großstadtsoziologie behandelt (siehe dazu die Kapitel über Stadt-Land-Soziologie und Großstadtsoziologie in diesem Handbuch). Der gleiche Trend zur Praxis ist schon seit langen Jahren bei den niederländischen Studien zu beobachten. Jüngstens beginnt auch in Deutschland der Zusammenhang zwischen Gemeindesoziologie und Gemeindeplanung größeres Interesse zu erwecken (dazu vorläufig *P. Drewe* 1966, 1967, 1968). In Österreich hat sich insbesondere *Kurt Freisitzer* (1965) mit der Anwendung der empirischen Sozialforschung in Raumordnung, Raumforschung und Raumplanung befaßt.

Ein interessanter Sonderfall ist die Entwicklung der Gemeindeforschung in Italien, die erst seit relativ kurzer Zeit in Gang gekommen ist und *gleichzeitig* verschiedenartige Züge sehen läßt, die früher in England und den Vereinigten Staaten *nacheinander* hervortraten (vgl. dazu *R. König* 1958, Kap. XI). So steht etwa am Anfang ein Roman wie der von *Carlo Levi* „Cristo si è fermato a Eboli" (1945) und die heftig sozialkritische Studie von *Danilo Dolci* „Un' inchiesta a Palermo" (1956), woraus in Sizilien eine echte theoretisch-praktische Gemeindebewegung entstanden ist, die sich bis heute insbesondere auf die Sozialarbeit auswirkt. Dazu kommen mehr konventionell beschreibende Darstellungen wie die unter dem Einfluß von *Adriano Olivetti* zustande gekommenen Untersuchungen über Ivrea im Aosta-Tal, bei denen viele junge italienische Sozialforscher ihre erste Ausbildung in empirischer Sozialforschung erfuhren. Die Arbeiten des *Gruppo Tecnico per il Coordinamento Urbanistico del Canavese,* die seit 1954 im Druck zu erscheinen begannen (dazu kurz *R. König* 1972, S. 221 ff.), sind übrigens nicht nur auf eine Gemeinde beschränkt, sondern beziehen die ganze „Zone" (oder „Region") in ihre Betrachtung ein, wobei ausgesprochen planerische Gesichtspunkte hervortreten; allerdings ist hier der Mangel an theoretischen Gesichtspunkten noch sehr auffällig. Diese kommen erst in den eigentlichen „Problemstudien" zum Vorschein, wie etwa der Kleinstadtstudie von *Franco Ferrarotti* (1959), den Untersuchungen von Gemeinden im Bereich großer Städte wie der von *Alessandro Pizzorno* (1960) über den Einfluß der Rationalisierung, vor allem aber denen über unterentwickelte Gemeinden in Süditalien, dem „Mezzogiorno", wie die von *Tullio Tentori* (1956) über Matera in der Basilicata, von *Guido Vincelli* (1958), von *Anna Anfossi, Magda Talamo* und *Francesco Indovina* (1959) über Ragusa in Sizilien, von *Franco Crespi* (1964), von *Achille Ardigò* (1964) u. a. Dazu kommen auch einige Nicht-Italiener wie das klassische Buch von *Edward C. Banfield* (1958), *Frederick G. Friedmann* (1960), *Horst* und *Helga Reimann* (1964), *Horst Reimann* (1969), *Gottfried Eisermann* und *Sabino S. Acquaviva* (1971). Die italienische Agrarsoziologie hat hierzu ebenso beigetragen wie viele rein wirtschaftswissenschaftliche Studien. Abgesehen von den neuen Regionen, die damit der Sozialforschung aufgeschlossen wurden, haben aber diese Arbeiten wie auch die meisten anderen kontinentaleuropäischen Untersuchungen wenig grundsätzlich neue Züge, wenn wir einmal von den entwicklungssoziologischen Ergebnissen absehen. Vielfach beschränken sie sich auf rein beschreibende Darstellungen oder spezielle Vorgänge wie Industrialisierung oder Nachbarschaft, Familie u. ä. ohne spezielle theoretische Ausrichtung, wie *Roland Frankenberg* (1966) und *Ralf Zoll* (1972) richtig bemerkten. Das gilt ziemlich durchgehend von der Zeit des Abschlusses unseres eigenen Buches über Gemeindesoziologie (*R. König* 1958) bis gegen Ende der 60er Jahre (man vergl. dazu z. B. *Arnold Bergsträsser, F. E. Tenbruck* u. a. 1965; *Martin Schwonke* und *Ulfert Herlyn* 1967 u. a.). Die neuen Fragestellungen machen sich erst seit ca. 1965 wiederum unter wesentlich amerikanischem Einfluß geltend, worüber weiter unten berichtet werden soll.

Aus diesen Entwicklungen ragt einzig hervor die Darstellung einer kleinen bretonischen Stadt durch *Edgar Morin* (1967), die man wohl als die eindrucksvollste Gemeindestudie des letzten Jahrzehnts diesseits und jenseits des Atlantik bezeichnen kann, weshalb sie eine gesonderte Betrachtung verdient. Entscheidend ist vor allem, daß Morin im Grunde Ethnologie der Gegenwartsgesellschaft betreibt; da sich aber Plodémet in einem hoch entwickelten Lande befindet, kann er die Geschichte zu Hilfe holen, um die Gegenwart nach rückwärts zu vertiefen und als Erwartung für die Zukunft aufzuschließen. So gelingt es ihm, wie eigentlich niemandem bisher, den Entwicklungsprozeß in seiner individuellen Dynamik zu fassen, der sich zwischen den räumlich begrenzten Existenzen der „Verdammten der Erde" und den Weiten der modernen Zivilisation erstreckt. In einer anderen Arbeit (1969) geht Morin der Verbreitung eines Gerüchtes nach, das sich im Mai 1969 in Orléans verbreitet hatte, nach dem aus einigen jüdischen Modegeschäften fortlaufend junge Mädchen verschwunden seien und in den internationalen Mädchenhandel abgestoßen würden. Er betrachtet das Ganze als „Mini-Krise" in einer sonst ruhigen städtischen Gemeinde; aber das Gerücht fährt durch sie wie ein Zyklon, der viele sonst verdrängte repressive Kräfte an die Oberfläche ruft, wo sie von der Angst zu einer eigentlichen Hexenjagd verdichtet werden: ein Aspekt des „modernen Mittelalters". Ist das erste Werk eine Gemeindestudie im strengen Sinne, so ist das zweite eher als eine Problemstudie im Rahmen einer Gemeinde mit den Mitteln einer Blitzreportage „sur le vif à chaud" zu bezeichnen. Zwei Werke, die sich in erfreulicher Weise von der Banalität sovieler anderer Untersuchungen unterscheiden.

Die in den letzten Jahren hervorgetretenen Linien in der Gemeindesoziologie lassen sich unseres Erachtens in drei Punkten zusammenfassen, die wir nacheinander behandeln wollen.

1. Vor allem hat sich ein neues Interesse für die Erörterung der Frage gezeigt, ob der Gegenstand der lokalen Gemeinde im Rahmen der fortgeschrittenen Industriegesellschaften überhaupt noch von Bedeutung sei. Gleichzeitig schließt sich die Auseinandersetzung zwischen Gemeindeforschung und *Regionalforschung* hier an. Da diese bisher so gut wie ausschließlich unter wirtschaftli-

chen Gesichtspunkten behandelt worden ist, schließen wir sie hier bewußt aus (was natürlich keinerlei Urteil über ihre Bedeutung impliziert).

2. Es besteht, insbesondere in Europa, eine deutliche Tendenz, die Gemeindestudien historisch zu vertiefen und damit vom bloßen Gegenwartsstandort wegzukommen.

3. Schließlich hat unter dem Einfluß der politischen Soziologie die Frage nach den Machtstrukturen und den herrschenden Eliten in der Gemeinde eine neue Bedeutung gewonnen, die wohl mehr als alle anderen Argumente zeigt, daß die lokale Gemeinde noch immer ein soziales System eigener Art mit einer entsprechenden Machtstruktur darstellt.

1. Für und wider die Gemeindesoziologie

Die Fragestellung ist nicht neu, ob Gemeindesoziologie eine für sich allein genommen hinreichende und damit also legitimierte Behandlungsweise sei. Sie wurde schon Anfang der 50er Jahre durch den Anthropologen *Julian H. Steward* (1950) und *Albert J. Reiss* (1954) aufgegriffen (vergl. zu dieser Diskussion *R. König* 1958, S. 42 f., 131–136 u. ö.). Das Problem wurde damals im wesentlichen so gelöst, daß man „die Gemeindeuntersuchungen als eine Untersuchungsmethode bestimmter Prozesse am lebendigen Objekt" (*R. König* 1958, S. 135) ansah und entschied, daß sie nur ein „Werkzeug" der Sozialwissenschaft und nicht ein „Gegenstand" eigener Art seien (*C. M. Arensberg* 1954). Aber gerade der Anthropologe weiß, daß die Gemeinde eine soziale „Gestalt" aus eigenem Recht ist, wie übrigens selbst C. M. Arensberg oft bemerkt hat, wenn er auch vollkommen Recht hat mit dem Postulat daß aller Gemeindeforschung eine *Theorie von der lokalen Gemeinde vorausgehen muß*, damit man weiß, wie und wo man jeweils die Grenzen setzen muß. So machte es zu jener Zeit *Lawrence Wylie* (1957, 2. Aufl. 1964, Kap. X) in seiner klassischen Untersuchung eines französischen Dorfes in der Vaucluse sehr klar, daß die Bewohner unterschieden zwischen „uns" und „jenen", was sich letztlich sogar in einer Wahl bestätigte, in der nicht Vertreter der großen Parteien („jene") sondern „unsere" Leute gewählt wurden.

Die neuere Diskussion über das Für und Wider die Gemeindesoziologie ist insbesondere durch ein Buch von *Maurice R. Stein* (1960) ausgelöst worden, der von einem „Versinken" der Gemeinde sprach und darin einen wesentlichen Zug in der Entwicklung der modernen Sozialforschung erblicken zu können glaubte. Er schloß dabei insbesondere an die älteren Untersuchungen von *Robert E. Park*, des Ehepaares *Robert* und *Helen Lynd*, von *William Lloyd Warner* und anderen an. Aber er griff auch gleichzeitig jene Studien nochmals auf, die um eine sozialpsychologische Vertiefung der Gemeindestudien bemüht waren. Das entscheidende Ergebnis war für ihn, daß sich in der Entwicklung der modernen Gemeindesoziologie seit den zwanziger Jahren nicht nur ein Fortschritt der Theorie, sondern gleichzeitig ein Wandel im Gegenstand selber vollzogen habe. Dieser Gesichtspunkt, der sich übrigens während der gleichen Periode auch gegenüber der Familiensoziologie anwenden läßt, trifft zweifellos ein wesentliches Problem, obwohl die Frage offen bleibt, ob ein unbezweifelbarer „Wandel" der Struktur des Gegenstandes, der lokalen Gemeinde, unmittelbar als ein „Versinken" oder „Verschwinden" dieses selben Gegenstandes gedeutet werden muß. Andererseits schloß dieses Werk auch neue Perspektiven in der psychologischen, ja sogar in der psychoanalytischen Vertiefung der soziologischen Problematik auf, was sich ebenfalls in einer Abwendung der allgemeinen Blickrichtung von Strukturanalysen ausdrückt, wie sie noch *W. L. Warner* so sehr beschäftigt hatten. Diese sind heute im wesentlichen durch die Erforschung der Machtstrukturen in der lokalen Gemeinde (Community Power Structure) verdrängt worden, über die im dritten Abschnitt zu berichten sein wird. Aber im Rahmen der allgemeinen Forschung hat das doch teilweise zu einer wesentlich herabgeschraubten Erwartung gegenüber der Fruchtbarkeit von Gemeindestudien geführt; in diesem Sinne betonte etwa *C. M. Arensberg* (1968, S. 13) als symptomatisch, daß in diesem Jahr erst der Governor in Albany, der Hauptstadt des Staates New York, und nicht etwa der Bürgermeister der Stadt New York die streikenden Müllfahrer zur Wiederaufnahme der Arbeit habe bewegen können. Es gibt also gewiß Verflechtungen, die sogar über einen so umfangreichen und komplexen Gemeindeverband wie New York hinausreichen. Selbst wenn von diesem Umstand gelegentlich auch ein Forscher wie *Roland L. Warren* (1966) beeindruckt ist, so zieht er daraus doch eine andere Konsequenz wie Stein und alle Gleichdenkenden, indem er — wie das schon früher geschehen war — *auf die Notwendigkeit einer differenzierteren Definition der lokalen Gemeinde hinweist*. Er tut dies unter anderem durch Umschreibung der Dimensionen kommunaler Autonomie, durch Unterscheidung der formellen und informellen extrakommunalen Kontrollen und schließlich durch eine weitgetriebene „Typologie der Affiliation", „um Beziehungen zwischen der Gemeinde und dem gesamtgesellschaftlichen System zu ermitteln". Genau wie in der französischen Gemeinde in der Vaucluse stellte sich in „Dairyville" heraus, daß in der Praxis selbst die externen Kontrollen des Gemeindelebens eine beträchtliche informelle Modifikation erfuhren. Das Verhältnis von Abhängigkeit und Unabhängigkeit wird in folgender Tabelle wiedergegeben (dtsch. Übersetzung nach *R. Zoll* 1972, S. 259; ähnliche Spannungen zwischen lokalen und „trans-lokalen" Kräften bei *Don Martindale* und *Galen R. Hansen* 1969).

Typologie der lokalen Gemeindeeinheiten von Dairyville

Bereiche des Gemeindelebens	unabhängige Einheit	affilierte Einheiten (a) Teil eines unabhängigen Zusammenschlusses	affilierte Einheiten (b) Vereinigung affilierter Einheiten	Filiale
Industriebetriebe	5	—	—	—
Läden	9	4	—	2
Dienstleistungsbetriebe	8	3	—	2
Regierungs- und Verwaltungsstellen	—	—	—	2
Kirchen	—	1	1	4
Schulen	—	—	—	1
Freiwillige Vereinigungen	3	5	2	15

Ähnliche Probleme waren schon etwas früher bei *Arthur J. Vidich* und *Joseph Bensman* (1958) hervorgetreten, als sie die mögliche Bedeutung der Kleinstadt in der „Massengesellschaft" grundsätzlich in Zweifel zogen. Es ist nun interessant zu sehen, daß sich die beiden Autoren später mit *Maurice R. Stein* zusammengetan haben (*A. J. Vidich, J. Bensman, M. R. Stein* 1964). In diesen an sich sehr begrüßenswerten Überlegungen über die Grenzen von Gemeindestudien treten ebenfalls neben den schon erwähnten Zweifeln neuartige psychologische, ja gelegentlich geradezu existentialistische Gedankengänge in den Vordergrund, wie besonders eindringlich etwa bei *Kurt H. Wolff*. Darin unterscheidet sich diese neuere Diskussion wesentlich von der früheren, die *Albert Reiss Jr.* in seinem „Memorandum" (1954) für den *Social Science Research Council* ausgelöst hatte; denn es zeigte sich, daß selbst unter kritischster Selbstbegrenzung die lokale Gemeinde nach wie vor eine wesentliche Rolle im Sozialisierungsprozeß der sozialkulturellen Person spielte. Daneben bleibt natürlich der „instrumentelle" Einsatz von Gemeindestudien zur Untersuchung spezieller Probleme (Familie, Jugendlichendelinquenz, Kriminalität, Wanderungen usw.) voll erhalten; dies Vorgehen empfiehlt sich vor allem darum, weil es relativ billig ist. Das ist insbesondere bei explorativen Untersuchungen ein nicht zu unterschätzender Vorteil.

Gleichzeitig treten gewisse kritische Einstellungen deutlich hervor, die mit der allgemeinen Entwicklung der städtischen Gemeinden in den Vereinigten Staaten zusammenhängen. Die Verlagerung des Gewichts vieler Städte in die Vorortgemeinden schaffte nicht nur demographisch wichtige Umschichtungen, wie sie als erster in großem Maßstab *Amos H. Hawley* (1956) studiert hatte, sondern gleichzeitig eine soziologische, sozialpsychologische und sogar tiefenpsychologische Analyse der Existenz des „Ex-Urbaniten" (*C. A. Spectorsky* 1955). Dazu gehört auch im Gegensatz der früheren Verstädterung des Landes die Bewegung zur Verländlichung der städtischen Gemeinde (*Joel M. Halpern* 1965). Die Diskussion um die Entwicklung der Vorstadtgemeinden ist übrigens wesentlich älter, als es gemeinhin erscheint, wurde doch der Ausdruck von den „matriarchalischen Schlafzimmerdörfern" schon in den zwanziger Jahren geprägt. In den Darstellungen von *Anselm Strauss* (1960, 1961) und von *Herbert J. Gans* (1962) kommt deutlich diese Verschiebung auf die Gürtelzonen der Städte zum Vorschein, was gleichzeitig neue Möglichkeiten vergleichender Forschung aufschließt. Eines der entscheidenden Probleme hierbei ist die Neudefinition des Verhältnisses von Stadt und Land, wie es sich insbesondere in den Vorstädten gestaltet. Daß sich dies nicht nur von Städten in hochindustrialisierten Ländern, sondern teilweise auch in wirtschaftlich unterentwickelten Gebieten nachweisen läßt, wurde in jüngster Zeit gelegentlich von der Agrarsoziologie hervorgehoben (*D. Y. Yuan* und *E. D. Stockwell* 1964). Eine zusammenfassende Übersicht dieser und ähnlicher Probleme gab *Nels Anderson* (1962), während sich *Bennet M. Berger* (1960) vor allem auf Arbeitervorstädte konzentrierte und von hier aus den „Mythos der Vorstadt" einer neuerlichen Durchleuchtung unterzog (1961). Für viele Länder Europas kommt neuerdings hinzu die Untersuchung der neuen „Ghettos" von ausländischen Arbeitnehmern, deren soziologische Analyse vorläufig noch von den übermächtigen wirtschaftlichen Notwendigkeiten verdrängt wird. Man vergleiche zum Ganzen das Kapitel über Großstadt in diesem Handbuch.

2. Die historische Orientierung in der Gemeindesoziologie

Nachdem sich das Studium von Gemeinden in wirtschaftlich unterentwickelten Gesellschaften als sehr ergiebig erwiesen hatte, wurde man allgemein neuerlich aufmerksam auf die geschichtliche Perspektive in der Gemeindeforschung. Damit wurden wichtige Anregungen von *Max Weber* wieder aufgegriffen (*V. Murvar* 1965; *G. Abramowski* 1966; *W. J. Cahnmann* 1966) und überhaupt die Frage nach der Entstehung von Städten (*R. M. Adams* 1960, 1966). Am klarsten kann man die Parallele zwischen der Analyse von wirtschaftlich unterentwickelten Gesellschaften und der geschichtlichen Perspektive bei *Gideon Sjoberg* (1960) in seinem Werk über die vorindustrielle Stadt erkennen, das eine Reihe von kritischen Bemerkungen auslöste (*O. C. Cox* 1964; *G. A. Sjoberg* 1964). Diese lassen sich im Grunde kurz zusammenfassen: Die Definition der Stadt durch Max Weber, so weit sie auch gefaßt sein mag, wird in gewisser Weise durch ein europäisch-mittelöstliches Vorurteil beschränkt; es wird inskünftig darauf ankommen, eine planetarische Perspektive aufzuschließen, womit eine enge Beziehung zwischen Gemeindesoziologie, Stadtsoziologie sowie Sozialanthropologie sichtbar wird (etwa *C. M. Arensberg* 1968). Interessante Beiträge zum Problem der Entwicklung von einzelnen Städten brachte besonders die Bevölkerungsgeschichte, für die sich gute Beispiele in Frankreich finden lassen (*L. Chevalier* 1950, 1958). Hierher gehören noch die Untersuchungen von *Paul-Henry Chombart de Lauwe* (1965) über Paris. Ein wichtiges theoretisches Problem ist hierbei natürlich die „selektive Wanderung", die eine so reiche Literatur hervorgebracht hat, daß wir sie hier gar nicht aufführen können (siehe das Kapitel über regionale Mobilität in diesem Handbuch). In England befaßte sich *Sidney George Checkland* (1964) mit der geschichtlichen Entwicklung der Industrie in der Stadt Glasgow; ein interessantes Bild über die Stadt Manchester und ihrer Region wurde von der *British Association for the Advancement of Science* (1962) herausgegeben. Wichtige Beiträge kommen auch von Seiten soziologisch aufgeschlossener Historiker wie etwa die Darstellung der österreichischen Gemeinden Krems und Stein durch *Otto Brunner* (1948). Jüngstens ist das Thema Soziologie und Geschichte gerade auch im Hinblick auf Gemeindestudien von mehreren Seiten energisch aufgegriffen worden (siehe dazu *Hans-Ulrich Wehler* 1972 u. 1972a; *Peter Christian Ludz* 1972).

Damit wird eine neue Möglichkeit eröffnet, die schon gelegentlich in älteren Gemeindestudien hervorgetreten war, nämlich die Problematik, die Gegenwartsstruktur einer Gesellschaft gleichzeitig mit ihrer Geschichte zu erfassen, wie *Edgar Morin* (1967) es gefordert hatte. So konnte jüngstens *Fritz Sack* (1972) die „Tradition" eines Gebiets mit erhöhter Kriminalitätsrate in der Stadt Köln fast lückenlos über 200 Jahre zurückverfolgen. Grundsätzlich ergeben sich aus Untersuchungen dieser Art interessante theoretische Probleme. Man kommt notwendigerweise dazu, sich die Frage zu stellen, ob etwa das gleiche Gegenwartsbild in zwei verschiedenen Gemeinden nicht eine völlig verschiedene Bewandtnis haben kann, wenn die geschichtlichen Hintergründe verschieden sind. Das gilt mit erhöhter Intensität z. B. für prognostische Studien im Rahmen langfristiger Planung. In diesem Zusammenhang kann man etwa einem seit langem verwahrlosten Stadtquartier eine schlechtere Prognose stellen als einem durch besondere akute Umstände plötzlich „belasteten" Quartier. Damit wird die Gegenwartsstruktur durch Aufschließung der Vergangenheit erweitert. Im übrigen ist diese Diskussion nicht neu, wie jüngstens *Friedrich H. Tenbruck* (1972) hervorgehoben hat, als er auf eine ältere Abhandlung von *Seymour Martin Lipset* (1958) hinwies. Man muß nur die vorgetragenen Meinungen aus ihrer Allgemeinheit befreien und auf das für die Gemeindesoziologie fundamental wichtige Problem hinweisen, daß es ausgerechnet der Stadthistoriker *Oscar Handlin* (1942, 1947) war, der *W. Lloyd Warner* und seine Untersuchungen über Yankee City mit dem Hinweis darauf kritisierte, daß er manches an seinen Daten darum falsch interpretierte, weil er sich nur auf aktuelle Berichte gestützt und die Geschichte der Gemeinde ignoriert habe (siehe dazu auch *Stephan Thernstrom* 1965).

Bedauerlicherweise stehen aber solchen Untersuchungen große methodologische und technische Schwierigkeiten im Wege, da z. B. die offiziellen Statistiken uns immer nur Momentbilder zu geben pflegen, gewissermaßen Standphotos, bei zensusartigen Statistiken in ungefähr zehnjährigem Abstand. Auf Grund solcher Daten kann man dann zweifellos die Entwicklung einer Gemeinde in Momentbildern von zehn zu zehn Jahren darstellen, es ist aber völlig unmöglich, daraus irgendwelche Hinweise auf die *lebendigen Prozesse* zu gewinnen, welche den Wandel ausmachen. Dazu wird die Eröffnung anderer Quellen benötigt, etwa von Archiven aller Art; es können aber auch Inhaltsanalysen der Presse, methodische Analysen anderer Dokumente, etwa Sitzungsprotokolle von Gemeinderäten, ferner Autobiographien, Tagebücher und Korrespondenzen für die Analyse der Prozesse verwendet werden, durch die sich der soziale Wandel anbahnt. Die Schwierigkeit der Materialbeschaffung hat darüber entschieden, daß wir bis heute noch unverhältnismäßig wenig befriedigende Studien dieser Art haben. Wir möchten wünschen, daß der sich anbahnende Trend zu historischer Vertiefung der Gemeindestudien sich gerade in dieser Hinsicht auswirken möge. In der Bundesrepublik legte *Helmuth Croon* schon relativ früh methodologische Versuche dieser Art vor (1954, 1955); in dem von *Peter Christian Ludz* herausgegebenen Band (1972) über Soziologie und Sozialgeschichte finden sich auch für die Gemeindeforschung zahllose wichtige und weiterführende Hinweise.

Im Verfolg solcher Vorstellungen konnte *Renate Mayntz* (1958) in ihrer Studie über die Stadt Euskirchen zeigen, daß sich die soziale Mobilität in bestimmten historischen Phasen intensiviert, um dann danach für eine längere Periode der Stabilisierung wieder zurückzugehen. Ähnliche Ergebnisse traten auch in anderen Gemeindestudien hervor (für Köln z. B. *Hansjürgen Daheim* 1964). Von besonderem Interesse sind hierbei Untersuchungen, die den Auf- und Abstieg einer lokalen Gemeinde zum Gegenstand hatten, wie etwa das Werk von *Helmut Croon* und *Kurt Utermann* (1958) in Deutschland und von *Herman R. Lanz* über eine Zechengemeinde des amerikanischen Mittelwestens (1958). *Harry Holbert Turney-High* verfaßte im gleichen Sinne eine Studie über ein wallonisches Dorf (1953), die ihre Perspektive von der Zeit der Romanisierung der betreffenden Bevölkerung bis zur Gegenwart ausdehnt. In einer Reihe anderer belgischer Studien ist der Gesichtspunkt der „Seneszenz", d. h. des Alterns und Absterbens von Gemeinden einer besonderen Untersuchung unterzogen worden, was logischerweise ohne historische Erörterungen unmöglich gewesen wäre.

Das gilt nicht nur gegenüber der demographischen Entwicklung, sondern gerade auch für sogenannte „kulturelle Analysen", die sich sehr oft in der Darstellung eines statischen (gewissermaßen „undatierten") Bildes erschöpfen, dem eigentlich keine Wirklichkeit entspricht. Das ist häufig bei sozial- und kulturanthropologischen Studien der Fall. Ein interessanter Ansatz zur Überwindung dieses zeitlosen Aspektes findet sich bei *Jean Combaire* und *W. J. Cahnmann* (1959). Besonders ergiebig sind wiederholte Gemeindestudien, die in einem gewissen Abstand durchgeführt werden. Dies ist an sich ein altes Verfahren, seit *B. S. Rowntree* die englische Provinzstadt York fünfunddreißig und fünfzig Jahre nach seiner ersten Untersuchung nochmals analysierte (1901, 1936, 1951; die beiden letzten Wiederholungen mit *G. R. Lavers*). Klassiker dieser Art sind die beiden Bände des Ehepaares *Helen* und *Robert Lynd* über „Middletown" und „Middletown in Transition" (1929, 1937), die vor respektive nach der Weltwirtschaftskrise von

1929 unternommen worden sind und ein erhebliches Licht auf den in dieser Zeit stattgefunden habenden sozialen Wandel werfen. Von großer Wichtigkeit war seinerzeit auch die Wiederholung einer Untersuchung von *Robert Redfield* (1930) durch *Oscar Lewis* (1951). „Yankee City" wurde ebenfalls neu untersucht (*St. Thornstrom* 1965); jüngstens wurde auch die berühmte Untersuchung von *James West* über „Plainville, U. S. A." (1945) durch *Art Gallaher Jr.* (1961) wiederholt. Eine ähnliche Untersuchung stammt von *Peter Wilmott* (1963). Arbeiten dieser Art lassen nicht nur bestimmte theoretische Probleme sichtbar werden, sondern gleichzeitig die entscheidenden Wandelprozesse, die eine gegebene lokale Gemeinde unter dem Einfluß neuer Faktoren, die vorher nicht sichtbar waren, verändern.

3. Untersuchungen zur Machtstruktur der Gemeinde

Wer der Meinung ist, daß die Gemeinde etwa in den Vereinigten Staaten keine soziale Autonomie mehr besitzt, wie es oben berichtet wurde, wird kein spezielles Interesse an den Machtstrukturen der Gemeinde aufbringen können, sondern diese Frage ausschließlich der politischen Wissenschaft überlassen. Wer dagegen den Standpunkt vertritt, der auch der unsere ist, daß trotz der Übermacht gesamtgesellschaftlicher Zusammenhänge in den Industriegesellschaften die lokale Gemeinde, wenn auch in begrenztem Rahmen, nach wie vor ein soziales System darstellt, wird automatisch seine Aufmerksamkeit diesen Machtstrukturen zuwenden. Das zeigt zunächst die Verflechtung der jetzt zu behandelnden Probleme mit den unter 1 erörterten. Gleichzeitig ergibt sich daraus, daß je nach dem Land, wo diese Fragen aufgerollt werden, die Entscheidung unter Umständen geschichtlich vorausgenommen ist, indem etwa der Entfaltungsraum der kommunalen Machtstruktur neben der zentralen des Staates mehr oder weniger groß sein kann. So hat die lokale Gemeinde in der Schweiz, in England und den Vereinigten Staaten von vornherein eine ganz andere Autonomie als etwa in Deutschland oder Frankreich. Hier ist die Machtstruktur, mindestens formell, durch staatliches Gesetz vorentschieden, was vielleicht die Ursache dafür ist, daß in diesen Ländern die Gemeindesoziologie erst verhältnismäßig spät entstanden ist. Dagegen ist bei den drei erstgenannten Ländern in der Schweiz ebenfalls die Gemeindesoziologie sehr spät entstanden und relativ bedeutungslos geblieben, was unserer These zu widersprechen scheint. Aber wir möchten darauf hinweisen, daß ein Kontinuum bestehen mag zwischen einer extrem skeptischen Einstellung gegenüber den Möglichkeiten der lokalen Gemeinde einerseits und einer ebenso extremen Überschätzung andererseits, einer Art „Ideologie" der Gemeinde mit einer ausgeprägt „harmonistischen" Vorstellung vom Zusammenwirken der verschiedenen Kräfte, daß sich Forschung erübrigt. Das entspricht weitgehend der Situation in der Schweiz, wo ich selber die ersten Gemeindeuntersuchungen veranlaßte (*R. König* 1958, S. 154). Dagegen ist sowohl in England als auch in den Vereinigten Staaten schon seit Beginn der entscheidenden Vorstöße des Industrialismus das Mißtrauen gegen die Selbsterneuerungsmöglichkeiten der lokalen Gemeinde gewachsen mit dem Ergebnis einer großen Produktivität der Forschung auf diesem Gebiet.

Ohne diese diffizile Frage hier lösen zu wollen, müssen wir doch darauf hinweisen, daß man sich dieser Hintergrundsaktion ständig bewußt bleiben muß, wenn man die in den Vereinigten Staaten seit Ende der fünfziger Jahre plötzlich ausgebrochene hitzige Diskussion um die Machtstruktur der lokalen Gemeinde verstehen will. Daß in ihr so unsachlich und emotional gestritten wurde, zeigt wohl hinreichend, daß andere Probleme letztlich im Spiel waren als die manifest zugegebenen oder vorgehobenen. Zugleich wurde das Ganze eine Art von Modeangelegenheit, die vollständig vergessen machte, daß sich die Gemeindeforschung seit jeher mit Machtstrukturen befaßt hatte — mit Ausnahme bestenfalls von einigen populären Romanen, für die in der lokalen Gemeinde trotz aller Gegensätze zwischen schwarz und weiß, zwischen reich und arm alles in der besten Ordnung in der besten aller Welten war. So kann man umgekehrt sagen, daß die Gemeindeforschung unter anderem im Grunde *aus dem realen Erlebnis der Ungleichheit der Chancen* erwachsen war, nur daß sie es eben nicht mit Hilfe allgemeiner und weitgespannter Theorien des sozialen Konflikts, sondern *in der realen Auseinandersetzung zwischen verschiedenen sozialen Klassen und Positionen erfaßte.*

Mit seiner Untersuchung über die Machtstruktur in der Stadt Atlanta (Georgia) hatte *Floyd Hunter* (1953, 1956), ganz im Sinne der traditionellen Gemeindesoziologie mit seinen Mitarbeitern wieder einmal diese Dimension aufgeschlossen. Mehr als alle anderen Überlegungen zeigt übrigens die Tatsache, daß jede Gemeinde eine lokale Machtstruktur entwickelt, die relativ unabhängig ist von der des Staats, daß die Gemeinde auch im Rahmen größerer gesamtgesellschaftlicher Gebilde nach wie vor eine Realität ist. Diese erste Untersuchung löste zunächst eine Menge von parallelen Untersuchungen aus, die dann um die Mitte der sechziger Jahre, wo diese Diskussion ihren Höhepunkt erreichte, zu einer ungewöhnlich interessanten neuartigen methodologischen Fragestellung geführt haben, die momentan wieder abgeflaut ist. Ob sie neuerlich aufflammen wird, scheint uns wesentlich von einer weiteren empirischen Kontrolle der bisherigen Resultate möglichst in vergleichender Betrachtung (*F. U. Pappi* 1973) und einer wesentlichen theoretischen Vertiefung des ganzen Ansatzes (*R. Zoll* 1972) abhängig zu sein.

Während vielfach in älteren Gemeindestudien der Machtgesichtspunkt an den Rand geschoben wurde, wie etwa noch teilweise bei *Roland L. Warren* (1963, 1966), konzentrieren sich andere gemeindesoziologische Forscher sehr speziell auf Analysen der Machtstruktur, und zwar sowohl in großen wie in kleinen Gemeinden, sowohl in Europa wie in Amerika (vergl. dazu unter anderem *Michael Aiken* und *Paul Mott*, Hrsg., 1970; *A. H. Birch* 1959; *Charles M. Bonjean* u. a. 1970; *Robert A. Dahl* 1961; *N. H. Danzger* 1964; *A. Fanelli* 1956; *S. Fisher* 1962; *S. Greer* 1960, 1962; *F. B. Hays* 1965; *C. J. R. Herson* 1961; *M. Janowitz* 1961; *R. P. Lowry* 1962; *J. B. Michel* 1964; *D. C. Miller* 1958, 1959, 1963, 1970; *R. A. Nisbet* 1962; *C. H. Press* 1963; *R. Presthus* 1964; *R. O. Schulze* und *L. U. Blumberg* 1957; *A. Wildavsky* 1964). Allerdings muß man hierbei, wenn man sagen darf, eine mehr naive und eine vertiefte Anschauung unterscheiden. Die naive ging davon aus, daß die Machthaber an einem gegebenen Ort eine mehr oder weniger geschlossene Gruppe darstellten, die für alles zuständig war. Methodisch ging man dabei so vor, daß man einfach der Reputation von Personen folgte und diese als die Träger der Macht ansah. Das war vor allem bei Floyd Hunter, daneben aber bei vielen anderen, die vorwaltende Methode gewesen. Hier stellte sich die Herrschaftsgruppe in der Gemeinde, ähnlich den „Honoratioren“ von *Max Weber*, wie eine einheitliche Pyramide dar. Man nannte diese Methode entsprechend die *Reputational Technique*. Eine Veränderung resp. komplexere Ausgestaltung dieses naiven Ansatzes kam zunächst mehr von Seiten der politischen Wissenschaft, allen voran *Nelson W. Polsby* (1958/9, 1959, 1960, 1962, 1963, 1968). Hier erfuhr die Soziologie der Gemeinde, trotz der verfälschenden Darstellung der älteren Forschung durch Polsby (*R. Zoll* 1972), eine beträchtliche Erweiterung durch die andersgelagerten Interessen der politischen Wissenschaft, die im übrigen parallel läuft mit anderen Entwicklungen in der soziologischen Theorie von den „Meinungsführern“, bei der ebenfalls ein „Pluralismus der Wirkung“ hervortritt (*T. Y. Anton* 1963; *D. C. Miller* 1970; *E. O. Laumann* 1973). Selbst wenn sich die Reputationsmethode auch ihrerseits einer Verfeinerung zugänglich erwies, indem man etwa die einflußreichen Personen in verschiedenen Gemeindebereichen durch Experten auszuwählen bittet (*W. V. D'Antonio, W. H. Form, Ch. P. Loomis, E. C. Erikson* 1961; *W. V. D'Antonio* und E. C. Erikson 1962; *W. V. D'Antonio, H. J. Ehrlich* und *E. C. Erikson* 1962; *W. V. D'Antonio* und *W. H. Form* 1965) und damit einen „General Influence Index" aufbaut, bleiben trotzdem wichtige Fragen ungelöst.

Ähnlich liegt es bei einer anderen Methode, der *Positional Technique,* bei der die wichtigsten Positionsinhaber aus verschiedenen Lebenskreisen in einem bestimmten Verhältnis zusammengestellt werden (*L. C. Freeman, Th. J. Fararo, W. Bloomberg Jr.* und *M. H. Sunshine* 1963; *T. J. Fararo* und *M. H. Sunshine* 1964; *L. C. Freeman* 1968). Auch diese Technik leidet aber an einer übermäßig statischen Ausrichtung, während eine dritte, die sog. *Issue Technique* mehr vom Prozeßartigen ausgeht. Sie beginnt mit der von *Max Weber* überkommenen These von *Robert A. Dahl* (1961, 1962, 1963, 1964), daß eine Person dann Macht über eine andere ausübt, wenn sie die zweite dazu bringen kann, etwas zu tun, was sie sonst nicht getan hätte. Das ist der eigentliche *Prozeß der Machtausübung im Rahmen eines Entscheidungsprozesses.* Diese Prozesse spielen natürlich auf Gemeindebasis und in der Gemeindepolitik eine außerordentliche Rolle. Die Ausrichtung auf den Entscheidungsprozeß macht die neue Perspektive besonders deutlich. Man ging dabei so vor, daß man in verschiedenen Lebensbereichen Streitfragen aufgriff, für die demnächst eine Entscheidung gefällt werden mußte oder die eben entschieden worden waren. Dann erhob man Informationen über diese Vorgänge, und zwar auf verschiedenste Weise (durch teilnehmende und nicht-teilnehmende Beobachtung, durch Analyse von Dokumenten, durch Interviews usw.). Am Schluß ergab sich dann, welche Personen in welchem Zusammenhang einen bestimmten Einfluß bei der Entscheidung einer kritischen Frage ausgeübt hatten. Im übrigen muß man sich gerade bei der Beobachtung von Entscheidungsprozessen darüber klar sein, *daß Macht auch durch Nichtentscheidung ausgeübt werden kann* (*R. E. Wolfinger* 1971), wie *R. Zoll* (1972) sehr mit Recht hervorhebt (S. 25, 68), so wahr eine der Geheimwaffen aller Verwaltungen das Nicht-Behandeln von anliegenden Problemen ist. Es sollte für eine Handlungstheorie des Sozialen eigentlich selbstverständlich sein, *daß auch Unterlassen wirksam sein kann,* wie schon *Max Weber* in seiner Definition des sozialen Handelns hervorgehoben hat.

Das Ganze führte zu einer ausgedehnten kritischen Diskussion, bei der es z. B. um den Umfang der Einflußgruppe ging (*R. E.*

Wolfinger 1960, 1962). Manchmal gingen auch die Informanten über die wirklichen Einflußpersonen in ihren Meinungen weit auseinander (*P. H. Rossi* 1956/7), obwohl nicht immer letzte Klarheit darüber gewonnen werden konnte (*T. N. Clark* 1968). Nur über eines wurde man sich klar, daß nämlich der alte Ansatz von *Floyd Hunter* eine Reihe von Annahmen machte, die nicht unbedingt selbstverständlich sind. Dazu gehören die Vorstellungen von einer stabilen Machtelite aus homogenen Gruppen, die vermeintlich alle Lebensbereiche einer Gemeinde kontrollieren. Das hieß also, daß die Mitglieder dieser Gruppen erstens völlig unabhängig von den einzelnen Aufgabenbereichen Einfluß ausübten, zweitens dies relativ lange Zeit hindurch und drittens in relativer Einigkeit taten. Andere Untersuchungen zeigten sehr bald die Fragwürdigkeit dieser Voraussetzungen. So hatte *René König* (1958, S. 86 ff.) schon früh den *Zusammenhang zwischen Machtstruktur und informellen Gruppen* hervorgehoben, was implizit die starke Wandlungsfähigkeit der Machtkonstellationen einschließt. Es zeigte sich auch, daß bestimmte Bedingungen erfüllt sein mußten, z. B. die Existenz vieler Pendler in einer Gemeinde, damit sich eine Gruppe als Machthaberin etablieren konnte, die im übrigen dem sozialen Charakter der Gemeinde nicht entsprach (*H. J. Beckers* 1968). Das korrespondiert auch mit dem von *Ronald Frankenberg* (1966) hervorgehobenen Unterschied zwischen „burgesses" und „spiralists" (in Aufstieg begriffene Mobile), den *W. Watson* (1964) aufgebracht hatte und der ungefähr der Differenzierung von *Robert K. Merton* zwischen „locals" und „cosmopolitans" entspricht; die einen sind gemeindlich ausgerichtet, die anderen nicht. Besondere Probleme schaffen hier insbesondere die „blockierten Spiralisten". So erkannte man allmählich, und das ist wohl das bleibende Fazit dieser langen Diskussion, *den pluralen Charakter der Machtstruktur in der lokalen Gemeinde.* Es wurde auch klar, daß die Machtpersonen nach unverhältnismäßig kurzer Zeit gewechselt hatten, als man die Stadt El Paso in einem Abstand von dreieinhalb Jahren zweimal untersuchte (*W. V. D'Antonio* 1965). Die außerordentlich weit gespannte und zeitweise sehr heftige methodologische Diskussion bewies vor allem, wie methodologische Fragen u. U. erst angesichts der Probleme konkreter Untersuchungen eine entscheidende Klärung erfahren. In diesem Falle ist die Methode durch die Forschung differenziert worden, so daß am Schluß Ergebnisse sichtbar wurden, die von den ursprünglichen zum Teil beträchtlich abwichen. Aber es kam auch notwendigerweise die Frage auf, inwieweit die abweichenden Ergebnisse nicht die Folge der verwendeten Techniken, also eigentliche Artefakte der Forschung waren (*J. Walton* 1966 a und b), die unseres Erachtens noch offen steht.

Damit wurde eine vergleichende Behandlung nahegelegt, welche die spezifischen Vor- und Nachteile der verschiedenen erwähnten Methoden auszumachen versuchte, wie es etwa *Linton C. Freeman* (1960, 1963) mit seinen Mitarbeitern in einer Untersuchung der Stadt Syracuse getan hat, indem er einen „Index der Übereinstimmung" zu konstruieren suchte. Dieser zeigte, daß nur zwischen der „Reputational Technique" und der „Positional Technique" eine relativ große Übereinstimmung bestand, während dies im Verhältnis dieser beiden Techniken zur Analyse des Entscheidungsprozesses nicht der Fall war. Das hieß mit anderen Worten, daß Personen mit hoher Reputation und auch mit einer hohen Position u. U. in den Entscheidungsprozessen keine wesentliche Rolle spielten. Man vermutete, daß es sich dabei insbesondere um Personen handelte, die Repräsentanten der formellen Exekutive waren und als solche hohes Ansehen genossen, aber doch im Entscheidungsprozeß nicht unbedingt führend waren, da ihr Einfluß eher indirekt ist. Jüngstens veröffentlichte *John Walton* (1966) eine Gegenüberstellung von dreiunddreißig Gemeindeuntersuchungen, durch die fünfundfünfzig Lokalgemeinden analysiert worden waren. Hierbei zeigte sich, daß die Machtstrukturen, wie sie von den verschiedenen Forschungstechniken beschrieben wurden, einen völlig verschiedenen Charakter hatten, einerseits die stabilen Pyramiden, andererseits wechselnde Interessengruppen und Parteien ohne dauerhafte Führung. Das legte eine Kombination dieser verschiedenen Techniken nahe, um ihre verschiedenen Vor- und Nachteile gegeneinander auszugleichen (*E. K. Scheuch, R. L. Nuttal, Ch. Gordon* 1965 und *R. L. Nuttal, E. K. Scheuch* und *Ch. Gordon* 1965). Daraus ergab sich ein sehr komplexes Modell, das auch sehr komplexen Verhältnissen gewachsen ist. Allerdings hat sich dabei, wie *Edward O. Laumann* und *Franz Urban Pappi* (1973, S. 212/3) hervorheben, häufig ein theoretisch völlig orientierungsloser Empirizismus breit gemacht, der die Diskussion nicht immer wirklich fördert.

Mit der Analyse von Machtstrukturen in lokalen Gemeinden ist mehr gewonnen als nur ein Einblick in eine besondere Dimension des Gemeindelebens. Hier zeigt sich vielmehr von neuem, daß die lokale Gemeinde in der Tat nach wie vor ein soziales System darstellt, das sich in voller Wirksamkeit erhält, auch nachdem weiterreichende soziale Systeme gesamtgesellschaftlichen Charakters in den Vordergrund getreten sind.

Ausgewählte Literatur

Abramowski, Günter, Das Geschichtsbild Max Webers. Universalgeschichte am Leitfaden des okzidentalen Rationalisierungsprozesses, Stuttgart 1966.

Adams, Robert M., The Origin of Cities, in: Scientific American, Bd. 2 (1960).

Adams, Robert M., The Evolution of Urban Society: Early Mesopotamia and Prehispanic Mexico, London 1966.

Agger, Robert E., und *Daniel Goldrich,* Community Power Structures and Partisanship, in: American Sociological Review, Bd. 23 (1958).

Agger, Robert E., Daniel Goldrich und *Bert E. Swanson,* The Rulers and the Ruled, New York 1964.

Aiken, Michael, und *Paul Mott,* Hrsg., The Structure of Community Power, New York 1970.

Ammon, Alf, Eliten und Entscheidungen in Stadtgemeinden, Berlin 1967.

Anderson, Nels, The Urban Community, New York 1959.

Anderson, Nels, Rethinking Our Ideas about Community, in: International Review of Community Development, Bd. 10 (1962).

Anfossi, Anna, Magda Talamo und *Francesco Indovina,* Ragusa. Comunità in transizione, Torino 1959.

Anton, Thomas J., Power, Pluralism, and Local Politics, in: Administrative Science Quarterly, Bd. 7 (1963).

Anton, Thomas J., Letter to the Editor, in: Administrative Science Quarterly, Bd. 8 (1964).

Ardigò, Achille, Innovazione e comunità, Milano 1964.

Arensberg, Conrad M., The Community Study Method, in: American Journal of Sociology, Bd. 60 (1954).

Arensberg, Conrad M., The Urban in Cross-Cultural Perspective, in: *Elizabeth Eddy* (Hrsg.), Urban Anthropology: A Symposion, Athens, Georgia, 1968.

Arensberg, Conrad M., und *Solon T. Kimball,* Culture and Community, New York 1965.

Banfield, Edward C., The Moral Basis of a Backward Society, Glencoe, Ill., 1958.

Banfield, Edward C. (Hrsg.), Urban Government, New York 1961.

Beckers, Hans Joachim, Die kommunale Machtstruktur in einer Pendlergemeinde, Kölner Diss. 1968.

Bernard, Jessie, Community Disorganization, in: International Encyclopedia of the Social Sciences, New York 1968.

Beshers, James M., Urban Social Structure, New York 1962.

Beshers, James M., Urban Social Structure as a Single Hierarchy, in: Social Forces, Bd. 41 (1963).

Berger, Bennet M., Working-Class Suburb, Berkeley/Los Angeles 1960.

Berger, Bennet M., The Myth of Suburbia, in: Journal of Social Issues, Bd. 17 (1961).

Birch, A. H., Small Town Politics, London 1959.

Blythe, Ronald, Akenfield. A Portrait of an English Village, London 1969.

Bollens, John C. (Hrsg.), Exploring the Metropolitan Community, Berkeley/Los Angeles 1961.

Bonjean, Charles M., Community Leadership: A Case Study and Conceptual Refinement, in: American Journal of Sociology, Bd. 68 (1962/63).

Bonjean, Charles M., und *David M. Olson,* Community Leadership: Directions of Research, in: Administrative Science Quarterly, Bd. 9 (1964 bis 1965).

Bonjean, Charles M., Terry N. Clark und *Robert L. Lineberry* (Hrsg.),

Community Politics. A Behavioral Approach, New York 1971.

Bonjean, Charles M., Dimensions of Power Structure, in: *Frederick M. Wirt* (Hrsg.), Future Directions in Community Power Research, Berkeley 1971.

Brunner, Otto (Hrsg.), Krems und Stein, Krems a. d. Donau 1948.

Cahen, Claude, Mouvements populaires et autonomisme urbain dans l'Asie musulmane du Moyen Age, Leiden 1959.

Cahnman, Werner J., The Historical Sociology of Cities: A Critical Review, in: Social Forces, Bd. 45 (1966).

Checkland, Sidney George, The British Industrial City as History: The Glasgow Case, in: Urban Studies, Bd. 1 (1964).

Chevalier, Louis, La formation de la population parisienne, Paris 1950.

Chevalier, Louis, Classes laborieuses et classes dangereuses à Paris pendant la première moitié du XIXe siècle, Paris 1958.

Chombart de Lauwe, Paul-Henri, Paris: Essais de Sociologie, 1952—1964, Paris 1965.

Clark, Terry N., Community Structure, Decision-Making, Budget Expenditures and Urban Renewal in 51 American Communities, in: American Sociological Review Bd. 33 (1968).

Clark, Terry N., (Hrsg.), Community Structure and Decision-Making ,Comparative Analyses, San Francisco 1968.

Comhaire, Jean, und *Werner J. Cahnman*, How Cities Grew: The Historical Sociology of Cities, Madison, N. Y., 1959.

Cox, F., J. Ehrlich, J. Rothman und *J. Tropman*, Hrsg., Strategies of Community Organization, Itasca, Ill. 1970.

Cox, Oliver C., The Preindustrial City Reconsidered, in: Sociological Quarterly, Bd. 5 (1964).

Crain, Robert L., Eliha Katz und *Donald B. Rosenthal*, The Politics of Community Conflicts, New York 1969.

Crespi, Franco, Adattamento e integrazione. Analisi sociologica di alcuni aspetti del processo di industrializzazione in un' area del Mezzogiorno, Milano 1964.

Croon, Helmuth, Sozialgeschichtsforschung und Archive, in: Der Archivar Bd. 7 (1954).

Croon, Helmuth, Methoden zur Erforschung der gemeindlichen Sozialgeschichte, in: Westfälische Forschungen Bd. 8 (1955).

Curtis, James E., und *John W. Patras*, Community Power, Power Studies, and the Sociology of Knowledge, in: Human Organization (1970).

Daheim, Hansjürgen, Berufliche Intergenerationen-Mobilität, in: Kölner Zeitschrift für Soziologie und Sozialpsychologie Bd. 16 (1964).

Dahl, Robert A., Who Governs? Democracy and Power in an American City, 9. Aufl., New Haven 1966 (zuerst 1961).

Dahl, Robert A., A Critique of the Ruling-Elite Model, in: American Political Science Review, Bd. 56 (1962).

Dahl, Robert A., The Concept of Power, abgedruckt in: *N. W. Polsby* u. a. (Hrsg.), 1963.

Dahl, Robert A., Letter to the Editor, in: Administrative Science Quarterly, Bd. 8 (1964).

Dakin, Ralph E., Power Structures and Organizing Efficiency, in: Sociological Quarterly, Bd. 3 (1962).

D'Antonio, William V., William H. Form, Charles P. Loomis und *Eugene C. Erikson*, Institutional and Occupational Representations in Eleven Community Systems, in: American Sociological Review, Bd. 26 (1961).

D'Antonio, William V., und *Howard J. Ehrlich*, Hrsg., Power and Democracy, Notre Dame, Ind., 1961.

D'Antonio, William V., und *Eugene C. Erickson*, The Reputational Technique as a Measure of Community Power: An Evalution Based on Comparative and Longitudinal Studies, in: American Sociological Review, Bd. 27 (1962).

D'Antonio, William V., *Howard J. Ehrlich* und *Eugene C. Erickson*, Further Notes on the Study of Community Power, in: American Sociological Review, Bd. 27 (1962).

D'Antonio, William V., und *William H. Form*, Influentials in Two Border Cities, Notre Dame, Ind., 1965.

Danzger, N. Herbert, Community Power Structure: Problems and Continuities, in: American Sociological Review, Bd. 29 (1964).

Dewey, Richard, The Rural-Urban Continuum: Real but Relatively Unimportant, in: American Journal of Sociology, Bd. 66 (1960).

Dolci, Danielo, Un'inchiesta a Palermo, Torino 1956.

Drewe, Paul, Sozialforschung in der Regional- und Stadtplanung, in: Kölner Zeitschrift für Soziologie und Sozialpsychologie, Bd. 18 (1966).

Drewe, Paul, Techniken zur Identifizierung lokaler Eliten, in: Kölner Zeitschrift für Soziologie und Sozialpsychologie Bd. 19 (1967).

Drewe, Paul, Der Beitrag der Sozialforschung zur Regional- und Stadtplanung, Meisenheim a. G. 1967.

Drewe, Paul, Sozialwissenschaftliche Aspekte der Stadtentwicklung, in: *P. Drewe* und *L. H. Klaassen*, Urbanität — Planung oder Zufall, Leverkusen 1968.

Dye, Thomas R., The Local-Cosmopolitan Dimension and the Study of Urban Politics, in: Social Forces, Bd. 41 (1963).

Dye, Thomas R., Popular Images of Decision-Making in Suburban Communities, in: Sociology and Social Research, Bd. 47 (1962).

Eisermann, Gottfried, und *Sabino S. Acquaviva*, La montagna del sole. Il Gargano: rottura del'isolamento e influenza dei mezzi di communicazione di massa in una società in transizione, Milano 1971.

Ehrlich, Howard J., The Reputational Approach to the Study of Community Power, in: American Sociological Review, Bd. 26 (1961).

Fanelli, Alexander, A Typology of Community Leadership Based on Influence and Interaction within the Leader Subsystem, in: Social Forces, Bd. 34 (1956).

Fararo, T. J., und *Morris Sunshine*, A Study of a Biased Friendship Net, Syracuse University 1964.

Ferrarotti Franco, La piccola città, Milano 1959.

Fisher, Sethard, Community Power Studies: A Critique, in: Social Research, Bd. 29 (1962).

Form, William H., und *Gregory P. Stone*, Urbanism, Anonymity, and Status Symbolism, in: American Journal of Sociology, Bd. 62 (1957).

Frankenberg, Ronald, Village on the Border, London 1957.

Frankenberg, Ronald, Communities in Britain. Social Life in Town and Country, London 1966.

Freeman, Linton C., Patterns of Local Community Leadership, Indianapolis 1968.

Freeman, Linton C., *Thomas J. Fararo*, *Warner Bloomberg Jr.* und *Morris H. Sunshine*, Locating Leaders in Local Communities. A Comparison of Some Alternative Approaches, in: American Sociological Review, Bd. 28 (1963).

Freisitzer, Kurt, Soziologische Elemente in der Raumordnung. Zum Anwendungsbereich der empirischen Sozialforschung in Raumordnung,

Raumforschung und Raumplanung, Graz 1965.

French, Robert Mills (Hrsg.), The Community. A Comparative Perspective, Itasca, Ill. 1969.

Friedmann, Frederick G., The Hoe and the Book. An Italian Experiment in Community Development, Ithaca, N. Y., 1960.

Gallaher, Art, Jr., Plainville, Fifteen Years Later, New York 1961.

Gamson, William A., Reputation and Resources in Community Politics, in: American Journal of Sociology, Bd. 72 (1967).

Gans, Herbert J., Urbanism and Suburbanism as Ways of Life: A Reevalutation of Definitions, in: *Arnold J. Rose* (Hrsg.), Human Behavior and Social Processes, Boston 1962.

Gans, Herbert J., The Urban Villagers, New York 1962.

Gans, Herbert J., The Levittowners, London 1967.

Gans, Herbert J., People and Plans: Essays on Urban Problems and Solutions, New York 1968.

Gilbert, Claire W., Power and Decision-Making. A Quantitative Examination of Previous Research, in: *Terry N. Clark* (Hrsg.), 1968.

Gimbel, John, A German Community under American Occupation: Marburg 1945—52, Stanford, Cal. 1961.

Girard, Alain, und *G. Pourcher*, Sociologie urbaine, in: L'Année Sociologique, Bd. 3 (1962).

Gordon, Chad, Analyzing Community Action through Use of the Harvard Model of Political Decision-Making Processes, Working paper, hektogr. 1965.

Greer, Scott, The Social Structure and Political Process of Suburbia, in: American Sociological Review, Bd. 25 (1960).

Greer, Scott, The Emerging City, New York 1962.

Greer, Scott, und *Peter Orleans*, The Mass Society and the Parapolitical Structure, in: American Sociological Review, Bd. 27 (1962).

Halpern, Joel M., The Rural Revolution, in: Transactions of the New York Academy of Sciences, Series II, Bd. 28 (1965).

Hanson, Robert C., Predicting Community Decision: A Test of the Miller-Form Theory, in: American Sociological Review, Bd. 24 (1959).

Hanssen, Borje, Urban Activity, Urban People, and Urban Environment in Scandinavian History, in: International Journal of Comparative Sociology, Bd. 4 (1963).

Harding, John, Edward C. Devereux, Jr., und *Urie Bronfenbrenner*, Leadership and Participation in a Changing Rural Community, in: Journal of Social Issues, Bd. 16 (1960).

Hawley, Amos H., The Changing Shape of Metropolitan Areas, Glencoe, Ill., 1956.

Hawley, Amos H., Community Power and Urban Renewal Success, in: American Journal of Sociology, Bd. 68 (1963).

Hays, Forbes B., Community Leadership, New York 1965.

Herson, Lawrence J. R., In the Footsteps of Community Power, in: American Political Science Review, Bd. 55 (1961).

Hunter, Floyd, Community Power Structure. A Study of Decision-Making, Chapel Hill 1953.

Hunter, Floyd, Top Leadership, USA, Chapel Hill 1959.

Hunter, Floyd, Ruth C. Schaffer und *Cecil G. Sheps*, Community Organization: Action and Inaction, Chapel Hill 1956.

Iverson, Noel, Germania, U.S.A. Social Change in New Ulm, Minnesota, Minn., 1966.

Jackson, Brian, Working Class Community, London 1968.

Janowitz, Morris, Community Political Systems, in: International Yearbook of Political Behaviour Research, Bd. 1, Glencoe, Ill., 1961.

Jennings, M. Kent, Study of Community Decision-Making, in: *Bert E. Swanson,* Current Trends in Comparative Community Studies, Kansas City 1962.

Jennings, M. Kent, Public Administrators and Community Decision-Making, in: Administrative Science Quarterly, Bd. 8 (1963/64).

Jennings, M. Kent, Community Influentials, New York 1964.

Kahn, Alfred J., Studies in Policies and Planning, New York 1969.

Kahn, Alfred J., Theory and Practice of Social Planning, New York 1969.

Keynes, Edward, und *David Ricci* (Hrsg.), Political Power, Community and Democracy, Chicago 1970.

König, René, Grundformen der Gesellschaft: Die Gemeinde Hamburg 1958 (engl. Übersetzung London 1968).

König, René (Hrsg.), Soziologie der Gemeinde, Sonderheft 1 der Kölner Zeitschrift für Soziologie und Sozialpsychologie, 4. Aufl. Opladen 1972 (zuerst 1956).

Laumann, Edward O., Prestige and Association in an Urban Community, Indianapolis und New York 1966.

Laumann, Edward O., Bonds of Pluralism. The Form and Substance of Urban Networks, New York 1973.

Lipset, Seymour Martin, A Sociologist Looks at History, in: Pacific Sociological Review 1 (1958). In Übersetzung abgedruckt bei *Ernst Topitsch* (Hrsg.), Logik der Sozialwissenschaften, Köln 1965.

Lowry, Ritchie P., Who's Running this Town? Community Leadership and Social Change, New York 1962.

Luckmann, Benita, Politik in einer deutschen Kleinstadt, Stuttgart 1970.

Ludz, Peter Christian (Hrsg.), Soziologie und Sozialgeschichte, Sonderheft 16 der Kölner Zeitschrift für Soziologie und Sozialpsychologie, Opladen 1972.

Lynd, Robert S., und *Helen M. Lynd,* Middletown. A Study in Contemporary American Culture, New York 1929.

Lynd, Robert S., und *Helen M. Lynd,* Middletown in Transition. A Study in Cultural Conflicts, New York 1937.

Mandelbaum, Seymour, Boss Tweed's New York, New York 1965.

Manheim, Ernest, Theoretical Prospects of Urban Sociology in an Urbanized Society, in: American Journal of Sociology, Bd. 66 (1960).

Marris, Peter, und *Martin Rein,* Dilemmas of Social Reform, New York 1967.

Martindale, Don, The Formation and Destruction of Communities, in: *George K. Zollschan* und *Walter Hirsch* (Hrsg.), Explorations in Social Change, Boston 1964.

Martindale, Don, und *Galen R. Hansen,* Small Town and the Nation. The Conflict of Local and Translocal Forces, Westport 1969.

Mann, Peter H., An Approach to Urban Sociology, London 1965.

Matthée, Ulrich, Elitenbildung in der kommunalen Politik. Eine Untersuchung über die Zirkulation der politischen Führungsgruppen am Beispiel des Kreises Segeberg, Dissertation Kiel 1967.

Mayntz, Renate, Soziale Schichtung und sozialer Wandel in einer Industriegemeinde, Stuttgart 1958.

Michel, Jerry B., The Measurement of Social Power on the Community Level, in: American Journal of Economics and Sociology, Bd. 23 (1964).

Miller, Delbert C., Industry and Community Power Structure: A Comparative Study of an American and an English City, in: American Sociological Review, Bd. 23 (1958).

Miller, Delbert C., Decision- Making Cliques in Community Power Structures: A Comparative Study of an American and an English City, in: American Journal of Sociology, Bd. 64 (1958/59).

Miller, Delbert C., Democracy and Decision Making in the Community Power Structure, in: *W. V. D'Antonio* und *H. J. Ehrlich* (1961).

Miller, Delbert C., Town and Gown: The Power Structure of a University Town, in: American Journal of Sociology, Bd. 68 (1962/63).

Miller, Delbert C., International Community Power Structure. Comparative Studies of Four World Cities, Bloomington und London 1970.

Minar, D., und *S. Greer*, Hrsg., The Concept of Community, Chicago 1970.

Morin, Edgar, Commune en France. La métamorphose de Plodémet, Paris 1967.

Morin, Edgar, La rumeur d'Orléans, Paris 1969.

Murvar, Vatzo, Some Tentative Modifications of Weber's Typology: Occidental Versus Oriental City, in: Social Forces, Bd. 44 (1965).

Nisbet, Robert A., Community and Power, New York 1962.

Nuttal, Ronald L., Erwin K. Scheuch und *Chad Gordon*, The Structure of Influence, in: T. N. Clark (Hrsg.), 1968.

Olson, Philip, Rural American Community Studies: The Survival of Public Ideology, in: Human Organization, Bd. 23 (1964).

Orr, John B., und *F. Patrick Nichelson*, The Radical Suburb. Soundings in Changing American Character, Philadelphia 1970.

Oswald, Hans, Ergebnisse der deutschen Gemeindesoziologie nach 1950, in: Archiv für Kommunalwissenschaften Bd. (1966).

Pappi, Franz Urban, Sozialstruktur und Soziale Schichtung in einer Kleinstadt mit heterogener Bevölkerung, in: Kölner Zeitschrift für Soziologie und Sozialpsychologie, Bd. 25 (1973).

Pappi, Franz Urban, New Directions in the Study of Community Elites, in: American Sociological Review, Bd. 38 (1973).

Parsons, Talcott, The Principal Structures of Community, in: *Talcott Parsons*, Structure and Process in Modern Societies, Glencoe, Ill., 1960.

Pellegrin, Roland J., und *Charles H. Coates*, Absentee-Owned Corporations and Community Power Structure, in: American Journal of Sociology, Bd. 61 (1956).

Peterson, Warren A., und *George K. Zollschan*, Social Processes in the Metropolitan Community, in: *Arnold J. Rose* (Hrsg.), Human Behavior and Social Processes, Boston 1962.

Pinard, Maurice, Structural Attachments and Political Support in Urban Politics: The Case of Fluoridation Referendums, in: American Journal of Sociology, Bd. 68 (1963).

Pizzorno, Alessandro, Communità e razionalizzazione, Torino 1960.

Polsby, Nelson W., The Sociology of Community Power: A Reassessment, in: Social Forces, Bd. 37 (1958/59).

Polsby, Nelson W., Three Problems in the Analysis of Community Power, in: American Sociological Review, Bd. 24 (1959).

Polsby, Nelson W., How to Study Community Power: The Pluralist Alternative, in: Journal of Politics, Bd. 22 (1960).

Polsby, Nelson W., Community Power: Some Reflections on the Recent Literature, in: American Sociological Review, Bd. 27 (1962).

Polsby, Nelson W., Community Power and Political Theory, 3. Aufl. New Haven 1966 (zuerst 1963).

Polsby, Nelson W., Community, in: International Encyclopedia of the Social Sciences, New York 1968.

Polsby, Nelson W. u. a., Hrsg. Politics and Social Life, Boston 1963.

Press, Charles, Main Street Politics. Policy-Making at the Local Level, East Lansing 1963.

Presthus, Robert, Men at the Top. A Study in Community Power, New York 1964.

Reimann, Horst, und *Helga Reimann*, West-Sizilien. Eine Entwicklungsregion in Sizilien, Heidelberg 1964.

Reimann, Horst, Innovation und Partizipation. Diffusionspolitische Erfahrungen aus der Entwicklungsregion Sizilien, in: *René König* (Hrsg. mit *Günter Albrecht, Wolfgang Freund, Dieter Fröhlich*), Aspekte der Entwicklungssoziologie, Sonderheft 13 der Kölner Zeitschrift für Soziologie und Sozialpsychologie, Opladen 1969.

Reiss, Albert J., Jr., A Review and Evaluation of Research on Community. A Working Memorandum Prepared for the Committee on Social Behavior of the Social Science Research Council, hektogr. Nashville, Tenn., 1954.

Reissmann, Leonard, The Urban Process, New York/London 1964.

Reissmann, Leonhard, Class, the City, and Social Cohesion, in: International Review of Community Development, Bd. 7 (1961).

Rogers, David, Community Political Systems, in: Current Trends in Comparative Community Studies, Kansas City 1962.

Rosenbaum, Allan, Community Power and Political Theory. A Case of Misperception, in: Berkeley Journal of Sociology, Bd. 12 (1967).

Rossi, Peter H., Community Decision-Making, in: Administrative Science Quarterly, Bd. 1 (1956/57).

Rossi, Peter H., Power and Community Structure, in: Midwest Journal of Political Science, Bd. 4 (1960).

Sack, Fritz, Stadtgeschichte und Kriminalsoziologie. Eine historisch-soziologische Analyse abweichenden Verhaltens, in: *Peter Christian Ludz* 1972.

Sanders, Irwin T., Community Development, in: International Encyclopedia of the Social Sciences, New York 1968.

Scherer, Jacqueline, Contemporary Community. Sociological Illusion or Reality?, London 1972.

Scheuch, Erwin K., *Ronald Nuttal* und *Chadwick Gordon*, A Process Approach to Metropolitan Decision-Making, hektogr. Boston 1965.

Schnore, Leo F., The Socio-Economic Status of Cities and Suburbs, in: American Sociological Review, Bd. 28 (1963).

Schrötter, Gertrud Freifrau von, Kommunaler Pluralismus und Führungsprozess, Stuttgart 1969.

Schulze, Robert O., und *Leonard U. Blumberg*, The Determination of Local Power Elites, in: American Journal of Sociology, Bd. 63 (1957).

Schulze, Robert O., The Role of Economic Dominants in Community Power Structure, in: American Sociological Review, Bd. 23 (1958).

Schwonke, Martin, und *Ulfert Herlyn*, Wolfsburg. Soziologische Analyse einer Industriestadt, Stuttgart 1967.

Sjoberg, Gideon, A Rejoinder: Further Comments on the Preindustrial City, in: Sociological Quarterly, Bd. 5 (1964).

Sjoberg, Gideon, Comparative Urban Sociology, in: *Robert K. Merton* u. a. (Hrsg.), Sociology Today, New York 1959.

Sjoberg, Gideon, The Preindustrial City, Glencoe, Ill., 1960.

Spectorsky, Auguste C., The Exurbanites, Philadelphia 1955.

Spinrad, William, Power in Local Communities, in: Social Problems, Bd. 12 (1965).

Stein, Maurice, The Eclipse of Community. An Interpretation of American Studies, Princeton, N. J., 1960.

Steward, Julian H., Area Research: Theory and Practice, in: Social Science Research Council Bulletin 63, New York 1950.

Stone, Gregory P., City Shoppers and Urban Identification: Observations of City Life, in: American Journal of Sociology, Bd. 60 (1954).

Strauss, Anselm, The Changing Imagery of American City and Suburb, in: Sociological Quarterly, Bd. 1 (1960).

Strauss, Anselm, Images of the American City, Glencoe, Ill., 1961.

Strauss, Anselm, The American City. A Sourcebook of Urban Imagery, London 1968.

Sutton, Willis A., Jr. und *Jiri Kolaja,* Elements of Community Action, in: Social Forces, Bd. 38 (1960).

Sutton, Willis A., Jr. und *Jiri Kolaja,* The Concept of Community, in: Rural Sociology, Bd. 25 (1960).

Swanson, Bert E. (Hrsg.), Current Trends in Comparative Community Studies. A Report on the 1961 Kansas City Conference on Community Policy Making, Kansas City 1962.

Tenbruck, Friedrich H., Die Soziologie vor der Geschichte, in: *Peter Christian Ludz* 1972.

Tentori, Tullio, Il sistema di vita nella Communità materana, Roma 1956.

Thernstrom, Stephan, 'Yankee City' Revisited: The Perils of Historical Naiveté, in: American Sociological Review, Bd. 30 (1965).

Treinen, Heiner, Symbolische Ortsbezogenheit, in: Kölner Zeitschrift für Soziologie und Sozialpsychologie, Bd. 17 (1965).

Vidich, Arthur J., Joseph Bensman und *Maurice R. Stein* (Hrsg.), Reflections on Community Studies, New York 1964.

Vincelli, Guido, Una communità meridionale, Torino 1958.

Walton, John, Substance and Artifact: The Current Status of Research on Community Power Structure, in: American Journal of Sociology, Bd. 71 (1966).

Walton, John, Discipline, Method and Community Power. A Note on the Sociology of Knowledge, in: American Sociological Review, Bd. 31 (1966 b)

Walton, John, Differential Patterns of Community Power Structure, in: *Terry N. Clark* (Hrsg.), Community Structure, San Francisco 1968.

Warren, Roland L., The Community in America, Chicago 1963; dtsche. Übers. Opladen 1970.

Warren, Roland L. (Hrsg.), Perspectives on the American Community, Chicago 1966.

Warren, Roland L., Citizen Participation in Community Affairs in Stuttgart, Germany, in: Social Forces, Bd. 36 (1958).

Warren, Roland L., Bürgerschaftliche Tätigkeiten in einer deutschen Großstadt, in: Kölner Zeitschrift für Soziologie und Sozialpsychologie, Bd. 9 (1957).

Warren, Roland L., Eine sozialpsychologische Analyse der bürgerschaftlichen Tätigkeiten in Stuttgart, eodem loco.

Watson, W., Social Mobility and Social Class in Industrial Communities, in: *Max Gluckman* und *Else Devons* (Hrsg.), Open Minds and Closed Systems, Edinburgh 1963.

Wehler, Hans-Ulrich (Hrsg.), Soziologie und Geschichte aus der Sicht des Sozialhistorikers, in: *Peter Christian Ludz* 1972.

Wehler, Hans-Ulrich (Hrsg.), Geschichte und Soziologie, Köln 1972 a.

Wildavsky, Aaron, Leadership in a Small Town, Totowa, N. J., 1964.

Willmott, Peter, The Evolution of a Community: A Study of Dagenham after Forty Years, London 1963.

Willmott, Peter, und *Michael Young*, Family and Class in a London Suburb, London 1960.

Wolf, C., Garrison Community, Westpart, Conn. 1969.

Wolfinger, Raymond E., Reputation and Reality in the Study of Community Power, in: American Sociological Review, Bd. 25 (1960).

Wolfinger, Raymond E., A Plea for a Decent Burial, in: American Sociological Review, Bd. 27 (1962).

Wolfinger, Raymond E., Nondecisions and the Study of Local Politics, in: American Political Science Review, Bd. 65 (1971).

Wylie, Lawrence, Village in the Vaucluse, Cambridge, Mass., 1964 (zuerst 1957); dtsche. Übers. Frankfurt am Main 1969.

Young, F. W., und *Ruth C. Young*, The Sequence and Direction of Community Growth: A Cross-Cultural Generalization, in: Rural Sociology, Bd. 27 (1962).

Young, Ruth C., und *Olaf F. Larson*, The Contribution of Voluntary Organizations to Community Structure, in: American Journal of Sociology, Bd. 62 (1965).

Young, Ruth C., und *Olaf F. Larson*, A New Approach to Community Structure, in: American Sociological Review, Bd. 30 (1965).

Yuan, D. Y., und *Edward G. Stockwell*, The Rural-Urban Continuum: A Case Study of Taiwan, in: Rural Sociology, Bd. 29 (1964).

Zoll, Ralf (Hrsg.), Gemeinde als Alibi. Materialien zur politischen Soziologie der Gemeinde, München 1972.

Soziographie

Von H. D. de Vries Reilingh

I. Entstehung und Bedeutung

Die niederländische Soziographie ist entstanden als eine Verbindung von Geographie und Soziologie. Ihr Urheber *S. R. Steinmetz* prägte 1913 den Ausdruck als eine Zusammenziehung aus „sozialer Geographie"; seine Absicht war dabei die Erneuerung und Erweiterung der damaligen politischen Geographie, mit deren Vertretung er an der Universität Amsterdam beauftragt war (ebenso bildete er aus „physischer Geographie" das Wort „Physiographie"). Hierzu muß nebenbei bemerkt werden, daß in den Niederlanden von jeher unter „Geographie" etwas ganz anderes verstanden wurde als die übliche deutsche Landschaftsgeographie unter physiographischer Vormundschaft; für jene ist der Mensch viel mehr maßgebend, ähnlich wie in der französischen „géographie humaine" von *Paul Vidal de La Blache* (vgl. dazu auch *René König* 1973).

Darüber hinaus stand *Steinmetz* jedoch noch etwas anderes vor Augen. Als hervorragender Ethnologe, der großen Wert auf konkrete, induktive „Ethnographie" legte, wollte er neben der theoretischen Soziologie ein entsprechendes empirisches Seitenstück schaffen, für das der Name „Soziographie" ebenfalls angebracht erschien — also als „beschreibende Soziologie".

Anfangs schadete diese Doppeldeutigkeit kaum, da *Steinmetz* eigentlich nur den Völkern als typischen sozialgeographischen Einheiten seine Aufmerksamkeit widmete. Außerdem war der direkte Anlaß zur Prägung des Begriffes „Soziographie" *B. Seebohm Rowntrees* Werk „Land and Labour, Lessons from Belgium" (1911) gewesen, auf das sich beide Deutungen anwenden ließen. Allmählich aber verursachte diese Doppeldeutigkeit eine gewisse begriffliche Verwirrung, die die Soziographie vielen Angriffen sowohl von soziologischer als auch von geographischer Seite ausgesetzt hat. Bald war sie dem Soziologen zu geographisch — bald dem Geographen zu soziologisch.

An einigen niederländischen Universitäten wurden Lehrstühle der Soziographie im Sinne von beschreibender oder indivualisierender Soziologie gegründet, wobei jedoch diese Soziographie völlig im Dienste der allgemeinen Soziologie stand und eigentlich aufhörte, eine selbständige Disziplin zu sein. Wie *Rudolf Heberle* (1931) und *Kurt Utermann* (1955) klar hervorgehoben haben, hat sich auch in Deutschland unter dem Einfluß von *Ferdinand Tönnies* und *Leopold von Wiese* diese Bedeutung durchgesetzt. Dies hängt zweifelsohne damit zusammen, daß im deutschen Sprachbereich die Verbindung von Geographie und Soziologie nur vereinzelt (vor allem bei *W. Hartke* in München und *Hans Bobek* in Wien) mehr oder weniger gelungen ist.

Demgegenüber scheint die Amsterdamer Tradition der Soziographie als Brückenstellung zwischen der Soziologie (oder vielleicht besser: den Sozialwissenschaften) und der Geographie des Menschen sinnvoller und zweckmäßiger. Die Geographie ist ja — genau wie in anderer Sicht die Geschichte — sozusagen ein ideographischer Querschnitt nach räumlichen Gesichtspunkten durch andere Wissenschaften, und die Soziographie wäre in dieser Hinsicht dementsprechend ein geographischer Querschnitt durch die gesamten Sozialwissenschaften.

Soziographie wäre also räumliche Sozialforschung und sollte sich auf Grund dessen dem ganzen Bereich des sozialen Lebens widmen, d. h. unter Einbeziehung von historischen, politischen, wirtschaftlichen und psychologischen Faktoren.

Einzig diese letzte Auffassung gewährleistet eine selbständige wissenschaftliche Stellung der Soziographie; sie nähert sich also der von der Geographie des Menschen herkommenden Sozialgeographie, wie sie von *A. C. de Vooys* (1955) umschrieben worden ist: „Ihr Gegenstand ist das Studium der regionalen Differenzierung, Gruppierung und Interdependenz der menschlichen Gesellschaften, wobei der Begriff „sozial" im weitesten Sinne zu fassen ist." Der praktische Unterschied zwischen Soziographie und Sozialgeographie wäre dann der, daß sich erstere auf die sogenannten „Kulturvölker" beschränkt, wie auch von *J. P. Kruijt* (1947) unterstrichen worden ist. Diese verfügen über eine geschriebene Geschichte und einen ausgebauten statistischen Apparat als wichtige Quellen und sind auch Erhebungen und Befragungen leichter zugänglich. Ebenso wie der Unterschied zwischen Ethnologie (bzw. kultureller Anthropologie) und Soziologie erscheint vorläufig auch der zwischen Ethnographie und Soziographie noch zweckmäßig; *W. H. Vermooten* (1941) läßt diese gemeinsam die Sozialgeographie bilden.

Gegenüber den spezialisierten Sozialwissenschaften betont die Soziographie in dieser Auffassung mehr die Synthese im Rahmen eines gewissen Gebietes, eines Raumes, wobei sie sozusagen mehr in die Breite arbeitet und auch die Ergebnisse der Nachbardisziplinen in ihre Forschungen mit einbezieht. Deshalb muß der Soziograph auch genügend physisch-geographische, historische, wirtschaftliche, politologische und sozialpsychologische, aber vor allem soziologische Kenntnisse haben, um die Ergebnisse dieser Wissenschaften für ein bestimmtes Gebiet koordinieren zu können. Eine solche Synthese der räumlichen Sozialforschung kann dann in die Planung — und zwar sowohl in die Sozial- als auch in die Raumplanung — einmünden. In den Niederlanden — ein durchaus künstliches Land, zu einem großen Teil unter dem Meeresspiegel gelegen und überaus dicht bevölkert, was die Raumfrage sehr akut macht — bedarf es einer solchen Planung in ganz besonderem Maße; aus diesen besonderen Umständen bezieht die niederländische Soziographie vor allem ihre Bedeutung und die Impulse für eine rege Tätigkeit.

Das eigentliche Ziel der Soziographie als sozialer Raumforschung ist das Kennen eines Gebietes und seiner Bevölkerung, und ihr Beitrag zur soziologischen Theorie ist von da aus gesehen nebensächlich. Während für die Soziologie die zentralen Begriffe „Mensch" und „Gesellschaft" (oder sogar „Gruppe") sind, können als solche für die Soziographie „Gebiet" und „Bevölkerung" angesehen werden. In den Werken, welche die Amsterdamer Schule als „Klassiker" der Soziographie ansieht, wie z. B. *B. Seebohm Rowntrees* schon erwähntes Buch, die beiden Bände über „Middletown" von *Robert S.* und *Helen M. Lynd* (1929, 1937) und die Studie über die „Arbeitslosen von Marienthal" von *Marie Lazarsfeld-Jahoda* und *Hans Zeisel* (1933), geht es dem Soziographen neben dem Forschungsverfahren und den angewandten Techniken um einen wesentlichen Einblick in das spezifisch belgische Volksleben, in die typische amerikanische Mittelstadt, in die Krisensituation des Wiener Raumes. Lokalisierung und Situierung sind also immer wesentlich für soziographische Arbeit.

Um aber der Gefahr zu entgehen, in einer oberflächlichen Datensammlung steckenzubleiben, muß die Soziographie auch bemüht sein, bei ihrem Gesamtblick doch die größtmögliche Vertiefung und Verfeinerung der Forschung anzustreben. Dies kann nur auf zwei Wegen erreicht werden, entweder durch Beschränkung des räumlichen Gebietes oder durch Zuspitzung auf eine bestimmte Facette irgendeiner konkreten Gesellschaft, wofür *Sj. Groenman* den Ausdruck *„Facetten-Soziographie"* geprägt hat.

II. Die Soziographie als selbständige Wissenschaft

Unseres Erachtens darf auf Grund des Vorhergehenden die solchermaßen aufgefaßte Soziographie die Stellung einer selbständigen Disziplin beanspruchen. Maßgebend dafür ist insbesondere, daß sie um ihrer selbst willen, also als Selbstzweck betrieben werden kann und daß sie nicht im ausschließlichen Dienst von nur einer Nachbardisziplin steht, sondern direkte Verbindungen mit verschiedenen Nachbarwissenschaften pflegen kann, z. B. mit physischer Geographie, Geschichte, Ökonomie, Politologie, Sozialpsychologie im Sinne von Gruppenpsychologie, wie auch selbstverständlich mit der Soziologie.

Ihr besonderer Gegenstand ist also die Kenntnis der von Menschen bewohnten und nach menschlichen Maßstäben eingeteilten Gebiete auf der Erde. Auf Grund der Verschiedenheit der Ökumene hat ihr Gegenstand immer etwas Spezifisches; in dieser Hinsicht gehört die Soziographie zweifelsohne zu den individualisierenden, idiographischen Wissenschaften. Sie individualisiert das spezifische Gebiet ihrer jeweiligen Forschung im Gegensatz zu anderen Gebieten. Aber innerhalb dieses Gebietes bedient sie sich der Generalisierung: sie betrachtet die Erscheinungen nur, insofern sie relevant sind für das Gebiet als Ganzes. Geht man weiter bei der Analyse, dann werden wieder kleinere Einheiten die eigentlichen Gegenstände, die in individualisierendem Verfahren untersucht werden. Aber innerhalb dieser kleineren Einheiten wird dann ebenfalls wieder generalisiert.

Daneben ist in der Soziographie noch eine Generalisierung in dem Sinne möglich, daß die verschiedenen sozialen Erscheinungen in gleichartigen Gebieten, oder auch die gleichartigen sozialen Erscheinungen in verschiedenen Gebieten zum Gegenstand einer vergleichenden Forschung werden.

Weiter kann die Soziographie in der Generalisierung nicht gehen, will sie ihre eigene Stellung nicht verlieren. Zu einer eigenen Theoriebildung kann sie, ebenso wie die Geschichte, nur in beschränktem Maße kommen. Aber von der Soziologie aus gesehen vermag sie doch wesentliche empirische Vorarbeit zur soziologischen Theoriebildung zu leisten. Darüber hinaus kann sie zu vorläufigen singulären Aussagen kommen, wobei ihre Schlußfolgerungen für die generalisierende Wissenschaft den Wert von Hypothesen und ihre Ergebnisse den Wert von Belegmaterial haben. Die Chance eines Fortbestehens als eigenständige wissenschaftliche Disziplin wird der Soziographie unseres Erachtens nur dann offen bleiben, wenn man in ihr explizit die räumlich-geographische Komponente weiterhin berücksichtigt, wodurch auch eine sinnvolle Anlehnung an die zusehends sich entwickelnde *Planologie (Raumforschung zur Lösung von Raumordnungsproblemen)* möglich wird. In diesem Sinne wird die Soziographie beispielsweise innerhalb der „Sociografische Werkgemeenschap" der Geographischen Interfakultät der Städtischen Universität Amsterdam weiter betrieben, während sie innerhalb der sozialwissenschaftlichen Fakultät, entsprechend der akademischen Rede von *G. J. Kruijer* (1961), als bloße angewandte Soziologie aufgefaßt wird.

Auf der anderen Seite beginnt sich in der angewandten Sozialgeographie im Verhältnis von Mensch und Raum (oder vielleicht besser Bevölkerung und Gebiet) der Schwerpunkt der Forschung immer stärker auf den Faktor Mensch zu verlagern, da dieser, dem passiven und verhältnismäßig statischen Raum gegenüber, den aktiven, dynamischen Faktor darstellt.

Die Sozialgeographie benötigt also immer verfeinertere sozialwissenschaftliche Begriffsbildungen und Forschungstechniken. Dennoch bleibt die exakte, individualisierende soziale Erforschung einer orts- und regionalansässigen Bevölkerung und ihrer spezifischen sozialen Fazetten innerhalb des größeren Rahmens der Sozialgeographie nach wie vor die eigentliche Aufgabe der Soziographie. Individualisierend ist diese Forschung darum zu nennen, weil das besondere Anliegen der Soziographie weniger darin besteht, generelle Erscheinungen innerhalb einer Bevölkerung aufzufinden und zu lokalisieren, als vielmehr das ihr Spezifische, Einzigartige. Innerhalb der auf die Makro-Analyse von Völkern und ihrer Großräume gerichteten Sozialgeographie widmet sich die Soziographie der Mikro-Analyse der Bevölkerungen kleinerer territorialer Einheiten mit Hilfe von Befragungen, Erhebungen und neuesten mathematisch-statistischen Untersuchungstechniken (*H. D. de Vries Reilingh* 1968 b).

Diese *„Amsterdamer Soziographie"* hat sich in den Jahren 1958 bis 1962 vornehmlich mit Untersuchungen der sozialen Verhältnisse in den ländlichen Gebieten der Provinz Nordholland befaßt, die zum Teil der Agrarplanung in dieser der Verstädterung anheimfallenden Provinz als Grundlage dienten (*H. D. de Vries Reilingh* 1959; *Agrarisch Plan* 1963). Seit 1963 widmet sich die „Sociografische Werkgemeenschap" im Auftrage der Behörden verschiedenen Bevölkerungsuntersuchungen in der Amsterdamer Innenstadt, die als wissenschaftliche Grundlage für die Sanierung, Restaurierung und künftige Städteplanung in diesem wertvollen historischen Stadtteil dienen sollen (*W. F. Heinemeyer, M. H. M. van Hulten* und *H. D. de Vries Reilingh* in: *Urban Core and Inner City* 1967; dieselben 1968).

Darüber hinaus wurden von den Amsterdamer Soziographen unter der Leitung von *W. F. Heinemeyer* mehrere Studien über das soziale Leben verschiedener einzelner Stadtviertel — insbesondere die Jugend und die Freizeitgestaltung in städtischen Nachbarschaften — abgeschlossen (1959, 1964), zu denen unter anderem die Nachbarschaftsuntersuchungen von *L. Klages* (1958) den Anstoß gaben. Ebenso beschäftigte sich die soziographische Forschung mit der Untersuchung der in bestimmten Vierteln sich ballenden ethnischen Minderheiten, wie vor allem heute die Surinamer und Molukker (*J. M. M. van Amersfoort* 1968, 1971).

Die Soziographie der Kolonisation kann innerhalb der niederländischen Sozialforschung schon seit *H. N. ter Veen* (1925) auf eine langjährige Tradition zurückblicken. Dieser Zweig der Soziographie wurde während der letzten Jahre namentlich durch die Arbeiten *H. Hacks* über die Kolonisation der Mennoniten im paraguayischen Chaco (1961) sowie die Studien *A. K. Constandses* über das Dorf in den neuen IJsselmeerpoldern (1960) bereichert.

Abschließend bleibt hinzuzufügen, daß von Jahr zu Jahr mehr offizielle Berichte von behördlichen soziographischen Einrichtungen oder Ausschüssen zu praktischen Zwecken der Raum- und/oder Sozialplanung an die Öffentlichkeit gelangen. In diesem Zusammenhang wurde sogar bereits ein Sozialatlas der Provinz Nordholland (1961/65) herausgegeben.

III. Zur Methodik und Technik der Soziographie

Die Soziographie ist prinzipiell aktuell, sie hat es immer mit lebendigem Material zu tun: sie unternimmt es, die Bevölkerung in ihrer faktischen Lage an Ort und Stelle zu studieren, wobei aber die historische Komponente einen Einblick sowohl in das Entstehen der heutigen Situation, als auch in die heutige soziale Dynamik zu geben vermag.

a) *Methodisch* stehen dem Soziographen zur Bewältigung dieser Aufgabe verschiedene Wege zur Verfügung. Es hängt von Gegenstand und Problemstellung ab, welche Methode in jedem einzelnen Falle als die geeignetste erscheint.

Die *phänomenologische* und die ihr verwandte *verstehende Methode* könnte man als die *subjektiven Methoden* kennzeichnen. Sie versuchen, zu einer Wesensschau des Gegenstandes zu gelangen, indem sie diesen sozusagen von innen her erleben. Um zum Beispiel die Gewerkschaften eines Landes richtig zu erfassen, genügt es nicht, ihre Position in der Gesamtgesellschaft, ihr Gefüge, ihre Wirkung und die Zahl ihrer Mitglieder zu kennen; zum wirklichen Verstehen ist es vielmehr notwendig, sich darin einzufühlen, was sie den Mitgliedern bedeuten und wie diese ihre Mitgliedschaft erleben. Der Forscher sollte den Gegenstand eigentlich selber erlebt haben, um zu einer richtigen Wertung gelangen zu können.

Darüber hinaus kann man sich ein wesentliches Verständnis für eine Erscheinung verschaffen, indem man sich in ihre Entstehungsgeschichte vertieft und sich also der *genetischen Methode* bedient. So läßt sich zum Beispiel der von der Trockenlegung der Zuiderzee verursachte Übergang des ehemaligen Zuiderseestädtchens Elburg vom Fischerhafen zu einem Markt- und Industrieort vor allem auf genetischem Wege verstehen. Wichtige soziographische Studien, wie *H. N. ter Veens* Arbeit über das Haarlemer Meer (1925) und *A. N. J. den Hollanders* Arbeit über die „armen Weißen" (1933) im Süden der Vereinigten Staaten haben sich dieser Methode bedient. Letzterer hat im Allgemeinen die Soziographie als soziale Beschreibung einer eingehenden methodologischen Kritik unterzogen (1965, 1968).

Beschränkt man sich auf eine Analyse des Gefüges, der sozialen Struktur der Bevölkerung eines Gebietes oder einer territorialen Bevölkerungsgruppe, so tritt die *morphologische Methode* in den Vordergrund, wie zum Beispiel in *Theodor Geigers* (1932) „Soziale Schichtung des deutschen Volkes". Sie kann sich auch auf eine für ein Gebiet typische soziale Einrichtung („Institution") richten, wie zum Beispiel das Unterrichtswesen eines Landes.

Will man aber der Wirkung einer solchen Erscheinung nachgehen und aus ihrer Funktion zu einem richtigen Verständnis gelangen, so verwendet man die *funktionelle Methode,* wie zum Beispiel *C. D. Saal* (1958) in seinem Buch über die holländische Bauernfamilie und zum Teil *P. Smits* (1952) in seinen religionssoziologischen Untersuchungen.

Geht es um die komplexe soziographische Erfassung der Bevölkerung eines bestimmten Gebietes, so kann man sprechen von der *monographischen Methode,* welche sich wegen des Umfanges einer solchen Forschung meistens auf ein kleineres Gebiet beschränkt. Diese Methode hat in den Niederlanden manche soziographischen Monographien von Gemeinden hervorgebracht wie zum Beispiel von *A. Blonk* über die Industriestadt Enschede (1929), von *Sj. Groenman* über das alte Kleinbauerndorf Staphorst (1947), von *I. Gadourek* über die Tulpenzüchtergemeinde Sassenheim (1961).

Der Soziograph kann aber seine Aufmerksamkeit auch einer bestimmten Erscheinung im Sinne eines Themas oder Problems zuwenden wie zum Beispiel *A. Rühl* in seinen Büchern über den Wirtschaftsgeist (1925, 1927, 1928), *Th. Geiger* in seinen Studien zur sozialen Schichtung (1932, 1951) und *W. Petersen* in seiner Auswanderungsforschung (1955). Dieses Verfahren ist als die *thematische Methode* zu bezeichnen. Von allen soziographischen Methoden steht sie vielleicht der Soziologie am nächsten.

Eben weil die Soziographie die Möglichkeit hat, ihre Daten aus der lebendigen Wirklichkeit zu schöpfen, hat die von *Steinmetz* immer stark betonte *Induktion* bisher im Vordergrund der soziographischen Forschung gestanden. Dabei lassen sich noch je nach der Betonung das *qualitative* und das *quantitative Verfahren* unterscheiden. Ersteres nähert sich der verstehenden Methode, während letzteres meistens eine zahlenmäßige Beweisführung anstrebt mittels statistischen Materials, das entweder schon vorhanden oder neu zu beschaffen ist, weshalb man vielfach, obgleich nicht ganz mit Recht, von der *statistischen Methode* spricht.

Neuerdings sucht man die Soziographische Forschung auf die Beantwortung von klaren Problemstellungen zu beschränken, wobei die Korrelation statt der bloßen Beschreibung in den Vordergrund tritt. Dieses Verfahren hat viel zur Förderung zielbewußter Forschung beigetragen. Statt sich, wie vormals öfters, in die Weite zu verlieren und allerhand Nichtrelevantes zu sammeln, kann sich der Soziograph jetzt mehr auf bestimmte Probleme und Hypothesen konzentrieren. Neben dem „fieldwork" — öfters als „teamwork" — hat die Denkarbeit des Einzelnen „am Studiertisch" erneute Bedeutung erlangt. Damit hat sich die *Deduktion,* d. h. die logische Ableitung aus gegebene Prämissen zu plausiblen Schlußfolgerungen, wieder stärker zu Wort gemeldet.

b) *Technisch* stehen der Soziographie die üblichen geographischen und sozialwissenschaftlichen Forschungstechniken zur Verfügung. Deshalb seien sie hier nur kurz erwähnt, um den normalen Gang einer soziographischen Untersuchung zu erläutern.

Der Anfang ist immer — nach der Ausarbeitung von Begriffsbildung und Problemstellung mit den dazugehörigen Hypothesen — die *soziographische (Neu-)Interpretation von vorhandenem Material.* Dazu gehören Literatur und archivarische Quellen, aber auch — und das ist typisch soziographisch — die auf das Gebiet bezüglichen verschiedenartigen Karten und Luftbilder, schließlich allerhand Berichte und schon bestehende statistische Veröffentlichungen.

In dieser Weise erkundigt man sich nicht nur nach den schon vorhandenen relevanten Kenntnissen; vielmehr kann die Neuinterpretation in soziographischer Sicht und im Hinblick auf die spezifische Problemstellung schon zu gewissen Einblicken und Schlüssen führen. An ihnen kann die Deduktion fruchtbar ansetzen. Danach erst ist der Augenblick gekommen, um auf induktivem Wege an Ort und Stelle („im Felde") neues Material zu sammeln.

Zuerst kommt hierbei die *Beobachtung* in Frage, möglicherweise ausgeweitet zu einer längeren *Teilnahme,* wobei eigentlich als Kriterium gelten soll, daß der Forscher nicht als solcher vom Objekt erkannt wird. Seinerzeit wurde dies Problem in vorbildlicher Weise von *Marie Lazarsfeld Jahoda* und *Hans Zeisel* in ihrer Marienthaler Untersuchung (1933) gelöst.

Daneben tritt die *Information bei sachverständigen Schlüsselpersonen;* bei diesem Verfahren muß der Soziograph bemüht sein, diese Personen in möglichst verschiedenen sozialen und geistigen Kreisen zu finden, damit von vornherein jegliches Vorurteil möglichst ausgeschaltet wird.

Erst danach folgt der eigentliche Hauptteil der Untersuchung: die *Befragung der Bevölkerung* selbst. Dazu stehen die *freie Befragung* („Interview") und die *Erhebung* („Enquête") mit „Fragebogen" — entweder mündlich oder schriftlich zu beantworten — zur Verfügung. Die *freie Befragung* dient vor allem der verstehenden und der genetischen Methode; in einigen Fällen kann sie ausgeweitet werden zu *Einzelfallstudien,* die einen denkbar tiefen Einblick in die allgemeine Problematik oder in die Abweichungen vom Durchschnitt zu geben vermögen — letzteres zum Beispiel bei den verschiedenen Reaktionen auf eine soziale Krisensituation. Die *Erhebung* erstrebt dagegen die quantitative und statistische Verarbeitung der Aussagen, welche — vorzugsweise mit Hilfe von Skalen — in ihrer Zahl möglichst beschränkt werden sollen, um eine Korrelationsrechnung durchführen zu können. Hier kann schließlich die mathematische Statistik eingeschaltet werden, welche bis zur Verwendung des Computers zu einer Verfeinerung und Ausweitung der gesamten Sozialforschung geführt hat. Aber nicht jeder Gegenstand eignet sich vollständig für diese Technik (*H. D. de Vries Reilingh* 1968 a).

Nach der Ausarbeitung der Ergebnisse und der anschließenden Formulierung der Schlußfolgerungen wäre zur größeren Sicherung der Ergebnisse noch die *Verifikation* angebracht, d. h. der Versuch, *auf anderem Wege zum selben Ziel zu gelangen und die Ergebnisse zu überprüfen.* Nicht immer läßt sich das leicht durchführen, aber hier können Deduktion und gelegentlich Substitution wertvolle Hilfe leisten.

Die Anwendung dieser Techniken ist selbstverständlich abhängig von der gewählten Methode, mit welcher der Soziograph an seinen Gegenstand herangetreten ist. Die Wahl der richtigen Methode ist eine Frage des sozialwissenschaftlichen Fingerspitzengefühls.

IV. Die Bedeutung der Soziographie für ihre Nachbardisziplinen

a) Für die *allgemeine Geographie* wäre an erster Stelle zu denken an die Problematik des regionalen Zusammenhangs zwischen Naturgefüge und menschlichem Leben. So zum Beispiel an die Beziehungen zwischen Lage und Struktur des Wohngebiets einerseits und sozialer Struktur und Leben der Bevölkerung andererseits. Hierzu gehört insbesondere die *Siedlungsgeographie.* Die Soziographie liefert hier einen Beitrag zur geographischen Begriffsbildung und Theorie, zum Beispiel in ökologischer Hinsicht durch die Analyse des Verhältnises zwischen Mensch und Umwelt wie zwischen Form und Funktion, als auch in der kartographischen Verarbeitung von statistischem Material.

b) Für die *Geschichtsforschung* kann die Soziographie, die auf die Erforschung aktueller Erscheinungen ausgeht, nur beschränkt Bedeutung haben — in dieser Hinsicht ist das Verhältnis eher umgekehrt. Aber ihre Forschungstechniken lassen sich zweifelsohne wesentlich mehr auf das Studium der *Gegenwartsgeschichte („Historia hodierna")* anwenden, als bis jetzt üblich ist. Daneben hat die soziographische Betrachtungsweise — d. h. das räumlich-soziale Denken — großen Wert für bisher häufig vernachlässigte Zusammenhänge im geschichtlichen Geschehen, zum Beispiel in bezug auf den Einfluß von Lage, Umgebung, Bevölkerungsdichte und -verbreitung, Wanderungen, soziale Mobilität in gewissen Gebieten usw.

c) Für die *Politologie* ist zu denken an Nationalitätenfragen und im allgemeinen an territoriale Minderheitsgruppen (*S. R. Steinmetz* 1921; *F. Znaniecki* 1952). Auch die wünschenswerte politische Einteilung von größeren Gebieten ist schon lange ein Anliegen der Soziographie; so hat sich *H. N ter Veen* mit einem diesbezüglichen Ausschuß verdient gemacht mit Untersuchungen zur Neueinteilung der Gemeinden in der Provinz Nordholland (1949). Zum Schluß sei hier noch die in Frankreich bisweilen als „géographie électorale" bezeichnete Soziographie der politischen Wahlen erwähnt (*A. Siegfried* 1956; *G. Isbary* 1960).

d) Für die *Sozialpsychologie* im Sinne von Gruppenpsychologie hat die Soziographie bei ihrem Studium von Völkern und Volksgruppen wertvolles Material sammeln können, sowohl in völkerpsychologischer, als auch mehr allgemein in gruppenpsychologischer Hinsicht. So hat *J. P. Kruijt* den Zusammenhang zwischen Konfession und Mentalität in der niederländischen Bevölkerung einer Untersuchung unterzogen (1943), während in neuerer Zeit Begriffe wie das Verhalten (*W. Hartke* 1959) und das Leitbild („image") einer gewissen Bevölkerung (*A. K. Constandse* 1964; *G. Ruhl* 1971) zur Geltung gekommen sind. Bei der sozialen Entwicklung von Rückstandsgebieten mögen die gruppenpsychologischen Erscheinungen sogar von ausschlaggebender Bedeutung sein. Im allgemeinsten Sinne wird der Raum als solcher von Mensch und Gesellschaft irgendwie psychisch verarbeitet, und daher gibt es eine enge Berührung zwischen Soziographie und Gruppenpsychologie.

e) Für die *Nationalökonomie* hat die Soziographie vielfältige Bedeutung. Einerseits ist zu denken an die Untersuchungen nach dem Wirtschaftsgeist der verschiedenen Völker, worin sich der deutsche Wirtschaftssoziograph *A. Rühl* (1925, 1927, 1928) schon früh verdient gemacht hat. Andererseits kommen aber auch sämtliche Standorts- und verkehrswirtschaftlichen Probleme in Frage. Die Gründung von neuen Betrieben und der Bau von Verkehrswegen ist nicht nur abhängig von Naturgegebenheiten; Lage und Trasse werden vielmehr auch durch die räumliche Verteilung und das gesellschaftliche Gefüge der Bevölkerung bedingt. Wirtschaft, Raum und Gesellschaft stehen zueinander in einer recht komplizierten Wechselbeziehung.

f) Für die *Raumplanung*, welche gewissermaßen als angewandte Soziographie zu definieren wäre, hat letztere selbstverständlich überaus große Bedeutung. Hier ist nicht nur zu denken an die eigentliche *Landesplanung*, sondern auch an die *Sozialplanung* ganzer Gebiete. Das Bezeichnende der niederländischen Soziographie ist nicht nur die möglichst exakte Analyse des Bestehenden, sondern die Extrapolierung dieser Analyse in die Zukunft zu einer plausiblen Prognose als Grundlage einer möglichst verantwortungsvollen Planung.

So ist die Soziographie beteiligt gewesen an der Planung für die trokkengelegten Zuiderzeepolder, und in diesem Rahmen hat sie Ausgezeichnetes geleistet, besonders in der soziographischen Sektion der „Stichting voor het Bevolkingsonderzoek in de Drooggelegde Zuiderzeepolders" und der „Directie van de Wieringermeer Noordoostpolderwerken". In gleicher Weise ist die Soziographie augenblicklich mit dem in Gang befindlichen großen Delta-Werk zur Abschließung und teilweisen Trockenlegung der Meeresarme im Südwesten des Landes beschäftigt. Ein drittes Gebiet, auf dem sie rege tätig ist, ist die landwirtschaftliche Sanierung, sowohl in der Kleinbauernfrage, für welche die Arbeit von *A. Maris, C. D. van der Scheer* und *M. A. J. Visser* (1951) grundlegend ist, als auch bei den Problemen der Kleindörfer und anderen Siedlungsfragen. Sämtliche Flurbereinigungs- und Umsiedlungsprojekte stützen sich auf derartige Studien. Für den Städtebau hat sie ebenfalls entscheidende Einsichten geliefert, insbesondere bei der Planung von Stadterweiterungen, die allmählich zu Regionalplanungen ausgewachsen sind. Seit dem zweiten Weltkrieg mit seinen mannigfachen Zerstörungen und wirtschaftlichen Aufgaben gibt es in Holland eine Nationalplanung im „Rijks Planologische Dienst", wobei Soziographen an maßgebenden Stellen mitarbeiten (*Commissie* 1952; *Tweede Nota* 1966). Eine besondere Abart dieser Regionalplanung ist die Landes- und Sozialplanung für die sogenannten *Rückstandsgebiete* („development areas"). Durch Gesetz sind derzeit in den Niederlanden mehrere derartige Gebiete festgesetzt worden. Von dieser Art sind zu unterscheiden die sogenannten *Problemgebiete* („problem areas"), wo entweder Raummangel und/oder eine zu schnelle, disharmonische Entwicklung zu Fehlplanungen zu führen drohen, falls keine sorgfältige soziographische Forschungsarbeiten vorhanden sind. Beispiele dieser Art sind: IJmond (an der Mündung des Nordseekanals), Rijnmond (das Gebiet von Groß-Rotterdam bis zur Nordsee), während eigentlich das ganze Gebiet der „Randstad-Holland" als solches zu betrachten ist. Aufmerksamkeit verdient in diesem Zusammenhang, daß nicht nur alle Provinzen und größere Gemeinden für ihre Planung Soziographen in ihrem Dienste haben, sondern sogar die verschiedenen Kirchen, politische Parteien, Gewerkschaften und Großunternehmungen.

V. Die Leistungen der Soziographie für die soziologische Theoriebildung

Der Zusammenhang dieses Werkes erfordert eine besondere Berücksichtigung der soziologischen Bedeutung der Soziographie.

Obgleich es auf der Hand liegt, daß im allgemeinen die *thematische* und die *vergleichende* Soziographie eine direktere Bedeutung für die Theoriebildung haben, so hat doch auch die rein *beschreibende* Soziographie ihren eigenen Wert. Eines und anderes läßt sich in folgender Übersicht zusammenfassen.

a) Das von der bloß beschreibenden Soziographie zusammengetragene *Material* bildet eine Fundgrube für die soziologische Beweisführung. Entweder läßt es sich verwenden als Belegmaterial für schon vorher formulierte Hypothesen, oder das Material an sich führt durch soziologische Verwertung zu diesbezüglichen Hypothesen.

b) Die anfängliche soziographische *Ordnung* des Tatsachenmaterials bezüglich eines gewissen Themas bildet das Vorwerk zu einer von der Soziologie verwendbaren Terminologie und Begriffsbildung.

c) Durch die *vergleichende* Soziographie wird schon ein Ansatz zur allgemeinen soziologischen Hypothesenbildung gegeben; dabei gibt die empirische soziographische Forschung die Möglichkeit, bei dieser Vergleichung die s. g. „ceteris paribus"-Formel zu beachten.

d) Die, bisweilen vorläufige, soziographische *Erklärung* von örtlichen sozialen Erscheinungen kann beitragen zur Theoriebildung für die allgemeinen soziologischen Zusammenhänge und Prozesse.

e) Die von der thematischen oder vergleichenden Soziographie *empirisch gefundenen Zusammenhänge* können durch soziologische Bearbeitung oder durch Deduktion bestätigt und zu allgemeineren Theorien erweitert werden.

f) Insbesondere führt die Soziographie zu einer generalisierenden Einsicht in das Verhältnis zwischen *Raum und Gesellschaft*, bzw. Wohnort („habitat") und soziale Eigenart mit den damit zusammenhängenden spezifischen Problemen. Keine andere Disziplin ist derart geeignet, die Verbindung von Geographie und Soziologie zu pflegen und auszuwerten. Der ganze Bereich der raumgebundenen sozialen Themata ist ja das wesentliche Anliegen der Soziographie.

g) Durch ihre *Beziehungen zur Praxis* ist die Soziographie im Stande, den Weg zu bahnen für die praktische Anwendung der von der Soziologie formulierten Aussagen und Theorien.

Anschließend kommen insbesondere die folgenden Themengruppen in Betracht um die soziologische Bedeutung der Soziographie zu würdigen. Bei jeder dieser Themengruppen sind als Erläuterung nur einige der bedeutendsten Autoren vorgeführt, während die Bibliographie weitere Titel gibt.

a) *Räumlich-demographische Bevölkerungsfragen.* Auf diesem Gebiete hat zum Beispiel *E. W. Hofstee* (1948) in seiner Arbeit über die Stadt Groningen klar dargetan, daß gegenüber der vorher üblichen demographischen Bevölkerungsprognose (auf Grund der bisherigen demographischen Entwicklung) die sozial-ökonomische Bevölkerungsprognose (auf Grund der Arbeitsgelegenheit und der Wanderungsbewegungen) den Vorzug verdiene und daher für jegliche Planung zu verwenden sei. Als neueres Beispiel wäre hier die sozialwissenschaftliche Auseinandersetzung zwischen *F. van Heek* (1954, 1963) und *E. W. Hofstee* (1962, 1963) zu erwähnen. Van Heek hat dabei insbesondere den Zusammenhang zwischen (römisch-katholischer) Konfession, Geburtenniveau und sozialem Verhalten theoretisch ausgearbeitet, während Hofstee die Theorie von den drei Phasen im Geburtenniveau (resp. die landwirtschaftlich-gewerbliche, die proletarische und die moderne) auf Grund der soziographisch-demographischen Entwicklung der niederländischen Bevölkerung ausgebildet hat.

b) *Wanderungsbewegungen.* Vorerst wäre hier ein Hinweis auf die Studie von *F. Nourissier* und *A. Pillepich* (1951) über die Faktoren einer erfolgreichen Auswanderung angebracht. Eine weitere interessante Studie auf diesem Gebiete ist die Arbeit von *W. Petersen* (1955) über geplante Auswanderung, welche sowohl die Implikationen für das Aus- und das Einwanderungsland, als auch die diesbezügliche Politik der Niederlande und Kanadas einer kritischen Analyse unterzieht. Ebenso hat *S. N. Eisenstadt* (1954) in seiner Studie über die Eingliederung der Einwanderer in Israel einen Versuch zu einer weitergehenden Migrationstheorie gemacht. Hierbei anschließend wäre als Beispiel der Flüchtlingsproblematik noch die Studie von *H. M. Jolles* (1965) über Heimatvertriebene und Flüchtlinge zu erwähnen — beide Gruppen mit verschiedenem Anpassungsverhalten. Eine besondere Arbeit leistete Frau *H. M. in 't Veld-Langeveld* (1957) mit ihrer Studie über die Inlandsmigration vom ländlichen Nordosten zum verstädterten Westen der Niederlande, wobei sie den Begriff „Migrationsträgheit" für die Soziologie verwendbar machte.

c) *Soziale Stratifikation und vertikale soziale Mobilität.* Als Urheber auf diesem Gebiete kann *Th. Geiger* (1932, 1951) gelten, der mit seinen hervorragenden soziographischen Untersuchungen in Deutschland und Dänemark sowohl durch die verfeinerte Untersuchungsmethodik, insbesondere letzteres, als auch durch die theoretischen Ergebnisse Aufmerksamkeit erregte. In den Niederlanden hat *F. van Heek* (1945) mit diesen Arbeiten begonnen. Er entschied sich dabei für den Beruf als das für die abendländische Gesellschaft maßgebende Merkmal der sozialen Stratifikation und kam zur Schlußfolgerung, daß in der modernen kapitalistischen Gesellschaft der soziale Aufstieg sehr häufig ist und auch häufiger als der Abstieg, aber daß ein Aufstieg über größere soziale Abstände — wenigstens innerhalb einer Generation — verhältnismäßig selten ist. In Zusammenhang hiermit hat sich die Erforschung der örtlichen Stände- und Klassenstruktur entwickelt, auf welchem Gebiete *G. Kuiper* (1954) sich mit seiner Studie der gesellschaftlichen Struktur von Zwolle verdient gemacht hat; auch die diesbezügliche Dynamik ist dabei zu Worte gekommen.

d) *Sozialökologische Themen,* insbesondere die Fragen der Urbanisierung und der Regionalisierung seit den Arbeiten resp. von *E. W. Burgess* (1925) aus der Chicago-Schule und von *W. Christaller* (1933) und *R. E. Dickinson* (1956, 1967) von geographischer Seite. Ein Beispiel stadtökologischer Untersuchungen bildet das Sammelwerk von *R. Mackensen* (1959) mit seiner Unterscheidung von Innenstadt, Vorstadt und Gürtel als räumlicher Umwelt des sozialen Lebens. Leider droht die Sozialökologie sich unter amerikanischem Einfluß zu einer Art von „macrosociology" (*Leo F. Schnore* 1965) zu entwickeln, aber die amsterdamer Soziographen versuchen die räumliche Umwelt als wesentliches Element der Sozialökologie zu behaupten (*Urban Core* 1967). Hingegen ist die Erforschung der physischen Umwelteinflüsse auf das soziale Leben bisher mehr der Geographie vorbehalten (z. B. *H. Hack* 1961; *R. Tamsma* 1966), aber m. E. könnte auch die Soziographie auf diesem Gebiete noch Wichtiges für die Soziologie leisten, wie u. a. *Ch. Wagley* (1953) versucht hat.

e) Anschließend wäre das Thema der räumlichen *Diffusion von Innovationen* zu erwähnen, so wie sie derzeit vom schwedischen Geographen *T. Hägerstrand* (1952, 1953) entwickelt worden ist. Dazu gehört auch die soziale und politische Mobilisierung (im Sinne von *Karl W.*

Deutsch) und damit das Entstehen von Rückstandsgebieten, wie insbesondere von *W. F. Heinemeyer* (1968) für den Fall Marokko dargelegt und theoretisch ausgearbeitet wurde.

f) Die *Kolonisierung* von Neugebieten und die soziale und räumliche *Sanierung* von Altgebieten ist von altersher ein Anliegen der niederländischen Soziographie gewesen. Nach *H. N. ter Veen* (1925), *F. van Heek* (1939) und *Ch. A. P. Takes* (1948) hat *A. K. Constandse* (1960, 1964) die diesbezügliche Begriffs- und Theoriebildung um Wesentliches bereichert, wobei auch wieder eine Anknüpfung an die Sozialökologie erzielt wurde. Neuerdings haben *W. F. Heinemeyer, M. H. M. van Hulten* und *H. D. de Vries Reilingh* (1968) sich den Prinzipien der Sanierung des historischen Zentrums von Amsterdam gewidmet und konnten dabei zu allgemeineren Aussagen gelangen. Schon vorher hatten *N. A. Tonckens* und *E. Abma* (1957) in einem alten Bauerngebiet gezeigt, wie die heutige Maßstabsvergrößerung auf dem Lande zum Verschwinden mancher Dörfer als einem peinlichen, aber unvermeidlichem Sanierungsprozeß führt.

g) *Ethnische Minderheiten* und andere *periphere Gruppen* sind schon seit *S. R. Steinmetz* selbst (1921) ein beliebtes und heute besonders aktuelles Thema der Soziographie. Hierzu wäre die klassische Studie der Lazarsfeld-Gruppe (*M. Lazarsfeld-Jahoda* und *H. Zeisel* 1933) über die Arbeitslosen von Marienthal zu rechnen, mit ihrer einleuchtenden Unterscheidung von Verhaltenskategorien auf Grund von Schwellenwerten in der materiellen Existenz. So hat weiter *A. N. J. den Hollander* (1933) die „armen Weißen" der amerikanischen Südstaaten einer soziographischen Forschung unterzogen, wobei er die „frontier"-Theorie ausweiten konnte. Auch die religiographisch-soziographische Arbeit von *W. Goddijn* (1957) über die katholische Minderheit in Friesland gehört zu diesem Themakreis. Darüber hinaus wäre neben Studien zur amerikanischen Negerfrage besonders hervorzuheben das Buch von *H. A. Richmond* (1954) über Rassenvorurteile in England, wegen der systematischen Behandlung dieser Problematik u. a. durch den Begriff der „Aufnahmekapazität".

h) Die *räumliche Differenzierung und Gliederung von Gesellschaften* bildet sozusagen den Wesenszug der Soziographie. Das allgemeine Verfahren des Regionalismus nach verschiedenen Maßstäben (*R. E. Dickinson* 1956, 1957) hat ebenfalls eine theoretische Bedeutung gehabt, sei es für die Geographie oder für die ökologische Soziologie. Insbesondere die Siedlungssoziographie hat gewissermaßen beigetragen zur Soziologie der Raumplanung auf dem Lande und in der Stadt, so wie letztere derzeit gepflegt wurde von *Ruth Glass* (1948) und von *H. Orlans* (1952). Nachher haben die soziographischen Forschungen zur Nachbarschaft (*L. Klages* 1958), zur Dorfgemeinschaft (*E. Abma* und *J. E. Montgomery* (1959) und zur Wertschätzung des Wohnmilieus (*J. P. Groot* 1969) zur Ausarbeitung von soziologischen Grundlagen der Raumplanung geführt.

i) Mit der Soziologie der örtlichen Planung ist man schon angelangt beim Problem der *Gemeindeentwicklung* („community development"), das sowohl in neuen Stadtvierteln, als auch in Rückstandsgebieten zu einem dringenden Anliegen geworden ist. Eine vorläufig mehr andeutende Problemstellung findet sich in der gemeinsamen Arbeit von *G. H. L. Zeegers* und Mitarbeitern (1955), die sich mit allzu schnell wachsenden Großstadtvierteln befaßt, in denen die Integration zur sozialen Strukturierung mit dem zahlenmäßigen Wachstum nicht Schritt halten kann. Diese ganze Problematik genießt heute die rege Aufmerksamkeit der Behörden, welche in den Niederlanden verschiedene Soziographen mit derartigen Forschungen beauftragt haben. Im übrigen sind die Probleme der Gemeindesoziologie dermaßen wichtig, daß ihnen im vorliegenden Handbuch ein eigenes Kapitel gewidmet worden ist.

Auch auf noch anderen thematischen Gebieten — so z. B. als Kultursoziographie, Wirtschaftssoziographie und als Soziographie von sozialen Krisenerscheinungen — könnte die Soziographie manches für die soziologische Theoriebildung leisten; das oben Vorgeführte möge in dieser Beziehung einen Eindruck vermitteln.

Ausgewählte Literatur

Abma, E., und *J. E. Montgomery*, Woning, dorp en dorpsgemeenschap in de Noordoostpolder, Wageningen 1959.

Agrarisch Plan voor Noord-Holland, Bd. I Kap. 5, 7, 9 und 10; Bd. II Kap. 5, 7, 9, 10, Haarlem 1963.

Amersfoort, J. M. M., van, Surinamers in de Lage Landen; de ontwikkeling en problematiek van de Surinaamse migratie naar Nederland, 's-Gravenhage 1968.

Amersfoort, J. M. M., van, De sociale positie van de Zuid-Molukkers in Nederland, 's-Gravenhage 1971.

Anselin, M., J. Dhooge und *M. van Naelten*, Richtplan voor de ontwikkeling en ruimtelijke ordening van de Denderstreek; synthese, problematiek, prognose en plan, Brüssel 1963.

Bergsma, R., Op weg naar een nieuw cultuurpatroon; studie van de reactie op het moderne cultuurpatroon in de Dokkumer Wouden, Assen 1963.

Bettelheim, Ch., und *S. Frère*, *Une* ville française moyenne: Auxerre en 1950, Paris 1951.

Beyer, G., Rural Migrations in Urban Setting. An Analysis of the Literature on the Problem Consequent on the Internal Migration From Rural to Urban Areas in 12 European Countries, The Hague 1963.

Bie, P. de, Budgets familiaux en Belgique 1957/58, Paris-Louvain 1960.

Blonk, A., Fabrieken en mensen; een sociografie van Enschede, Enschede 1929.

Bodzenta, E., Industriedorf im Wohlstand, Mainz 1962.

Boekestijn, C., Binding aan een streek; een empirisch onderzoek naar de migratie en de animo voor migratie uit de provincie Zeeland onder jongere arbeiders in Walcheren en Zuid-Beveland, Leiden 1961.

Brehpohl, W., Industrievolk im Wandel von der agraren zur industriellen Daseinsform, dargestellt am Ruhrgebiet, Tübingen 1957.

Burgess, E. W., The Growth of the City. An Introduction to a Research Project, in: *R. Park, E. W. Burgess* und *R. D. McKenzie*, The City, Chicago 1925.

Chombart de Lauwe, P. H., u. a.,

Paris et l'agglomération parisienne. Tome I: L'espace social dans une grande cité, Paris 1952.

Christaller, W., Die zentralen Orte Süddeutschlands, Jena 1933.

Commissie voor de regionale bevolkingsprognoses, eerste rapport, hrsg. v. *Rijksdienst voor het Nationale Plan*, 's-Gravenhage 1952.

Constandse, A. K., Het dorp in de Ijsselmeerpolders; sociologische beschouwingen over de nieuwe plattelandscultuur en haar implicaties voor de planologie van de droog te leggen IJsselmeerpolders (w. summ. in Engl.), Zwolle 1960.

Constandse, A. K., Boer en toekomstbeeld; enkele beschouwingen naar aanleiding van een terreinverkenning in de Noordoostpolder, Wageningen 1964.

Dickinson, R. E., City Region and Regionalism. A Geographical Contribution to Human Ecology, 3. Aufl., London 1956.

Dickinson, R. E., The City Region in Western Europe, London 1967.

Eisenstadt, S. N., The Absorption of Immigrants. A Comparative Study Based on the Jewish Community in Palestine and the State of Israel, London 1954.

Francis, E., Ethnos und Demos, Berlin 1965.

Frankenberg, R., Communities in Britain. Social Life in Town and Country, Harmondsworth 1966.

Gadourek, I., The Political Control in Czechoslovakia. A Study in Social Control of a Soviet Satellite State, Leiden 1953.

Gadourek, I., A Dutch Community. Social and Cultural Structure and Process in a Bulb Growing Region in the Netherlands, Leiden 1956; 2. Aufl., Groningen 1961.

Gans, H. J., The Urban Villagers. Group and Class in the Life of Italian-Americans, Glencoe, Ill., 1962.

Gans, H. J., The Levittowners. Ways of Life and Politics in a New Suburban Community, New York 1967.

Geiger, Theodor, Die soziale Schichtung des deutschen Volkes. Soziographischer Versuch auf statistischer Grundlage, Stuttgart 1932.

Geiger, Theodor, Die soziale Umschichtung in einer dänischen Mittelstadt (Aarhus), Kopenhagen 1951.

Glass, R., The Social Background of a Plan. A Study of Middlesborough, London 1948.

Goddijn, W., Katholieke minderheid en protestantse dominant; sociologische nawerking van de historische relatie tussen Katholieken en Protestanten in Nederland, en in het bijzonder in de provincie Friesland, Assen 1957.

Goudsblom, J., Dutch Society, New York 1967.

Groenman, Sj., Staphorst. Sociografie van een gesloten gemeenschap, Meppel 1947.

Groenman, Sj., Kolonisatie op nieuw land, Assen 1953.

Groenman, Sj., Methoden der sociografie, 5. Aufl., Assen 1965.

Groot, J. P., De leefbaarheid van de dorpen in de gemeente Borger; een methodologische studie inzake de waardering van het wonen in plattelandskernen, Wageningen 1969.

Gunawan, B., Indonesische studenten in Nederland, 's-Gravenhage 1966.

Hack, H., Die Kolonisation der Mennoniten im paraguayischen Chaco, Den Haag 1961.

Hägerstrand, T., The Propagation of Innovation Waves, in: *T. Hägerstrand* (Hrsg.), Lund Studies in Geography, Lund 1952.

Hägerstrand, T., Innovationsforloppet ur korologisk synpunkt, Lund 1953.

Hartke, W., Gedanken über die Bestimmung von Räumen gleichen sozialgeographischen Verhaltens, in: Erdkunde, Bd. 8 (1959).

Hauser, P. M., und *L. F. Schnore*, The Study of Urbanisation, New York 1965.

Heberle, Rudolf, Soziographie, in: Handwörterbuch der Soziologie, hrsg. von *A. Vierkandt*, Stuttgart 1931.

Heek, F. van, Economische en sociale problemen van de Wieringermeer, Alphen a. d. Rijn 1938.

Heek, F. van, Stijging en daling op de maatschappelijke ladder; een onderzoek naar de verticale sociale mobiliteit (te Enschede), Leiden 1945.

Heek, F. van, Het geboortenniveau der Nederlandse Rooms-Katholieken; een demografisch-sociologische analyse van een geëmancipeerde minderheidsgroep, Leiden 1954.

Heek, F. van, Het Nederlandse geboortepatroon en de godsdienstfactor gedurende de laatste halve eeuw, in: Mens en Maatschappij, Bd. 38, Amsterdam 1963.

Heeren, H. J., Transmigratie in Indonesië (w. summ. in Egl.), Meppel 1967.

Heide, H. ter, Binnenlandse migratie in Nederland. 's-Gravenhage 1965.

Heinemeyer, W. F., Nationale integratie en regionale diversiteit; een sociografische studie van Marokko als ontwikkelingsland, (w. summ. in Engl.) Amsterdam 1968.

Heinemeyer, W. F., De sociale geografie in de rij van de sociale wetenschappen, Meppel 1968.

Heinemeyer, W. F., M. H. M. van Hulten und H. D. de Vries Reilingh, Het centrum van Amsterdam. Een sociografische studie, Amsterdam 1968.

Heinemeyer, W. F., und L. U. de Sitter, Buurt, jeugd en vrije tijd, Amsterdam 1964.

Hoetink, H., De gespleten samenleving in het Caribische gebied, Assen 1962.

Hofstee, E. W., Het Oldambt; een sociografie, Groningen 1937.

Hofstee, E. W., Beschouwingen over de economische structuur van de stad Groningen en haar toekomstige industriële ontwikkeling, Assen 1948.

Hofstee, E. W., De groei van de Nederlandse bevolking, in: *A. N. J. den Hollander, E. W. Hofstee* und *J. A. A. van Doorn*, Drift en koers; een halve eeuw sociale verandering in Nederland, 2. Aufl., Assen 1962.

Hofstee, E. W., Het proces der geboortendaling in Nederland 1850 tot 1960, in: Mens en Maatschappij, Bd. 38, Amsterdam 1963.

Hollander, A. N. J. den, De landelijke arme blanken in het Zuiden der Verenigde Staten; een sociaal-historische en sociografische studie, Groningen/Den Haag/Batavia 1933.

Hollander, A. N. J. den, Soziale Beschreibung als Problem, in: Kölner Zeitschrift für Soziologie und Sozialpsychologie, Bd. 17 (1965).

Hollander, A. N. J. den, Visie en verwoording. Sociologische essays over het eigene en het andere, Assen 1968.

Isbary, G., Problemgebiete im Spiegel politischer Wahlen am Beispiel Schleswigs, Bad Godesberg 1960.

Isbary, G., Regionale Probleme der Raumordnung; eine Untersuchung am Beispiel des Landkreises Saarbrücken als Mittelpunkt des saarländischen Verdichtungsraumes, Saarbrücken 1963.

Jaquemyns, G., La vie sociale dans le Borinage houiller, Brüssel 1939.

Jolles, H. M., Der Geburtenrückgang in Wien, Assen 1957.

Jolles, H. M., Zur Soziologie der Heimatvertriebenen und Flüchtlinge, Köln 1965.

Klages, H., Der Nachbarschaftsgedanke und die nachbarliche Wirklichkeit in der Großstadt, Köln/Opladen 1958.

König, René, Grundformen der Gesellschaft: Die Gemeinde, Hamburg 1958 (engl. Übers. London 1968).

König, René, Hrsg., Soziologie, 13. Aufl. Frankfurt/M. 1973 (zuerst 1958).

Kruijer, G. J., Sociale desorganisatie. Amsterdam tijdens de hongerwinter, Meppel 1951.

Kruijer, G. J., Sociografie als toegepaste sociologie, Meppel 1961.

Kruijt, J. P., Mentaliteitsverschillen in ons land in verband met godsdienstige verschillen, in: Mens en Maatschappij, Bd. 19 (1943).

Kruijt, J. P., Sociografie, in: Eerste Nederl. Systematisch Ingerichte Encyclopedie, Bd. 3, Amsterdam 1947.

Kuiper, G., Mobiliteit in de sociale en beroepshiërarchie. Een sociografisch onderzoek in Zwolle, Assen 1954.

Kuiper, G., Rangen en standen. Een studie in sociale stratificatie, Arnhem 1965.

Lambert, J., Le Brésil; structure sociale et institutions politiques, Paris 1953.

Lambert, J., Amérique latine; structures sociales et institutions politiques, Paris 1963.

Lannes, X., L'immigration en France depuis 1945, La Haye 1953.

Lazarsfeld-Jahoda, Marie, und *Hans Zeisel*, Die Arbeitslosen von Marienthal. Ein soziographischer Versuch über die Wirkungen langdauernder Arbeitslosigkeit, Leipzig 1933, Neuausgabe: Bonn 1960.

Lier, H. H. van, Mijnen en mensen in Spanje; de practijk van het nationaal-syndicalisme, Utrecht 1953.

Loomis, Ch. P., u. a., Turrialba, Glencoe, Ill. 1953.

Lukkes, P., Industrialisatie- en migratieproblematiek van Friesland, Leeuwarden 1964.

Lijfering, J. H. W., Selectieve migratie; een empirische studie van de samenhang tussen plattelandsmigratie en selectie naar intelligentie in Nederland, Wageningen 1968.

Lynd, R. S., und *H. M. Lynd*, Middletown. A Study in Contemporary American Culture, London 1929.

Lynd, R. S., und *H. M. Lynd*, Middletown in Transition. A Study in Cultural Conflict, New York 1937.

Mackensen, R., u.a., Daseinsformen der Großstadt. Typische Formen sozialer Existenz in Stadtmitte, Vorstadt und Gürtel der industriellen Großstadt, Tübingen 1959.

Maris, A., C. D. Scheer und *M. A. J. Visser*, Het kleineboerenvraagstuk op de zandgronden, Assen 1951.

Matthes, J., (Hrsg.), Soziologie und Gesellschaft in den Niederlanden, Neuwied/Berlin 1965.

Mechelen, F. van, Vrijetijdsbesteding in Vlaanderen, Antwerpen 1964.

Moore, J., Cityward Migration (in Stockholm), Chicago 1938.

Moore, W. E., Industrialization and Labor. Social Aspects of Economic Development, 2. Aufl., New York 1965.

Müller, K. V., Die Verschwägerung (Konnubium) als soziologischer Maßstab für die Einwurzelung der heimatvertriebenen Bevölkerungsgruppe, in: *K. V. Müller* und *Elisabeth Pfeil*, Raum und Gesellschaft, Bremen/Horn 1952.

Neundörfer, L., Die Klein- und Mittelstädte in der modernen Gesellschaft, Göttingen 1966.

Nooy, A. T. J., De Boerenpartij; desoriëntatie en radikalisme onder de boeren (in Nederland), (w. summ. in Engl.), Meppel 1969.

Nourissier, F., und *A. Pillepich*, Enracinement des immigrés, Paris 1951.

Orlans, H., Stevenage. A Sociological Study of a New Town, London 1952.

Pahl, R. E., Urbs in rure. The Metropolitan Fringe in Hertfordshire, London 1965.

Petersen, W., Planned Migration. The Social Determinants of the Dutch-Canadian Movement, Berkeley 1955.

Pfeil, Elisabeth, Die Familie im Gefüge der Großstadt. Zur Sozialtopographie der Stadt, Hamburg 1965.

Rapport der Provinciale Commissie (H. N. ter Veen) ter bestudering van de gemeentelijke indeling van Noord-Holland, 2 Bände, Haarlem 1949 u. 1959.

Reilingh, H. D. de Vries, De culturele centrumfunctie der regionale centra in Noord-Holland, Med. v. h. Prins Bernhard Fonds, Serie a Nr. 2, Amsterdam 1959.

Reilingh, H. D. de Vries, Zur Problematik der Gemeindegröße, in: Festschrift Hans Bobek, Mitt. der Österr. Geographischen Ges., Bd. 105, Wien 1963.

Reilingh, H. D. de Vries, Gedanken über die Konsistenz in der Sozialgeographie, in: Zum Standort der Sozialgeographie — W. Hartke zum 60. Geburtstag, München 1968.

Reilingh, H. D. de Vries, Sociale geografie en sociografie, in: Mélanges de géographie offerts à O. Tulippe (Université de Liège), (avec rés. en français), Gembloux 1968.

Richmond, A. H., Colour Prejudice in Britain. A Study of West Indian Workers in Liverpool 1941—1951, London 1954.

Rochefort, R., Le travail en Sicile. Etude de géographie sociale, Paris 1961.

Rosenmayr, Leopold, Familienbeziehungen und Freizeitgewohnheiten jugendlicher Arbeiter. Eine Untersuchung von 800 Lehrlingen in Wien und Niederösterreich, Wien 1963.

Rowntree, B. Seebohm, Land and Labour. Lessons from Belgium, London 1911.

Rühl, A., Vom Wirtschaftsgeist im Orient, Leipzig 1925.

Rühl, A., Vom Wirtschaftsgeist in Amerika, Leipzig 1927.

Rühl, A., Vom Wirtschaftsgeist in Spanien, 2. Aufl., Leipzig 1928.

Ruhl, G., Das Image von München als Faktor für den Zuzug, Kallmünz/Regensburg 1971.

Saal, C. D., Het boerengezin in Nederland. Sociologische grondslagen van gezin en bedrijf, Assen 1958.

Schnore, L. F., The Urban Scene. Human Ecology and Demography, New York 1965.

Siegfried, A., L'âme des peuples, Paris 1950.

Siegfried, A., Géographie électorale de l'Ardèche, Paris 1956.

Smits, P., Kerk en stad; een godsdienstsociologisch onderzoek met inbegrip van een religiografie van de industriestad Enschede, Den Haag 1952.

Sociale atlas van Noord-Holland, hrsg. v. *Stichting Noord-Holland* (Provinciaal Opbouworgaan), 4 Bde., Haarlem 1961—1965.

Spicer, E. H., Human Problems in Technological Change, New York 1952.

Steinmetz, S. R., De nationaliteiten in Europa, Haarlem 1921.

Stork — van der Kuyl, D., De boerin van nu en straks; vrouwen in een veranderende plattelandssamenleving, Assen 1966.

Takes, Ch. A. P., Bevolkingscentra in het oude en het nieuwe land; een onderzoek naar verspreiding en functie van een aantal nederzettingen in enkele Nederlandse gebieden, ten einde inzicht te verkrijgen in de behoefte aan bevolkingscentra in de toekomstige zuidelijke IJsselmeerpolders, Alphen a. d. Rijn 1948.

Tamsma, R., De moshav ovdiem; invloeden op de sociale geografie van Israel's coöperatieve kleine-boerendorpen zonder loonarbeid (with summ. in Engl.), Assen 1966.

Tavuchis, N., Pastors and Immigrants. The Role of a Religious Elite in the Absorption of Norwegian Immigrants, The Hague 1963.

Thrasher, F. M., The Gang. A Study of 1313 Gangs in Chicago, abr. ed., Chicago 1963.

Tonckens, N. A., und *E. Abma*, Verdwijnende dorpen op het Groninger Hoogeland, Wageningen 1957.

Tweede nota over de ruimtelijke ordening in Nederland, 's-Gravenhage 1966.

Urban Core and Inner City. Proceedings of the International Study Week 1966 by the Sociographical Department of the Amsterdam University, Leiden 1967.

Utermann, K., Soziographie, in: Wörterbuch der Soziologie, hrsg. v. *W. Bernsdorf* und *F. Bülow*, Stuttgart 1955.

Veen, H. N. ter, De Haarlemmermeer als kolonisatiegebied. Proeve eener sociaal-geographische monographie, Groningen 1925.

Veen, H. N. ter, Grenzen, Den Haag 1947.

Veld — Langeveld, H. M. in 't, Migratiemotieven, migratiebeheersing en haar selectieve betekenis. Een onderzoek in Oost-Groningen, Assen 1957.

Vermooten, W. H., De mens in de geografie, Assen 1941.

Versichelen, M., De vrouw in het beroepsleven in Belgie en in het Groothertogdom Luxemburg, Gent 1967.

Vooys, A. C. de, Soziale Geographie, in: Wörterbuch der Soziologie, hrsg. v. *W. Bernsdorf* und *F. Bülow*, Stuttgart 1955.

Wagley, Ch., Amazon Town. A Study of Man in the Tropics, New York 1953.

West, J., Plainville U.S.A., New York 1945.

Wippler, R., Vrije tijd buiten; de behoefte op het gebied der openluchtrecreatie in de provincie Groningen, Groningen 1966.

Wirth, L., On Cities and Social Life, Chicago 1964.

Wissink, G. A., American Cities in Perspective. With Special Reference to the Development of their Fringe Areas, Assen 1962.

IJzerman, Th. J., Beroepsaanzien en arbeidsvoldoening met betrekking tot de arbeidsvoorziening in de Twents-Achterhoekse textielindustrie, Leiden 1959.

Zeegers, G. H. L., u. a., Enige aspecten van sociale wijkopbouw, Den Haag 1955.

Znaniecki, Florian, Modern Nationalities, Urbana, Ill., 1952.

Volkskunde

Von Gerhard Heilfurth

I. Zur Standortbestimmung und Geschichte des Faches

Wer die theoretischen und methodischen Bemühungen und die detailreiche Produktion des Fachgebietes überblickt, sieht es richtig unter der Rubrik „komplexer Forschungsansatz" eingeordnet. Es trägt im Deutschen den altertümlichen vorwissenschaftlichen Namen „Volkskunde", und wie hier so belasten auch auf internationaler Ebene vielfach Unschärfen und Uneinheitlichkeiten in der Nomenklatur die fachliche Terminologie insgesamt. Sie spiegeln die Schwierigkeiten, die sich bei dem Versuch einer exakten Definition des im lebendigen Vollzug sich ständig wandelnden Forschungsgegenstandes, den die Disziplin zu umfassen sucht, stellen und von Land zu Land und von Generation zu Generation verschiedene Abgrenzungen mit sich bringen. Die Tatsache, daß im allgemeinen das Fach jeweils auf dem nationalen Hintergrund der historisch-philologischen Wissenschaftsentwicklungen geschichtlich gewachsen ist, hat solche sprachlich-begrifflichen Variabilitäten bewirkt bis hin zu partiellen Zurückgebliebenheiten, die oft zu Verständnisschwierigkeiten geführt haben, doch heute zugunsten einer übergreifenden wissenschaftlichen Kooperation als einer der Voraussetzungen für den Aufbau vergleichender Forschung in Überwindung begriffen sind.

Volkskunde ist seit ihrer Herausbildung vorwiegend kulturwissenschaftlich orientiert. Sie befaßt sich mit der soziokulturellen Formenvielfalt in allen Sparten der Äußerungsmöglichkeiten. Diese Aufgabenstellung weist auf ihren Charakter als Beziehungswissenschaft hin, d. h. sie umfaßt mit ihren Gegenständen (z. B. Bräuche, Feste, Glaubensformen, Siedlungs- und Wohnweisen, Geräte, Trachten, Schmuck, Lieder, Erzählgut usw.) zugleich auch Sondergebiete anderer Disziplinen. Ihre Autonomie ist durch die Selbständigkeit ihrer Fragestellung gegeben; sie richtet sich auf den Bereich, der mit dem Terminus „Volkskultur" (folk culture, popular culture, traditions populaires) mehr angedeutet als definiert ist. Die Bemühungen um Aufhellung der breiten Schichten kultureller Entfaltung wenden den Blick auf die gesellschaftliche Verflechtung und die funktionale Wechselbeziehung der hier anvisierten Fakten über die bloße Objektanalyse hinaus und suchen ihren soziokulturellen Stellenwert strukturtypologisch herauszuarbeiten und zu akzentuieren. Volkskundliche Kriterien anlegen heißt immer, kulturelle Äußerungen, und seien sie noch so detailliert, auf ihren „Sitz im Leben" hin ansprechen und sie in Bezug setzen zu der großen Trägerschaft „Volk" im Sinne der Subsysteme in differenzierten und pluralistischen Gesellschaften.

Die kulturellen Konfigurationen und Attituden stehen dabei im Vordergrund, und so operiert das Fach weniger mit dem Gesellschaftsbegriff als mit dem Kulturbegriff, Kultur immer unter dem Aspekt des sozialen Erbes wie des sozialen Wandels verstanden (vgl. *A. L. Kroeber* und *C. Kluckhohn* 1963 u. a.). Es gehört, wird es theoretisch richtig eingeordnet, zusammen mit der verwandten Völkerkunde deshalb in das Forschungsfeld der Kultursoziologie und Kulturanthropologie unter Einschluß der historischen Dimension. Völkerkunde als deutsche Fachbezeichnung für Ethnographie (wenn man den Akzent auf die beschreibende Aufgabe legt) und Ethnologie (sofern Analyse und Theorie in den Vordergrund gerückt werden), bezieht sich auf „Ethnien" = „Naturvölker" = „vor-volkliche Gesellschaften" (*W. E. Mühlmann* 1964). Die Arbeitsaufgabe der Volkskunde dagegen erstreckt sich seit ihren Anfängen auf den Umkreis der „Kulturvölker" Europas bzw. in weiterer Sicht der westlichen Welt, d. h. den Bereich, aus dem die moderne Technik hervorgegangen ist und zur Entstehung und Formierung der industriellen Revolution geführt hat. Heute, da deren Auswirkungen globalen Umfang angenommen und damit die alten geschichtlichen Horizonte aufzulösen begonnen haben, sind in wachsendem Maße alle sozialen Gruppierungen in den weltumfassenden kulturellen Diffusionsprozeß des Industrialismus einbezogen, so daß es scheint, als könne man die Unterschiede von Volks- und Völkerkunde aufheben. Das ist indessen nur bedingt richtig. Selbstverständlich gibt es viele theoretische und methodische Gemeinsamkeiten, aber die Arbeitsteilung bleibt sinnvoll, weil die zu erforschenden Gegenstände in ihrem historischen, strukturellen und funktionalen Kontext und damit in ihren gesellschaftlichen Bezügen und Bedingungen differieren.

Angesichts dieser Unterschiede wäre es bei aller notwendigen Kooperation falsch, Volkskunde und Völkerkunde ineinander aufgehen zu lassen und dann nur regionale Sektionen anzustreben. Erforderlich ist vielmehr die stärkere theoretische und methodische Anreicherung und Ausrüstung der Fächer in Richtung auf eine komparative empirisch-analytische Forschung, die auf der Höhe unserer Zeit steht. Dieser Ausbau geht folgerichtig auf Differenzierung und Kooperation zugleich, kann aber nicht dahin zielen, Gliederungs- und Theorieschwierigkeiten durch Regression auf komplexe Zusammengehörigkeiten und Nomenklaturvereinfachungen aus dem Wege zu gehen. Das Argument, daß im Lauf der Geschichte da und dort einmal die Namen Ethnographie, Ethnologie oder Völkerkunde auch für Volkskunde auftauchen, ist nicht stichhaltig. Man sollte sich hinsichtlich der Namensfragen nicht rückwärts, sondern vorwärts orientieren und das Problem auf eine neue gemeinsame Ebene heben. Dafür bietet sich als integrierende Fachbezeichnung „Kulturanthropologie" an, unter Einbeziehung der konstruktiven Ansätze auf beiden Seiten, sowohl der völker- wie der volkskundlichen (*A. J. Dias* 1961; *G. Heilfurth* 1961; *W. E. Mühlmann* und *E. W. Müller* 1966; *M. Harris* 1968; *R. Naroll* und *R. Cohen* 1970; *R. König* und *A. Schmalfuß* 1972 u. a.).

Das Problem der Benennung besteht vor allem darin, daß der Begriff des Bestimmungswortes in den herkömmlichen Fachbezeichnungen einem überaus verwirrenden Sprachgebrauch unterliegt. Die mit Sinngehalt geradezu überladene Vokabel „Volk" ist mit Recht von den Verhältnissen des 19. Jahrhunderts aus „das große Wortspiel der Weltgeschichte" genannt worden. Der Begriff erscheint kaum definierbar; will man ihn umschreiben, so gerät man in das konfuse Ineinander der Bedeutungskomplexe demos, ethnos, laos und populus, plebs, vulgus, natio, gens.

In dem Zusammenhang soll angemerkt werden, daß dabei die Erforschung des „Ethnischen" auf der einen und der Größe „Volk", die für den europäischen Geschichtsaufbau so bestimmend gewesen ist, auf der anderen Seite dringende Desiderate bleiben, denn ihre wissenschaftliche Aufhellung ist leider von den Fächern, die diese Begriffe in ihren Namen führen, nicht ausreichend erfolgt; sie sind im allgemeinen nur hingenommen, aber zu wenig reflektiert worden. Doch ist zugleich hinzuzufügen, daß die Volkskunde unter diesem Aspekt überall dort, wo sie auf kritisch-empirischer Quellenforschung beruht, doch wenigstens daran mitgewirkt hat, die oft affektgeladene und ideologisierte Kategorie Volk, die immer neu durch ein dichtes Geflecht von Wünschen und Vorstellungen, von Lieblingsträumen des Zeitalters, von Nationalismen, Demokratismen und Sozialismen überlagert ist, auf ihre Realitätsgehalte zurückzuführen. An vielen Stellen hat sie jedenfalls in zahlreichen Einzeluntersuchungen gezeigt, daß „Volk" keine unveränderliche Gegebenheit ist, auf die man wie auf eine letzte Instanz verweisen könnte, sondern im Zusammenhang geschichtlicher Prozesse, die von gesellschaftlichen und politischen Kräften formiert werden, zu definieren ist (*G. Heilfurth* 1961).

In ihren Substratbereichen sind die kulturellen Lebensäußerungen durch den unaufhebbaren Zusammenhang von Mensch und Natur bestimmt, zugleich aber durch die stete Auseinandersetzung der beiden Mächte, auf denen Kultur beruht. Diese Polarität und Kohärenz werden vor allem in jenen Leistungen offenbar, die sich sichtbar als „bewohnte Erde" in Gestalt der jeweiligen „Kulturlandschaft" mit ihrem vom Menschen geformten Antlitz nach der positiven und negativen Seite manifestieren. Das Arbeitsfeld der Volkskunde erstreckt sich in Zusammenarbeit mit Ökologie und Geographie auch auf diesen „naturverwobenen" Bereich der Kultur. Die volkskundliche Forschung wird hier besonders behutsam vorzugehen haben, denn sie befaßt sich ja zum guten Teil gerade mit jenem kulturellen „Unterbau" der menschlichen Lebens- und Arbeitswelt, der faktisch oder vermeintlich tiefer in die Bios-Dimension hineinreicht als der gesellschaftlich-zivilisatorische „Oberbau".

In welcher Richtung dieses Anliegen der Volkskunde empfunden worden ist, geht aus vielen Objektbestimmungen des Faches im Phasenwechsel seiner Entwicklung hervor wie „Naturpoesie", „Land und Leute", „primitive culture", „vulgus in populo", „prälogisches Denken", „Mutterboden der Kulturnation", „Urverbundenheit" usw., die im einzelnen durch kritische Reflexion präzisiert bzw. revidiert sind oder der Zurechtrückung bedürfen. Sie wirft besondere theoretische und methodische Probleme auf, die gerade gegenwärtig wieder durch das rasche Vorrücken der anthropologisch orientierten biologischen Verhaltensforschung aktualisiert sind, mit Feststellungen, die sich z. T. gegen den von der Kulturanthropologie entwickelten Leitsatz richten, daß biologische Gegebenheiten für die kulturelle Entfaltung nur eine sekundäre Rolle spielen, weil der Mensch „nicht durch Instinkt, sondern durch Sitte geformt wird" (*R. Benedict* 1934).

Das Fach arbeitet mit einer ineinandergreifenden Methodenpluralität, die zwar theoretisch gegliedert erscheint, vor allem in historisch-philologische, topographische, soziologische und psychologische Gesichtspunkte, praktisch aber weithin unsystematisch in der Art elementarer Empirie operiert und sich vielfach auf bloße Deskription beschränkt, jedenfalls innerhalb jener breiten Zone mehr oder weniger dilettantischer Arbeiten, die den wissenschaftlichen Kern des Faches umlagert und im allgemeinen sein Image in der öffentlichen Meinung dahingehend beeinflußt, als ob hier nichts anderes als ein „Sammelsurium von Kuriositäten" erfaßt werde. Von der wissenschaftlichen Leistung her ist dieses negative Urteil nicht gerechtfertigt. Positiv gesehen geht es hier um die Bewältigung einer überquellenden vielgestaltigen Faktenfülle, die sich jeweils als Gegenstand darbietet. Darin liegt der Anreiz des Faches, darin ist aber auch seine Problematik begründet.

Angesichts des historisch weit zurückreichenden Interesses am Gegenstand (*G. Jungbauer* 1931; *L. Schmidt* 1951; *G. Cocchiara* 1954; *M. K. Azadovskij* 1958; *R. M. Dorson* 1968 u. a.) verwundert es nicht, daß sich im Zeitalter der anbrechenden Demokratisierung eine Wissenschaft herauszubilden anschickte, die sich speziell auf die „Erkundung" der Lebensäußerungen des „Volkes" richtete. Im geschichtlichen Spannungsfeld zwischen Aufklärung und Romantik begann sich die Aufgeschlossenheit für solche Phänomene zu intensivieren. Dort, wo das Wort „Volkskunde" 1787 im Deutschen erstmalig expressis verbis belegbar ist *(H. Möller* 1964), steht es in Verbindung mit anderen Bezeichnungen wie Völker-, Kultur-, Menschen-, Bevölkerungs-, Landes- und Länderkunde.

Für das Außen- und Selbstverständnis des Faches ist es von Bedeutung, daß durch solche Feststellungen der Wissenschaftsgeschichte bestimmte Ausgangspositionen schon in der topographisch-statistischen Literatur der Aufklärungszeit einschließlich der zahlreichen Reisebeschreibungen, mit mannigfachen volks- und völkerkundlichen Fragestellungen, mit einem starken Interesse auch für die materielle Seite der Kultur neben Sitte, Moralität, religiösen Formen und Äußerungen, die sich in vielen Punkten zu einem größeren Spektrum erweitern lassen (*M. Rassem* 1951), anzusetzen sind. Spätere Einflüsse haben sie vielfach wieder verdeckt.

Denn über solche Ansätze hinweg wurden für das Fach vor allem romantische Vorstellungen ausschlaggebend, namentlich unter den Impulsen *Herders* und *Jacob Grimms,* wie die vom schöpferischen „Volksgeist" und, noch stärker internalisiert, von der produktiven „Volksseele", jedenfalls von einer kollektiven Kreativität. Sie förderten eine Bewegung, die das Engagement speziell für die Entdeckung der „Volksdichtung", die man als „Naturpoesie" verstand, weitertrug. Die dadurch ausgelöste Begeisterung zur Forschung und ihre Applizierung in der Praxis blieben dabei nicht nur im Gefühlsmäßigen stecken, sondern wurden oft von Stimmen rationalen forschenden Nachdenkens begleitet. Insgesamt hieß die Aufgabe: Erfassung der kulturellen Substrate. Faktisch führte diese Konzeption dahin, im sich beschleunigenden Ablauf der gesellschaftlichen Strukturveränderungen den Überlieferungsrelikten nachzugehen und die Sammlung dieses Primärmaterials in Angriff zu nehmen. Damit verband sich die Zielsetzung seiner „Konservierung" und Bereitstellung nicht nur für wissenschaftliche Zwekke der Dokumentation, sondern auch zur Neubelebung im Sinne einer Reaktivierung der „alten Werte" unter kulturkritischen Ideen und in pädagogisch-politischen Absichten, vor allem in

Deutschland, der „verspäteten Nation", mit all den nostalgisch-weltanschaulichen Implikationen in dieser Richtung.

Der in England sich rasch ausbreitende Terminus „Folklore" — er wurde 1846 von *William John Thoms* für die mehr und mehr durch die Wissenschaft beachtete „Volksüberlieferung" im heimisch-vaterländischen Traditionsgefüge eigens kreiert *(F. W. Schulze* 1949) — und die daraus abgeleitete Fachbezeichnung „Folkloristik" taten ein übriges auf der internationalen Ebene. Zugleich entstanden Zusammenhänge mit den Bestrebungen, die sich unter der neologistischen Nomenklatur „Ethnographie" und „Ethnologie" entwickelten und sich vor allem auf die exotisch-pittoreske Vielfalt an schier unerschöpflicher Eigenart in den zahlreichen überseeischen Stammeskulturen der Kolonialreiche bezogen, deren Zustandekommen die Folge ausgreifender Entdeckungsreisen der Europäer war. Erst im Laufe des 19. Jahrhunderts kam es im Prozeß der Durchdenkung dieser komplexen Ansätze zur Scheidung in zwei Fächer: in die Völkerkunde für den externen Bereich außerhalb der westlichen Zivilisation und die Volkskunde für den internen Bereich, wobei das methodische Element der komparatistischen Sicht gedanklich im Spiel blieb, aber wenig realisiert wurde.

Als *Wilhelm Heinrich Riehl* 1858 die nationale Volkskunde als eine eigene Wissenschaft zu beschreiben suchte, betonte er dies ausdrücklich:

> „Nicht umsonst lieben es fast alle Ethnographen, verhüllt oder offen, durch Parallelen und Gegensätze zu charakterisieren. Es verrät dies sowohl den geschichtlichen Entwicklungsgang der Volkskunde, die aus der Ferne und durch die Erkenntnis fremder und vorzeitlicher Gegensätze erst zum Heimischen und Gegenwärtigen hindurchgedrungen ist, wie auch den Gang, welchen jeder Volksforscher persönlich einschlagen muß. Nur wer in der Fremde gewesen ist, vermag die Heimat objektiv zu erfassen und zu schildern; die Volkskunde ist ihrer Natur nach vergleichend, aus der vergleichenden Beobachtung entwickelt sie ihre Gesetze, und der echte Volksforscher reist, nicht bloß um das zu schildern, was draußen ist, sondern vielmehr um die rechte Sehweite für die Zustände seiner Heimat zu gewinnen. Und man kann sagen, diese selben Studienreisen hat auch Jahrhunderte lang unsere Wissenschaft gemacht. Wäre Amerika nicht entdeckt worden, wir wüßten heute gewiß noch nicht halb so gut, wie es mitten in Deutschland aussieht" (*Riehl* 1862).

Hier bahnten sich unter nationalen und vergleichenden Tendenzen Versuche an, über die Ermittlung von Einzelfakten hinauszukommen und soziokulturelle „Signaturen" aufzudecken.

Trotz der *Riehl*schen Anstrengungen, die Aufmerksamkeit stärker auf aktuelle Sozialaspekte zu lenken, blieb die Volkskunde im allgemeinen der historisch-philologischen Arbeitsrichtung verhaftet, und daraus erklärt sich der Überhang des Interesses an den mündlich tradierten Ausdrucksformen der Sprache, der Dichtung, der Religion, der Bräuche und des Rechts, etwa auf der Linie dessen, was auch unter „Folklore" verstanden wurde und in weiten Teilen der Welt noch wird. Im Vordergrund standen überall die Intentionen zur „Sammlung und Rettung" von Volksüberlieferungen. Verwiesen sei z. B. auf den entsprechenden Appell des Grimmschülers *Wilhelm Mannhardt*, bekannt durch seine umfangreiche frühe Fragebogenaktion. Er rief 1865 die „Völker Deutschlands, Englands, Hollands und Skandinaviens" zur Beteiligung auf, betonend, daß dies zwar zunächst eine „germanische Nationalsache" sei, aber das Unternehmen müsse wenn möglich auch auf die Slawen und Romanen erweitert werden, um gegebenenfalls Gemeinsamkeiten und Unterschiede zu erhellen:

„Da die alten Traditionen unter dem Sturmschritte der modernen Kultur in schnellwachsender Proportion verschwinden, da mit dem Glauben an sie auch das Wissen von ihnen im Volke von Tag zu Tage mehr dahinstirbt, ist es die heilige Pflicht unserer Generation, ehe es unwiederbringlich zu spät sein wird, jene Dinge, welche im Leben untergehen und untergehen sollen, für den Gebrauch der Wissenschaft zu retten, und dem Andenken unserer Kinder und Enkel ein gutes Stück des innersten Lebens ihrer Vorväter zu erhalten. Wir laden eine schwere Schuld auf uns, und die Nachwelt wird uns bitter anklagen, wenn wir es trotz besserem Wissen verabsäumen, die Ährenlese, die wir allein in zwölfter Stunde noch vornehmen können, mit derjenigen Genauigkeit und Vollständigkeit zu veranstalten, welche einzig der Wissenschaft förderlich sein kann. Hiezu reicht aber die bisherige Weise der Sammlung nicht aus ... Es müssen daher Anstalten getroffen werden, die Lücken zu ergänzen, ganz bestimmte Traditionen durch das ganze Gebiet ihres Vorkommens Gau bei Gau ohne Ausnahme bis auf die letzte Grenze ihrer ethnographischen Verbreitung ... zu verfolgen; die Sammlung muß in ausgedehntem Maße von einem einzigen Mittelpunkt aus und nach methodischem Plane in Angriff genommen werden" (*W. Mannhardt* 1865).

Die Wendung, es gälte in letzter Stunde Volksüberlieferungen festzuhalten, ist schon bei *Herder* angeklungen und seitdem in den volkskundlichen Bemühungen nicht verstummt. Sie erfüllt dann vor allem die breite Randzone, von der oben die Rede war.

Internationale Diskussionen zu Fachfragen kamen nur langsam in Gang. Vielfach standen terminologische Verständigungsbarrieren hinderlich im Wege. Der Trend des Europa beherrschenden Nationalismus verwies die einschlägigen Aktivitäten von Fall zu Fall nach innen und versperrte den Weg zur wissenschaftlichen Gemeinsamkeit über die trennenden Grenzen hinweg. Der introvertierte Volksbegriff überlagerte mit seiner ideologischen Potenz in allen Bereichen die versachlichende Kategorie „Kultur“, so daß sie immer wieder in den Hintergrund gedrängt wurde, insbesondere in Deutschland. Wenn man „Kultur“ im Sinne des Faches meinte, sprach man im allgemeinen weiterhin von „Volkstum“, „Volksgeist“ oder „Volksseele“. Auch stärker von den Auswirkungen der Aufklärung bestimmte Gelehrte konnten sich innerhalb des Fachgebietes nur dort von dieser Befangenheit lösen, wo es ihnen gelang, durch die Erforschung volksgrenzenüberschreitender kultureller Details den vom jeweiligen Nationalismus gesetzten ideologischen Rahmen zu sprengen, um auf die Weise zu helfen, „die Entwicklung der Zivilisation“ (*E. B. Tylor* 1871) aufzuhellen. Hier kann nur ein Schlaglicht auf diese wissenschaftlichen Bemühungen geworfen werden, die unter dem Etikett „Evolutionismus“ mit Recht, aber oft überspitzt, ihre negative Beurteilung finden. Doch sie implizierten zugleich weiterführende Perspektiven, etwa in einer solchen Untersuchung wie „Primitive Culture“ von *Tylor*, die 1873 unter dem evolutionistisch einseitig formulierten Titel „Die Anfänge der Kultur“ auf deutsch erschien. *Tylor* hatte sich ausdrücklich nur auf zwei Werke berufen, von denen er nach seinen Worten besonderen Gebrauch gemacht hat: „Der Mensch in der Geschichte“ (Leipzig 1860) von *Adolf Bastian* und „Anthropologie der Naturvölker“ (Leipzig 1859 ff.) von *Theodor Waitz*. Durch diese großen thematischen Ausgriffe waren universalgeschichtliche Gesichtspunkte eröffnet worden. Auf Grund dieser Gesamtsicht entstand eine frühe Definition von „Kultur“ als des „Inbegriffes von Wissen, Glauben, Kunst, Moral, Gesetz, Sitte und allen übrigen Fähigkeiten und Gewohnheiten, die der Mensch als Glied der Gesellschaft sich angeeignet hat“ (*E. B. Tylor* 1871), die aber für die Volkskunde zunächst kaum zu einer Objektivierung der Diskussion geführt hat. Indessen wurden nunmehr solche Begriffe wie „survival“ von *Tylor* und wie „Elementargedanken“ und „Völkergedanken“ von Bastian ebenso wie die damit gestellten Fragen der Übertragung bzw. Wanderung von Kulturerscheinungen oder der „ethnographischen Parallelen und Vergleiche“ (*R. Andree* 1878 und 1889) in das wissenschaftliche Gespräch eingebracht.

Als sich ein Menschenalter nach *Tylors* Veröffentlichung, um die Jahrhundertwende, eine im deutschen Sprachgebiet geführte fachliche Grundsatzerörterung (u. a. *G. Lutz* 1958) um eine volkskundliche Gegenstandsbeschreibung bemühte, die es ermöglichte, die enzyklopädische Vielfalt der Erkenntnisobjekte auf einen kurzen Nenner zu bringen, setzte sich nach langem Hin und Her als eine Art Kompromiß die Formel „Mutterboden der Kulturnation“

durch; sie erreichte für lange Zeit den höchsten Beliebtheitsgrad. Es ist für die Situation des Faches aufschlußreich, daß man sich nicht auf einen abstrahierenden Begriff, sondern auf eine Metapher einigte, die damals zwar die Herzen eroberte, aber nicht wesentlich das Realitätsbewußtsein förderte. Sie macht deutlich, wie sehr „Volkskunde" noch immer im Emotionalen und Intuitiven verharrte. Doch führte die Diskussion immerhin bis zu der Feststellung, daß der zu erforschende Bereich „natürlich auch sehr materielle Dinge" und „nicht bloß immaterielle" (*A. Lang* 1885) umfasse (*A. Dietrich* 1902).

An dieser Stelle war allgemein ein Nachholbedarf einzubringen, auch noch hinsichtlich der *Tylor*schen Definition. Erst kürzlich ist demonstrativ ein diesbezügliches Dokument in den Kreis wissenschaftsgeschichtlicher Erörterungen gerückt worden: der 1889 in Berlin erlassene Aufruf zur Erfassung von „Sachgütern", hinter dem der bekannte volkskundlich interessierte Mediziner *Rudolf Virchow* stand. Dieser Appell betont, daß man zwar wüßte, wie das „Volk denkt und glaubt und fühlt und spricht und singt und tanzt", daß aber darüber wenig bekannt sei, „wie die Gegenstände ausschauen, welche es geschaffen hat, wie es seine Häuser fügt und aufbaut, wie es seine Höfe und Dörfer, Gärten und Fluren angelegt hat, wie es in Stube, Küche und Keller wirtschaftet und wie der Hausrat beschaffen ist, wie es sich kleidet, in welcher Weise es Viehzucht, Ackerbau, Jagd und Fischfang betreibt, wie die kunstvolle Hand- und Hausarbeit des Bauern, der Bäuerin gefertigt wird, welcher Fahrzeuge es sich im Handel und Verkehr bedient . . . ." (*W. Jacobeit* 1965). In der Tat hatte nur langsam, teilweise in mehr oder weniger heftigen Auseinandersetzungen, die ideologisch überlagert waren, die Erforschung auch der materiellen Kultur Raum gewonnen, und zwar in Verbindung mit landeskundlichen Erhebungen, vor allem zu den Komplexen Haus und Gerät, und mit musealen Sammlungen. Solche Bemühungen erstreckten sich zunächst vornehmlich auf die agrarische Welt und die verwandten Bezirke. Erst allmählich weitete sich das Blickfeld, so daß die Lebensformen auch anderer sozialer Gruppen in die volkskundliche Untersuchung einbezogen wurden (*G. Heilfurth* 1965).

Die organisierte internationale Arbeit begann mit dem 1907 von deutschen, finnischen, dänischen und schwedischen Gelehrten geschaffenen „Folkloristischen Forscherbund", der 1910 die Schriftenreihe „FFC" (Folklore Fellows Communications) mit Sitz in Helsinki ins Leben rief und seine Organisation bis zu den USA hin ausweitete; seine Arbeit beschränkte sich freilich zunächst wieder im wesentlichen auf die Erfassung und Untersuchung von sprachlich gebundener Überlieferung. Die Vereinigung wurde geistig von der sog. „Finnischen Schule" (u. a. *A. Aarne* 1913, 1918–20; *K. Krohn* 1926; *A. Aarne* und *St. Thompson* 1961) bestimmt: sie hat sich vornehmlich auf die Formen des Erzählgutes konzentriert und hier eine historisch-geographische Vergleichsmethode entwikkelt, die auf nationaler und supranationaler Ebene bestrebt ist, in Monographien jeweils die „Urform" eines Sujets aus seiner Gesamtüberlieferung zu ermitteln, wie auch jener Strang der Volksliedforschung, die mit der Begründung des Deutschen Volksliedarchivs 1914 in Freiburg i. Br. durch *John Meier* ein Zentrum bekam, und die Folklore-Forschung auf allen weiteren Gebieten.

Auf internationaler Ebene machte die kategoriale Entfaltung Fortschritte. 1909 wurde in Schweden der Begriff „Volkslebensforschung "(folklivsforskning, folklife research, études de la vie populaire) geprägt und dann vor allem von *Sigurd Erixon* in praktischer Forschung ausgebaut (z. B. *S. Erixon* 1938, 1947); durch seine Initiativen verbreitete sich diese Arbeitsrichtung über die westliche Welt. Erixon verstand darunter sehr weit gefaßt eine vergleichende Kulturforschung auf regionaler Basis mit soziologischer und historischer Orientierung unter psychologischen Aspekten, und man sah hier ein umfassendes Thema für die Volkskunde gestellt. Diese umfassende Konzeption überwand romantische Einstellungen der Volkskunde und gab ihr einen Standort „im Kreis der Wissenschaften vom Menschen", und zwar durchaus eine zentrale Position mit einer Thematik, die sich nicht mehr auf survivals konzentrierte, sondern die Erfassung von Lebenszusammenhängen anstrebte. In der Tat ist in diesem theoretischen und methodischen Ansatz mit der Koppelung von „Feld- und Archivforschung" durch eine Kombination von Funktionalismus und Strukturalismus der Einseitigkeit des Forschungsweges begegnet (*H. Möller* 1954), die infolge von Mißverständnissen und Lücken im Interpretationsnetz sowohl nach der einen wie nach der anderen Seite, allgemein verschuldet durch die Unterentwicklung in der begrifflichen Problembewältigung, an vielen Stellen vorherrschte und den Blick verstellte.

Im gleichen Jahre (1909) brachte *Arnold van Gennep* durch seine bekannte Untersuchung „Rites de passage" strukturelle Aspekte unter ethnologischen Anstößen in das Fach ein, die die Eignung besessen hätten, volkskundliche Aktivitäten über die bloße Aufsammlung und Darstellung von Einzelmaterial hinaus stärker auf systematische Aufgaben zu lenken, wenn sie konstruktiv aufgenommen worden wären. Aber das war kaum der Fall. So blieb auch diese Anregung, das Fach kulturwissenschaftlich auszubauen, ungenutzt, zumal die internationalen Kontakte, verhindert durch introvertiert nationalistische Tendenzen, sich nur langsam erweitert haben. Das gilt dann ebenfalls für die Forderung, die van Gennep im Schicksalsjahr 1914 nachdrücklich erhoben hat, daß die volkskundliche Wissenschaft wesentlich zur Lösung komplizierter politischer Bevölkerungsspannungen und -konflikte, wie sie sich damals insbesondere auf dem Balkan zuspitzten, beitragen und so durch ein vertieftes Verständnis interkultureller Zusammenhänge „das primitive Mittel des wechselseitigen Massenmordes" ausschließen helfen könne, wenn sie ihre Aufmerksamkeit stärker und entschiedener auf derartige Strukturprobleme richte — aber seine Mahnung verhallte damals angesichts der Vorherrschaft des Nationalismus auf allen Seiten ungehört, und dies änderte sich auch kaum nach dem Ersten Weltkrieg.

In Deutschland blieb nach wie vor die andauernde Regression auf den Ansatz in der Romantik virulent. In der Werteskala des Faches erhob man weiterhin die Forderung nach „Erkenntnis der Volksseele" zum „wissenschaftlichen Endziel" (*V. von Geramb* 1924), ein Wunschbild, das freilich ohne Verzug von einer realistisch eingestellten Forschung „als das Suchen eines imaginär-romantischen Mantelgebildes, das einer unbegrenzten und ungeklärten Stoffmasse als Ersatz für Gliederung, Durchdringung und Erkenntnis umgehängt wird" (*Th. Frings* 1928), zurückgewiesen wurde. Was anstelle dessen unter Berufung auf *Leo Frobenius* verlangt wurde, die Planung nämlich, „Kinematogramme", „Bilder von der Kulturbewegung" zu erarbeiten, mündete in den Aufbau der volkskundlichen Kartographie (nach dem Muster der „Sprachgeographie") mit den verschiedenen Erhebungs- und Darstellungsmethoden ein, ein in dieser Zeit beherrschendes Thema, das aus der interdisziplinär entwickelten „Kulturraumforschung" zur Entstehung der Volkskundeatlanten führte. Nach regionalen Vorarbeiten ist damals auch das bisher größte dieser Unternehmen, der „Atlas der deutschen Volkskunde", in Gang gekommen durch eine umfangreiche Fragebogenaktion mit rund 20 000 „Gewährsleuten".

Hier stellte sich die forschungsmethodisch immer entscheidende Frage nach dem exakten Vorgehen bei volkskundlichen Materialerhebungen und nach ihrer Genauigkeit und Objektivität. Im Zusammenhang solcher Überlegungen ist in der letzten Zeit mit besonderer Akzentuierung auf einige fachhistorisch bedeutsame Dokumente erneut aufmerksam gemacht worden. Drei exemplarische Zeugnisse dieser Art seien erwähnt. So das „Zirkular", das *Jacob Grimm* 1815 von Wien aus mit Ratschlägen zur Erfassung von

„Volksgut" an interessierte Forscher in Mitteleuropa aussandte, zugespitzt in der strengen Forderung, die Fakten und Daten „getreu und wahr, ohne Schminke und Zutat" und „auf das genaueste" aufzunehmen (*L. Denecke* 1971). Ferner *Mannhardts* Bestandserhebung nach der Mitte des 19. Jahrhunderts über „agrarische Bräuche"; er verschickte damals im Rahmen seiner mythologischen Untersuchungen Fragebögen in Deutschland, Österreich, Ungarn, Polen, Litauen, Skandinavien, Holland, Frankreich, der Schweiz, rund 150 000 Exemplare, z. T. auch mit Übersetzungen; es war das erste große Experiment mit Korrespondenten, von ihm ergänzt durch eigene Exploratorentätigkeit auf zahlreichen Reisen (*I. Weber-Kellermann* 1965). Ein weiteres solches Dokument stellt *Riehls* Erfahrungsbericht über die „Handwerksgeheimnisse des Volksstudiums" von 1869 dar, eine sehr persönlich gehaltene Beschreibung und Analyse seiner Vorgehensweisen zur Materialerhebung; er verlangte Gründlichkeit bei der Befragung der Menschen in ihrem Daseins- und Wirkungsfeld, Erfassung der Details, aber zugleich Ausrichtung „auf große Gruppierung, Überschau, Vergleichen und Ordnen" — ein subjektives Verfahren, das aber durchaus die Überlegung einbezog, daß die Arbeiten einen höchstmöglichen Grad an „Objektivierbarkeit" der Ergebnisse garantieren sollten (*V. Hartmann* 1971). Daß diese methodischen Ansätze durch die jeweiligen milieu- und zeitgeistbedingten Anschauungen natürlich mitgesteuert und auf die Weise auch erkenntnistheoretisch begrenzt sind, sei angesichts unserer ideologisch so erregten Situation ausdrücklich vermerkt.

Neben dem durch die „Kulturraumforschung" thematisierten Problem der Lagerung und Wanderung kultureller Elemente in der horizontalen Dimension ist nach dem Ersten Weltkrieg auch das ihrer vertikalen und damit sozialen Konstellation und Bewegung stärker ins Blickfeld gerückt worden. Diese Sicht orientierte sich am einfachen Modell des Gegenübers von Unter- und Oberschicht, wobei jene vorwiegend als rezeptiv und reproduzierend, diese als „kulturschöpferisch" angesehen wurde; diese Konzeption ist aus sehr gründlichen Detailuntersuchungen gewonnen worden, die besagen, daß viele „Volkslieder" nichts anderes als „herabgesunkene und zersungene Kunstlieder" sind (*J. Meier* 1906). Weltanschaulich wurde sie von der *Tönnies*schen Gemeinschafts- und Gesellschaftsideologie überlagert und zugleich durch zeitgenössische Beobachtungen der Lebensformen in den „Naturvölkern" angeregt, deren „nächste Parallelen — so heißt es — man ohne Scheu im Tierreich, bei Ameisen, Bienen, Affen usw." finden könne (*H. Naumann* 1921) — eine frühe Vorwegnahme dessen, was heute die so en vogue befindliche Verhaltensforschung zu ermitteln sucht. Die Lehre, daß die „primitive Gemeinschaft" unentwegt „gesunkenes Kulturgut" aufnähme, fand ihre Ergänzung in der These, daß das permanente Kräftespiel sich auch umgekehrt auswirke: „Es ergibt sich ein ewiges Nehmen und Geben, Steigen und Sinken" (*H. Naumann* 1921). Dieser pointierte Hinweis auf die vertikale Mobilität kultureller Objekte, Werte und Ideen im sozialen Schichtungsgeschehen gab Anlaß zu intensiven Auseinandersetzungen, die keineswegs abgeschlossen sind.

Sie mündeten in Europa in einen ideologischen Streit ein, der durch die Entstehung der modernen Diktaturen und ihre totalitären Systeme ausgelöst wurde. In ihnen, gleichviel wie sie sich firmieren, spielen Mißbrauch und Verfälschung der Ergebnisse volkskundlicher Forschung für Zwecke der politischen Macht unter Einsetzung des sog. „nationalen Kulturerbes" für die Festigung des jeweiligen Regimes eine entscheidende Rolle und zwar durch die rücksichtslose propagandistische Ausbeutung der „Volksüberlieferung" mit ihren Liedern, Bräuchen, Festen, Spielen usw. seitens der Machthaber, um die breiten Schichten „weltanschaulich" für sich zu gewinnen und durch den damit verbundenen Auf- und Ausbau eines regimezentristischen Glaubenssystems fest in die Hand zu bekommen. Der Nationalsozialismus mit seinen hybriden Äußerungen des Chauvinismus, des Rassenwahns und der Irredenta, die zu dem furchtbaren Zusammenbruch Mitteleuropas durch den Zweiten Weltkrieg einschließlich der grausamen Bevölkerungsvernichtungen und -verschiebungen geführt haben, war in dieser Richtung ein Höhepunkt der Vergewaltigung und Diskreditierung des Faches, das durch diese makabren Erfahrungen zu besonders gewissenhafter Wissenschaftlichkeit aufgerufen ist (*G. Heilfurth* 1961; *R. M. Dorson* 1961 u. a.), zumal die dem Gegenstand der Volkskunde immanente Anfälligkeit für Manipulierungen als Gefahr immer virulent ist.

Die verschlungene Geschichte des Faches, über die neuerdings im Zuge theorie- und methodenkritischer Überlegungen wie ideologischer Auseinandersetzungen an vielen Stellen intensiv nachgedacht wird, sucht man als Wegstrecke zwischen den nationalen Philologien und den Sozialwissenschaften oder „von der Altertumsforschung zur Kulturanalyse" (*H. Bausinger* 1972) zu beschreiben, wobei es freilich kaum gelungen ist, den Blick über ein introvertiertes Bezugsfeld hinaus in internationale Zusammenhänge zu weiten — erst von da aus jedoch kann die Disziplin in die Reihe der vergleichenden Wissenschaften eingeordnet und damit aus kantönlihaften Verengungen herausgeführt werden. Die vereinfachende Frage nach Ursprung und Herkunft soziokultureller Elemente, die ehedem immer wieder, meist dominierend, die Untersuchungen anspornte, ist inzwischen zum Problem der funktionalen Differenzierung und Variabilisierung erweitert und manchmal vertieft worden, das dem sozialen Beziehungsgeflecht der kulturellen Diffusion in der Fülle des Lebens gerecht zu werden sucht, jedenfalls sich auf kein starres Schwarz-Weiß-Bild von Unten und Oben oder Links und Rechts ohne Übergänge, ohne Zwischenfarben und -töne als der Weisheit letzten Schluß festlegt und damit ein Multiplum der Schichtung anerkennt. Anstelle des der Geologie entlehnten statischen Schemas, das früher weite Teile der Volkskunde beherrscht hat, ist das der Geschichte gemäße Konzept des dynamischen prozessualen Kräftespiels unter Einbeziehung auch der Innovationen und der multilateralen Austauschvorgänge relevant geworden.

Das Spektrum dessen, was die Volkskunde erforscht, ist nach dem Dargelegten groß: es reicht in der historischen und systematischen Dimension, wenn man es mit Eigenschaften signiert, vom Elementaren und Urtümlichen *(Mitscherlich)* über das Einfache und Übliche, das Generelle und Kollektive bis zum Vulgären und Trivialen im Kulturgefüge und Kulturprozeß. Das Unbewältigtsein archaischer Triebansprüche im Menschen erscheint in diesem Spektrum ebenso wie die Regulierung des menschlichen „Affekthaushaltes" im „Prozeß der Zivilisation" (*N. Elias* 1969). Hierzu sind von der fortschreitenden Erforschung psychosomatischer und kulturethologischer Probleme wichtige Aufschlüsse zu erwarten, die Licht in manches Dunkel bringen können. Die Frage nach der „Seele" im technisch-industriellen System bezeichnet ein wesentliches volkskundliches Problem, das bei der Erforschung von Partialkulturen (einschließlich der Subkulturen) und ihren Objektivationen ebenso wenig aus dem Auge verloren werden darf wie die Frage nach der kulturellen Kontinuität und Diskontinuität, die man in einer simplen Weise oft und falsch auf die Konfrontierung von Vergangenheits- und Gegenwartsvolkskunde verlagert hat. Immer gehört die komplexe Verwobenheit von Geschichte und Gegenwart in der Mannigfaltigkeit der menschlichen Lebenswelten sowohl hinsichtlich der nie abreißenden Stetigkeit wie zeitbedingter Dynamik des Kulturwandels zum Gegenstandsbereich der Volkskunde. Dabei steht außer Zweifel, daß für vergleichende Forschungen, die sowohl diachron als auch synchron zu betreiben sind, der Aspekt der „patterns of culture" von besonderer Bedeutung ist.

II. Zur Forschungsdifferenzierung

Es liegt im Wesen der Volkskunde als einer Beziehungswissenschaft, daß sie sich in doppelter Weise formiert: mit Blick a) auf die einzelnen Sektoren und Details im Substratgewebe der Kulturen, je nachdem wie und wieweit man sie differenziert, b) auf die soziokulturellen Subsysteme, die hinsichtlich ihrer Gruppenstrukturen soziologische Kriterien erfordern (unter Heranziehung der anthropologischen Kategorie „Lebenswelt").

Es ist in diesem Überblick kein Raum, jedem der Teilgebiete samt seiner besonderen Geschichte und Problematik nachzugehen; sie können nur exemplarisch behandelt werden.

a) Die Fülle der Details

Die Ausgangsbasis des Faches hat zunächst einen Überhang jenes Sektors bewirkt, der sich mit sprachlich gebundenen Gebilden befaßt. An erster Stelle sei die Liedforschung genannt, die zum Aufbau des Faches beachtliche Beiträge geleistet hat, wenn auch oft in einer einseitigen Richtung. Schon 1773 regte *Herder*, unter dem Eindruck englischer bzw. schottischer Veröffentlichungen an, „Volkslieder, Provinziallieder, Bauernlieder" zu sammeln, „auf Straßen und Gassen und Fischmärkten, im ungelehrten Rundgesang des Landvolks ... im Elsaß, in der Schweiz, in Franken, in Tirol, in Schwaben". Seine Sicht war international orientiert: „Alle alten Lieder sind meine Zeugen! Aus Lapp- und Estland, Lettisch und Polnisch und Schottisch und Deutsch." Aber dann beklagte er zugleich, daß „die Engländer ... uns hierin an Nationalreichtum übertreffen", und mahnte, die Volkslieder zur eigenen Stärkung von „Nation! Volk! Einem Körper, der Vaterland heißt!" vor dem Vergessen zu bewahren. 1776 griff *Gottfried August Bürger* diesen Appell auf mit Hinweis auf die breite Skala der sozialen Gruppen, die befragt werden müßten, wie Bauern, Hirten, Jäger, Bergleute, Handwerksburschen, Bootsknechte, Fuhrleute, unter denen „wirklich eine erstaunliche Menge von Liedern" kursiere. Er und Herder möchten sich freilich mit deren Sammlung nicht begnügen, sondern sie zugleich im Enthusiasmus des Sturms und Drangs neu beleben. Darüber machte sich jedoch sogleich 1777 *Friedrich Nicolai* mit „aufgeklärtem" Spott lustig — im Vorwort seiner als Parodie zu diesen Bestrebungen gemeinten Volksliedersammlung, einer in ihrer altertümlich verfremdenden Aufmachung höchst reizvollen Publikation, die vorgibt, dergestalt „teutzscher alter Volckspoeterei aufhelfen" und damit „alle böse Cultur" zurückdrängen zu wollen. *F. D. Gräter* griff 1794 in diese frühe „volkskundliche" Auseinandersetzung mit einem wissenschaftlichen Anliegen ein, das ebenfalls bis heute aktuell geblieben ist:

„Ich weiß nicht, wie man im Stande ist, den nationalen Geist, wodurch sich die deutschen Volkslieder von den englischen, schottischen, dänischen u. a. m. unterscheiden, hinlänglich zu bestimmen. Kraft und Wurf und Naivität oder tiefe Empfindung scheint der Charakter aller guten Volkslieder zu sein. Sie sind mehr dem Inhalt und Gegenstande als im Ganzen dem Geiste nach unterschieden ... Wer wagte ein allgemeines Urteil über sie zu fällen? ... Altertum, Gegenstand, Verfasser, Zweck, Nation-, Land-, Stadt-, Dorf- oder allgemeines Menschen-Interesse, welch ein Unterschied! Und wie ganz entgegengesetzt prägen sich nicht oft nach diesen Umständen Gedanke und Gefühl, Stimmung, Sprache, Silbenmaß, Tonweise und Gesang! Wollten wir nach allen diesen Verschiedenheiten die Volkslieder Deutschlands durchgehen, abschildern und in Rangordnung stellen, so müßten wir ein ganzes Buch darüber schreiben, und das zu tun dürfte wohl noch zu früh gewagt sein!"

Fürwahr, ein großes Programm bereits am Ende des 18. Jahrhunderts.

Dieser Auftakt (u. a. *H. Bausinger* 1968) ist ein wenig ausführlicher dargestellt, um zu zeigen, daß sich in diesem Teilgebiet von Anfang an „Volkskunde" im Widerstreit der Meinungen und der Fragestellungen entfaltet, die bis heute als Problem anstehen.

Hinsichtlich der Dokumentation der Texte und Weisen liegt, aufs Ganze gesehen, eine immense Zahl von Sammlungen vor, mit wachsender Genauigkeit der Materialerfassung und -aufbereitung. Von Herders „Stimmen der Völker in Liedern" bis zur „Arbeitsstelle für internationale Volksliedforschung", wie sich nach dem Zweiten Weltkrieg das Deutsche Volksliedarchiv, das Zentralinstitut für die Sammlung der deutschsprachigen Lieder und ihrer fremdsprachigen Parallelen, im Untertitel nennt, und ähnlichen Dokumentationszentralen in anderen Ländern, von denen nur noch die ungarische (von *Belá Bartók* und *Zoltán Kodály* geschaffen) hervorgehoben sei, ist ein weiter Weg. Die Wesensbestimmung des „Volksliedes" wurde entscheidend durch empirische Quellenforschung unter zunehmender Mitarbeit der Musikwissenschaft gefördert. Für die allgemeine Volkskunde sind auf diesem Weg wichtige Begriffsklärungen erfolgt, so hinsichtlich der Produktionstheorie, wie sie die Romantik vertreten hat, und der Rezeptionstheorie, wie sie durch Untersuchungen unter der Formel „Kunstlieder im Volksmunde" (*J. Meier* 1906) fundiert worden ist.

Im Laufe der Forschung wurde der Komplex „Volkslied" sowohl nach der formalen und inhaltlichen wie auch nach der strukturellen und funktionalen Seite differenziert und konkretisiert, und es gibt auch Ansätze zur soziologischen Einordnung (*J. Meier* u. a. 1935 ff.; *W. Wiora* 1950; *G. Heilfurth* 1954; *J. Horák* 1956; *I. Weber-Kellermann* 1957; *V. Karbusický* und *V. Pletka* 1958; *D. Stockmann* 1962; *L. Röhrich* und *R. W. Brednich* 1965/67; *B. Bartók* 1959, 1966; *J. Lefftz* 1966 ff.; *H. Biezais* 1967; *E. Stockmann, H. Strobach, K. Čistov, E. Hippius* 1967; *K. M. Klier* und *J. Grafenauer* 1967; *D. Sauermann* 1968; *H. Siuts* 1968; *A. Quellmalz* 1968 ff.; *R. W. Brednich, Z. Kumer, W. Suppan* 1969; *E. Klusen* 1969; *I. L. Campbell* und *F. Collison* 1969; *L. Richter* 1969/70; *L. Schmidt* 1970; *E. Schade* 1971 u. a.), ebenso wie die sachlich anschließenden Teilgebiete der Volksmusik (u. a. *A. Dieck* 1962; *J. Raupp* 1963; *W. Wünsch* 1966; *E. Emsheimer* und *E. Stockmann* 1966 ff.; *D. Holý* 1969) und des Volkstanzes (u. a. *R. Wolfram 1951*; *K. Vetterl* 1955, 1960; *H. Thiel* 1970). Neben den breit aufgefächerten traditionellen Äußerungen in diesen Bereichen findet auch die Vielzahl der modernen Formen wie Schlager usw. (*R. Malamud* 1964; *H. Fischer* 1965; *V. Karbusický* 1968 u. a.) mit der wachsenden Innovationsflut immer mehr wissenschaftliche Beachtung, ebenso wie die Phänomene des Singens und Musizierens, der Singgruppen und der „Volkssänger" (z. B. *G. Heilfurth* 1962; *B. Beneš* 1970).

Die Volkserzählungs- und Erzählforschung ist eines der Teilgebiete, die hinsichtlich der internationalen Zusammenarbeit am weitesten fortgeschritten sind. Begründet von *Jacob Grimm* und weitergeführt von einer langen Reihe von Gelehrten, wurde sie in unserem Jahrhundert insbesondere aus dem Norden Europas durch systematisierende Arbeiten wesentlich ergänzt, vor allem durch die Finnen *K. Krohn* und *A. Aarne*, und dann durch Nordamerikaner in der gleichen Richtung ausgebaut (*St. Thompson* 1951, 1955–58; *A. Aarne* und *St. Thompson* 1961). Solche übernationale Durchdringung des Materials setzt zuverlässige Stofferfassungen voraus, die an verschiedenen Stellen unter Einsatz der modernen Aufnahmetechniken verschieden intensiv in Gang gekommen sind. Wie in anderen Ländern und Forschungszentren (so in Helsinki, Uppsala, Stockholm, Göteborg, Lund, Kopenhagen, Oslo, Dublin, Paris, Athen, Leningrad, Moskau usw.) entstand in Deutschland ein Zentralarchiv der Volkserzählung, das jetzt als Abteilung dem Institut für mitteleuropäische Volksforschung in Marburg zugehört. Die weitere Aufbereitung der riesigen Stoffmassen läßt sich nur in aufgeschlossener internationaler Kooperation sinnvoll voranbringen.

Den Vollzug ihrer Realisierung bezeugen der Aufbau einer „Society for Folk-Narrative Research" (*K. Ranke* 1961; *K. C. Peeters* 1963; *G. Ortutay* 1964; *G. A. Megas* 1965 u. a.), die Schaffung einer mehrsprachigen Zeitschrift für Erzählforschung „Fabula" und die Vorbereitung einer internationale Enzyklopädie des Märchens in Göttingen. In diesen volkskundlichen Unternehmungen kommt der polyglotte Standard der modernen Wissenschaften zum Ausdruck, mit Hilfe dessen die differenzierten Untersuchungen und unzähligen Sammlungen in allen Erdteilen, dem Stand unseres wachsenden globalen Bewußtseins entsprechend, koordiniert werden sollen.

Am Terminus „Erzählforschung" wird einsichtig, daß es sich nicht darum handelt, Volkserzählungen allgemein (*M. Bošković-Stulli* 1963; *L. Schmidt* 1963; *K. Čistov* 1964; *M. de Meyer* 1968; *Y. Pino-Saavedra* 1968; *St. L. Robe* 1970; *K. M. Briggs* 1970/71 u. a.) oder spezielle Formen wie Märchen (*F. von der Leyen, K. Schier, F. Karlinger* 1912 ff.; *J. Bolte* und *G. Polívka* 1913—32; *L. Mackensen* 1930—40; *A. Wesselski* 1931; *W. Eberhard* 1937; *St. Thompson* 1951; *O. Sirovátka* 1959; *A. Aarne* und *St. Thompson* 1961; *L. Dégh* 1962; *L. Röhrich* 1964; *Chr. Federspiel* 1968; *M. Lüthi* 1969, 1971; *G. A. Megas* 1971; *V. Propp* 1972 u. a.), Sagen (*F. Ranke* 1935; *R. Th. Christiansen* 1958; *G. Schneidewind* 1960, 1969; *W.-E. Peuckert* 1965; *M. Zender* 1966; *G. Heilfurth* und *I.-M. Greverus* 1967; *P. Wolfersdorf* 1968; *L. Petzold* 1968, 1969; *L. Röhrich* 1971; *W. D. Hand* 1971; *H. Gerndt* 1971 u. a.), Mythen und Legenden (*H. Günter* 1906, 1949; *H. Delehaye* 1955; *G. Heilfurth* 1963; *H. Rosenfeld* 1964; *W.-E. Peuckert* 1965; *H. Lixfeld* 1971 u. a.), Schwank (*S. Neumann* 1964, 1968; *E. Straßner* 1968 u. a.) und Witz (*S. Freud* 1912 u. a.) usw. nur als abgeschlossene sprachliche Gebilde und Motivgewebe, sondern zugleich in ihrer Gebundenheit an soziale Konfigurationen und Bewegungen zu untersuchen. Das volkskundliche Interesse gilt also auch in diesem Teilgebiet wie insgesamt den Lebens- und Funktionszusammenhängen. Die empirische Forschung erstreckt sich auf das „Erzählen", auf seine Anlässe, auf die Probleme der Variation, der Angleichung, der Tradierung, der Übernahme und der Wanderung, auf das Verhältnis von Struktur und Funktion, von Wirklichkeit und Fiktion, von faktischer und symbolischer Welt, auf soziale Stellung, Milieu und Gestik der Erzähler und die Bedeutung der Erzählgemeinschaften (*O. Brinkmann* 1933; *G. Henssen* 1951; *K. Haiding* 1955; *L. Dégh* 1962; *L. Röhrich* 1967; *S. Neumann* 1968 u. a.). Die Volkskunde stellt auch hier in den einschneidenden Umwälzungen unserer Zeit überall Traditionsschwund fest, Veränderung der Geselligkeits- und Unterhaltungsformen, Rückgang der personhaften Kunst des Erzählens wie die Ausbreitung ihres Ersatzes durch technische Erzählmittel, Nachlassen der Spontaneität und des Sensoriums für die Existenz einer transzendenten Welt und die Ausbreitung realitätsorientierter Formen wie Memorabile oder Witz (*A. Jolles* 1956; *H. Bausinger* 1968 u. a.).

Die Erkenntnisobjekte Lied/Singen und Erzählung/Erzählen nehmen in der Volkskunde einen breiten Raum ein und sind als Gesamtkomplex im allgemeinen unter dem Terminus „Volksdichtung" (*L. Bødker* 1965; *I. M. Malecore* 1967; *H. Bausinger* 1968; *W. Tschitscherow* 1968 u. a.) subsumiert. Um ein Ordnungsschema der hier zu bewältigenden Erscheinungsfülle hat man sich immer wieder bemüht; man kommt bei der ineinander verwobenen Vielfalt kaum zu einer Systematisierung, wenn man sich nicht mit Abschnitten wie „Grenzen und Übergänge“ behilft. Morphologisch kann man neben Erzählung und Lied Kleinformen wie Formel, Reim, Kinderlied, Redensart, Sprichwort, Bauernregel, Wellerismus, Slogan, Spruch, Inschrift, Rätsel (*J. Lewalter* 1911; *A. Aarne* 1918—20; *F. Seiler* 1922; *G. Züricher* 1926; *K. Prause* 1930; *R. Petsch* 1938; *H. Moser* 1950; *M. Hain* 1951, 1966; *J. Peter* 1953; *R. Lorbe* 1956; *G. Heilfurth* 1958; *W. Hoffmann* 1959; *I. Hampp* 1961; *A. Taylor* 1962 u. a.) und Großformen, insbesondere das Volksschauspiel (u. a. *A. Karasek-Langer* und *J. Lanz* 1960; *L. Schmidt* 1962; *T. Dömötör* 1964; *B. Schöppel* 1965) unterscheiden.

Da die Volkskunde weithin in Verbindung mit den nationalen Philologien (Sprach- und Literaturforschung) entstanden ist, gibt es überall mehr oder weniger große Überschneidungsgebiete, mit der Linguistik insbesondere hinsichtlich der Erforschung der Namen, Dialekte, Berufs-, Fach-, Sonder- und Umgangssprachen (Slang, Argot), mit der Literaturwissenschaft hinsichtlich der Untersuchung der Erbauungs-, Unterhaltungs-, Jugend-, der Populär- und Trivialliteratur insgesamt.

Auch die Phänomene Recht und Religion besitzen seit den volkskundlichen Anfängen ihr Gewicht im Rahmen des Faches. *J. Grimms* „Rechtsaltertümer“ (1828) gaben den Anstoß zur Erforschung der normativen Elemente im sozialkulturellen Prozeß (Sitte, Brauch, Gewohnheitsrecht usw.) und ihrer Verwurzelung im Fundus der Tradition durch einen eigenen Zweig der Volkskunde (z. B. *E. v. Künßberg* 1936; *D. Dünninger* 1967; *H. E. Cromberg* 1970).

Was die volkskundliche Religionsforschung anlangt, sind nach einer Reihe Vorarbeiten von *J. Grimms* „Mythologie“ (1835) weltweite Impulse ausgegangen, ohne freilich die einschlägige Unterströmung zu beseitigen, die ins schwärmerisch Dilettantische und Abstruse und damit in eine bis heute unbewältigte Sackgasse geführt hat. Von daher gesehen, sind solche subtile Komplexe wie „Volksglauben“ und „Volksfrömmigkeit“ virulente Diskussionsobjekte geblieben, insbesondere die vielfältigen Erscheinungen der Superstition (*H. Bächtold-Stäubli* 1927—42; *K. Wagner* 1941; *A. Eskeröd* 1947; *O. Loorits* 1949—60; *L. Schmidt* 1952, 1966; *L. Kretzenbacher* 1959; *J. Schwebe* 1960; *W. D. Hand* 1961 und 64; *L. Honko* 1962 u. a.) in den Geltungsbereichen der Hochreligionen mit ihren theologischen Ansprüchen und sozialkulturellen Gestaltungen auf der volkstümlichen Ebene (*H. Günter* 1906, 1949; *A. Spamer* 1930; *R. Kriss* und *L. Rettenbeck* 1950; *W. Brückner* 1958; *L. Kriss-Rettenbeck* 1958, 1963; *M. Zender* 1959; *K. Goldammer* 1960; *G. Heilfurth* 1963; *L. Hansmann* und *L. Kriss-Rettenbeck* 1966; *G. Kehrer* 1967; *M. Scharfe, R. Schenda, H. Schwedt*

1967; *M. Scharfe* 1968; *W. Harenberg* 1968; *G. R. Schroubek* 1968; *G. Korff* 1970 u. a.). In den religiösen und subreligiösen Ausdrucksformen handelt es sich überall, vom Standpunkt ihrer Erforschung aus betrachtet, um mehr-, ja vieldimensionale Syndrome, die nirgendwo durch simple Zugriffe wissenschaftlich zu fassen sind, zumal es heute gilt, auch die Niederschläge der Ideologien als norm- und wertsetzende Glaubenssysteme mit ihren spezifischen Strukturen in die Forschung einzubeziehen. Die komplizierten Zusammenhänge von Religion und Religiosität einerseits und von sozialen und kulturellen Schichtungen und Differenzierungen andrerseits in ihren Details aufzudecken, ist allein durch interdisziplinäre Kooperation möglich. Nur mit Hilfe übergeordneter Interpretationsnetze lassen sich also Phänomene wie „Volksglauben" und „Volksfrömmigkeit" einschließlich „neuer Mythen" hinsichtlich ihrer jeweiligen Konfigurationen allgemein und innerhalb abgegrenzter Lebenswelten erkennen und analysieren. Dabei sind der geschichtliche Stellenwert, den man der Säkularisierungsthese zumißt, und die Positionen zu berücksichtigen, von denen aus sie positiv oder negativ gesehen werden kann. Im Ausstrahlungsbereich des Christentums zeigen sich nicht nur in Europa und Amerika, sondern durch die Missionsaktivitäten auch in allen andern Erdteilen Niederschläge konfessioneller Kultur mit Einwirkungen auf Volksglauben und Volksfrömmigkeit. Dies trifft sowohl auf die katholischen und protestantischen Prägungen wie auch auf andere Hochreligionen, insbesondere den Islam, zu (z. B. *R. Kriss* und *H. Kriss-Heinrich* 1960/62).

Eine zentrale Stellung im Fachgefüge nimmt die aspektreiche Brauchforschung (*A. van Gennep* 1909; *R. Sartori* 1910–14; *P. Geiger* 1936; *E. Hoffmann-Krayer* 1940; *A. Eskeröd* 1947; *G. Römer* 1951; *L. Schmidt* 1955, 1966; *A. Václavík* 1959; *J. Klersch* 1961; *I. Weber-Kellermann* 1965; *H. Bausinger* 1966, 1967; *P. Berger* 1966; *L. Kretzenbacher* 1966; *D. Lutz* 1966; *J. Dünninger* 1966/1967; *E. Weiti* 1967; *S. O. Súilleabháin* 1967; *D. Dünninger* 1967; *R. Wildhaber* 1968; *F. Sieber* 1968; *H. Halpert* und *G. M. Story* 1969; *H. E. Cromberg* 1970 u. a.) ein; denn in dem Phänomen, um das es hier geht, durchdringen sich im Grunde alle immateriellen und materiellen Kulturelemente von Fall zu Fall in wechselnden Konstellationen. Alle markanten Punkte des menschlichen Daseins zeigen brauchtümliche Ausgestaltung: Begegnung und Trennung, Anfang, Übergang, Kulmination und Ende, Zusammenschluß, Gründung, Einweihung und Gedenken. Insbesondere sind die festlichen Begehungen im Lebens- und Jahreslauf wie im Rhythmus des Zusammenlebens überhaupt von Bräuchen aller

Art erfüllt. Aber auch der Alltag ist im Wechsel von An- und Ausspannung, von Arbeit und Freizeit durch sie mitgeprägt, ohne daß man sich dessen im allgemeinen bewußt wäre. Die Skala der Darstellungsmittel ist groß. Profanes und Religiöses greifen meist ineinander, aber es gibt auch ausgesprochen sakrale und weltliche Dominanten. Bräuche werden innerhalb sozialer Gruppen konkret praktiziert; Glaube, Recht, Sitte und Mode stehen als normierende Mächte regulierend, bewahrend oder verändernd dahinter. Geschichtlich gesehen läßt sich eine akzentverschiebende Stufenfolge von Kult- zu Spiel- zu Unterhaltungsformen konstatieren, keineswegs freilich als starre Staffelung, sondern vielmehr als Potential auf dem Hintergrund sozial- und geistesgeschichtlicher Strukturwandlungen, insbesondere unter dem Einfluß der „Entzauberung der Welt" *(M. Weber)*. Es wäre falsch, den genannten Ablauf als verbindlich festes Schema zu verstehen, es sind zeitlich und sachlich auch Umkehrung und Austausch der Positionen möglich. Motive für Um- und Neugestaltung von Bräuchen sind vor allem die menschliche Freude an Innovierungen sowie Zeitgeiständerungen und -einflüsse. Im Zeitalter der Industriekultur sind Bräuche, Feste und Feiern stark mitbestimmt durch die Mittel der Kulturindustrie und Formen des Vergnügungsbetriebes, der aber von jeher an den Rändern festlicher Veranstaltungen, auch solcher religiöser Provenienz, seine Rolle spielte. Feste leben aus der Bejahung der Welt und dem Einklang mit ihr (*F. Sieber* 1960; *J. Pieper* 1963; *V. Propp* 1963; *K. Vilkuna* 1963 u. a.). Sie sind Gegenpole zu den Sorgen und Begrenzungen der alltäglichen Existenz, von der sie sich als das ganz Andersartige abheben. Zu Fest und Feier gehört deshalb die Arbeitsruhe bis hin zu Arbeitsverboten. Der Öffentlichkeitscharakter erhöht das Gefühl des Außergewöhnlichen. Die gemeinsame festliche oder feierliche Bewegtheit und seelische Aufgeschlossenheit, die Weihe des Ortes und der Zeit, aber auch Überschwang und Selbstvergessenheit — all das bildet das Fluidum festlicher Begehungen, wobei die Skala der Stimmungen, je nach Inhalt und Ausformung, Ergriffenheit, Ernst, Besinnlichkeit, Andacht ebenso kennt wie freudige Beschwingtheit, Lustigkeit, Ausgelassenheit, Verzauberung und Entrückung bis hin zum Rausch mit seinen „Ventilsitten". Integrierendes Element ist jedesmal die festliche Atmosphäre, die für eine rationale Analyse schwer greifbar ist. In allen Kulturen lehnt sich der Festkalender der Religionen mit ihren liturgischen Ordnungen an den Rhythmus des Naturjahres und seine brauchtümlich rituellen Traditionen an, gegliedert vom Zyklus der Jahreszeiten und ihrer kultischen Höhepunkte (*H. Koren* 1934; *G. Gugitz* 1949; *E. Fehrle* 1955; *G. A. Megas* 1958; *T. Dömötör* 1964; *H. Siuts* 1968; *K. Vilkuna* 1969

u. a.). In der christlich geprägten Ökumene sind die protestantischen Bereiche festärmer als die katholischen und orthodoxen, die durch ihren überlieferungsgebundenen Gestalten- und Veranstaltungsreichtum, auch außerhalb der kirchlichen Räume, stärker „das Volk" einbeziehen (z. B. Wallfahrten, Prozessionen usw.). Die religiösen Grundlagen der Jahresfeste erscheinen heute weithin durch säkularisierte und kommerzialisierte Funktionssysteme überlagert (z. B. Weihnachten oder Karneval).

Ähnlich umfangreich und variabel ist der große Problemkreis der „Volkskunst". Die Diskussion um Inhalts- und Bedeutungsumfang von Begriff und Sache ist im vollen Gang, aber sie hat bisher zur Klärung trotz reichlicher Gedankenbewegung wenig beigetragen (*E. Schwedt* 1970). Als operabel erweist sich in dem Kompositum „Volkskunst" nur das Grundwort als Sammelbezeichnung für „Bildwerk" und „Schmuck" in der vollen Breite der materiellen und gestalterischen Möglichkeiten. Dagegen schafft die kategoriale Abgrenzung des Bestimmungswortes wie auch sonst in der Volkskunde die eigentliche Schwierigkeit.

Die verschiedenen Akzentsetzungen, die jeweils einen Aspekt im Komplex anleuchten, kommen in der langen Reihe der verwendeten Synonyme zum Ausdruck wie Elementar-, Primär-, Gebrauchs-, Populär-, Trivial-, Laien-, Provinz-, Heimat-, Freizeit-, Feierabend-, Bauern-, Arbeiter-, Kinder-, Gruppen-, Gemeinschafts-, Kollektiv-, Massenkunst usw. Immer wieder stellen sich in der Begriffsskala die Fragen nach Produzenten und Konsumenten, die Probleme Kreativität und Kommunikation. Sie lassen sich nur von Fall zu Fall klären und verlangen jedesmal gründliche Einzelstudien, d. h. also nicht nur die üblichen Beschreibungen und Darstellungen, die angesichts des allgemeinen Interesses für diese Sache heute Legion sind, sondern Analysen. Ebenso vielfältig wie die benutzten Materialien (Holz, Ton, Stein, Metalle, Glas, Textilien, Leder, Papier, Stroh u. a.) sind auch die angewendeten Techniken und Praktiken und die Formgebungen. Sie bezeugen Austausch von Individualleistung, kollektiver Schöpfung und Reaktion, Einflüsse der Zeitstile, Milieus, Leitbilder und Moden und die Fähigkeit zum Ausdruck symbolischer Qualitäten im Pluralismus der Kulturen und Subkulturen (*A. Riegl* 1894; *J. Blau* 1917/18; *K. Hahm* 1928; *H. Karlinger* 1938; *R. Held* 1955; *M. Bachmann* 1956; *E. Schlee* 1964; *J. S. Stoudt* 1964; *K. E. Fritzsch* und *M. Bachmann* 1965; *L. Schmidt* 1966; *M. Black* und *J. Lipman* 1967; *J. Grabowski* 1967; *E. Schmitt* 1967; *F. Bobu-Florescu* und *P. Petrescu* 1969; *H. Sturzenegger* 1970 u. a.).

Mit einem bedeutenden Bereich der materiellen Kultur befaßt sich die Erforschung von Haus und Siedlung, nicht nur unter kultur- und sozialhistorischen Aspekten, sondern auch im Blick auf die gegenwärtige Entfaltung und Gestaltung des Bau- und Wohnwesens in Stadt und Land mit den neuen Möglichkeiten des technisch-industriellen Systems. Die Naturabhängigkeit dieses Sektors kultureller Manifestation steht außer Frage, aber ebenso deren Eingeordnetsein in ökonomische und gesellschaftliche Bedingungen. Dieser volkskundliche Forschungszweig, der dauernde Zusammenarbeit mit der Geographie und Ökologie erfordert, erstreckt sich sowohl auf die funktionale Differenzierung als auch auf die formale Gestaltung mit ihren Einflüssen der Lebens- und Arbeitswelten und der Zeitstile, in der ganzen Spielbreite dessen, was hier im Koordinatensystem von Raum und Zeit sich verwirklicht hat und realisierbar ist, wenn wir an die Variabilität der Haus- und Siedlungsformen einschließlich der Flur und Gemarkung denken. Dabei ist natürlich das Haus als Wohnstätte und Entfaltungsraum familiären Lebens mit allen seinen Teilen, konstruktiven Komponenten, Schmuckelementen und Baustoffen, auch hinsichtlich seiner Integration in das Siedlungsgefüge und in die Kulturlandschaft, als eine Grundform menschlicher Gemeinschaftsleistung ein besonders anvisiertes Untersuchungsobjekt, und zwar unter den Voraussetzungen von Arbeitssituation und sozialem Status. Siedlung (*H. Bausinger, M. Braun* und *H. Schwedt* 1963; *G. Schwarz* 1966 u. a.) bezieht sich nicht nur auf den Wohnplatz, sondern auch auf die Stätten der Produktion und Dienstleistung, auf Markt und Friedhof, auf Straßen und Plätze, Weg und Steg, auf Gärten, Felder und Wälder, Wiesen und Weiden, auf Handel und Wandel, Verkehr und Transport. Und der Komplex Haus umfaßt mehr als die Wohnung: bäuerliche, handwerkliche und industrielle Wirtschaftsgebäude, Ställe, Scheunen und Speicher, Werkstätten und Fabriken, öffentliche Sakral- und Profanbauten, Kirchen und Kapellen, Rat- und Gemeindehäuser, Gast- und Vergnügungsstätten (*R. Weiss* 1959; *A. Bernt* 1959 ff.; *J. Schepers* 1960; *I. Talve* 1960; *R. Ränk* 1962; *N. Valonen* 1963; *K. Baumgarten* 1965; *B. Schier* 1966; *I. Vahros* 1966; *E. M. Wallner* 1968; *H. Schneider* 1971 u. a.).

Die volkskundliche Geräteforschung reiht sich unmittelbar an, sowohl was die Gesichtspunkte als auch was die Gegenstände der menschlichen Bedarfsdeckung und technischen Ausrüstung anlangt (u. a. *W. Dexel* 1962; *W. Rudolph* 1966, 1969; *T. Gebhard* 1969; *W. Putschke* 1971). Zunächst umfaßt schon die Haushaltseinrichtung und -führung, je nach den sozialen Voraussetzungen, auch in den einfachen Formen, eine Reihe von „Geräten", all das nämlich, was zum „Hausrat", je nach Größe, Art und Komfort des Haushalts, gehört. Neben dem Küchengeschirr, dem sonstigen Gebrauchsgut und den gängigen Werkzeugen handelt es sich um die Einrichtungsgegenstände (u. a. *F. Krüger* 1959–63; *F. Lipp* 1966; *L. Schmidt* 1967; *B. Deneke* 1969). Im alten bäuerlichen Haushalt waren sie ursprünglich fest eingebaut (Tisch, Bank, Bett usw.). Mit der Sache verbreitete sich der Begriff „Möbel" (von „mobile") erst, als das Mobiliar durch das Fortschreiten der kulturellen Differenzierung unter städtischem Einfluß beweglich wurde. In weitere soziale arbeitsbedingte Zusammenhänge greift die Erforschung der Klein- und Großgeräte in den Bereichen der Urproduktion (Ackerbau, Weinbau, Viehzucht, Fischfang, Jagd, Waldnutzung, Bergbau usw.) und des Handwerks. Der Ausbau ihrer gewerblichen Herstellung für den Markt ist — von Töpfer und Schmied abgesehen — ein relativ später Schritt, markiert durch die so kreative Phase des entfalteten Handwerks und dann der Industrie. Die Aufhellung der Erzeugung und des Gebrauchs dieser technischen Mittel ist von seiten der Volkskunde unter der Leitformel „Arbeit und Gerät" in der letzten Zeit stark gefördert worden (u. a. *M. Znamierowska-Prüffer* 1966; *W. Hansen* 1969; *T. Gebhard* 1969; *N.-A. Bringéus* 1971 a), häufig im Zusammenhang mit musealen Bemühungen um Dokumentation, seitdem unter den einschneidenden Auswirkungen der industriell-technischen Revolution auf diesen Gebieten überall strukturelle Veränderungen bzw. Ablösungen stärksten Ausmaßes im Gange sind.

Ähnliches gilt für die Kleidung, deren Bedeutung als Körperschutz von den klimatischen Verhältnissen abhängig ist, unbeschadet dessen aber überall auch zugleich menschliches Schmuck- und Repräsentationsbedürfnis befriedigt. Die Volkskunde befaßt sich zum einen mit den Grundstrukturen der männlichen und weiblichen Kleidung und zum andern mit der Fest- und Alltags-„Tracht" in regionalen, sozialen und beruflichen Gruppen, die durch festliegende Traditionsformen gekennzeichnet ist und dadurch die Gruppenangehörigen von der übrigen Bevölkerung nach innen und außen abhebt (*V. von Geramb* 1932 ff.; *R. Helm* 1932, 1934; *M. Hain* 1936 *L. Witzig* 1954; *W. Lücking* 1956 ff.; *S. Ebert* 1967; *L. Treiber-Netoliczka* 1968; *H. Grünn* 1971 u. a.). Die Nähe zur exklusiven Uniform ist augenscheinlich (*O. Koenig* 1970). Seitdem geschichtliche Perspektiven stärker in der Trachtenforschung Geltung gewonnen haben, ist deutlich geworden, daß auch solche „Traditionskleidung" von jeher modischen Veränderungen ausgesetzt ist bis hin zu vollständigen Alternationen. Damit rückt das Phänomen der Mode, das, ehedem wenig untersucht, indessen auch in den Volkstrachten wirksam war, immer mehr ins Blickfeld, vor allem heute, da die zeitbedingte Dynamik des Kulturwandels ständig vor neue Situationen stellt (*R. König* 1971). Die Mode erstreckt sich freilich nicht nur auf Kleidung und Schmuck, sondern auf alle soziokulturellen Sektoren.

Die Ernährung, Essen und Trinken, „gehörten bisher nicht zu den bevorzugten Themen volkskundlicher Forschung" (*G. Wiegelmann* 1967), obwohl die vitale Relevanz dieser menschlichen Grundfunktion außer Frage steht. Aber in den letzten Jahren hat sich dies geändert (z. B. *A. Campbell* 1950; *W. von Stokar* 1951; *E. Burgstaller* 1958; *G. Ränk* 1966; *N.-A. Bringéus* 1971 b; *H.-J. Teuteberg* und *G. Wiegelmann* 1971). Es werden Alltags- und Festtagsspeisen mit einem breiten Fächer von Gemeinsamkeiten und Ungleichheiten im Pluralismus der Lebenswelten von Gruppe zu Gruppe unterschieden. Traditionen bestimmen die Basen der Ernährung, aber immer werden sie durch Neuerungen erweitert und verändert, hervorgerufen durch die Differenzierung und Ausdehnung der Produktion und des Handels, durch Kulturwandel und Modeeinflüsse. Damit stellen sich zahlreiche Fragen, so nach den Grundnahrungsmitteln wie Brot, Breispeisen, Kartoffeln usw., ihrer Herkunft und Stabilität, nach „Nationalgerichten" oder nach Austauschprozessen in der regionalen wie auch in der sozialen Dimension, wenn man z. B. an den Kaffee und seine Verbreitung in der „Welt der kleinen Leute" denkt (*G. Wiegelmann* 1967). Gegenwärtig bringen Welthandel und Touristik eine wachsende Internationalität der Speisen und Getränke bis in die breiten Schichten der „Normalverbraucher" mit sich.

b) Der Komplex der Subsysteme

Die breite Auffächerung nach kulturellen Sektoren im Arbeitsfeld der Volkskunde wird ergänzt durch eine formenreiche Differenzierung derjenigen Forschungszweige, die sich mit Subsystemen und ihren Sonderkulturen, mit „Subkulturen" (der Begriff wertfrei gebraucht) beschäftigen (*F. Sack* 1971). Der Akzent liegt dabei auf der gruppenhaften Existenz gemäß der ganzen Vielfalt der Gliederung, die unter dem übergreifenden Dach jeder Großgesellschaft vorhanden ist. Insbesondere hier zeigt sich die Bedeutung der Volkskunde in der Form empirischer Kulturwissenschaft als Ergänzung der Soziologie, vor allem dort, wo diese sich mit „Grundformen der Gesellschaft" (*R. König* 1958) wie Familie oder Gemeinde befaßt. Auch die Herausarbeitung von „Kulturräumen" im Sinne volkskundlicher Regionalforschung ist hier zu nennen. In den regionalen Lebenswelten spielen die Konzentrationen in den Gemeinden aller Größenordnungen (*H. Renner* 1965; *M. Biernacka* 1966; *D. Helmstaedter* 1967; *W. Roth* 1968; *H. Schwedt* 1968; *A. Weidmann* 1968; *L. Wylie* 1969 u. a.) bis zur Großstadt (*L. Schmidt* 1940; *H. Commenda* 1958 ff. u. a.) und insbesondere die Stadt-Land-Beziehungen mit den ineinander verwobenen Akkulturationsprozessen in Richtung auf eine mittlere Linie des Ausgleichs hin eine Rolle. Traditionelle landschaftlich-kommunale Zusammenhänge können als Bindekräfte menschlichen Erlebens zur Wirklichkeit und zum Symbol „Heimat" werden (*R. König* 1958; *I.-M. Greverus* 1972 u. a.). Und so gehört auch die wissenschaftlich orientierte „Heimatkunde" (u. a. *E. Strübin* 1952; *K. Löber* 1965; *J. Haug* 1969), soweit sie auf die Menschen und ihre Lebensformen gerichtet ist, in einen weitgesteckten Rahmen der Disziplin.

Die kulturellen Leistungen in Lebenswelten, deren Stilisierung von der wirtschaftlichen Basis aus erfolgt, sind ein Thema der Volkskunde, das zunächst die großen überlieferungsträchtigen Bereiche der Urproduktion: Ackerbau, Weinbau, Viehzucht, Waldnutzung, Jagd und Fischfang (u. a. *W. Schmitter* 1953; *Th. Hornberger* 1955; *P. Scheuermeier* 1956; *H. Grünn* 1960; *L. Földes* 1961; *W. Jacobeit* 1961; *R. Jeřabek* 1961; *R. Peesch* 1961; *J. Dünninger* 1962; *C. Irimie* 1965; *E. Fél* und *T. Hofer* 1969, 1972; *J. Grießmair* 1970; *R. Weinhold* 1973) und dann die Traditionen des Handwerks und aller seiner Sparten, den bürgerlich-mittelständischen und den dörflichen (*M. Rumpf* 1955; *R. Weinhold* 1958; *E. Plicková* 1959; *U. Wichert-Pollmann* 1963; *G. Spies* 1964; *H. Möller* 1969; *K. Göbels* 1971; *J. Naumann* 1972), umfaßt. Es gab ehedem manchen Versuch, die Volkskunde überhaupt auf das Agrarwesen und die bäuerlich-handwerkliche Sphäre zu beschränken. Aber solche Forderungen gehören einer Zeit an, in der es noch scheinen konnte, als seien Reservate möglich, Räume und Schichten der Bewahrung vor dem dynamischen Umsichgreifen des Industrialismus als universalen Prinzips.

Besondere Aufschlüsse für die geschichtlichen und funktionalen Übergänge zwischen Urproduktion, Handwerk und Industrie vermittelt die kultur- und sozialwissenschaftlich entfaltete Montanforschung (*G. Heilfurth* 1954, 1958, 1963, 1972; *G. Heilfurth* und *I.-M. Greverus* 1967; *J. Mjartan* 1956; *K. E. Fritzsch* und *F. Sieber* 1957; *F. Kirnbauer* 1958; *G. Korson* 1960; *K. Fojtík* und *O. Sirovátka* 1961; *J. Ligęza* und *M. Żywirska* 1964; *H. Wilsdorf* 1966; *P. Wolfersdorf* 1968; *K. M. Kommandantvold* 1971 u. a.). Von da aus ist das Problem „der Erhellung von Bestand und Wandlung der sozialkulturellen Elemente im Aufbau der industriellen Gesellschaft" (*G. Heilfurth* 1954) gestellt — ein komplexer Fragenkreis, der seitdem von vielen Seiten in Angriff genommen worden ist (*W. Brepohl* 1957, 1965; *R. Braun* 1960, 1965, 1970; *U. Bentzien* 1961; *H. Bausinger* 1961;*A. Steensberg* 1963/64; *W. Steinitz* 1965 u. a.) und auch das offene Thema „Arbeiterkultur" impliziert.

Weiterhin erbrachten volkskundliche Untersuchungen des Textilgewerbes mit seinen Übergängen von der Heim- und Verlags- zur Manufaktur- und Fabrikarbeit instruktive Einsichten in die Abläufe struktureller Umschichtungen (*R. Braun* 1960, 1965 u. a.), aus denen sich die Arbeiterschaft formiert hat sowohl mit Differenzierungs- als auch mit Anpassungsprozessen in ihren konkreten Lebensformen.

Die Erforschung der Arbeitnehmerexistenz wirft überall die Fragen der soziokulturellen Integration auf, ein von jeher wesentliches volkskundliches Thema, das sich nun im Industriesystem mit seiner hochgesteigerten gesellschaftlichen Mobilität speziell auf Probleme der wechselseitigen Adaptation, z. B. in der komplizierten Gastarbeitersituation (u. a. *R. Braun* 1970), aktualisiert.

Ansätze zur Industriegebietsvolkskunde (*W. Brepohl* 1957, 1965; *O. Skalníková* 1959; *K. Fojtík* und *O. Sirovátka* 1961 u. a.) erweisen sich namentlich dann als fruchtbar, wenn die sozialgeschichtliche mit der kulturwissenschaftlichen Betrachtungsweise sinnvoll verbunden ist, und infolgedessen die multivalenten Fakten sachgerecht interpretiert werden.

Die Vielfalt der kulturellen Subsysteme, die der Volkskunde zu erforschen aufgegeben sind, erweitert sich nach allen Seiten, wenn man solche Sozialformen ins Auge faßt wie Nachbarschaften, Genossenschaften und Landsmannschaften, Alters-, Glaubens-, Geselligkeitsgruppen usw. Auch die in Gang gekommene volkskundliche Vereinsforschung (u. a. *H. Schmitt* 1963; *H. Freudenthal* 1969) öffnet ein weites Spektrum in dieser Richtung. Die Auffächerung des Vereins- und Clublebens in allen seinen Verzweigungen nach Formen und Intentionen ist außerordentlich groß, und die regionalen und sozialen Unterschiede sind beachtlich. Ihre typische Struktur gehört der demokratisch-industriellen Epoche an, und es entspricht ihrem Wesen, daß sie „aus freier Initiative" entstanden sind. Gesang, Musik, Turnen, Sport und alle weiteren Arten von Hobbies, die in ihrer großen Variationsbreite unter den Oberbegriffen des Spiels und der Freizeitgestaltung subsumiert werden können, bilden das Ferment des Zusammenhaltes nach innen und außen.

In allen diesen Subsystemen zeigen sich zahlreiche Überschneidungen und Verflechtungen untereinander und hinsichtlich der jeweiligen Anteile der kulturellen Details. Wer dem Wesen von Kulturen und Subkulturen forschend nachgeht, der stößt auf Schritt und Tritt immer neu auf die menschlichen Grundfunktionen des Spiels (*J. Huizinga* 1940 u. a.) und der Arbeit (*G. Heilfurth* 1965

u. a.). Bei näherem Zusehen zeigt sich, daß beide Agentien für jedweden kulturellen Aufbau unentbehrlich sind, angefangen bei der Sozialisation und Enkulturation des Kindes („Kinderspiel" und „Kinderarbeit"). Es wird offenbar, daß sie sich nicht nur ergänzen, sondern auch strukturell miteinander zu tun haben, auch wenn es so scheint, als ob sie sich unversöhnlich gegenüberstünden. Beide Elemente und Antriebe durchwirken die Gesamtmuster jeder Lebenswelt und damit auch alle ihre Teile. Man spricht vom Zwang, von der Last und Mühsal der Arbeit und von der beglückenden und befreienden Kraft des Spiels. Aber beim Eindringen in die komplexen Struktur- und Funktionszusammenhänge stellt sich rasch heraus, daß die Stellenwerte vielfach auswechselbar sind. Die Untersuchungen über die „Arbeitsfreude" (*Chr. von Ferber* 1959 u. a.) und zu den verschiedenen Arbeitswelten haben deutlich gemacht, welche positiven Einstellungen zur Arbeit es gibt. Nicht selten zeigt sich auf der andern Seite, daß Spiel durchaus auch mit Ernst und Anstrengung zu tun hat bis hin zum harten Einsatz im modernen Leistungssport. Selbstverständlich gibt es auch eindeutige Gegensätze, z. B. die Zwangsarbeit des Proletariats und die Spielfreiheit der „leisure classes".

Sämtliche Lebensbereiche weisen jedenfalls realiter und normativ mit verschiedenen Akzenten eine unüberschaubare Mannigfaltigkeit an Arbeits- und Spielformen und -einstellungen auf, wo immer man mit der Durchleuchtung ansetzt. Auf die Relation von Arbeit und Spiel sowie deren von der jeweiligen geistes- und sozialgeschichtlichen Konstellation beeinflußten Bewertung wirkt sich die unter den Antrieben des Industrialismus einsetzende gewaltige gesellschaftliche Umschichtung nachhaltig aus. Man hat diesen tiefgreifenden Prozeß sozialkultureller Transformation, projiziert auf unser Thema, als Weg vom Arbeitsüberschwang zur „Freizeitheiligkeit" gekennzeichnet, nachdem die Freizeit als „Spielzeit" immer größeren Raum gewonnen hat. Daran ist soviel wahr, daß nach Zeiten einseitiger Akzentuierungen im gegenwärtigen Stadium Ausgleiche stattfinden, die uns ermöglichen, das Verhältnis von Arbeit und Spiel in ihren komplementären Anteilen an der Gestaltung der Kultur vom Bezugssystem „Arbeit und Freizeit" her neu zu durchdenken. Spiel und Arbeit, Arbeit und Freizeit gehören in ihrer Interdependenz zum unveräußerlichen Grundbestand der vita humana, auch wenn diese Äquivalenz im kleinen und großen immer wieder ideologisch und ethologisch verstellt worden ist bzw. wird.

III. Zu übergreifenden Fragen und Aufgaben

Die Volkskunde sieht sich heute, was ihren Gegenstand anlangt, vor einem „Geflecht der Interdependenzen", zu dessen Aufhellung das einfache Denkmodell der kausalen Beziehungen nicht mehr ausreicht. Man bedarf dazu Kategorien, die aus Naturwissenschaft und Technologie gewonnen sind, wie z. B. „Feedbackeffekt" oder „Funktionsparallaxe", insgesamt einer Begrifflichkeit, die sich beim tieferen Eindringen in die Seinszusammenhänge für alle Wissenschaften vom Menschen und seinen Lebenswelten aufdrängt.

Die Schwerpunkte der Forschung liegen weiterhin im Hauptarbeitsfeld des Faches: in der Aufdeckung der vielschichtigen und vielgliedrigen kulturellen Grundbestände und -prozesse einschließlich ihres Gestalt-, Inhalts- und Funktionswandels, die geschichtlich in verschiedenem Ausmaß durch nationale und gesellschaftliche Entwicklungen überformt sind. Es ist verständlich, daß diesem komplexen Phänomen gegenüber die Forschung, welchem Sachausschnitt sie sich im einzelnen auch immer zuwendet, methodisch in verstärktem Umfang eines kooperativ-synoptischen Verfahrens bedarf.

In den letzten Jahren hat die volkskundliche Forschung da und dort auf Teilgebieten Fortschritte erzielt, wenn auch das Gesamtbild, das das Fach darbietet, nicht einheitlicher geworden ist. Dazu sind die wissenschaftlichen Ansätze und Entwicklungen in den einzelnen Regional- und Sachbereichen zu heterogen. Erfreulich lebendig sind die Bestrebungen nach Diskussion, die in manchen Sparten zu fruchtbaren Erfahrungsaustauschen geführt haben. Zugleich blieben aber an vielen Stellen kontroverse Haltungen sichtbar, was keineswegs schadet, weil die wissenschaftliche Progression immer neu der produktiven Auseinandersetzung und attakkierender kritischer Fragestellungen von exponierten Punkten aus bedarf. Zahlreiche übergreifende Arbeitsverbindungen sind vor allem durch die internationale volkskundliche Bibliographie gegeben, die im Auftrag der Deutschen Gesellschaft für Volkskunde herausgegeben wird.

An diesem Nachschlagewerk mit dreisprachigen Überschriften (deutsch, englisch, französisch) wird einsichtig, welche Stoffmassen das Fach zu bewältigen sucht, wenn man den letzterschienenen Band daraufhin durchmustert. Die überquellende Masse an auch kleinsten Veröffentlichungen, die hier zusammengetragen ist, auch nur einigermaßen übersichtlich zu ordnen und in eine Art Bezugssystem zu bringen, ist eine höchst schwierige Aufgabe. Denn allein das Verzeichnis der herangezogenen Zeitschriften (und, was man hinzufügen muß, zeitschriftenähnlichen Periodica einschließlich Heimatblättern, -kalendern u. dgl.) erreicht nahezu die Zahl von 2000 Nummern. Der einleitende Teil der Bibliographie umschließt den Themenkreis I. „Gesamtvolkskunde" und befaßt sich im einzelnen mit Teilbibliographien, mit Geschichte und Arbeitsleistung des Faches, mit den vielfältigen interdisziplinären Berührungen und Überschneidungen und mit theoretischen und methodischen Problemen wie zusammenfassenden Abhandlungen und Miszellen (nach Sprachgebieten geordnet) über regionale, soziale und kulturelle Einheiten. Dann folgen in großen Kapiteln, breit aufgefächert, die Einzelgegenstände.

Zunächst gilt die Registrierung Objektivationen und Objekten der materiellen Kultur, jeweils systematisiert in größere Rubriken: II. „Siedlung"; III. „Bauten" (Wohn-, Wirtschafts-, Sakralgebäude); IV. „Sachen" (wie Möbel, Geräte, Denkmäler); V. „Zeichen" (Wappen, Hausmarken usw.). Daran schließt sich ein umfangreiches Sammelkapitel VI. „Technik, Berufe, Volkskunst und Volksindustrie" an, zunächst mit einer Unterteilung der Volkskunst und ihren verschiedenen Techniken und Formgebungen (Plastik, Zeichnungen, Malerei usw.), vorwiegend nach dem Gesichtspunkt des verwendeten Materials. Es folgen die Abschnitte über die Arbeitswelten in beruflicher Gliederung, an der Spitze die Handwerke mit ihren Verzweigungen, dann Land- und Viehwirtschaft, Waldbau, Gartenbau, Bienenzucht, Sammelwirtschaft, Jagd, Fischerei, Bergbau; dann werden Verkehr, Verkehrswege, Transport, Auswanderung, Märkte und Messen aufgeführt und im Anhang — man sieht das Dilemma einer sinnvollen Rubrizierung! — Kalender, Zeitrechnung, Maße, Geld. Merkwürdigerweise ist an dieser Stelle, den Gang des bibliographischen Ablaufes unterbrechend, ein Abschnitt über VII. „Charakteristik des Volkes, Volkstypen" eingeschoben. Nun wird der Faden wieder aufgenommen mit Rubriken über VIII. „Tracht, Schmuck" und IX. „Nahrung". Das nächste umfangreiche Kapitel befaßt sich mit X. „Sitte, Brauch, Fest und Spiel". Es enthält einen allgemeinen Teil, nach Sprachgebieten aufgefächert, und gliedert sich dann in folgende Abschnitte: Geburt, Taufe, Kindererziehung; Reifebräuche (Initiation); Liebe, Verlobung, Hochzeit; Tod und Begräbnis; Hausbräuche; Schulbräuche; Dorf- und Stadtleben; Landwirtschaftsbräuche; Bräuche der anderen Stände und Berufe; Vereine, Genossenschaften, Bünde, Zünfte; Kirchliche Bräuche und Feste; Kalenderbräuche; Spiel, Spielzeug und Unterhaltung; Varia.

Wiederum eingeschoben ist nunmehr ein Abschnitt unter dem Titel XI. „Soziale und rechtliche Volkskunde", ehe das nächste große Kapitel XII. „Volksglauben" folgt, worin alle Arbeiten zum religiösen Fragenkreis untergebracht sind, mit den Untertiteln: Bibliographie; Allgemeines über Religion, Magie, Aberglauben und Mythologie; Zusammenfassendes und Vermischtes; Mythos und Kultus (mit den Teilgebieten: Volksfrömmigkeit und Heiligenkult; Wallfahrt; Gegenstände der Volksfrömmigkeit [Kreuze, Krippen, Votive usw.]; Gebete); Vorzeichen und Orakel; Zauber und Gegenzauber (mit den Teilgebieten: Allgemeines und Zauberhandlungen; Hexen und Zauberer; Amulett, Talisman und Verwandtes; Zauber- und Segensformeln, Zauberliteratur) und mit einem Abschluß über „Einzelnes". Dann folgen Rubriken über XIII. „Volksmedizin" und XIV. „Volkswissen" (mit den Unterteilungen: Volkswissen im allgemeinen, Volksbotanik, Volkszoologie, Wetter- und Sternkunde, Astrologie, Wahrsagerei, Mantik, Traumdeutung, Alchemie).

Anschließend sind Arbeiten zu dem großen Komplex, der im engeren Sinn vielfach unter Folklore verstanden wird, registriert.

Zunächst findet sich hier ein allgemeiner Teil XV. „Literarische Volkskunde", dann ein nach Sprachgebieten untergliedertes großes Kapitel zu dem stoffreichen Gegenstand XVI. „Volkspoesie" (insbesondere Volkslied), dem ein Abschnitt über XVII. „Musik und Tanz, Jodler, Juchzer und ähnliches" folgt. Zu diesem übergreifenden Komplex zählen des weiteren die Kapitel XVIII. „Märchen, Erzählungen, Schwank, Sage, Legende", ferner XIX. „Volksschauspiel" und ein Anhang XX. „Sonstige Volksliteratur" (der noch nicht Erfaßtes wie Triviallesestoff, Fliegende Blätter, Erbauungsschrifttum u. a. registriert). Der nächste Abschnitt ist mit XXI. „Rede des Volkes" überschrieben und weist folgende Gliederung auf: Allgemeines und Vermischtes; Rätsel; Sprichwort und Redensart; Witz und Spott, Übernamen, Ortsneckerei; Ruf und Formel; Stimmendeutung; Volkstümlicher Wortschatz (im allgemeinen und Sondersprachen). Ein abschließendes Kapitel XXII. „Namen" verzeichnet, eingeleitet durch einen Vorspann „Allgemeines und Vermischtes", die Arbeiten zu Orts-, Flur-, Straßen-, Haus-, Vor- und Familiennamen.

Alles in allem spiegelt diese Inhaltsübersicht ein Konglomerat an Details in einer Reihenfolge, der man die Mühsal der Gewinnung eines Registrierungsschemas und der Einarbeitung immer neuen Titelmaterials ansieht. In der Tat hat es die Volkskunde überall mit der Erfassung, Ordnung und Aufbereitung komplexer Massen von Einzeldaten aus dem menschlichen Alltags- und Freizeitleben und seinen soziokulturellen Manifestationen zu tun. Deshalb bleibt der Aufbau von Ordnungssystemen in allen Sektoren der fachlichen Dokumentation, in erster Linie natürlich auch in der Fachbibliographie, eine vordringliche Aufgabe, die der gründlichen Lösung bedarf; sie verlangt eingehende Vorüberlegungen, und sie erfordert eine sorgfältige Festlegung 1. der Begriffe, der Terminologie, 2. der Ordnungsmerkmale, 3. der sachlichen Einteilung, der Klassifikation. In diesem Bericht ist nicht der Ort, ein solches volkskundliches Dokumentationssystem zu entwickeln, aber das Desiderat muß mit großem Nachdruck ausgesprochen werden. Für die wissenschaftliche Konsolidierung des Faches ist ein solcher Durchdenkungsprozeß lebenswichtig. Schon seit Jahren ist die Abstimmung und Kooperation mit der Internationalen Bibliographie für Kultur- und Sozialanthropologie empfohlen, die seit 1955 von der UNESCO in Paris ediert wird. Diese Zusammenarbeit und vielleicht Fusion sollte in Angriff genommen werden, um der Wirksamkeit und Stringenz dieses wichtigen fachlichen Instrumentes, aber auch um der Einsparung von Kräften und Mitteln willen, denn der bisherige Zustand reicht keineswegs aus, wenn das Fach seinen Standort inhaltlich und methodisch auf der Höhe der Zeit neu im interdisziplinären und internationalen Rahmen bestimmen will. Auch die zahlreichen regionalen Bibliographien stehen vor ähnlichen Schwierigkeiten in der sinnvollen Gliederung der Masse an Materialien, selbst dort, wo die volkskundliche Forschung erst im Aufbau begriffen ist, wie z. B. in Indien (*S. S. Gupta* und *S. Parmar* 1967). Jedenfalls verlangt die wissenschaftliche Weiterarbeit ein entschiedenes Anheben des Abstraktionsniveaus, damit dieser Misere durchgreifend begegnet und auf die Weise die dringend notwendige interdisziplinäre Zusammenarbeit, gefördert durch wechselseitige Information, vorangebracht werden kann.

Die vorliegende Form der Internationalen Volkskundlichen Bibliographie sucht das Material aus allen Bereichen der europäischen Sprachen einschließlich ihrer Verbreitungsgebiete außerhalb unseres Erdteils zu registrieren, eine Erfassungsleistung, die nicht hoch genug bewertet werden kann. Die Bibliographie zeichnet sich vor allem dadurch aus, daß sie, in der Schweiz redigiert, die Literatur aus beiden Hälften des Ost-West-Spannungsfeldes mit seinen teilweise heftigen ideologischen Zuspitzungen so vollständig wie möglich verzeichnet. Diese Überbrückungsaufgabe realisiert sich darüber hinaus in der Volkskunde trotz ihrer nicht selten introvertiert-nationalistischen Tradition durch mannigfache wissenschaftliche Bemühungen. Von beiden Seiten her sind fruchtbare Ideen in die Forschung eingebracht worden. Auf die ökonomisch-gesellschaftlichen Spannungen ist durch die historisch gerichtete Volkskunde stärker als früher Licht gefallen. Aus der Perspektive des Klassenkampfschemas stammen die Anregungen, die volkstümliche Lied- und Erzählüberlieferung auf ihre sozialkritischen Bestandteile zu untersuchen, so z. B. die Bauernklagen (*H. Strobach* 1964) und die Arbeiterlieder (*W. Steinitz* 1962, 1965), aber auch Sagen (*G. Schneidewind* 1960) und Schwänke (*S. Neumann* 1964). An vielen Stellen in West und Ost wird in großer Unvoreingenommenheit insbesondere die Erforschung der materiellen Kultur vorangebracht, ein Untersuchungsfeld, das in unserem Jahrhundert mit zunehmender Sicherheit und Aufgechlossenheit in Angriff genommen worden ist (*W. Jacobeit* 1965), je stärker die Volkskunde das opus humanum, um welchen größeren oder kleineren Bezugsrahmen es sich auch immer handelt, jedes Mal als komplexe Gesamterscheinung begriff und auch die Bedeutung der Arbeit zu würdigen begann (*G. Heilfurth* 1965; *G. Heilfurth* und

I. Weber-Kellermann 1967; *I. Weber-Kellermann* 1965 u. a.). Indessen zeigen sich im Spannungsfeld Ost-West natürlich auch Abweichungen hinsichtlich der Konzeptionen, die mit den verschiedenen Auffassungen vom Menschenbild wie vom Leben und seinem Sinn, aber auch mit den verschiedenen gesellschafts- und kulturpolitischen Vorstellungen und Systemen wie mit der Ideologieanfälligkeit des Faches einerseits und seiner ideologischen Okkupation andererseits zusammenhängen. Überdies sind in einer Wissenschaft, in der die Regionalforschung eine wesentliche Funktion hat, die Horizonte oft durch Impulse des Territorialismus und des Provinzialismus eingeengt.

Blickbegrenzungen kommen auch in den verschiedenen überregionalen und -nationalen Bestandsaufnahmen und Informationen zum Vorschein. Wir sind infolgedessen noch weit davon entfernt, einen kritischen Überblick über den gesamten Forschungsstand zu besitzen. Alle größeren Übersichten leiden darunter, daß die Vorstellungen vom Aufgabenfeld der Disziplin nach wie vor differieren. So entstehen Teilbilder z. B. dort, wo sich das Fach noch immer vorwiegend als Folklore-Forschung im engeren Sinn nur mit mündlich tradierten und innovierten Äußerungen wie Volkssprache, Volkslied, Volkserzählung, bis hin zu Volksglauben und Volksbrauch befaßt, wie etwa in den USA. Von dort ist unter dem „North American point of view" der Versuch gemacht worden, den großen Problemkreis „Folklore Research Around the World" durch ein Sammelwerk mit monographischen Darstellungen zu allen fünf Erdteilen zu umreißen (*R. M. Dorson* 1961). Aus welchen Gründen auch immer fehlen darin jedoch wichtige nationale Forschungsbereiche wie z. B. Frankreich und Teile von Ost- und Südosteuropa. Dagegen ist erfreulich, daß außer Europa und Amerika auch die anderen Kontinente bis zu einem gewissen Grade einbezogen sind, die im allgemeinen erst in jüngerer Zeit autochthone volkskundliche Akitivitäten aufweisen (*R. M. Dorson* 1961, 1963; vgl. weiter *T. Ohmachi* u. a. 1962; *S. S. Gupta* und *S. Parmar* 1967; *Lou Tsu-k'uang* 1970 ff. u. a.). Notgedrungen leidet eine solche Gesamtüberschau nicht nur daran, daß sie unter den gegebenen Verhältnissen fragmentarisch bleiben muß, sondern darüber hinaus an Qualitätsunterschieden der Beiträge, die auch auf dem in volkskundlichen Publikationen bis heute nicht seltenen Nebeneinander von aphoristisch-beschreibenden Darstellungen und wissenschaftlichen Analysen im strengen Sinn beruhen.

Ähnlich angelegt, aber auch ähnlich behindert wie dieser Überblick von Amerika aus, ist ein deutscher Versuch, nach Ländern gegliedert „Beharrung und Wandel der europäischen Volkskultur in der Gegenwart" darzustellen (*T. Gebhard* und *J. Hanika* 1963). Die Beiträge sind auch hier sehr verschieden konzipiert und akzentuiert, so daß sie in der Behandlung des Stoffes oft stark variieren und nur teilweise von einer gemeinsamen Basis bestimmt sind. Wieder ist der Osten nicht ausreichend berücksichtigt, und der Beitrag über die UdSSR fällt aus dem sonstigen Rahmen des Sammelwerkes heraus: Wissenschaft und kulturpolitische Praxis werden in ihren Verquickungen, durch die ideologischen Leitvorstellungen des herrschenden Systems bedingt, beleuchtet. Wie unzulänglich die Voraussetzungen für einen Ausbau des Faches unter komparatistischen Gesichtspunkten noch immer sind, zeigt die resignierende Feststellung der Herausgeber: „Auch abgesehen von den terminologischen Schwierigkeiten wäre die Erarbeitung einer vergleichenden Volkskunde Europas noch sehr verfrüht, da das Material in den einzelnen Ländern bis jetzt höchst ungleich zur Verfügung steht." An dieser Stelle gilt es, durch die Förderung der supranationalen wissenschaftlichen Kooperation auch über die Barrieren Ost-West hinweg künftig energisch weiterzuarbeiten.

Auf die westliche Hemisphäre begrenzt ist ferner ein internationales Fachwörterbuch zur europäischen Volkskunde (*Å. Hultkrantz* 1960), veröffentlicht unter Förderung durch die UNESCO. Ein solches Unternehmen ist nicht nur für die wissenschaftlichen Begriffsklärungen wichtig, sondern zugleich für die Abstimmung der verwirrend uneinheitlichen Nomenklatur und der von Volk zu Volk aus unterschiedlichem cultural background divergierenden Terminologien, die für die Einheit der Disziplin weiterhin ein besonderes Problem darstellen. Das Nachschlagewerk bemüht sich um die Zusammenstellung der englischen, französischen, spanischen, deutschen und schwedischen Bezeichnungen und Begriffe. Wenn auch das Wörterbuch im einzelnen da und dort Schwächen aufweist, muß seine Herausgabe aber im ganzen vom Gesichtspunkt der Förderung wissenschaftlicher Kommunikation begrüßt werden. Bedauerlich ist wiederum, daß Osteuropa mit seinem reichen volkskundlichen Forschungsbetrieb und zahlreichen neuen, z. T. ideologielastigen Ansätzen unberücksichtigt geblieben ist und infolgedessen z. B. die Vermerke so wichtiger Komplexe wie „Sozialkritik" oder „Arbeiterkultur" fehlen, die nach dem Zweiten Weltkrieg insbesondere aus marxistischen Vorstellungen genährt worden sind.

Gewissermaßen als Gegenposition steht auf der anderen Seite das Referatenorgan „Demos", das sich ausschließlich auf die volkskundliche Arbeit in Albanien, Bulgarien, der Deutschen Demokratischen Republik, Jugoslawien, Polen, Rumänien, der Sowjetunion, der Tschechoslowakei und Ungarn beschränkt. Es erscheint halbjährlich und bietet, im allgemeinen in deutscher Sprache, auf der Basis einer sorgfältig registrierenden Redaktion in Dresden detaillierte Übersichten und Inhaltsangaben der volkskundlichen Veröffentlichungen einschließlich der Zeitschriftenaufsätze in diesen Ländern, gegliedert in drei Abschnitte: 1. Allgemeines; 2. Nationen, nationale, regionale und soziale Gruppen, darunter die Rubriken „interethnische Beziehungen", „das alte Dorf", „das sozialistische Dorf", „der Industriearbeiter"; 3. Sachgebiete. Außerdem berichtet es jeweils über die einschlägigen Institute und Museen, Personalien, Tagungen und Ausstellungen. So ist die Möglichkeit geschaffen, sich anhand einer übersichtlichen Anordnung über das volkskundliche Geschehen in den beteiligten Ländern zu orientieren, eine wichtige und dankenswerte Leistung angesichts der Tatsache, daß es sich hier um die Erschließung einer schon infolge der sprachlichen Vielfalt oft schwer zugänglichen Literatur handelt. Das Organ trägt so ausgezeichnet zur notwendigen wissenschaftlichen Kommunikation bei, fördert aber besonders den internen Zusammenhalt innerhalb des abgesteckten Gebietes, womit allerdings zugleich eine bedauerliche Einengung des Blickfeldes in den politisch-ideologisch bedingten und gesetzten Grenzen gegenüber dem Westen verbunden ist. Eine Wissenschaft, die so stark auf eine die staatlichen Schranken übergreifende kooperative Betrachtungsweise angewiesen ist wie die Volkskunde, muß eine solche Begrenzung besonders schmerzlich empfinden, dies um so mehr, als die Scheidelinie mitten durch Zentraleuropa geht, dessen kultureller Zusammenhang gemeinsame Untersuchungen erfordert. Die Zeitschrift „Demos" führte am Anfang ihres Bestehens den Zusatztitel „Volkskundliche Informationen" und folgte damit der Terminologie, die zur Bezeichnung des Gesamtfaches seit langem in den deutschsprachigen Gebieten üblich ist und zwar unter Einbeziehung sowohl der „geistigen" wie der „materiellen" Kultur im Volks- und Völkerleben. Später haben die Herausgeber die Kennzeichnung in „Ethnographische und folkloristische Informationen" geändert und sich damit der Zweiteilung des Forschungsgebietes angeschlossen, die sich bedauerlicherweise, selbst bis in die Benennung von Lehrstühlen und Forschungseinrichtungen, nicht nur in Osteuropa, sondern auch anderwärts eingebürgert hat, wobei mit ethnographisch die Erforschung der materiellen, mit folkloristisch die der immateriellen Kultur angesprochen ist. Diese künstliche Doppelpoligkeit eines zweifellos von Gegenstand und Aufgabe her nicht trennbaren funktional-strukturellen Sach- und

Sinnzusammenhangs ist zwar vielfach noch in Gebrauch, wird aber aus Gründen der Forschungsintegration überwunden werden müssen.

Im Bereich der Sowjetunion mit ihrer ethnischen Vielfalt (vgl. dazu u. a. *Z. Rudy* 1962) haben wir ein besonders markantes Beispiel für die Lenkung der Volkskunde im Rahmen einer bestimmten Programmatik vor uns. Es sei hier näher darauf eingegangen, weil das Thema im allgemeinen entweder ausgeklammert (*Å. Hultkrantz* 1960 u. a.) oder ohne die notwendigen Bezugspunkte behandelt wird (*T. Gebhard* und *J. Hanika* 1963 u. a.). Dem Fach wurde von der Partei- und Staatsführung aufgetragen, das kulturelle Erbe auf seine Bestandteile hin zu untersuchen und zu sichten, und zwar nach Maßgabe dessen, was nach der Oktoberrevolution die bestimmenden ideologischen Richtlinien vorschrieben. Die betreffenden Leitgedanken innerhalb der herrschenden Ideologie rückten nach *S. A. Tokarew* den Begriff der „nationalen Kulturen" und ihres Umbaus nach „der Diktatur des Proletariats" in den Mittelpunkt der Überlegungen und zwar auf Grund des prinzipiellen Unterschiedes, den sie zwischen „bürgerlichen" und „sozialistischen" Nationen machen; diese bilden sich gemäß der Ideologie „nach dem Sturz des Kapitalismus und der Errichtung der Sowjetordnung" und bedürfen nun des Engagements der zuständigen offiziell eingesetzten Wissenschaft.

„So wurde also die Entwicklung der nationalen Kulturen und demzufolge auch ihre Erforschung von einer Liebhaberei einzelner zu einer sehr wichtigen staatlichen Aufgabe, wobei jede nationale Kultur im Gesamtkomplex ihrer konkreten Formen allseitig und ernsthaft studiert wurde. Jedoch stellt nicht die gesamte traditionelle Kultur eines Volkes, die von der Vergangenheit ererbt wurde, etwas Wertvolles dar, das herausgearbeitet und weiterentwickelt werden soll. Lenin wies im Gegenteil noch in den Jahren vor der Revolution darauf hin, daß es im Grunde genommen in jeder nationalen Kultur zwei verschiedene Kulturen gibt: eine bürgerliche Kultur, die gleichzeitig die herrschende ist, und ‚Elemente einer demokratischen und sozialistischen Kultur'. Nach dem Siege des Sozialismus verwandelten sich gerade diese ‚Elemente' der demokratischen und sozialistischen Kultur in die herrschende Kultur des Volkes. Aber in ihr erhalten sich auch Reste der alten, rein bürgerlichen Kultur, deren Weiterentwicklung und Belebung bei weitem nicht im Interesse des werktätigen Volkes liegt. Die nützlichen von den schädlichen Elementen der alten Kultur zu trennen, das Wertvollste in dem traditionellen Kulturerbe eines Volkes herauszuheben, die zweckentsprechendsten Formen und den Entwicklungsweg alles dessen aufzufinden, was an diesem Erbe wertvoll ist — das war die äußerst wichtige und ehrenvolle Aufgabe, die den sowjetischen Gelehrten, vor allem den Ethnographen, den Spezialisten für die einzelnen Völker der UdSSR, gestellt wurde" (*S. A. Tokarew*).

Diese Form der pragmatischen Forschung mit dem Ziel, die volkstümliche Überlieferung als „kulturelle Lebensäußerung der breiten Massen" sichtbar und der „kulturellen Massenarbeit" zur politischen Bewußtseinsbildung dienstbar zu machen, kam mehr und mehr zur Auswirkung. Dem Stand der gesellschaftlichen Entwicklung entsprechend galt die Aufmerksamkeit zunächst vornehmlich den „werktätigen Bauern". Mit der Industrialisierung lenkten die zuständigen Stellen die Bemühungen des Faches auch auf die „Arbeiterklasse", wobei man sich vor die Schwierigkeit gestellt sah, daß dafür die herkömmlichen Methoden nicht ausreichten und es erst neue Untersuchungsverfahren zu entwickeln gälte. Nach dem Zweiten Weltkrieg setzte dieser Forderung gemäß auch in allen Staaten der sowjetischen Einflußsphäre eine lebendige Aktivität ein, oft unter Anknüpfung an die traditionelle Forschung. Um an überlieferungsintensive Objekte des neu gesetzten Forschungsthemas „Arbeiterkultur" heranzukommen, hat man vielfach mit Untersuchungen im Bergbau begonnen. Überall erlebte unter diesen Auspizien die Volkskunde im Vergleich zu den Verhältnissen in der westlichen Welt eine ausgesprochen bevorzugte staatliche Förderung, von der eine Fülle von Publikationen Zeugnis ablegt.

Die letzten allgemeinen Äußerungen „zur Aufgabenstellung der marxistischen Volkskunde im entwickelten gesellschaftlichen System des Sozialismus" stammen aus der DDR (*W. Jacobeit* 1971) und betonen den Zwang „zu einer tieferen Fundierung des Faches durch die Erkenntnisse des historischen Materialismus und damit zur eindeutigen Integrierung in die marxistisch-leninistischen Geschichtswissenschaften". Das „volkskundliche Erkenntnisziel" wird wie folgt formuliert: „Erforschung der Wesensmerkmale und Entwicklungsgesetze von Kultur und Lebensweise der werktätigen Klassen und Schichten in den Gesellschaftssystemen des Feudalismus, Kapitalismus und Sozialismus unter besonderer Berücksichtigung der schöpferischen Rolle und Bedeutung der Werktätigen sowie ihres Anteils am Kulturfortschritt." Dabei wird mit Nachdruck darauf hingewiesen, daß die theoretische Weiterarbeit ideologisch gelenkt werden und damit in kulturpolitische Praxis einmünden müsse — gerade dies ist akzentuiert.

Überall zeigt sich in Ost und West, daß die Gegenstände der Volkskunde, die man gern als „Grundformen" oder „einfache Formen" (seit *A. Jolles* 1929) bezeichnet, spröder, schwieriger, problematischer sind, als man sich zunächst vorgestellt hat, oft in Verwechslung von volkskundlicher Erforschung und bloßer impressionistischer Erfassung oder Beschreibung. Sofern man die Sachverhalte, um die es sich handelt, nicht aus ihrem Kontext herausschneidet, erweisen sie sich als kompliziert, variabel und beziehungsreich. Das offenbart sich bei jeder reflektiven Aufarbeitung von Teilen der Stoffülle und des Faktengewebes, mit denen es die Volkskunde ja immer zu tun hat. Der Pluralismus der soziokulturellen Konfigurationen, welchen frame of reference man auch ins Auge faßt, ist groß, und ihre Elemente sind vielfältig und unterschiedlich, auch wenn man sie auf ihre Primärstrukturen und -prozesse zurückführt, wie das allgemein in der Volkskunde geschieht oder zumindest mehr oder weniger schlüssig versucht wird. Ihre Erforschung erfordert angesichts der funktionalen Interdependenzen, die insgesamt oder partiell vorliegen, fachübergreifende Kooperation, dann jedenfalls, wenn man sich nicht auf losgelöste und elementare Objekterfassung beschränkt. Auf großen Strecken ist in der Volkskunde freilich weder die neuere soziologische noch die anthropologische Literatur in genügendem Ausmaß rezipiert worden, so daß hier weithin Desorientierung vorherrscht, auch wenn oft das Gegenteil behauptet wird. Besonders groß ist der sozialwissenschaftliche Nachholbedarf.

Theorie und Methodik der Volkskunde sind in der letzten Zeit von verschiedenen thematischen und regionalen Gesichtspunkten her gefördert worden (u. a. *A. H. Krappe* 1962; *E. Legros* 1962; *P. Toschi* 1962; *K. S. Goldstein* 1964; *A. Dundes* 1965; *S. Svensson* 1966; *M. Pop* 1967; *P. Zinsli* 1968; *H. Bausinger* 1972) ebenso wie in nationalen Gesamtdarstellungen und Bestandsaufnahmen (u. a. *R. M. Dorson* 1959; *J. Burszta* u. a. 1960 ff.; *H. Moora* und *A. Viires* 1964; *K. Moszyński* 1967/68; *J. H. Brunvand* 1968; *A. Melicherčík* u. a. 1968; *G. Vrabie* 1968; *Ch. Vakarelski* 1969; *G. Ortutay* 1972), ohne daß es zu einer grundlegenden Aufarbeitung der volkskundlichen Methoden gekommen wäre. Unverkennbar ist die wachsende Bedeutung der von der empirischen Sozialforschung entwickelten Vorgehensweisen für die Aufhellung der kulturellen Vielfalt in den Ausformungen und Verflechtungen menschlichen Zusammenlebens. Dazu kommt die Anknüpfung an wichtige theoretische Erkenntnisse der Geisteswissenschaften, die in die moderne Kulturanthropologie mit ihrer interdisziplinär integrierenden Tendenz einmünden (u. a. *W. E. Mühlmann* 1962, 1964, 1966; *R. König* und *A. Schmalfuß* 1972). Weitergehende Erkenntnismöglichkeiten bieten sich durch Heranziehung junger Wissenschaftszweige wie der Verhaltensforschung, der Sozial-, Tiefen- und Parapsychologie in Verbindung mit der Archetypen-, Mythen- und Symbolforschung, aber auch mit der besonders im Ausbau begriffenen Sachgutforschung. Zugleich hat das Fortschreiten der historisch orientierten Volkskunde, insbesondere durch die weitere Erschließung archivalischer Quellen, zu neuen Einsichten und Resultaten geführt. „Sie erstrebt im Gegensatz zu relativen Zuordnungen wie später oder früher, jung, alt oder uralt, vorchristlich oder christlich, vorbäuerlich, bäuerlich oder bürgerlich eine absolute Chronologie der Entwicklung der Volkskultur als Ganzes oder ihrer Einzelerscheinungen, d. h. eine genaue Erfassung ihres Ablaufes, ihrer Innenkräfte und der Impulse, die von außen her auf sie einwirken" (*K.-S. Kramer*). Die Analyse der geschichtlichen Voraussetzungen, Veränderungen und Entwicklungstendenzen ist in bestimmten Überlieferungsbereichen, auch in bisher vernachlässigten Teilgebieten, durch exemplarische Einzelstudien (*R. Braun* 1960, 1965; *K.-S. Kramer* 1967 u. a.) mit verfeinerten Vorgehensweisen erweitert worden.

Im Laufe der Jahre ist eine Anzahl zentraler und regionaler Sammlungen von „Volksüberlieferungen", von soziokulturellen Daten, Archive und Museen, für die einzelnen volkskundlichen Teilgebiete in vielen Ländern entstanden, ohne systematische Vollständigkeit, denn hinter jeder Gründung stehen im allgemeinen persönliche Initiativen. Die wissenschaftliche Aufbereitung und Erschließung dieser Sammlungen ist im Gange. Wichtig ist, daß hier für Forschungszwecke Materialgrundlagen zur Überprüfung und Ergänzung eigener Erhebungen und zur Einordnung der Ergebnisse in größere Zusammenhänge zur Verfügung stehen bzw. gestellt werden. Außerdem ermöglichen diese Sammlungen im vergleichenden Verfahren das Verfolgen der Strukturveränderungen in den einschneidenen Transformationsprozessen unserer Zeit. Was weithin fehlt, ist eine Abstimmung der Sammlungen bezüglich ihrer Anlage und Ordnungssysteme als „Datenbänke", damit eine interregionale und -nationale komparatistische Forschung auf vergleichbaren Materialbasen in Gang kommen kann.

In diesem Zusammenhang sind natürlich auch die Faktensammlungen der Volkskundeatlanten von Bedeutung; ihr Ausbau ist weiterhin notwendig. Die schon existierenden bzw. im Werden befindlichen Atlanten (in Deutschland, den Niederlanden, Österreich, Polen, Schweden, der Schweiz usw., auch der UdSSR) drängen auf ein internationales Kartenwerk, das sich in Europa über die Ost-West-Grenze hinweg in Planungsarbeit befindet. Freilich ergeben sich für die volkskundliche Kartographie zahlreiche Probleme, weil sich komplexe Handlungen, Funktionen und Prozesse der zeichnerischen Fixierung sperren und eine Zerlegung solcher Sinneinheiten wie Glaubens-, Brauch-, Spiel- oder Arbeitsvollzüge usw. in ihre Einzelteile der Wirklichkeit nur schwer gerecht werden kann. Innerhalb dieser Begrenzung bleiben aber die Karten wichtige Hilfsmittel, um Bewegungen und Beharrungen sozialkultureller Erscheinungen zu studieren. Es hat sich gezeigt, daß die Karten genauer Erläuterungen bedürfen, wenn sie für die wissenschaftliche Allgemeinheit benutzbar sein sollen. Notwendig ist auch, daß die Kommentare in kritischen Analysen über das zugrundegelegte Material und seine Aufnahmeverfahren berichten, damit die Quellensicherheit kontrollierbar bleibt.

Die Aufdeckung von Wanderungen kultureller Elemente aller Art hat verdeutlicht, daß sie keineswegs immer an sprachliche Grenzen gebunden sind, sondern diese oft durchstoßen bzw. überfluten. Schon *R. Meringer* hat darauf aufmerksam gemacht, daß das vorindustrielle Europa „Kulturkreise" aufweise, „die von den Sprachen vollkommen unabhängig sind" (*B. Schier* 1966), wie sich z. B. an Verbreitungsgebieten von Bauernhaus-, Geräte-, Brauchformen usw. zeigen läßt, „entgegen der romantisch-nationalistischen Auffassung, welche Sprachlandschaft und Kulturlandschaft geradezu gleichsetzt" (*R. Weiss* 1959). Infolgedessen gilt es beim Aufspüren von Kulturbewegungen und Kulturbeharrungen stärker als bisher nach den sozial- und kulturhistorischen Konfigurationskräften zu fragen. Die komplexen Probleme der „Völker"-Kontakte (z. B. *Alpes orientales* 1959 ff.; *R. Th. Christiansen* 1962; *B. Gunda* 1966 u. a.), ihrer sozialkulturellen Niederschläge und Spiegelungen sowohl der Gemeinsamkeiten als auch der Unterschiede gehören hierher. Sie implizieren auch das schwierige und umstrittene Anliegen der National- und Ethnocharakterologie (*H. C. J. Duijker* und *N. H. Frijda* 1960 u. a.), das durch die Arbeiten an einem „Dictionnaire Encyclopédique des Populations de l'Europe" unter Berücksichtigung von Ergebnissen volkskundlicher Regionalgruppenforschung und der Völkerpsychologie (*A. Miroglio* 1971) vorangebracht wird.

Entscheidende Anstöße und Fortschritte der Volkskunde insgesamt, sich dem Problem der Akkulturation, das ja für die empirische Forschung, insbesondere in den USA, schon länger einen wichtigen Untersuchungsgegenstand bildet, aufzuschließen, brachte die Zeit nach dem Zweiten Weltkrieg mit ihren massenhaften Bevölkerungsbewegungen und -umgruppierungen, die ja alle bisherigen Mobilitäts- und Migrationsprozesse im Zug der Industrialisierung und Demokratisierung an Ausmaß und Wirkung weit übertroffen haben. Die Volkskunde hatte sich zwischen den beiden Weltkriegen in Verfolg der Aufdeckung von kulturellen Relikträumen, von Kulturwanderungen und -übertragungen intensiv mit Fragen der Sprachinselforschung befaßt. In der Flüchtlings- und Vertriebenenforschung wurden diese Probleme nunmehr dialektisch aufgefangen. Damit im Zusammenhang ist die Klärung der interkulturellen Beziehungen aus dem Geist wissenschaftlicher Unvoreingenommenheit und supranationaler Zusammenarbeit neu gefordert.

Auf der einen Seite steht die Aufgabe, den Schwund an traditionellen Lebenserscheinungen bis hin zum Untergang autochthoner Kulturformen zu beobachten, ein Phänomen also, das die Volkskunde von jeher im Zusammenhang mit Landflucht und Verstädterung beschäftigt hat, das sich aber nun mit bisher unbekannter Wucht stellte und zur Überprüfung der Methoden zwang. Andererseits ergab sich das Problem, die Umstrukturierungen und Neubildungen, die durch kulturelle Adaptions-, Integrations- und Vermischungsprozesse aller Art zustande kamen, zu erfassen, zu kategorisieren und zu interpretieren. Es wurden dafür Arbeitshypothesen entwickelt und systematische Themen- und Fragepläne innerhalb einer Forschungsanleitung aufgestellt (*J. Hanika* 1957; *H. Bausinger, M. Braun, H. Schwedt* 1963 u. a.), die durch den Austausch der internationalen Erfahrungen auf dem Gebiet weitere Entfaltung erfuhren (z. B. *J. Burszta* 1964; *U. Tolksdorf* 1967; *H. Grünn* 1968). Mitteleuropa und viele Teile der Welt sind für diese Probleme gegenwärtig riesige zeitgeschichtliche Laboratorien, und die einschlägigen Bemühungen bedürfen dringend der vermehrten und intensivierten Forschungsarbeit, weil es gilt, bei der Beobachtung und Untersuchung dieser drängenden Vollzüge keine Zeit zu verlieren, zumal hier Gesellschafts- und Kulturpolitik allenthalben auf die Ergebnisse wissenschaftlicher Untersuchung angewiesen sind. Diese Probleme sollten insbesondere mit der völkerkundlichen Forschung in der Dritten Welt in möglichst enge Arbeitsverbindung gebracht werden, weil sich durch die Ausbreitung des industriell-technischen Systems dort die Fragen der Akkulturation und Enkulturation zwar in anders gelagerten Konstellationen unter sehr verschiedenen Voraussetzungen, aber mit der gleichen Heftigkeit im Ansturm des sozialen und kulturellen Wandels stellen. Die spezifischen Vorgänge im Gefolge der Industrialisierung, die sich im europäisch-nordamerikanischen Bereich über Generationen erstreckten, vollziehen sich dort wie im Zeitraffer gleichsam über Nacht. Das Studium dieses soziokulturellen „Erdrutsches", der die Formel „Dynamik des Kulturwandels" (*B. Malinowski* 1946) inzwischen durch die Realität um ein Vielfaches übertroffen hat, eröffnet von der Basis her Einsichten, durch die eine Reihe tiefgreifender Prozesse, umschrieben durch Begriffe wie Kulturzusammenstoß, -konflikt, -überwältigung, aber auch -isolierung besser aufgehellt werden können.

Das Eindringen in die Wissenschaftsgeschichte konfrontiert immer wieder mit dem Problem der „angewandten Volkskunde“, d. h. mit der Verwertung volkskundlicher Forschungsergebnisse für die Praxis „volkstümlicher Kulturgestaltung“ im weitesten Sinne. Das Problem ist so alt wie die Volkskunde selbst. Neben der wissenschaftlichen Tatsachenfeststellung lief das Bemühen um Erhaltung und Erneuerung der ermittelten Fakten her, gleichviel, ob es nun Lieder, Märchen und Sagen, Bräuche, Trachten oder Embleme und Gebilde der Volkskunst waren. Immer fanden sich Kräfte, die sie für die Aufgabe der Popularisierung, der Erbauung, Geselligkeit und Unterhaltung zurechtmachten. So ist die „Volksüberlieferung“, die in ihrer Verfügbarkeit nicht durch Autorenrechte eingeengt ist, ein stets beliebter Tummelplatz und eine äußerst ergiebige Fundgrube für die „trouveurs“ verschiedenster Provenienz geworden, angefangen von den Jahrmarkts- und Bänkelsängern bis hin zu den Arrangeuren der Schlagerproduktion, der Folksong-Vorführung und des Show-Business, d. h. also der Kulturindustrie überhaupt. In einem ironisierenden Wortspiel sind solche abgeleiteten Formen, die in diesem Rahmen unter der Signatur „Folklore“ erscheinen, in den USA als „Fakelore“ bezeichnet worden: „Fakelore falsifies the rough data of folklore by invention, selection, fabrication“ (*R. M. Dorson* 1959). Die volkskundliche Diskussion über solche Fragestellungen ist in den letzten Jahren unter dem Begriff „Folklorismus“ in Gang gekommen. „Er ist nicht streng definiert, bezeichnet weniger klar umschriebene Attribute als eine bestimmte Richtung: die Richtung einer Volkskultur aus zweiter Hand. Er zielt auf den weitverbreiteten Sachverhalt, daß Folklore — und zwar Folklore im weitesten Sinne, nicht etwa nur die sprachliche Überlieferung — in Zusammenhängen erscheint, in die sie ursprünglich nicht gehörte ... der Folklorismus hält ein altmodisches Angebot fest, neben dem sich — völlig unabhängig und unbeeinflußt davon — die wichtigeren Entwicklungen abspielen. Dabei ist es nicht etwa so, daß der Folklorismus überwiegend Bestandteil der primären Kommunikation ist, während der andere Part der Kultur von den Medien der Kulturindustrie übernommen wurde. Der Folklorismus ist vielmehr voll in diese integriert ... Der Folklorismus scheint Kultur in einen Bereich des Ursprünglichen zu retten; er widerspricht der Verbindung zwischen Kultur und Industrie, der er doch in Wirklichkeit sein Gewicht verdankt“ (*H. Bausinger* 1972). Jede kulturelle Erscheinung kann — aus sehr unterschiedlichen Gründen — diesem Prozeß ausgesetzt sein, der durch das weltweite Anwachsen des Tourismus immer globaler wird. Es ist nicht Aufgabe der Volkskunde, ihn zu betreiben oder zu verhindern, sondern zu erforschen.

Das Odium der Grenzverwischungen zwischen theoretischer und angewandter Wissenschaft hat die Volkskunde lange Zeit belastet, insbesondere dann, wenn sich ihrer totalitäre Systeme bemächtigen. Der Einfluß solcher Versuche erstreckt sich auf den ganzen Umkreis einer solchen Disziplin wie der Volkskunde mit einem breiten Gefälle zum Allgemein-, Massen- und Halbbildungsschrifttum. Diese subwissenschaftliche Literatur, die sehr umfangreich ist, ist inzwischen selber zu einem Gegenstand der Forschung geworden, wie auch die Massenkommunikationsmittel (*G. Maletzke* 1963 u. a.), die Folklore aller Art ausstrahlen, aktualisieren und infiltrieren. Auch die „Fakelore" ist — wie das Phänomen des „Kitsches" — ein solches Forschungsobjekt. Denn inmitten der mannigfachen kulturellen Assimilierungs- und Nivellierungsprozesse, die durch die massenmedialen Möglichkeiten des industriell-technischen Systems im Zuge der Demokratisierung ständig an Intensität zunehmen, werden solche Formen zu Bestandteilen der „Massenkultur", ebenso wie die von der Traditionsforschung aufgehellten Fakten, wenn sie in den Elementen der Nachahmung und entsprechender Produkte zur Befriedigung der Bedürfnisse nach Unterhaltung im Zeitalter wachsender Freizeit aufgehen. Es ist in diesem Zusammenhang den Stimmen recht zu geben, die nicht von vornherein die Erscheinungen der „popular culture" mit Wertung, d. h. hier mit Abwertung, verbinden. Die normale Kulturkritik macht es sich damit zu einfach. Das zeigt sich gerade an den Formen, die von bestimmten Positionen aus als „Kitsch" eingestuft werden, ohne daß man sieht, geschweige denn sich in einem Interpretationsrahmen um die Frage bemüht, ob damit nicht im Alltag für viele Menschen durch Daseinsumschichtungen entstandene Leerräume befriedigt werden, die keineswegs mehr durch „herkömmliche Kultur" ausgefüllt werden können. Es steht außer Zweifel, daß „popular culture" in ihrer weiten Äußerungsskala immer wieder und an unzähligen Stellen diese Funktion übernimmt und übernehmen muß, weil keine andere Lösungsmöglichkeit vorhanden ist. Vieles von dem, was man ehedem unter „Volkskultur" verstand, ist heute im Prozeß der Vervielfältigung, durch den alles allen verfügbar gemacht wird, „Allerweltskultur" geworden, die den Konsumenten durch industrielle Herstellung und Verkauf vermittelt wird, gleichviel um welche Sparte es sich handelt, um Schlager oder Kleidung oder Fahrzeuge oder Speisen. Der Warencharakter steht dabei im Vordergrund. Vieles kommt über maschinelle Medien unter die Leute. Ein hochdifferenzierter Apparat an Werbung macht die Dinge „mundgerecht". Die Versorgung durch Eigenproduktion ist auf ein Minimum herabgesunken. Dennoch oder zugleich, wie man will, bestehen und entstehen auch in der modernen Konsum- und Anpassungsgesellschaft und oft gerade in bewußtem Widerstand zu ihren Trends zahlreiche Formen von Subkulturen mit jeweils eigenem materiellem und nichtmateriellem „Brauchtum".

Untersuchungen in dieser Richtung öffnen der Volkskunde ein weites Arbeitsfeld, in dem die zu entwickelnde Unterhaltungs- und Freizeitgestaltungsforschung eine wichtige Rolle spielen werden. Die zunehmende Einsicht in die Abläufe und Auswirkungen kultureller Kreativität und Diffusion läßt es geraten erscheinen, Antinomien wie „Volkskultur" und „Massenkultur", wie „echt" und „künstlich", „ursprünglich" und „abgeleitet" neu zu überdenken und auf ihre Verwendbarkeit zu überprüfen, weil sie die Tatbestände oft mehr verschleiern als klären helfen. Die Begriffspaare befinden sich in einer ähnlichen Lage wie die Konfrontation von „Kultur" und „Zivilisation" oder von „Gemeinschaft" und „Gesellschaft" (*R. König* 1955). Zu den allgemeinen Wissensvoraussetzungen gehört überdies heute, daß in jeder menschlichen Lebenswelt soziale und personale Agentien, Kollektivität und Individualität sich zur schöpferischen Produktion und zum vermittelnden Dienst verschränken. Infolgedessen ist es falsch, Einzel- und Gruppenleistungen unkritisch einfach gegenüberzustellen. Es gilt vielmehr für beide Fälle, das dynamische Wechselspiel im kulturellen Kraftfeld, das erst der geschichtlichen Dimension gemäß ist, konzeptionell und operationell einzubeziehen unter genauer Bestimmung der jeweiligen Konstellationen und Stellenwerte.

Beim näheren Zugriff lassen sich überall im Substratgewebe der Kulturen Anteile des einzelnen homo creator erkennen und in verschiedenen Stufen und Graden als spontane Leistungen personaler Produktivität aufweisen, ohne die der Aufbau der menschlichen Welt gar nicht denkbar ist. Aber dieser Aufbau ist auch nicht ohne den produktiven Anteil der simultanen Kräfte, wieder in verschiedenen Stufen und Graden, möglich. Es zeigt sich, daß die Kreativitäten von Person und Gesellschaft in einem reziproken Verhältnis stehen, wenn man den Komponenten im Zusammenhang der Verflechtung von Produktivität, Tradierung, Innovierung und Strukturwandel nachgeht. Die Zuordnung ist funktional. Es geht um Relationen, nicht um Relativierungen, wenn die Forschung herausarbeitet, daß die Bedeutung der menschlichen Symbiose und Interaktion für das Entstehen wie für die Existenz sozialkultureller Gebilde unverkennbar ist. Insofern erscheint hier die individuelle Leistung integriert in den Strom der Gemeinsamkeiten. *Goethe* hat einmal zu *Eckermann* gesagt: „Im Grunde aber sind wir alle kollektive Wesen, wir mögen uns stellen, wie wir wollen.

Denn wie weniges haben und sind wir, das wir im reinsten Sinne unser Eigentum nennen! Wir müssen alle empfangen und lernen, sowohl von denen, die vor uns waren, als von denen, die mit uns sind." Das Wort trifft insbesondere die Wirklichkeit, wenn man den Blick auf die „einfachen und tragenden Äußerungen" im Pluralismus der Erscheinungsweisen menschlichen Lebens und Zusammenlebens richtet.

Im Programm des IX. Weltkongresses der Anthropologen in Chicago 1973 sind für die von der Volkskunde zu behandelnden Probleme diverse Themenkomplexe genannt, die in Schlagworten Schwerpunkte der zukünftigen Forschungsarbeit andeuten, z. B. kultureller Pluralismus, Tradition und Innovation, Kontinuität, Mobilität und Migration, Realitäts- und Bewußtseinsänderungen, Diffusion und Kommunikation, Personalität und Kreativität. Im Zusammenhang damit seien einige Frage- und Aufgabestellungen umrissen, deren Bedeutung sich aus der Analyse der gegenwärtigen Fachsituation ergibt.

a) Kulturelle Interdependenz der Teile und des Ganzen

Diese Problematik bezieht sich zunächst auf zwei dimensionale Möglichkeiten, auf das reziproke Verhältnis der Details zum jeweiligen Totum bzw. der Subsysteme zum Gesamtsystem der Kulturen, wobei es methodisch durchgängig wichtig ist, weder den „Wald vor lauter Bäumen" noch die „Bäume vor lauter Wald" aus dem Auge zu verlieren, sondern die sich wechselseitig ergänzenden Konstellationen synoptisch zu erfassen.

b) Materielle und immaterielle Komponenten der Kulturen

Dieses Schema äußerlicher Einteilung darf nicht zur Einführung einer scharfen Trennungslinie systematisiert werden. Beim näheren Zusehen wird deutlich, daß der Grund wissenschaftlicher Überbewertungen nach der einen oder anderen Seite ideologisch bedingt ist. Wichtige soziokulturelle Äußerungen lassen von vornherein solche einfache Sonderung infolge ihrer komplexen Struktur gar nicht zu. Die willkürliche Scheidung verfälscht das Wesen von Kultur, denn auch „materielle" Manifestationen der Menschen sind „geistige" Leistungen, nicht nur was ihre Erfindung, sondern auch was ihren Gebrauch, ihre Tradierung und Innovierung betrifft.

c) Kulturelle Gemeinsamkeiten und Unterschiede vergleichbarer Größen

Spätestens seit *Emile Durkheim* wissen wir, daß erst die komparative Forschung eine Form der Kultur- und Sozialwissenschaft begründet, die ins Reflektive und Kritische weist, insofern „als sie aufhört, rein deskriptiv zu sein, und danach strebt, sich über die Tatsachen Rechenschaft zu geben". Zugleich aber hilft sie mit, vorgefaßte Meinungen, „die aus der eigenen kulturellen Position des Forschers resultieren", zurecht zu rücken. Erst die Überwindung von fachlicher Exklusivität und regionaler Isolierung durch fortschreitende Öffnung der Horizonte und interdisziplinäre Kooperation kann in Verfolg der Komparatistik die Voraussetzung für eine vorurteilsfreie Forschung schaffen.

d) Kulturelle Beziehungen und Austauschprozesse zwischen größeren, mehr oder weniger gleichrangigen Einheiten politischer, ökonomischer, religiöser, ideologischer usw. Wert- und Normsysteme

Es ist klar, daß in allen solchen Fällen das Problem der „Grenzen", ihrer trennenden, aber auch wechselseitig befruchtenden Wirkungen, seine Relevanz hat. Überall zeigt sich, daß solche „Scheidelinien" (welcher Art auch immer: politischer, ökonomischer, kirchlicher, sprachlicher, ethnischer usw.) mit verschiedenen Graden an Durchlässigkeit und mit variabler Intensität sich im geschichtlich-gesellschaftlichen Prozeß niederschlagen. Sie können den kulturellen Austausch zeitweilig folgenschwer unterbrechen; zugleich aber haben sie Klammerfunktionen, sie führen im allgemeinen zu mehr oder weniger breiten, dichten oder aufgelockerten Übergangszonen mit verschiedenen Ergebnissen an Differenzierung und Übereinstimmung im Wechselspiel der menschlichen Kräfte und Gruppen und der Fülle ihrer kulturellen Ausdrucksformen und -mittel.

e) Kultur als reale und symbolische Welt

Menschliches Dasein ist immer durch soziokulturelle Ordnungen konfiguriert, deren Wirklichkeit zugleich symbolisch überformt ist, durch Glauben, Kult und Brauch, durch Sprache, Poesie, Kunst und Musik und die damit verbundenen Wert- und Normvorstellungen. Das heißt: die Dinge und Vorgänge gehören alle der realen Dimension zu, aber sie können auch „eine zweite Qualität" besitzen, die ihnen besondere zeichenhafte Sinnbedeutungen verschafft. Lebensformen kulturspezifisch zu interpretieren ist nur möglich, wenn diese „Doppelbödigkeit" als theoretischer Aspekt in die Forschung einbezogen wird.

f) Die wechselseitige Bedingtheit von Traditions- und Innovationsforschung

Wer die kulturellen Struktur- und Funktionsveränderungen in der Gegenwart mit ihrer umfassenden zivilisatorischen Progression untersucht, ist darauf angewiesen, sich einerseits mit den Ausgangspositionen und zum andern mit den Ablösungs- und Innovationsprozessen zu befassen. Neuerungen vollziehen sich schneller im Bereich des Technischen, sie gehen langsamer und mit größerem Widerstand innerhalb der Sprache und der Rechts-, Wert- und Glaubenssysteme vor sich. So ergibt sich ein höchst verwikkeltes Gewebe von partieller Retardierung („cultural lag") und von progressistischen Komponenten im Auswirkungsablauf der technisch-industriellen Revolution, das hinsichtlich seiner wechselnden Konstellationen nur unter dem Aspekt einer übergreifenden Überlieferungs- und Veränderungsforschung aufgehellt werden kann.

Die Neubesinnung auf die Grundlagen der Kultur- und Sozialwissenschaften weist die Volkskunde immer stärker auf die interdisziplinären Bemühungen, die den Menschen in seiner Befähigung zu kultureller Äußerung und Tradierung als dialektische Einheit aus Bios und Geist in den Mittelpunkt der vergleichenden Erforschung seiner Lebensformen und Lebenswelten rückt mit dem Ziel der Ermittlung allgemeiner Konstanten und spezifischer Varianten in der Vielfalt des Zusammenlebens, der soziokulturellen Details wie Strukturen und der physisch-psychischen Bedingungen. Aus alledem ergibt sich, daß Volks- und Völkerkunde (Ethnographie, Ethnologie, Ethnosoziologie), historisch gesehen, wesentliche Ausgangspositionen aller empirischen Kulturanthropologie (*R. Benedict* 1934; *C. Lévi-Strauss* 1958; *A. J. Dias* 1961; *G. Heilfurth* 1961; *A. L. Kroeber* und *C. Kluckhohn* 1963; *W. E. Mühlmann* und *E. W. Müller* 1966; *M. Harris* 1968; *W. E. Mühlmann* 1968; *R. Naroll* und *R. Cohen* 1970; *R. König* und *A. Schmalfuß* 1972; *R. F. Murphy* 1972 u. a.) darstellen und damit in ihren relevanten Teilen zum Aufbau dieser umfassenden Disziplin beitragen.

Ausgewählte Literatur

Der zur Verfügung stehende Raum erlaubt nach keiner Seite hin Vollständigkeit. Beiträge aus Zeitschriften und Sammelwerken mußten bis auf wenige Ausnahmen ganz wegfallen.

Bibliographien

Volkskundliche Bibliographie f. d. Jahr 1917 ff., hg. von *Eduard Hoffmann-Krayer, Paul Geiger* und *Robert Wildhaber.* Jetzt: Internationale Volkskundliche Bibliographie, International Folklore Bibliography, Bibliographie

Internationale des Arts et Traditions Populaires.

International Bibliography of Social and Cultural Anthropology; Bibliographie internationale d'anthropologie sociale et culturelle. Paris 1955 ff.

(Teilbibliographien sind nicht aufgenommen).

Periodica

Acta Ethnographica Academiae Scientiarum Hungaricae, Budapest 1950 ff.

Alpes orientales (Volkskunde im Ostalpenraum) 1959 ff.

Arts et Traditions populaires. Revue trimestrielle de la Société d'Ethnographie française, Paris 1953 ff.

ARV. Tidskrift för nordisk Folkminnesforskning, Uppsala 1945 ff.

Bayerisches Jahrbuch für Volkskunde, Regensburg 1950 ff.

Béaloideas. The Journal of the Folklore of Ireland Society, Dublin 1927 ff.

Beiträge zur deutschen Volks- und Altertumskunde, Hamburg 1954 ff.

By og bygd. Norsk folkemuseums årbok, Oslo 1943 ff.

Československá etnografie, Praha 1953 ff.

Český Lid, Praha 1892 ff.

Current Anthropology, Chicago 1960 ff.

Danske Studier, Kopenhagen 1904 ff. (1890—1903: Dania).

Demos. Volkskundliche (jetzt: ethnographische und folkloristische) Informationen aus den Volksdemokratien, Berlin 1960 ff.

Deutsches Jahrbuch für Volkskunde, Berlin 1955 ff.

Die Nachbarn, Göttigen 1948 ff.

Ethnographia, Budapest 1890 ff.

Etnografia Polska, Wrocław 1958 ff.

Ethnologia Europaea, Paris, Arnhem, Göttingen 1967 ff.

Ethnologia Scandinavica. A Journal for Nordic Ethnology, Stockholm 1971 ff.

Ethnologia Slavica. Bratislava 1970 ff.

Fabula. Zeitschrift für Erzählforschung, Journal of Folktale Studies, Revue des Etudes sur le Conte Populaire, Berlin 1957 ff.

Finnisch-ugrische Forschungen, Helsinki 1901 ff.

Folk-Liv. Acta Ethnologica et Folkloristica Europaea, Stockholm 1937 ff.

Folklore. Rivista di Tradizioni Popolari, Napoli 1946 ff.

Folk-Lore. Being the Quarterly Transactions of the F. L. Society, London 1890 ff.

Folklore Fellows Communications, Helsinki 1910 ff.

Hessische Blätter für Volkskunde, Gießen 1899 ff. (zuerst: Blätter für hess. Volkskunde).

Jahrbuch für ostdeutsche Volkskunde (zuerst: Jahrbuch für Volkskunde der Heimatvertriebenen), Salzburg, Marburg 1955 ff.

Jahrbuch für Volksliedforschung, Berlin 1928 ff.

Jahrbuch des österreichischen Volksliedwerkes, Wien 1952 ff.

Journal of American Folklore, Philadelphia, Pa. — New York 1888 ff.

Journal of the Folklore Institute, (Bloomington/Indiana) Den Haag 1964 ff. (früher: Midwest Folklore, Bloomington/Indiana 1951 ff.)

Laos. Etudes comparées de Folklore ou d'Ethnologie régionale. Comparative studies of folklore and regional ethnology. Vergleichende Studien über Volkskunde, Commission internationale des Arts et Traditions populaires (CIAP), Stockholm 1951 ff.

Lares. Organo della Società di Etnografia Italiana, Roma—Firenze 1930 ff.

Lud. Organ polskiego towarzystwa ludoznawczego, Krakau—Posen 1895 ff.

Maal og Minne. Norske Studier, Oslo 1909 ff.

Mitteilungen der Deutschen Gesellschaft für Volkskunde (bis 1961: Mitteilungen des Verbandes der [deutschen] Vereine für Volkskunde), 1905 ff.

Österreichische Zeitschrift für Volkskunde, Wien 1895 ff. (zuerst: Wiener Zeitschrift für Volkskunde).

Revista de Dialectologia y Tradiciones Populares, Madrid 1944 ff.

Rheinisches Jahrbuch für Volkskunde, Bonn 1950 ff.

Rhein.-westfäl. Zeitschrift für Volkskunde, Bonn und Münster 1951 ff.

Schweizerisches Archiv für Volkskunde, Zürich—Basel 1897 ff.

Slovenski Etnograf, Ljubljana 1946 ff.

Slovensky Narodopis, Bratislava 1953 ff.

Sovetskaja Etnografija, Moskau und Leningrad 1938 ff.

Studia Fennica, Helsinki 1933 ff.

Volkskunde. Driemaandelijks tijdschrift voor de studie van het volksleven, Antwerpen 1888 ff.

Western Folklore, Berkeley, Los Angeles, London 1942 ff.

Württembergisches Jahrbuch für Volkskunde, Stuttgart 1952 ff.

Yiddisher Folklor. A Journal of Jewish Folklore, New York 1954 ff.

Zeitschrift für Volkskunde, Berlin—Stuttgart 1891 ff. (zuerst Zeitschrift des Vereins für Volkskunde).

Atlanten

Atlas der deutschen Volkskunde, hg. von *Heinrich Harmjanz* und *Erich Röhr* 1937—1939; N. F. hg. von *Matthias Zender*, Marburg 1959 ff.

Atlas der schweizerischen Volkskunde, hg. von *Paul Geiger* und *Richard Weiss*, Basel 1951 ff.

Atlas över Svensk Folkkultur, Bd. 1: Materiell och Social Kultur, hg. von *Sigurd Erixon*, Uddevalla 1957 ff.

Österreichischer Volkskundeatlas, hg. von *Ernst Burgstaller* und *Adolf Helbok*, Linz 1959 ff.

Polski Atlas Etnograficzny, hg. von Józef Gajek, Wrocław 1958 ff.

Russkije. Istoriko-etnografičeskij Atlas, Moskau 1967 ff.

Volkskunde-Atlas voor Neederland en Vlaams-België, hg. von *P. J. Meertens* und *M. de Meyer*, Amsterdam und Antwerpen 1959 ff.

Untersuchungen und Darstellungen

Aarne, Antti, Leitfaden der vergleichenden Märchenforschung, Helsinki 1913.

Aarne, Antti, Vergleichende Rätselforschungen, 3 Bde., Helsinki 1918 bis 1920.

Aarne, Antti, und *Stith Thompson*, The Types of the Folktale, 3. Aufl., Helsinki 1961.

Actes du Congrès International d'Ethnologie Régionale, Arnhem 1956.

Andree, Richard, Ethnographische Parallelen und Vergleiche, 1. Teil Stuttgart 1878, 2. Teil Leipzig 1889.

Aubin, Hermann, *Theodor Frings* und *Josef Müller*, Kulturströmungen und Kulturprovinzen in den Rheinlanden. Geschichte, Sprache, Volkskunde, Bonn 1926.

Azadovskij, M. K., Istorija russkoj folkloristiki [die Geschchichte der russischen Folkloristik], Moskau 1958.

Bach, Adolf, Deutsche Volkskunde, 3. Aufl., Heidelberg 1960.

Bachmann, Manfred, Seiffener Spielzeugschnitzer, Leipzig 1956.

Bächtold-Stäubli, Hanns (Hrsg.), Handwörterbuch des deutschen Aberglaubens, Berlin u. Leipzig 1927 bis 1942.

Baroja, J. Caro, Folklore y costumbres de España, 3 Bde., Barcelona 1931—33.

Bartók, Béla, Slovenské ludové piesne [Slowakische Volkslieder], Bd. I, Bratislava 1959.

Bartók, Béla, Összegyütött írásai [Gesammelte Schriften], Bd. I, Budapest 1966.

Baumgarten, Karl, Das Bauernhaus in Mecklenburg, Berlin 1965.

Bausinger, Hermann, Volkskultur in der technischen Welt, Stuttgart 1961.

Bausinger, Hermann, Markus Braun und *Herbert Schwedt*, Neue Siedlungen, 2. Aufl. Stuttgart 1963.

Bausinger, Hermann (Hrsg.), Dörfliche Fasnacht zwischen Neckar und Bodensee, Tübingen 1966.

Bausinger, Hermann (Hrsg.), Masken zwischen Spiel und Ernst, Tübingen 1967.

Bausinger, Hermann, Formen der „Volkspoesie", Berlin 1968.

Bausinger, Hermann, Volkskunde. Von der Altertumsforschung zur Kulturanalyse, Berlin u. Darmstadt o. J. (1972)

Bausinger, Hermann, und *Wolfgang Brückner* (Hrsg.), Kontinuität? Geschichtlichkeit und Dauer als volkskundliches Problem, Berlin 1969.

Beitl, Richard (Hrsg.), Wörterbuch der deutschen Volkskunde, 2. Aufl., Stuttgart 1950.

Benedict, Ruth, Patterns of Culture, Boston 1934.

Beneš, Bohuslav, Světská Kramářska Píseň. Příspěvek k poetice pololidové poezie [Bänkellieder weltlichen Inhalts], Brno 1970.

Bentzien, Ulrich, Das Eindringen der Technik in die Lebenswelt der mecklenburgischen Landbevölkerung, Diss. Berlin 1961.

Berger, Placidus, Religiöses Brauchtum im Umkreis der Sterbeliturgie in Deutschland, Münster 1966.

Bernt, Adolf (Hrsg.), Das deutsche Bürgerhaus, Tübingen 1959 ff.

Biernacka, Maria, W sie drobnoszlacheckie na Mazowszu i Podlasiu Tradycje historyczne a współczesne przemiany [Kleinadlige Dörfer in Masovien und Podlachien. Historische Traditionen und gegenwärtige Umwandlungen], Wrocław—Warszawa—Kraków 1966.

Biezais, H., Die zweite Sammlung der lettischen Volkslieder von Gustav Bergmann, Uppsala 1967.

Black, Mary, und *Jean Lipman*, American Folk Painting, New York 1967.

Blau, Josef, Böhmerwälder. Hausindustrie und Volkskunst, 2 Teile, Prag 1917 u. 1918.

Boberg, Inger M., Folkemindesforskningens Historie, Kopenhagen 1953.

Bobu-Florescu, Florea, und *Paul Petrescu*, Artă populară românească [Rumänische Volkskunst], Bucurşti 1969.

Bødker, Laurits, Følk Literature (International Dictionary of Regional European Ethnology and Folklore Bd. 2), Kopenhagen 1965.

Bolte, Johannes, und *Georg Polívka*, Anmerkungen zu den Kinder- und Hausmärchen der Brüder Grimm, 5 Bde., Leipzig 1913—32.

Bošković-Stulli, Maja, Narodne pripovijetke [Volkserzählungen], Zagreb 1963.

Braun, Rudolf, Industrialisierung und Volksleben. Die Veränderungen der Lebensformen in einem ländlichen Industriegebiet vor 1800 (Zürcher Oberland), Erlenbach—Zürich—Stuttgart 1960.

Braun, Rudolf, Sozialer und kultureller Wandel in einem ländlichen Industriegebiet (Zürcher Oberland) unter Einwirkung des Maschinen- und Fabrikwesens im 19. und 20. Jahrhundert, Erlenbach—Zürich—Stuttgart 1965.

Braun, Rudolf, Sozio-kulturelle Probleme der Eingliederung italienischer

Arbeitskräfte in der Schweiz, Erlenbach—Zürich 1970.

Brednich, Rolf Wilhelm, Zmaga Kumer, Wolfgang Suppan (Hrsg.), Gottscheer Volkslieder. Gesamtausgabe, Mainz 1969.

Brepohl, Wilhelm, Industrievolk im Wandel von der agraren zur industriellen Daseinsform, dargestellt am Ruhrgebiet, Tübingen 1957.

Brepohl, Wilhelm, Verwandlung westfälischer Lebensformen im Ruhrgebiet. Gedanken und Beobachtungen zur industriellen Volkskunde, Münster 1965.

Briggs, Katherine M., A Dictionary of British Folk-Tales in the English Language. 4 Bde., London 1970 u. 1971.

Bringéus, Nils-Arved (Hrsg.), Arbete och redskap, Lund 1971 a.

Bringéus, Nils-Arved (Hrsg.), First International Symposium for Ethnological Food Research in Lund (Ethnologia Scandinavica I) Stockholm 1971 b.

Brinkmann, Otto, Das Erzählen in einer Dorfgemeinschaft, Münster 1933.

Bromley, Julian, Etnos i Etnografia, Moskau 1973.

Brückner, Wolfgang, Die Verehrung des Heiligen Blutes in Walldürn, Aschaffenburg 1958.

Brunvand, Jan Harold, The Study of American Folklore. An Introduction, New York 1968.

Burde-Schneidewind, Gisela (Hrsg.), Historische Volkssagen zwischen Elbe und Niederrhein, Berlin 1969.

Burgstaller, Ernst, Österreichisches Festtagsgebäck, Wien 1958.

Burne, Charlotte S. (Hrsg.), The Handbook of Folk-lore. Publication of the Folk-lore Society, London 1913.

Burszta, Józef (Hrsg.), Kultura Ludowa Wielkopolski [Die Volkskultur Großpolens], 3 Bde., Poznań 1960, 1964, 1967.

Burszta, Józef (Hrsg.), Stare i nowe w kulturze wsi koszalińskiej [Altes und Neues in der Kultur des Koszaliner Dorfes], Poznań 1964.

Campbell, Åke, und *Sigurd Erixon,* Svensk bygd och folkkultur I—IV, Stockholm 1946—48.

Campbell, Åke, Det svenska brödet, Stockholm 1950.

Campbell, J. L., and *Francis Collison,* Hebridean Folksongs. A Collection of Waulking Songs, Oxford 1969.

Carvalho Neto de, Paulo, Concepto de folklore, Montevideo 1955.

Christiansen, Reidar Th., The migratory legends, Helsinki 1958.

Christiansen, Reidar Th., European Folklore in America, Oslo 1962.

Čistov, Kirill, Zur Frage der Klassifikationsprinzipien der Prosa-Volksdichtung, Moskau 1964.

Cocchiara, Giuseppe, Storia del folklore in Europa, Torino 1954.

Commenda, H., Linzer Stadtvolkskunde, 2 Bde., Linz 1958 ff.

Corso, Raffaele, Folklore. Storia, obbiettivo, metodo, bibliografia, 2. Aufl., Napoli 1953.

Cromberg, Hans Ekhardt, Die Knabenschaftsstatuten der Schweiz. Spiegelbild von Sitte, Brauchtum und Recht. Winterthur 1970.

Danckert, Werner, Unehrliche Leute, Bern u. München 1963.

Dégh, Linda, Märchen, Erzähler und Erzählgemeinschaft, dargestellt an der ungarischen Volksüberlieferung, Berlin 1962.

Delehaye, Hippolyte, Les légendes hagiographiques, 4. Aufl., Bruxelles 1955.

Denecke, Ludwig, Jacob Grimm und sein Bruder Wilhelm, Stuttgart 1971.

Deneke, Bernward, Bauernmöbel. Ein Handbuch für Sammler und Liebhaber, München 1969.

Dexel, Walter, Das Hausgerät Mitteleuropas. Wesen und Wandel der Formen in zwei Jahrtausenden: Deutschland. Holland. Österreich. Schweiz, Braunschweig—Berlin 1962.

Dias, A. J., Portuguese contribution to cultural anthropology, Johannesburg 1961.

Dieck, Alfred, Die Wandermusikanten von Salzgitter, Göttingen 1962.

Dietrich, Albrecht, Über Wesen und Ziele der Volkskunde, in: Hessische Blätter für Volkskunde 1 (1902).

Dömötör, Tekla, Naptári ünnepek — népi szinjátszás [Die Festbräuche im Jahresablauf und das Volksschauspiel], Budapest 1964.

Dorson, Richard M., American Folklore, Chicago 1959.

Dorson, Richard M. (Hrsg.), Folklore Research around the World, Bloomington 1961.

Dorson, Richard M. (Hrsg.), Studies in Japanese Folklore, Bloomington 1963.

Dorson, Richard M., The British Folklorists. A History, London 1968.

Duijker, H. C. J., und *N. H. Frijda,* National Character and National Stereotypes, Amsterdam 1960.

Dünninger, Dieter, Wegsperre und Lösung. Formen und Motive eines dörflichen Hochzeitsbrauches, Berlin 1967.

Dünninger, Josef, Brauchtum, in: Deutsche Philologie im Aufriß, 2. Aufl., Bd. III, Berlin 1962.

Dünninger, Josef, Hauswesen und Tagewerk, in: Deutsche Philologie im Aufriß, 2. Aufl., Bd. III, Berlin 1962.

Dundes, Alan, The Study of Folklore, New York 1965.

Eberhard, Wolfram, Typen chinesischer Volksmärchen, Helsinki 1937.

Eberhard, Wolfram, Lokalkulturen im alten China, 2 Bde., Leiden und Peking 1943.

Ebert, Sigrid, Die Marburger Frauentracht, 2. Aufl., Marburg 1967.

Elias, Norbert, Über den Prozeß der Zivilisation, 2 Bde., 2. Aufl., Bern u. München 1969.

Emsheimer, Ernst, und *Erich Stockmann,* Handbuch der europäischen Volksmusikinstrumente, Leipzig 1966 ff.

Erixon, Sigurd, Svensk folkliv, Uppsala 1938.

Erixon, Sigurd, Svensk byggnadskultur, Stockholm 1947.

Erixon, Sigurd, Technik und Gemeinschaftsbildung im schwedischen Traditionsmilieu, Stockholm 1957.

Eskeröd, Albert, Årets äring, Stockholm 1947.

Federspiel, Christa, Vom Volksmärchen zum Kindermärchen, Wien 1968.

Fehrle, Eugen, Feste und Volksbräuche im Jahreslauf europäischer Völker, Kassel 1955.

Fél, Edit, und *Tamás Hofer,* Proper Peasants. Traditional Life in a Hungarian village, Budapest 1969.

Fél, Edit, und *Tamás Hofer,* Bäuerliche Denkweise in Wirtschaft und Haushalt eines ungarischen Dorfes, Göttingen 1972.

Ferber, Christian von, Arbeitsfreude. Wirklichkeit und Ideologie, Stuttgart 1959.

Fischer, Hermann, Volkslied, Schlager, Evergreen. Studien über das lebende Singen aufgrund von Untersuchungen im Kreis Reutlingen, Tübingen 1965.

Földes, László, unter Mitwirkung von *Márta Belényesy* und *Béla Gunda* (Hrsg.), Viehzucht und Hirtenleben in Ostmitteleuropa. Ethnographische Studien, Budapest 1961.

Fojtík, Karel, und *Oldřich Sirovátka,* Rosicko-Oslavansko. Život a kultura lidu v kamenouhelném revíru [Rosice-Oslavany. Volksleben und Volkskultur in einem Steinkohlenrevier], Praha 1961.

Francis, Emerich K., Ethnos und Demos, Soziologische Beiträge zur Volkstheorie, Berlin 1965.

Freud, Sigmund, Der Witz und seine Beziehung zum Unbewußten, Leipzig—Wien 1912 (= Fischer Bücherei Nr. 193).

Freudenthal, Herbert, Die Wissenschaftstheorie der deutschen Volkskunde, Hannover 1955.

Freudenthal, Herbert, Vereine in Hamburg. Ein Beitrag zur Geschichte und Volkskunde der Geselligkeit, Hamburg 1968.

Frings, Theodor, Volkskunde und Sprachgeographie, in: Deutsche Forschung. Aus der Arbeit der Notgemeinschaft der Deutschen Wissenschaft, Heft 2, Berlin 1928.

Fritzsch, Karl Ewald, und *Friedrich Sieber,* Bergmännische Trachten des 18. Jahrhunderts im Erzgebirge und im Mansfeldischen, Berlin 1957.

Fritzsch, Karl Ewald, und *Manfred Bachmann,* Deutsches Spielzeug, Hamburg—Leipzig 1965.

Gaidoz, H., De l'étude des traditions populaires ou folklore en France et à l'étranger, Paris 1907.

Gebhard, Torsten, und *Josef Hanika* (Hrsg.), Iro-Volkskunde. Europäische Länder. Beharrung und Wandel der europäischen Volkskultur in der Gegenwart, München 1963.

Gebhard, Torsten, Alte bäuerliche Geräte, München, Basel, Wien 1969.

Geiger, P., Deutsches Volkstum in Sitte und Brauch, Berlin u. Leipzig 1936.

Gennep, Arnold van, Les Rites de Passage, Paris 1909.

Gennep, Arnold van, Manuel de Folklore français contemporain, Paris 1943 ff.

Geramb, Viktor von, Die Volkskunde als Wissenschaft, in: Zs. f. Deutschkunde, Bd. 38 (1924).

Geramb, Viktor von, Steirisches Trachtenbuch, 2 Bde., Graz 1932 ff.

Gerndt, Helge, Fliegender Holländer und Klabautermann, Göttingen 1971.

Gjessing, Gutorm, Socio-culture. Interdisciplinary Essays on Society and Culture, Oslo 1956.

Göbels, Karl, Rheinisches Töpferhandwerk gezeigt am Beispiel der Frechener Kannen-, Düppen- und Pfeifenbäcker, Frechen 1971.

Goldammer, Kurt, Kultsymbolik des Protestantismus, Stuttgart 1960.

Goldstein, Kenneth S., A Guide for Field Workers in Folklore, London 1964.

Gómez-Taberna, José Manuel, Tesoro del folklore español, I. Trajes populares y costumbres tradicionales, Madrid 1950.

Gomme, G. L., Handbook of Folklore, London 1890.

Grabner, Elfriede, Volksmedizin. Probleme und Forschungsgeschichte, Darmstadt 1967.

Grabowski, Józef, Sztuka Ludowa. Formy i regiony w Polsce [Volkskunst. Formen und Regionen in Polen], Warszawa 1967.

Greverus, Ina-Maria, Der territoriale Mensch. Ein literaturanthropologischer Versuch zum Heimatphänomen, Frankfurt 1972.

Griessmair, Johannes, Knecht und Magd in Südtirol, Innsbruck 1970.

Grünn, Helene, Die Pecher. Volkskunde aus dem Lebenskreis des Waldes, Wien—München 1960.

Grünn, Helene, Volkskunde der heimatvertriebenen Deutschen im Raum um Linz, Wien 1968.

Grünn, Helene, Volkstracht in Niederösterreich, Linz 1971.

Gunda, Béla, Ethnographica Carpathica, Budapest 1966.

Günter, Heinrich, Legendenstudien, Köln 1906.

Günter, Heinrich, Psychologie der Legende, Freiburg 1949.

Günther, Adolf, Die alpenländische Gesellschaft als sozialer, politischer, wirtschaftlicher und kultureller Lebenskreis, Jena 1930.

Gugitz, G., Das Jahr und seine Feste im Volksbrauch Österreichs, 2 Bde., Wien 1949.

Gupta, Sankar Sen, und *Shyam Parmar,* A Bibliography of Indian Folklore and Related Subjects, Calcutta 1967.

Haberlandt, Arthur, Die volkstümliche Kultur Europas, Leipzig 1939.

Haberlandt, Arthur, Taschenbuch der Volkskunde Österreichs, 2 Teile, Wien 1953 u. 1959.

Hahm, Konrad, Deutsche Volkskunst, Berlin 1928.

Haiding, Karl, Von der Gebärdensprache der Märchenerzähler, Helsinki 1955.

Hain, Mathilde, Das Lebensbild eines oberhessischen Trachtendorfes, Jena 1936.

Hain, Mathilde, Sprichwort und Volkssprache. Eine volkskundlich-soziologische Dorfuntersuchung, Gießen 1951.

Hain, Mathilde, Rätsel, Stuttgart 1966.

Halpert, Herbert, und *G. M. Story,* Christmas Mumming in Newfoundland. Toronto 1969.

Hampp, Irmgard, Beschwörung — Segen — Gebet. Untersuchungen zum Zauberspruch aus dem Bereich der Volksheilkunde, Stuttgart 1961.

Hand, Wayland D. (Hrsg.), Popular Beliefs and Superstitions from North Carolina, 2 Bde., Durham 1961 u. 1964.

Hand, Wayland D. (Hrsg.), American Folk Legend. A Symposium, Berkeley — Los Angeles — London 1971.

Hanika, Josef, Volkskundliche Wandlungen durch Heimatverlust und Zwangswanderung. Methodische Forschungsanleitung am Beispiel der deutschen Gegenwart, Salzburg 1957.

Hansen, Wilhelm (Hrsg.), Arbeit und Gerät in volkskundlicher Dokumentation, Münster 1969.

Hansmann, Liselotte, und *Lenz Kriss-Rettenbeck,* Amulett und Talisman. Erscheinungsform und Geschichte, München 1966.

Harenberg, Werner (Hrsg.), Was glauben die Deutschen? München—Mainz 1968.

Harris, Marvin, The Rise of Anthropoligical Theory, New York 1968.

Hartmann, Volker, Die deutsche Kulturgeschichtsschreibung seit ihren Anfängen bis zur Mitte des 19. Jahrhunderts, Diss. Marburg 1971.

Haug, Jörg, Heimatkunde und Volkskunde, Tübingen 1969.

Hautala, Jouko, Finnish Folklore Research 1828—1918. The History of Learning and Science in Finland, Helsinki 1969.

Heilfurth, Gerhard, Das Bergmannslied. Wesen, Leben, Funktion. Ein Beitrag zur Erhellung von Bestand und Wandlung der sozialkulturellen Elemente im Aufbau der industriellen Gesellschaft, Kassel und Basel 1954.

Heilfurth, Gerhard, Glückauf! Geschichte, Bedeutung und Sozialkraft des Bergmannsgrußes, Essen 1958.

Heilfurth, Gerhard, Volkskunde jenseits der Ideologien. Zum Problemstand des Faches im Blickfeld empirischer Forschung. Marburg 1961.

Heilfurth, Gerhard, Der erzgebirgische Volkssänger Anton Günther. Leben und Werk, 6. veränd. Aufl., Frankfurt 1962.

Heilfurth, Gerhard, Das Heilige und die Welt der Arbeit am Beispiel der Verehrung des Propheten Daniel im Montanwesen Mitteleuropas, Marburg 1963.

Heilfurth, Gerhard, Die Arbeit als kulturanthropologisch - volkskundliches Problem. Sonderdruck aus: Die Mitarbeit, Heidelberg 1965.

Heilfurth, Gerhard, unter Mitarbeit von *Ina-Maria Greverus,* Bergbau und Bergmann in der deutschsprachigen Sagenüberlieferung Mitteleuropas, Marburg 1967.

Heilfurth, Gerhard, Das Montanwesen als Wegbereiter im sozialen und kulturellen Aufbau der Industriegesellschaft, Wien 1972.

Heilfurth, Gerhard, und *Ingeborg Weber-Kellermann* (Hrsg.), Arbeit und Volksleben. Deutscher Volkskundekongreß in Marburg 1965, Göttingen 1967.

Held, Renate, Begriff und Wesen des Kunsthandwerks, Diss. Wien 1955.

Helm, Rudolf, Hessische Trachten. Verbreitungsgebiete, Entwicklung und gegenwärtiger Bestand, 2 Teile, Heidelberg 1932, Kassel 1934.

Helmstaedter, Dieter, Dorfkultur und Industrialisierung. Volkskundliche Studien im Landkreis Alsfeld (Oberhessen), Mainz und Trautheim 1967.

Henssen, Gottfried, Überlieferung und Persönlichkeit. Die Erzählungen und Lieder des Egbert Gerrits, Münster 1951.

Hodgen, M. T., The Doctrine of Survivals, London 1926.

Höck, Alfred, und *Dieter Kramer,* Verzeichnis der volkskundlichen und kulturhistorischen Bestände der hessischen Museen, Marburg 1970.

Hoffmann-Krayer, Eduard, Feste und Bräuche des Schweizer Volkes, Neubearbeitung von *Paul Geiger,* Zürich 1940.

Hoffmann-Krayer, Eduard, Volkskunde als Wissenschaft, Zürich 1902.

Hofmann, Winfried, Das rheinische Sagwort. Ein Beitrag zur Sprichwörterkunde, Siegburg 1959.

Holý, Dušan, Probleme der Entwicklung und des Stils der Volksmusik, Brno 1969.

Honko, Lauri, Geisterglaube in Ingermanland, Helsinki 1962.

Horák, Jiří, Slovenské ludové balady [Slowakische Volskballaden], Bratislava 1956.

Hornberger, Theodor, Der Schäfer. Landes- und volkskundliche Bedeutung eines Berufsstandes in Süddeutschland, Stuttgart 1955.

Horváthová, Emília, Cigáni na Slovensku. Historickoetnografický náčrt [Zigeuner in der Slowakei. Historisch-ethnographischer Aufriß], Bratislava 1964.

Hostetler, John A., Amish Society, Baltimore 1963.

de Hoyos Sainz, Luis y Nieves de Hoyos Sancho, Manual de folklore, Madrid 1947.

Huizinga, Johan, Homo ludens. Proeve eener bepaling van het spel-element der cultuur, 1938, 2. Aufl. 1940, deutsch: Homo ludens. Versuch einer Bestimmung des Spielelements der Kultur.

Hultkrantz, Åke, General Ethnological Concepts (International Dictionary of Regional European Ethnology and Folklore Bd. 1), Kopenhagen 1969.

Irimie, Cornel, Das Hirtenwesen der Rumänen. Forschungen in der Mărginimea Sibiului bei Hermannstadt/Sibiu, München 1965.

Jacobeit, Wolfgang, Schafhaltung und Schäfer in Zentraleuropa bis zum Beginn des 20. Jahrhunderts, Berlin 1961.

Jacobeit, Wolfgang, Bäuerliche Arbeit und Wirtschaft. Ein Beitrag zur Wissenschaftsgeschichte der Volkskunde, Berlin 1965.

Jacobeit, Wolfgang, Zur Aufgabenstellung der marxistischen Volkskunde im entwickelten gesellschaftlichen System des Sozialismus, in: Wissenschaftliche Zeitschrift der Humboldt-Universität zu Berlin, Gesellschafts- und Sprachwissenschaftliche Reihe, Jg. 20 (1971) H. 1.

Jacobeit, Wolfgang, und *Paul Nedo* (Hrsg.), Probleme und Methoden volkskundlicher Gegenwartsforschung, Berlin 1969.

Jolles, André, Einfache Formen. Legende, Sage, Mythe, Rätsel, Spruch, Kasus, Memorabile, Märchen, Witz, Halle 1929.

Jeřábek, Richard, Karpatské vorařstvé v 19. století [Die Flößerei im Karpatengebiet im 19. Jahrhundert]. Praha 1961.

Jungbauer, Gustav, Geschichte der deutschen Volkskunde, Prag 1931.

Karasek-Langer, Alfred, und *Josef Lanz,* Das deutsche Volksschauspiel in Galizien. Eine Spiellandschaft zwischen Polen, Slowaken und Ukrainern, Freilassing—Salzburg 1960.

Karbusický, Vladimír, und *Vaclaw Pletka,* Dělnické písně [Arbeiterlieder], I-II, Praha 1958.

Karbusický, Vladimír, Mezi lidovou písní a šlágrem [Zwischen Volkslied und Schlager], Praha 1968.

Karlinger, Hans, Deutsche Volkskunst, Berlin 1938.

Kehrer, Günter, Das religiöse Bewußtsein des Industriearbeiters, München 1967.

Kiefer, Klaus, Die Diffusion von Neuerungen. Kultursoziologische und kommunikationswissenschaftliche Aspekte der agrarsoziologischen Diffusionsforschung, Tübingen 1967.

Klersch, Josef, Die kölnische Fasnacht, Köln 1961.

Klier, Karl M., und *Ivan Grafenauer,* Beiträge zur Volksliedforschung in Kärnten, Klagenfurt 1967.

Klusen, Ernst, Volkslied. Fund und Erfindung, Köln 1969.

Kirnbauer, Franz, Bausteine zur Volkskunde des Bergmanns oder Bergmännisches Brauchtum, Wien 1958.

Kommandantvold, Kristian Magnus, Johan Falkbergets Bergmannsverden, 2 Bde., Oslo 1971.

Koenig, Otto, Kultur- und Verhaltensforschung, München 1970.

König, René, Grundformen der Gesellschaft: Die Gemeinde, Hamburg 1958 (engl. Übers. London 1968).

König, René, Die Begriffe Gemeinschaft und Gesellschaft bei Ferdinand Tönnies, in: Kölner Zeitschrift für Soziologie und Sozialpsychologie, Bd. 7 (1955).

König, René, Macht und Reiz der Mode, Düsseldorf—Wien 1971.

König, René, und *Axel Schmalfuß* (Hrsg.), Kulturanthropologie, Düsseldorf—Wien 1972.

Koren, Hanns, Der Volks-Brauch im Kirchenjahr, 1934.

Koren, Hanns, Volkskunde in der Gegenwart, Graz, Wien u. Altötting 1952.

Korff, Gottfried, Heiligenverehrung in der Gegenwart. Empirische Untersuchungen in der Diözese Rottenburg, Tübingen 1970.

Korson, George, Black Rock. Mining Folklore of the Pennsylvania Dutch, Baltimore 1960.

Köstlin, Konrad, Sicherheit im Volksleben, Diss. München 1967.

Kramer, Karl-Sigismund, Die Nachbarschaft als bäuerliche Gemeinschaft, München-Pasing 1954.

Kramer, Karl-Sigismund, Volksleben im Hochstift Bamberg und im Fürstentum Coburg (1500—1800). Eine Volkskunde auf Grund archivalischer Quellen, Würzburg 1967.

Krappe, Alexander Haggerty, The Science of Folklore, 2. Aufl., London 1962.

Kretzenbacher, Leopold, Sancta Lucia und die Lutzelfrau. Volksglaube und Hochreligion im Spannungsfeld Mittel- und Südosteuropas, München 1959.

Kretzenbacher, Leopold, Ringreiten, Rolandspiel und Kufenstechen, Klagenfurt 1966.

Kriss, Rudolf, und *Hubert Kriss-Heinrich,* Volksglaube im Bereich des Islam, 2 Bde., Wiesbaden 1960/62.

Kriss, Rudolf, und *Lenz Rettenbeck,* Wallfahrtsorte Europas, München 1950.

Kriss-Rettenbeck, Lenz, Das Votivbild, München 1958.

Kriss-Rettenbeck, Lenz, Bilder und Zeichen religiösen Volksglaubens, München 1963.

Kroeber, Alfred L., und *Clyde Kluckhohn,* Culture. A Critical Review of Concepts and Definitions, New York 1963 (1. Aufl. 1952).

Krohn, Kaarle, Die folkloristische Arbeitsmethode, Oslo 1926.

Krüger, Fritz, El mobiliaro popular en los países románicos, 3 Teile, Coimbra 1959—63.

Künßberg, Eberhard Frhr. von, Rechtliche Volkskunde, Halle 1936.

Laan, Karel ter, Folkloristisch Woordenboek van Nederland en Vlaams Belgie, 's-Gravenhage 1949.

Lang, Andrew, Custom and Myth, 2. Aufl., London 1885.

Leach, Maria (Hrsg.), Standard Dictionary of Folklore, Mythology and Legend, 2 Bde., New York 1949/50.

Lefftz, Joseph, Das Volkslied im Elsaß, Paris—Freiburg 1966 ff.

Legros, Elisée, Sur les noms et les tendances du folklore, Liège 1962.

Lemberg, Eugen, und *Friedrich Edding* (Hrsg.), Die Vertriebenen in Westdeutschland, 3 Bde., Kiel 1959.

Lévy-Bruhl, Lucien, Les Fonctions mentales dans les sociétés inférieures, Paris 1910.

Lévi-Strauss, Claude, Anthropologie structurale, Paris 1958.

Lewalter, Johann, und *Georg Schläger,* Deutsches Kinderlied und Kinderspiel, Kassel 1911.

von der Leyen, Friedrich, Kurt Schier, Felix Karlinger (Hrsg.), Märchen der Weltliteratur, 1912 ff.

Ligers, Ziedonis, Ethnographie Lettone, Basel 1954.

Ligęza, J., und *M. Żywirska,* Zarys kultury górniczej [Abriß der Bergmannskultur], Katowice 1964.

Lipp, Franz, Oberösterreichische Stuben. Bäuerliche und bürgerliche Innenräume. Möbel und Hausgerät, Linz 1966.

Lixfeld, Hannjost, Gott und Teufel als Weltschöpfer. Eine Untersuchung über die dualistische Tiererschaffung in der europäischen und außereuropäischen Volksüberlieferung, München 1971.

Löber, Karl, Beharrung und Bewegung im Volksleben des Dillkreises/Hessen, Marburg 1965.

Loorits, Oskar, Grundzüge des estnischen Volksglaubens, Lund 1949 bis 1960.

Lorbe, Ruth, Das Kinderlied in Nürnberg. Versuch einer Phänomenologie des Kinderliedes, Nürnberg 1956.

Lou, Tsu-k'uang, in collaboration with *Wolfram Eberhard,* Asian Folklore and Social Life Monographs, Taipei 1970 ff.

Lücking, Wolf, Trachtenleben in Deutschland, Berlin 1956 ff.

Lüthi, Max, Das europäische Volksmärchen, 1. Aufl. Bern 1947, 3. Aufl. Bern u. München 1969.

Lüthi, Max, Märchen, 4. Aufl., Stuttgart 1971.

Lutz, Dieter, Volksbrauch und Sprache. Die Benennung von Phänomenen der Winter- und Frühlingsbräuche Südwestdeutschlands, Stuttgart 1966.

Lutz, Gerhard (Hrsg.), Volkskunde. Ein Handbuch zur Geschichte ihrer Probleme, Berlin 1958.

Mackensen, Lutz (Hrsg.), Handwörterbuch des deutschen Märchens, bisher 2 Bde., Berlin u. Leipzig 1930 bis 1940.

Maget, Marcel, Ethnographie Métropolitaine, Guide d'étude directe des comportements culturels, Paris 1953.

Malamud, René, Zur Psychologie des deutschen Schlagers. Eine Untersuchung anhand seiner Texte, Winterthur 1964.

Malecore, Irene Maria, La poesia popolare nel Salento, Firenze 1967.

Maletzke, Gerhard, Psychologie der Massenkommunikation. Theorie und Systematik, Hamburg 1963.

Malinowski, Bronislaw, The Dynamics of Culture Change, New Haven 1946. Deutsch: Die Dynamik des Kulturwandels, Wien—Stuttgart 1951.

Mannhardt, Wilhelm, Roggenwolf und Roggenhund, 1865, 2. Aufl., Danzig 1866.

Marett, R. R., Psychology and Folk-Lore, London 1920.

Marinus, Albert, Folklore historique et folklore sociologique, 3. Aufl., Brüssel 1935.

Marinus, Albert, Le Néo-Folklorisme, 3. Aufl., Brüssel 1938.

Megas, Georgios A. (Hrsg.), IV. International Congress for Folk-Narrative Research in Athens 1964. Lectures and Reports, Athen 1965.

Megas, Georgios A., Greek Calendar Customs, Athen 1958.

Megas, Georgios A., Das Märchen von Amor und Psyche in der griechischen Volksüberlieferung, Athen 1971.

Meier, John, Kunstlieder im Volksmunde. Materialien und Untersuchungen, Halle 1906.

Meier, John, u. a. (Hrsg.), Deutsche Volkslieder mit ihren Melodien, 1935 ff.

Melicherčík, Andrej, u. a. (Hrsg.), Lidová Kultura. Hmotná a duchovní kultura českého a slovenského lidu [Volkskultur. Materielle und geistige Kultur des tschechischen und slowakischen Volkes], Praha 1968.

Meyer, Maurits de, Le Conte Populaire Flamand. Catalogue analytique et répertoire des épisodes et éléments des contes. „Motif-Index", Helsinki 1968.

Miroglio, Abel, La Psychologie des Peuples, 4. veränd. Aufl., Paris 1971.

Mjartan, Ján (Hrsg.), Banicka dedina Žakarovce [Das Bergmannsdorf Žakarovce], Bratislava 1956.

Möckli von Seggern, Margarete, Arbeiter und Medizin. Die Einstellung des Zürcher Industriearbeiters zur wissenschaftlichen und volkstümlichen Heilkunde, Basel 1965.

Möller, Helmut, Untersuchungen zum Funktionalismus in der Volkskunde, Diss. Göttingen 1954.

Möller, Helmut, Aus den Anfängen der Volkskunde als Wissenschaft, in: Zeitschrift für Volkskunde, Bd. 60 (1964).

Möller, Helmut, Die kleinbürgerliche Familie im 18. Jahrhundert. Verhalten und Gruppenkultur, Berlin 1969.

Moora, H., und *A. Viires* (Hrsg.), Abriß der estnischen Volkskunde, Tallinn 1964.

Moser, Hans, Folklorismus als Forschungsproblem, in: Hessische Blätter für Volkskunde 55 (1964).

Moser, Hugo, Schwäbischer Volkshumor, Stuttgart 1950.

Moszyński, Kazimierz, Kultura Ludowa Słowian, [Volkskultur der Slawen], Warszawa 1967/68.

Mühlmann, Wilhelm Emil, Homo Creator. Abhandlungen zur Soziologie, Anthropologie und Ethnologie, Wiesbaden 1962.

Mühlmann, Wilhelm Emil, Rassen, Ethnien, Kulturen. Moderne Ethnologie, Neuwied—Berlin 1964.

Mühlmann, Wilhelm Emil, Geschichte der Anthropologie, 2. Aufl., Frankfurt/Bonn 1968.

Mühlmann, Wilhelm Emil, und *Ernst W. Müller* (Hrsg.), Kulturanthropologie, Köln—Berlin 1966.

Murphy, Robert F., The Dialectics of Social Life. Alarms and Excursions in Anthropological Theory, London 1972.

Naroll, Raoul, und *Ronald Cohen* (Hrsg.), A Handbook of Method in Cultural Anthropology, Garden City 1970.

Naumann, Hans, Primitive Gemeinschaftskultur, Jena 1921.

Naumann, Hans, Grundzüge der deutschen Volkskunde, Leipzig 1922.

Naumann, Joachim, Arbeitswelt und Lebensformen des Bauhandwerks im wittgensteinischen Territorialstaat der Neuzeit, Diss. Marburg 1972.

Nedo, Paul, Grundriß der sorbischen Volksdichtung, Bautzen 1966.

Neumann, Siegfried, Der mecklenburgische Volksschwank. Sein sozialer Gehalt und seine soziale Funktion, Berlin 1964.

Neumann, Siegfried, Ein mecklenburgischer Volkserzähler. Die Geschichten des August Rust, Berlin 1968.

Neumann, Siegfried (Hrsg.), Plattdeutsche Schwänke. Aus den Sammlungen Richard Wossidlos und seiner Zeitgenossen sowie eigenen Aufzeichnungen in Mecklenburg, Rostock 1968.

Nutz, Walter, Der Trivialroman, seine Formen und seine Hersteller. Ein Beitrag zur Literatursoziologie, Köln u. Opladen 1962.

Nutz, Walter, Die Regenbogenpresse. Eine Analyse der deutschen bunten Wochenblätter, Opladen 1971.

Ohmachi, Tokuzo, u. a. (Hrsg.), Nihon Minzokugaku Taikei [Große Reihe der japanischen Volkskunde], 13 Bde., Tokio 1962.

Ortutay, Gyula (Hrsg.), Tagung der Sagenkommission der International Society for Folk-Narrative Research in Budapest 1963, Budapest 1964.

Ortutay, Gyula, Hungarian Folklore. Essays, Budapest 1972.

Peesch, Reinhard, Das Berliner Kinderspiel der Gegenwart, Berlin 1957.

Peesch, Reinhard, Die Fischerkommünen auf Rügen und Hiddensee, Berlin 1961.

Peeters, K. C. (Hrsg.), Tagung der International Society for Folk-Narrative Research in Antwerpen 1962, Antwerpen 1963.

Pessler, Wilhelm (Hrsg.), Handbuch der deutschen Volkskunde, 3 Bde., Potsdam o. J.

Peter, Ilka, Gasslbrauch und Gasslspruch in Österreich, Salzburg 1953.

Petsch, Robert, Spruchdichtung des Volkes. Vor- und Frühformen der Volksdichtung, Halle 1938.

Petzoldt, Leander, Der Tote als Gast, Volkssage und Exempel, Helsinki 1968.

Petzoldt, Leander (Hrsg.), Vergleichende Sagenforschung, Darmstadt 1969.

Peuckert, Will-Erich, Volkskunde des Proletariats, I: Aufgang der proletarischen Kultur, Frankfurt 1931.

Peuckert, Will-Erich, Geheimkulte, Heidelberg 1951.

Peuckert, Will-Erich, Sagen. Geburt und Antwort der mythischen Welt, Berlin 1965.

Peuckert, Will-Erich, und *Otto Lauffer,* Volkskunde. Quellen und Forschungen seit 1930, Bern 1951.

Pieper, Josef, Zustimmung zur Welt. Eine Theorie des Festes, 1963.

Pino-Saavedra, Yolando (Hrsg.), Folktales of Chile, London 1968.

Pitrè, Guiseppe, Per l'inaugurazione del corso di demopsicologia, Palermo 1911.

Plicková, Ester, Pozdišovské Hručiarstvo [Die Töpferei in Pozdišovce], Bratislava 1959.

Pop, Mihai, Îndreptar pentru culegerea folclorului [Anleitung zum Sammeln der Folklore], Bucureşti 1967.

Prause, K., Deutsche Grußformeln in neuhochdeutscher Zeit, Breslau 1930.

Propp, Vladimir, Russkie agrarnye prazdniki. Opyt istoriko-etnografičeskogo issledovanija [Die russischen Agrarfeste. Versuch einer historisch-ethnografischen Untersuchung], Leningrad 1963.

Propp, Vladimir, Morphologie des Märchens, München 1972.

Putschke, Wolfgang, Sachtypologie der Landfahrzeuge (Diss. Marburg), Berlin—New York 1971.

Quellmalz, Alfred (Hrsg.), Südtiroler Volkslieder, Kassel 1968 ff.

Ränk, Gustav, Die Bauernhausformen im baltischen Raum, Würzburg 1962.

Ränk, Gustav, Från mjölk till ost. Drag ur den äldre mjölkhushållningen i Sverige [Von der Milch zum Käse. Ein Beitrag zur alten schwedischen Milchverarbeitung], Stockholm 1966.

Ranke, Friedrich, Volkssagenforschung. Vorträge und Aufsätze, Breslau 1935.

Ranke, Kurt (Hrsg.), Beiträge zur vergleichenden Erzählforschung, Helsinki 1955.

Ranke, Kurt (Hrsg.), Internationaler Kongreß der Volkserzählungsforscher in Kiel und Kopenhagen. Vorträge und Referate, Berlin 1961.

Rassem, Mohamed, Die Volkstumswissenschaft und der Etatismus, Graz 1951.

Raupp, Jan, Sorbische Volksmusikanten und Musikinstrumente, Bautzen 1963.

Redfield, Robert, Peasant Society and Culture, Chicago 1956.

Renner, Heinrich, Wandel der Dorfkultur. Zur Entwicklung des dörflichen Lebens in Hohenlohe, Stuttgart 1965.

Richter, Lukas, Der Berliner Gassenhauer. Darstellung — Dokumente — Sammlung, Leipzig o. J. [1969/70].

Riegl, Alois, Volkskunst, Hausfleiß und Hausindustrie, Berlin 1894.

Riehl, Wilhelm Heinrich, Die Volkskunde als Wissenschaft. Ein Vortrag. 1858. In: Culturstudien aus drei Jahrhunderten, Stuttgart 1862.

Robe, Stanley L., Mexican Tales and Legends from Los Altos. Introduction, Classification, and Notes, Berkeley, Los Angeles, London 1970.

Röhrich, Lutz, Märchen und Wirklichkeit, 2. Aufl., Wiesbaden 1964.

Röhrich, Lutz, Gebärde, Metapher, Parodie. Studien zur Sprache und Volksdichtung, Düsseldorf 1967.

Röhrich, Lutz, Sage, 2. Aufl., Stuttgart 1971.

Röhrich, Lutz, und *Rolf Wilhelm Brednich* (Hrsg.), Deutsche Volkslieder. Texte und Melodien, 2 Bde., Düsseldorf 1965, 1967.

Römer, Georg, Die Historisierung von Volksbräuchen, Diss. Würzburg 1951.

Rosenfeld, Helmut, Legende, 2. Aufl., Stuttgart 1964.

Roth, Werner, Dorf im Wandel. Struktur und Funktionssysteme einer hessischen Zonenrandgemeinde im sozial-kulturellen Wandel. Eine empirische Untersuchung (Diss. Marburg), Frankfurt 1968.

Roukens, Win., Europese volkskunde in een verenigde wereld, Roermond u. Maaseik 1963.

Rudolph, Wolfgang, Handbuch der volkstümlichen Boote im östlichen Niederdeutschland, Berlin 1966.

Rudolph, Wolfgang, Segelboote der deutschen Ostseeküste, Berlin 1969.

Rumpf, Max, Deutsches Handwerkerleben und der Aufstieg der Stadt, Stuttgart 1955.

Rudy, Zvi, Ethnosoziologie sowjetischer Völker (Wege und Richtlinien), Bern u. München 1962.

Sack, Fritz, Die Idee der Subkultur: Eine Berührung zwischen Anthropologie und Soziologie, in: Kölner Zeitschrift für Soziologie und Sozialpsychologie, Bd. 23 (1971).

Sartori, Paul, Sitte und Brauch, 3 Teile, Leipzig 1910, 1911, 1914.

Sauermann, Dietmar, Historische Volkslieder des 18. und 19. Jahrhunderts, Münster 1968.

Seiler, Friedrich, Deutsche Sprichwörterkunde, München 1922.

Sieber, Friedrich, Deutsch-Westslawische Beziehungen in Frühlingsbräuchen. Todaustragen und Umgang mit dem „Sommer", Berlin 1968.

Sieber, Friedrich, Volk und volkstümliche Motivik im Festwerk des Barock, dargestellt an Dresdener Bildquellen, Berlin 1960.

Sirovátka, Oldřich, Pohádky z Moravy [Märchen aus Mähren], Praha 1959.

Siuts, Hinrich, Die Ansingelieder zu den Kalenderfesten. Ein Beitrag zur Geschichte, Biologie und Funktion des Volksliedes, Göttingen 1968.

Skalniková, Olga (Hrsg.), Kladensko. Život a kultura lidu v průmyslové oblasti [Kladensko. Volksleben und -kultur in einem Industriegebiet], Praha 1959.

Spamer, Adolf, Die Volkskunde als Wissenschaft, Berlin 1929.

Spamer, Adolf, Das kleine Andachtsbild, München 1930.

Spamer, Adolf (Hrsg.), Die deutsche Volkskunde, 2 Bde., Leipzig 1934/35.

Sorokin, P. A., Society, Culture, and Personality, New York und London 1947.

Spies, Gerd, Hafner und Hafnerhandwerk in Südwestdeutschland, Tübingen 1964.

ÓSúilleabháin, Sean, Irish Wake Amusements, Cork 1967.

Svensson, Sigfrid, Introduktion till folklivforskning, Malmö 1966.

Sydow, C. W. von, Selected Papers on Folklore, Kopenhagen 1948.

Schade, Ernst, Ludwig Erks kritische Liedersammlung und sein „Volkslied"-Begriff, Diss. Marburg 1971.

Scharfe, Martin, Rudolf Schenda, Herbert Schwedt, Volksfrömmigkeit. Bildzeugnisse aus Vergangenheit und Gegenwart. Mit einer Einführung von Hermann Bausinger, Stuttgart 1967.

Scharfe, Martin, Evangelische Andachtsbilder. Studien zu Intention und Funktion des Bildes in der Frömmigkeitsgeschichte vornehmlich des schwäbischen Raumes, Stuttgart 1968.

Schempp, Hermann, Gemeinschaftssiedlungen auf religiöser und weltanschaulicher Grundlage, Tübingen 1969.

Schenda, Rudolf, Volk ohne Buch. Studien zur Sozialgeschichte der populären Lesestoffe 1770—1910, Frankfurt a. M. 1970.

Schepers, Josef, Westfalen-Lippe (Haus und Hof deutscher Bauern, Bd. 2), Münster 1960.

Scheuermeier, Paul, Bauernwerk in Italien, 2 Bde., Bern 1956.

Schier, Bruno, Der Bienenstand in Mitteleuropa, Leipzig 1939.

Schier, Bruno, Hauslandschaften und Kulturbewegungen im östlichen Mitteleuropa, 2. erw. Aufl., Göttingen 1966.

Schlee, Ernst, Schleswig-Holsteinische Volkskunst, Flensburg 1964.

Schmidt, Leopold, Wiener Volkskunde, Wien 1940.

Schmidt, Leopold, Geschichte der österreichischen Volkskunde, Wien 1951.

Schmidt, Leopold, Gestaltheiligkeit im bäuerlichen Arbeitsmythos. Studien zu den Ernteschnittgeräten und ihre Stellung im europäischen Volksglauben, Wien 1952.

Schmidt, Leopold (Hrsg.), Masken in Mitteleuropa. Volkskundliche Beiträge zur europäischen Maskenforschung, Wien 1955.

Schmidt, Leopold, Das deutsche Volksschauspiel. Ein Handbuch, Berlin 1962.

Schmidt, Leopold, Die Volkserzählung. Märchen, Sage, Legende, Schwank, Berlin 1963.

Schmidt, Leopold, Volksglaube und Volksbrauch. Gestalten, Gebilde, Gebärden, Berlin 1966.

Schmidt, Leopold, Volkskunst in Österreich, Wien—Hannover 1966.

Schmidt, Leopold, Bauernmöbel aus Süddeutschland, Österreich und der Schweiz, Wien 1967.

Schmidt, Leopold, Volksgesang und Volkslied. Proben und Probleme, Berlin 1970.

Schmitt, Erich, Kamin-, Ofen- und Takenplatten aus saarländischen Eisenwerken, Düsseldorf 1967.

Schmitt, Heinz, Das Vereinsleben der Stadt Weinheim an der Bergstraße. Volkskundliche Untersuchung zum kulturellen Leben einer Mittelstadt, Weinheim 1963.

Schmitter, Werner, Waldarbeit und Waldarbeiter im Prätigau, Schiers 1953.

Schneider, Heinrich, Das Baugesicht in sechs Dörfern der Pfalz, Diss. Marburg 1971.

Schneidewind, Gisela (Hrsg.), Herr und Knecht. Antifeudale Sagen aus Mecklenburg. Aus der Sammlung Richard Wossidlos, Berlin 1960.

Schöppel, Brigitte, „Naturtheater". Studien zum Theater unter freiem Himmel in Südwestdeutschland, Tübingen 1965.

Schrijnen, Jos., Nederlandsche Volkskunde, 2. Aufl. Zutphen 1930.

Schroubek, Georg R., Wallfahrt und Heimatverlust. Ein Beitrag zur religiösen Volkskunde der Gegenwart, Marburg 1968.

Schulze, Fritz Willy, Folklore. Zur Ableitung der Vorgeschichte einer Wissenschaftsbezeichnung, Halle 1949.

Schwarz, Gabriele, Allgemeine Siedlungsgeographie, 3. Aufl., Berlin 1966.

Schwebe, Joachim, Volksglaube und Volksbrauch im Hannoverschen Wendland, Köln—Graz 1960.

Schwedt, Elke, Volkskunst und Kunstgewerbe. Überlegungen zu einer Neuorientierung der Volkskunstforschung, Tübingen 1970.

Schwedt, Herbert, Kulturstile kleiner Gemeinden, Tübingen 1968.

Steensberg, Axel (Hrsg.), Dagligliv i Danmark i det nittende og tyvende Aarhundrede [Alltagsleben in Dänemark im neunzehnten und zwanzigsten Jahrhundert], 2 Bde., Kopenhage 1963 und 1964.

Steinitz, Wolfgang, Deutsche Volkslieder demokratischen Charakters aus sechs Jahrhunderten, 2 Bde., Berlin 1954 u. 1962.

Steinitz, Wolfgang, Arbeiterlied und Volkslied, Berlin 1965.

Stockmann, Doris, Der Volksgesang in der Altmark. Von der Mitte des 19. bis zur Mitte des 20. Jahrhunderts, Berlin 1962.

Stockmann, Erich, und *Hermann Strobach* in Zusammenarbeit mit *Kirill Čistov* und *Eugen Hippius* (Hrsg.), Sowjetische Volkslied- und Volksmusikforschung. Ausgewählte Studien, Berlin 1967.

Stokar, W. v., Die Urgeschichte des Hausbrotes, Leipzig 1951.

Stoudt, John Joseph, Early Pennsylvania Arts and Crafts, New York und London 1964.

Straßner, Erich, Schwank, Stuttgart 1968.

Strobach, Hermann, Bauernklagen. Untersuchungen zum sozialkritischen deutschen Volkslied, Berlin 1964.

Strübin, Eduard, Baselbieter Volksleben. Sitte und Brauch im Kulturwandel der Gegenwart, Basel 1952.

Sturzenegger, Hannes, Volkstümlicher Wandschmuck in Zürcher Familien. Wesen und Funktion, Bern 1970.

Talve, Ilmar, Bastu och Torkhus i Nordeuropa [Badestube und Darrhaus in Nordeuropa], Stockholm 1960.

Tax, Sol, u. a. (Hrsg), An Appraisal of Anthropology Today, Chicago 1953.

Tax, Sol (Hrsg.), Horizons of Anthropology, Chicago 1964.

Taylor, Archer, The Proverb, Cambridge 1931; 2. Aufl., Kopenhagen 1962.

Teuteberg, Hans J., und *Günter Wiegelmann,* Wandel der Nahrungsgewohnheiten unter dem Einfluß der Industrialisierung, Göttingen 1971.

Thiel, Helga, Die deutschen Volkstänze in Böhmen, Mähren und Schlesien, Marburg 1970.

Thompson, Stith, The Folktale, 2. Aufl., New York 1951.

Thompson, Stith, Motif-Index of Folk-Literature. A Classification of Narrative Elements in Folktales, Ballads, Myths, Fables, Mediaeval Romances, Exempla, Fabliaux, Jest-Books and Local Legends, 6 Bde., 2. Aufl., Kopenhagen 1955—1958.

Tokarev, S. A., Etnografija narodov SSSR, Moskau 1958.

Tolksdorf, Ulrich, Volksleben in den Ermländersiedlungen der Eifel, Marburg 1967.

Toschi, Paolo, Il folklore, Rom 1952.

Toschi, Paolo, Guida allo studio delle tradizioni popolari, Torino 1962.

Treiber-Netoliczka, Luise, Die Trachtenlandschaften der Siebenbürger Sachsen, Marburg 1968.

Tschitscherow, Wladimir, Russische Volksdichtung. Redigiert von *Eberhard Hexelschneider,* Berlin 1968.

Tylor, Edward B., Primitive Culture, 2 Bde., London 1871.

Václavík, Antonín, Výrocní obyčeje a lidové umění [Jahresbräuche und Volkskunst], Praha 1959.

Vahros, Igor, Zur Geschichte und Folklore der großrussischen Sauna, Helsinki 1966.

Vakarelski, Christo, Bulgarische Volkskunde, Berlin 1969.

Valonen, Niilo, Zur Geschichte der finnischen Wohnstuben, Helsinki 1963.

Varagnac, André, Définition du folklore, Paris 1938.

Varagnac, André, Civilisation traditionelle et genres de vie, Paris 1948.

Vasconcellos, Leite de, Etnografia Portuguese, I Lissabon 1933.

Vetterl, Karel (Hrsg.), Lidové písně a tance z Valašskokloboucka [Volkslieder und -tänze aus dem Gebiet von Wallachisch-Klobouk] I-II, Praha 1955, 1960.

Vilkuna, Kustaa, Volkstümliche Arbeitsfeste in Finnland, Helsinki 1963.

Vilkuna, Kustaa, Finnisches Brauchturm im Jahreslauf, Helsinki 1969.

Vierkandt, Alfred, Die Stetigkeit im Kulturwandel, Leipzig 1908.

Vrabie, Gheorghe, Folcloristica română. Evolutie, curente, metode [Die rumänische Folkloristik. Entwicklung, Strömungen, Methoden], Bucureşti 1968.

Wagner, Kurt, Aberglaube, Volksglaube und Erfahrung, Halle 1941.

Wallner, Ernst M., Von der Herberge zum Grandhotel. Wirtshäuser und Gastlichkeit. Geschichte, Wirtshausnamen, Wirtshausschilder, Konstanz 1968

Weber-Kellermann, Ingeborg, Ludolf Parisius und seine altmärkischen Volkslieder, Berlin 1957.

Weber-Kellermann, Ingeborg, Erntebrauch in der ländlichen Arbeitswelt des 19. Jahrhunderts, auf Grund der Mannhardtbefragung in Deutschland von 1865, Marburg 1965.

Weber-Kellermann, Ingeborg, Deutsche Volkskunde zwischen Germanistik und Sozialwissenschaften, Stuttgart 1969.

Weidmann, Angelika, Puerto Moral. Monographie eines andalusischen Dorfes, Diss. Köln 1968.

Weinhold, Rudolf, Töpferwerk in der Oberlausitz, Berlin 1958.

Weinhold, Rudolf, Winzerarbeit an Elbe, Saale und Unstrut, Berlin 1973.

Weiss, Richard, Volkskunde der Schweiz, Erlenbach—Zürich 1946.

Weiss, Richard, Häuser und Landschaften der Schweiz, Erlenbach—Zürich und Stuttgart 1959.

Welti, Erika, Taufbräuche im Kanton Zürich, Zürich 1967.

Wesselski, Albert, Versuch einer Theorie des Märchens, Reichenberg i. B. 1931.

Wichert-Pollmann, Ursula, Das Glasmacherhandwerk im östlichen Westfalen. Eine volkskundliche Untersuchung, Münster 1963.

Wiegelmann, Günter, Alltags- und Festspeisen. Wandlung und gegenwärtige Stellung, Marburg 1967.

Wildhaber, Robert (Hrsg.), Masken und Maskenbrauchtum aus Ost- und Südosteuropa, Bonn 1968.

Wilsdorf, Helmut, in Zusammenarbeit mit *Herta Uhlrich,* Bergleute und Hüttenmänner in deutschsprachigen Untersuchungen von 1945 bis 1964. Eine montanethnographische Bibliographie, Berlin 1966.

Wiora, Walter, Das echte Volkslied, Heidelberg 1950.

Witzig, L., Schweizer Trachtenbuch, Zürich 1954.

Wolfersdorf, Peter, Die niedersächsischen Berggeistsagen, Göttingen 1968.

Wolfram, Richard, Die Volkstänze in Österreich und verwandte Tänze in Europa, Salzburg 1951.

Wünsch, Walther (Hrsg.), Volksmusik Südosteuropas, München 1966.

Wylie, Laurence, Dorf in der Vaucluse. Der Alltag einer französischen Gemeinde. Übers. v. *Eva Krafft-Bassermann,* Frankfurt/M., 1969.

Zender, Matthias, Räume und Schichten mittelalterlicher Heiligenverehrung in ihrer Bedeutung für die Volkskunde, Düsseldorf 1959.

Zender, Matthias, Sagen und Geschichten aus der Westeifel, Bonn 1966.

Zinsli, Paul, Walser Volkstum in der Schweiz, in Vorarlberg, Liechtenstein und Piemont, 3. Aufl., Frauenfeld und Stuttgart 1970.

Znamierowska-Prüffer, Maria. Thrusting Implements for Fishing in Poland and Neighboring Countries (Rybackie narzędzia kolne w Polsce i w krajach sąsiednich). Übers. a. d. Polnischen, Warszawa 1966.

Züricher, Gertrud, Kinderlieder der deutschen Schweiz, Basel 1926.

Die biographische Methode

Von Jan Szczepanski

I. Das Aufkommen dieser Methode

Die biographische Methode, auch Methode persönlicher Dokumente *(personal documents) oder menschlicher Dokumente (human documents)* genannt, trat in einem sehr bezeichnenden Entwicklungsmoment der Soziologie auf, als nämlich die Soziologen auf die Schaffung großer Synthesen, die das Wesen der menschlichen Gesellschaft und ihre allgemeinen Entwicklungsgesetze im Ganzen erklären, verzichteten und zur empirischen Erforschung einzelner Gebiete des sozialen Lebens übergingen. Vertreter dieser Richtung drängten nicht nur darauf, genaue Tatsachenbeschreibungen zu geben, sondern vor allem Hypothesen zu bestätigen und möglichst präzise Wahrheiten zu formulieren. Es war dies also ein Bestreben, mit der Spekulation beim Ausbau einer soziologischen Theorie zu brechen und die Soziologie in eine empirische Wissenschaft zu verwandeln, die von der Beschreibung der Tatsachen zu einer planmäßigen Nachprüfung von Hypothesen und Theorien übergeht. Eines der ersten Werke, in dem diese Tendenz besonders deutlich hervortrat, war das Werk von *William I. Thomas* und *Florian Znaniecki* über die polnischen Bauern in Europa und Amerika (1919/21). Gewiß fehlte es auch vorher nicht an Einzelstudien beschreibender Art – *Pauline V. Young* (1949) gibt eine gute Aufzählung –, aber die Arbeit von *Thomas* und *Znaniecki* unterscheidet sich von denen von *Frédéric Le Play* (1855) und *Charles Booth* (1892–1902) und anderer in einigen Punkten: sie ist keine breitangelegte „Übersichtsstudie“ *(social survey)* irgendeines komplexen sozialen Gebildes, die möglichst viele seiner Eigenschaften registriert, sondern sie sucht Antwort auf eine genau umschriebene Fragestellung; sie beschränkt sich auch nicht auf eine Beschreibung der äußerlichen Merkmale eines Phänomens, sondern bemüht sich, psychische Haltungen und Veränderungen auf dem Hintergrund der verschiedenen gesellschaftlichen Strukturen, in denen sie auftreten, zu klären. Die Autoren planten in der Tat die soziologische Theorie eines festumgrenzten Teilgebietes gesellschaftlicher Erscheinungen. Ihr Versuch, eine solche Theorie aufzustellen, rief deshalb auch ein allgemeines Interesse hervor, da sie überdies eine gewisse Synthese zu schaffen versuchten zwischen den Bemühungen der psychologischen Richtungen (wie zum Beispiel *Gabriel Tarde*), die gesellschaftliche Phänomene von psychischen herleiteten, und soziologistischen Richtungen (wie teilweise zum Beispiel *Emile Durkheim*), die der Psychologie jede Rolle bei der Erforschung der gesellschaftlichen Gruppen absprachen.

Das Werk von *Thomas* und *Znaniecki* stellte also Fragen in neuer empirischer Art und entwickelte auch ontologische Gesichtspunkte bezüglich der Natur der zu erforschenden Sozialphänomene. Zur Lösung dieser Probleme bediente es sich — im Einklang mit den angenommenen Voraussetzungen — neuartiger Materialien: nämlich der *persönlichen Dokumente*. Um die von den Autoren erstrebten Forschungsziele ganz allgemein zu charakterisieren, könnte man sagen, sie wollten feststellen, wie sich die Formen der Familie, der Nachbarschaftsgruppen, die Eigenarten ihres Verhaltens, die Systeme der Lebensgewohnheiten und Sitten der Bauern, die aus Polen nach den Vereinigten Staaten emigrierten, unter dem Einfluß dieser Wanderung veränderten. Sie bemühten sich, den Mechanismus der Anpassung an die neuen Verhältnisse aufzudecken. Es ging also nicht nur um die Beschreibung der strukturellen Veränderungen, sondern gleichzeitig um die Erklärung der sozialpsychologischen Prozesse, die sich in den Emigrantengruppen aus Polen abspielten. Zur Lösung dieser Aufgabe werteten die Autoren die *Korrespondenzen* aus, die zwischen den in Polen verbliebenen Familien und ihren nach Amerika ausgewanderten Verwandten ausgetauscht worden waren. Darüber hinaus benutzten sie auch *Autobiographien* der Emigranten. In diesen Dokumenten, in denen der Schreiber sein eigenes Erleben schilderte und auch die sozialen Verhältnisse, die solche Erlebnisse hervorgerufen hatten, glaubten sie, grundlegendes soziologisches Material zur Erforschung der wechselseitigen Beeinflussung der objektiven Kulturwerte und der Einstellungen (attitudes) der Einzelnen zu finden. Und weil sie meinten, daß gerade diese Wechselwirkung einer der wichtigsten Prozesse des gesellschaftlichen Lebens sei, schlossen sie, daß diese Art von Forschungsgrundlagen das vollkommenste soziologische Material und eine Methode, die solche Materialien auswertet, die beste Verfahrensweise in der Soziologie sei.

So weckten *Thomas* und *Znaniecki* große Hoffnungen mit der planmäßigen Auswertung von Autobiographien und anderen persönlichen Dokumenten. Es kommt hinzu, daß sich die Soziologie in dieser Entwicklungsphase, das heißt, zu Beginn des 20. Jahrhunderts, im Stadium des Suchens einer ihr eigenen Verfahrensweise befand. Hatte doch rund ein Jahrzehnt vor Erscheinen des Werkes von *Thomas* und *Znaniecki* der französische Mathematiker *Henri Poincaré* (1908) boshaft bemerkt: „Die Soziologie ist eine Lehre, die die meisten Methoden und die wenigsten Resultate zu verzeichnen hat. Es wurden darum so viele Methoden produziert, weil sie sich zunächst alle als ungenügend erwiesen hatten; fast jede soziologische These ruft nach einer neuen Methode." Ein Blick auf die methodologischen Diskussionen, die in den letzten Jahren des 19. und in den ersten des 20. Jahrhunderts laut wurden, bestätigt die Richtigkeit der etwas boshaften Bemerkung *Poincarés*. Das Werk von *Thomas* und *Znaniecki* erschien nun zu einer Zeit, wo – im Gegensatz zu diesen frühen Diskussionen – die Soziologen, besonders in Amerika, schon nicht mehr zu allgemeinen Methodenstreitigkeiten geneigt waren, die zu keinen positiven Resultaten führen. So siegte die Anschauung, die Soziologie von Grund auf neu zu orientieren, beginnend mit der Beobachtung von Fakten. Das von *Thomas* und *Znaniecki* vorgeschlagene Verfahren versprach einen Weg aus der Sackgasse. Ihr Werk zeichnete sich durch Klarheit in der Problemstellung, konkretes Material, überragende empirische Lösungen und sachliche Dokumentation der Thesen aus. Diese Merkmale wirkten sich auch auf die angewandte Methode aus. Diese wurde in Amerika bald durch andere Forschungstechniken verdrängt. Einzig in Polen erfreute sich diese Methode – wohl besonders unter dem persönlichen Einfluß von *Znaniecki* – fortlaufend einer großen Anerkennung. In der amerikanischen Soziologie arbeitete man dagegen zahlreiche neue Verfahrensweisen der Forschung aus. Doch kann man in den letzten Jahren wiederum eine Rückkehr zu dieser alten Methode beobachten, wobei man öfters den anderen Ansätzen vorwirft, sie würden keinen Einblick in die psychischen Prozesse der Herausbildung und Kontinuität von Einstellungen vermitteln, sie erforschten die Haltungen und Meinungen losgelöst von den Sozialstrukturen und den historischen Prozessen, in denen sie stehen. Auf der Suche nach Möglichkeiten, diese Fehler zu eliminieren, lenken von neuem einige Soziologen die Aufmerksamkeit auf die Autobiographien und suchen nach Wegen, sie mindestens als Ergänzungsmaterial zu anderen Forschungstechniken auszuwerten. Wir meinen also, daß ein neu erwachtes Interesse die Besprechung dieser Methode in einem modernen Handbuch rechtfertigt.

II. Allgemeine Charakteristik der Methode

Die Einführung von biographischen Dokumenten als soziologisches Material drängte nach zwei Richtungen hin: 1. Die Entwicklung einer Methode, die *ausschließlich Dokumente dieser Art* als die besten Materialien auswertet; sie soll eine Lösung aller soziologischen Probleme gestatten; oder 2. eine Benützung dieser Dokumente als *Ergänzungs- und Hilfsmaterialien* zu anderen. Wir betrachten zunächst die erste Verfahrensweise.

Methode biographischer Dokumente nennen wir eine Forschungsweise, bei der man zur Lösung eines Problems ausschließlich Materialien sammelt, die menschliche Äußerungen über ihre Beteiligung an Ereignissen und prozeßartigen Geschehnissen enthalten; auf der Grundlage solcher Berichte gibt man eine Beschreibung dieser Prozesse und stellt Erklärungshypothesen auf. Zum Beispiel kann man sich auf dieser Grundlage folgende Untersuchungen vorstellen: Es interessiere uns der Prozeß der Anpassung von Landarbeitern an die Arbeit in der Industrie. Zur Beschreibung der Phänomene, die im Laufe dieses Prozesses auftauchen, und zur Aufstellung einer Theorie, die erklärt, welche Faktoren in diesem Prozeß eine entscheidende Rolle spielen, kann man eine entsprechende Menge von Autobiographien von ehemaligen Bauern sammeln, die kürzere oder längere Zeit in der Industrie gearbeitet haben. Diese Autobiographien müßten nach gewissen Richtlinien verfaßt sein, und die Richtlinien wiederum wären diktiert von der Gesamtheit der Arbeitshypothesen, mit denen wir an die Untersuchungen herangehen. Die gesammelten Autobiographien bereiten wir technisch zur Auswertung vor, indem wir einen entsprechenden Problem-Index aufstellen und eine Selektion im Hinblick auf die in diesen Materialien steckenden Informationen durchführen. Dann werden charakteristische Phänomene und Ereignisse herausgehoben, die den Prozeß der Anpassung beleuchten, Faktoren, die ihn beeinflussen, um den typischen Verlauf dieses Prozesses herauszubekommen und eine erklärende Theorie zu geben.

In dieser Hinsicht ist die Methode der persönlichen Dokumente natürlich insbesondere in der Psychologie angewendet worden, wo sie etwa um 1930 (insbesondere unter dem Einfluß von *Charlotte Bühler*) in der deutschen Psychologie eine große Rolle spielte. Hier diente sie allerdings vor allem der Erkundung einzelner psychischer Prozesse im Rahmen der Persönlichkeitsentwicklung (zum Beispiel Pubertätsphase bei Jugendlichen und ähnliches) und überhaupt in dem, was man im weitesten Sinne als *„Lehre von der Persönlichkeit"* bezeichnen kann. Diese geht im wesentlichen auf *Wilhelm Dilthey* zurück und ist in ihrer deutschen Ausprägung sehr einseitig auf das „Erlebnis" unter mehr oder weniger bewußter Ausschließung soziologischer Gesichtspunkte festgelegt worden. Das schließt natürlich nicht aus, daß in manchen Fällen soziale Momente der Persönlichkeitsentwicklung tatsächlich beachtet worden sind; aber zwischen einer de facto-Betrachtung und einer grundsätzlichen Einschließung der soziologischen Faktoren, wie es zum Beispiel bei *Thomas* und *Znaniecki* der Fall ist, besteht doch ein großer Unterschied. Darum auch lassen wir alle diese Forschungsmaterialen hier aus; man informiert sich über sie am besten in den einschlägigen Werken der Psychologie. — Ebenso soll die *monographische Methode* oder Einzelfallstudie *(case study)* hier ausgelassen werden, obwohl sie häufig der beschriebenen Methode der persönlichen Dokumente sehr nahe kommt. Aber einmal wird diese Methode in einem anderen Kapitel des vorliegenden Handbuchs behandelt (Soziographie); ferner sind bei ihr häufig die praktischen Absichten der Therapie so viel stärker als die theoretischen, daß sie ihren Platz eher in einem Handbuch der Sozialfürsorge oder der Sozialtherapie finden mögen. Hier steht im Zentrum *die Hilfe* an eine wohldefinierte Einzelperson und nicht so sehr *die Erkenntnis* allgemeiner sozialer Zusammenhänge aus der Perspektive der seelischen Innendimension einer oder mehrerer Personen.

Hans Thomae (1952) gibt eine vorzügliche umfassende Übersicht über die verschiedenen Zweige der biographischen Methode in der Psychologie, Psychotherapie, in der klinischen und kriminologischen Kasuistik, in der psychologischen Entwicklungs- und Konstitutionslehre, der Charakterologie und vor allem der angewandten Psychologie. Sie erscheint dabei als eine wichtige Ergänzung der experimentellen Psychologie, indem es sich in vielen Fällen als unmöglich erweist, Experimente zu machen, sondern man mit Fragen zu tun habe, *die das Leben selber stellt.* Das treibt geradezu auf die Suche „nach neuen Instrumenten der Dokumentation und empirischen Beweisführung", vor allem „die geduldige und mit allen Hilfsmitteln moderner Ausdruckserfassung und projektiver Methodik unterstützte Verfolgung von Lebensgeschichten". In diesen Gesamtrahmen baut sich auch die in der Soziologie ausgebildete biographische Methode ein, wenn auch bei ihr neben dem Problem des „Lebenslaufes" — ganz unangesehen der verschiedenen allgemein-soziologischen Ausgangspunkte — eher die Spannung *zwischen* persönlichem Lebenslauf einerseits und relativ objektiven Größen wie „Kultur" oder „gesellschaftliche Institutionen" andererseits relevant wird. Auch hier gibt es dann Ansätze, die ausschließlich biographische Materialien verwenden. Diese sind vor allem in gewissen Zweigen der Ethnosozialpsychologie sowie der allgemeinen kulturanthropologischen Sozialpsychologie verbreitet. Aber die biographischen Dokumente können auch mit anderer Zielsetzung ausgewertet werden. *Robert C. Angell* (1945, S. 180—184) unterscheidet 6 verschiedene Möglichkeiten der Auswertung von Autobiographien:

1. Die Lektüre umfangreicher Sammlungen von Autobiographien, die breitangelegte und suggestive Beschreibungen verschiedener sozialer

Gruppen und verschiedener Menschen (Persönlichkeitstypen) geben, kann dem Forscher gewisse neue, allgemeine Ideen vermitteln, die seine Untersuchungen in eine bestimmte Richtung lenken. Diese allgemeinen Ideen sind keine konkreten Hypothesen, die eine empirische Nachprüfung erfordern, sondern vielmehr zunächst nur allgemeine Theorien auf intuitiver Basis.

2. Persönliche Dokumente können ferner einen gewissen Komplex von Hypothesen bezüglich konkreter Phänomene und Prozesse entwickeln helfen und auch Materialien zu ihrer Prüfung abgeben. Eine solche Nachprüfung erfordert ein genaues und präzises Vorgehen in der Analyse der Dokumente, worüber wir später noch mehr erfahren werden.

3. In einem weniger strengen Verfahren geben die persönlichen Dokumente dem Forscher einfach Illustrationsstoff zu gewissen von vornherein aufgestellten Hypothesen. In diesem Falle ist der Soziologe versucht, die Beschreibungen in den Autobiographien als wissenschaftliche Materialien zu behandeln und die von den Verfassern angegebenen Ursachen zur Begründung oder Illustrierung der entwickelten Hypothesen zu benutzen.

4. Persönliche Dokumente können ferner zur Nachprüfung von Hypothesen dienen, die nicht aus ihnen selbst geschöpft sind. Es kann sein, daß der Forscher andere Materialien sammelte und aus ihnen Hypothesen aufstellte oder in ihnen theoretische Erklärungen fand; nun benutzt er die persönlichen Dokumente als Kontrollmaterial.

5. Persönliche Dokumente können noch als Material herangezogen werden, das ein Verstehen (nicht nur eine theoretische Erklärung) gewisser sozialpsychologischer Prozesse ermöglicht, die sich in Gruppen oder auch in individuellen Persönlichkeiten abspielen. Das kann sogar ein ganz praktisches Verstehen sein, das uns die Voraussicht künftiger Verhaltensweisen auf Grund der Bekanntschaft mit den Motiven und Strebungen der gegebenen Person oder Gruppe ermöglicht.

6. Endlich können persönliche Dokumente Orientierungsmaterial sein, wenn wir im Verlauf der Forschungsvorbereitungen die schon verfügbaren Materialien zu einer ersten Orientierung im Feld der Erscheinungen studieren und wenn wir uns danach bemühen festzustellen, wie der Wissensstand auf diesem Gebiete ist. Die Lektüre von Autobiographien kann dann bei der Formulierung des Problems und der Forschungsziele behilflich sein.

Die Methode der biographischen Dokumente, die diese als einzige und ausreichende Spezies von Materialien annimmt, stützt sich auf eine Reihe von ontologischen und methodologischen Voraussetzungen. Dagegen zeigt sich ihre Anwendung als Hilfsmaterial sowohl bei der allgemeinen Umfrageforschung als auch bei Feld- und Experimental-Untersuchungen. Zum Beispiel arbeiteten wir bei jüngst durchgeführten Untersuchungen über die Veränderungen in Struktur und Funktionen der polnischen Intelligenz mit Hilfe eines Fragebogens und führten Interviews mit ausgewählten Personen durch. Aber gleichzeitig sammelten wir einige hundert Autobiographien, die uns zur Feststellung gewisser Einstellungs- und Personentypen sowie als Vergleichs- und als Kontrollmaterial für die Prüfung von Informationen dienten, die wir in den Interviews erhalten hatten. Bei einem solchen Vorgehen werden die biographischen Angaben als Hilfsmaterial behandelt; die Art der Analyse ist eine andere als in dem Falle, wo sie den einzigen Erkenntnisgegenstand bilden.

III. Was sind biographische Dokumente?

Was nennt man nun ein biographisches oder persönliches Dokument? Wir können in der Literatur verschiedenen Definitionen begegnen, die sich jedoch lediglich durch Akzentuierung ihrer verschiedenen Eigentümlichkeiten unterscheiden. So unterstreicht *Robert Redfield* (*L. Gottschalk* u. a. 1945, S VII), daß trotz der Unterschiede in den Definitionen „das eigentliche Element in ihnen dasselbe ist: ein menschliches oder persönliches Dokument nennt man ein solches, in dem menschliche und persönliche Züge des Verfassers derart zum Ausdruck kommen, daß der Leser seine Ansichten bezüglich der Ereignisse, die das Dokument behandelt, erkennt." *Robert C. Angell* definiert in demselben Buch (S. 177) folgendermaßen: „Ein persönliches Dokument für unsere Forschungszwecke ist ein solches, das die Stellungnahme eines Teilnehmers an gewissen Vorgängen zu diesen enthüllt. Es ist dabei nicht notwendig, daß die Persönlichkeit, deren Ansicht über diese Vorgänge dargelegt wird, selbst ein Dokument verfaßt. Ein sorgsam niedergeschriebenes Interview kann gleichfalls als ein persönliches Dokument erachtet werden unter der Bedingung, daß die Person, die das Interview durchführt, keine eigene Interpretation der Vorgänge gibt. Es ist auch nicht unbedingt erforderlich, daß die Person selbst Mittelpunkt der Vorgänge ist, um die es in dem Dokument geht." Wir wir also sehen, sind dies ziemlich weitreichende Definitionen, die nicht nur Autobiographien oder Briefe umfassen, sondern auch den großen Bereich anderer Dokumente. *Gordon W. Allport* (1942, S. XII) verschiebt als Psychologe den Akzent der Definition ein wenig. Für ihn kann ein persönliches Dokument definiert werden als eine beliebige Niederschrift, die bewußt oder unabsichtlich Informationen über Struktur, Dynamik und Funktion des Denkens ihres Autors gibt. In dieser Begriffsbestimmung findet sich kein Wort über die soziale Umwelt und Vermittlung von Informationen über Vorgänge, in die der Schreibende selber verwickelt war. Das würde im wesentlichen auch der oben erwähnten deutschen Verwendungsweise des Begriffs entsprechen. *Herbert Blumer* (1939, S. 29) gibt folgende Definition: „Rechenschaftsbericht aus der Erfahrung einer Person, die ihre Tätigkeit als Mensch und als Teilnehmer im sozialen Leben darlegt."

In all diesen Definitionen liegt der Nachdruck auf der Bedeutung der persönlichen Dokumente für die Erkenntnis der psychischen Haltungen und der Motivationen der zu erforschenden Person deutlich auf der Hand. Die Funktion solchermaßen definierter Dokumente besteht also darin, daß sie Einblick in fremdes Seelenleben als einem der Faktoren geben, die das Verhalten der Einzelnen im Gruppenleben bestimmen. Diese Vorzüge der persönlichen Dokumente unterstreicht auch *Znaniecki* im Vorwort zur Arbeit von *Joseph Chalasinski* (1938) über „Die junge Bauerngeneration", indem er schreibt: „Für den Soziologen wie für den Psychologen ist die Autobiographie ein Dokument des persönlichen, bewußten Lebens des Autors, ein Ausdruck seiner subjektiven Erfahrungen, wie alle menschlichen Aussagen, die keinen Anspruch auf wissenschaftliche Objektivität haben. Ihr großer unmittelbarer Wert als Lebensdokument gründet darin, daß sie eine bedeutende Zahl verschiedenartiger, aber miteinander zusammenhängender persönlicher Erfahrungen offenbart, die — gegenseitig sich ergänzend und beleuchtend — eine Ganzheit darstellen. Diese gibt dem Forscher die Möglichkeit, sie weit besser zu verstehen, zu kontrollieren und zu analysieren, als wenn er es mit spezifizierten Einzelaussagen im Fragebogen, Interview oder Briefen zu tun hätte."

Welche Arten von Dokumenten besitzen nun die oben erwähnten Merkmale? Bei einer weiten Interpretation der Bezeichnung „persönliches Dokument" werden wir nicht nur Autobiographien jeder Art, Tagebücher, Erinnerungen (Memoiren) so benennen, sondern auch Briefe, wörtliche Niederschriften von Zeugenaussagen, Geständnissen, Interviews sowie alle anderen Dokumente, die einen Niederschlag von seelischen Zuständen irgend einer Person zum Inhalt haben *(projective documents)*. Man kann jedoch die Definition auch einengen und zu den für die soziologische Forschung wichtigen persönlichen Dokumenten einzig diejenigen schriftlichen Aussagen zählen, die die Teilnahme des Schreibenden an einer bestimmten sozialen Situation darlegen und die persönliche Auffassung des Autors über diese Situation wiedergeben, ferner eine Beschreibung des Verlaufs von Vorgängen in dieser Situation und eine Beschreibung, wie sich der Schreiber dabei verhielt. Erst das gemeinsame Auftreten all dieser Elemente im Dokument macht es für die Durchführung soziologischer Forschungen wertvoll.

Die Bedingungen dieser engeren Definitionsauslegung werden von weit weniger Dokumenten erfüllt als diejenigen der weiteren Interpretation. Deshalb bedienen sich die Soziologen am liebsten der Autobiographien, die auf Verlangen nach besonderen Anweisungen niedergeschrieben wurden, wobei man Berücksichtigung der oben erwähnten Elemente fordert. Die Vorzüge der Autobiographie schildert *J. Chalasinski* (1938, S. XXXIII) mit folgenden Worten: „Sie gibt eine Beschreibung der sozialen Situation des Autors sowie seiner Anschauungen und seines Verhaltens in diesen Situationen." Überdies stellen Autobiographien Prozesse im gesellschaftlichen Leben der Einzelpersönlichkeit, in ihrer Entwicklung und ihrem Zusammenhang dar, also Sozialverhältnisse in ihrem Nacheinander und Zueinander, und dies in einer Weise, die nicht plötzlich abbricht, wie es manchmal in Briefen, Tagebüchern und Memoiren geschieht.

Gewiß sind nicht alle Autobiographien gleichwertig. Ein Vergleich verschiedener Typen publizierter Autobiographien würde auch gewisse Klassifizierungen erlauben. So unterscheidet *Ernest W. Burgess* in der Diskussion über die biographische Methode (in: *Clifford R. Shaw* 1930, S. 190) vier Arten von Autobiographien: den Typ der *Chronik,* den Typ der *Selbstverteidigung,* den Typ der *Bekenntnisse* und den Typ der *Selbstanalyse.* Natürlich ist der Wert jedes dieser reinen Typen verschieden. Das Schreiben einer Autobiographie läßt im Leben des Schreibenden verschiedene Funktionen in Tätigkeit treten und färbt auch die Wertigkeit des Materials. *G. W. Allport* (1942, S. 22—23) zitiert eine nichtveröffentlichte Arbeit *E. T. Kruegers,* der eine ähnliche Klassifikation der Autobiographie durchgeführt hat, indem er unterscheidet: 1. Das Dokument als Bekenntnis einer desorganisierten oder an Minderwertigkeitsgefühlen leidenden Persönlichkeit, die in intimen Darlegungen einen Ausweg für die sie quälenden inneren Konflikte findet und durch Aufhellung ihrer besonderen Umstände auf eine „social reincorporation" abzielt. 2. Das „autistische" Dokument, das den Charakter einer Rechtfertigung bestimmter Verhaltensweisen trägt. 3. Die wissenschaftliche Autobiographie als Versuch einer objektiven Darstellung und Analyse des Erlebens und der Taten des Verfassers. 4. Das naive Dokument, geschrieben von Personen, die die festgefahrenen Konventionen nicht durchbrechen und überdies in farbloser Art berichten.

Autobiographien bilden das grundlegende Material in allen Untersuchungen, die sich der biographischen Methode bedienen. Wir kennen keine soziologische Arbeit, die sich ausschließlich zum Beispiel auf Briefe stützt. („The Polish Peasant" wertet neben

Briefen auch Autobiographien, Presseberichte, Protokolle verschiedener Institutionen und ähnliches mehr aus.) Dagegen kennen wir eine Reihe von Untersuchungen, die sich nur auf Autobiographien stützen. Andere persönliche Dokumente treten oft als Hilfsmaterialien auf. Alle jedoch verdienen die Bezeichnung biographische Materialien, da sich in ihnen ein größeres oder kleineres Fragment menschlichen Lebens widerspiegelt, und sie alle werfen ein Licht auf den Lebenslauf der Person, die sie schrieb.

IV. Über die Möglichkeiten zur Gewinnung persönlicher Dokumente

In der Entwicklung der biographischen Methode hat man verschiedene Wege eingeschlagen, um die erforderlichen Materialien zu gewinnen. Diese Wege haben auch einen gewichtigen Einfluß auf den wissenschaftlichen Wert der erhaltenen Aussagen. Unter dem Einfluß der Art und Weise, wie man Leute zum Schreiben brachte, fanden verschiedene Motive des Schreibens im Inhalt, in der Form und im Umfang der geschriebenen Dokumente ihren Niederschlag. Persönliche Dokumente werden manchmal von Leuten ohne irgendwelchen äußeren Anstoß verfaßt, zum Beispiel Tagebücher, Briefe, Erinnerungen und ähnliches. In diesem Falle besteht die ganze Mühe des Soziologen darin, sie vom Autor oder Adressaten zu erwerben.

Allport (1942, S. 69—74) systematisiert die Motive, welche irgendwelche Leute zum Schreiben persönlicher Dokumente veranlaßten, und stellt schließlich folgende Liste auf: 1. Selbstverteidigung oder Selbstrechtfertigung in den eigenen Augen und in den Augen der Umgebung. 2. Exhibitionismus, egoistischer Drang, sich zu zeigen, wofür *J. J. Rousseaus* „Confessions" ein klassisches Beispiel sein können. 3. Das Bemühen, sein Leben in Ordnung zu bringen, Aufzeichnung von Ereignissen und persönlichen Taten. 4. Suchen nach ästhetischer Befriedigung in schriftstellerischer Betätigung über ein Ich-Thema. 5. Der Perspektivismus des eigenen Lebens. Rechenschaft über den zurückgelegten Weg, Beginn neuer Möglichkeiten, persönliche Art der Abrechnung mit persönlichen Errungenschaften und Möglichkeiten. 6. Entladen innerer Spannungen, oft vor dem Selbstmord, gelegentlich aus einem Bedürfnis heraus, die eigenen inneren Konflikte zu offenbaren. 7. Lust, aus einer Publikation Geld zu machen oder in einem Wettbewerb preisgekrönt zu werden. Allem Anschein zuwider vermindert dieses Motiv den Wert der Autobiographie keineswegs, vor allem nicht, wenn es sich mit anderen Motiven koppelt. So erhielt man die besten bekannten Autobiographien auf dem Wege von Wettbewerben mit Preisen. 8. Auftrag zur Niederschrift einer Autobiographie. Sehr oft fordern Behörden ein „Curriculum Vitae" von ihren Arbeitnehmern, manchmal kann ein Forscher, z. B. ein Professor, von seinen Studenten die Niederschrift einer Autobiographie verlangen oder eine Aufgabe stellen, die schriftliche Äußerungen über sich selbst provoziert. 9. Häufig schreiben Menschen, die ihre psychischen Schwächen kurieren wollen, Autobiographien auf Bitten des Arztes, um ihm bei Diagnose und Therapie behilflich zu sein. 10. Oft greifen Menschen zur Autobiographie, die sich auf dem Wege zur Umkehr befinden, von neuem Aufnahme in die Gesellschaft suchen, z. B. ein Verbrecher, der sich von seiner Vergangenheit absetzt, ein Spion oder Abtrünniger, der in die Gemeinschaft zurück will, die er verriet. Er schreibt eine Autobiographie als Abrechnung mit seiner Vergangenheit. 11. Das Interesse gebildeter Menschen kann ebenfalls Anlaß zum Schreiben von Memoiren oder Autobiographien sein, z. B. schreibt jemand Memoiren in der Meinung, sie könnten den Wert einer historischen Quelle, den Wert psychologischen oder soziologischen Materials haben. 12. Manchmal schreiben Menschen Memoiren in der Meinung, es sei ihre Pflicht gegenüber der Gemeinschaft, oder um für kommende Generationen ein Beispiel zu geben. Es können dies die Tagebücher hervorragender Politiker sein, aber auch die Tagebücher von Insassen von Konzentrationslagern u. a. 13. Das Verlangen nach Unsterblichkeit, der Wunsch, irgendein Werk oder eine Verewigung der eigenen Persönlichkeit zu hinterlassen, der Kampf gegen das Vergessenwerden.

Diese Aufstellung scheint recht vollständig zu sein. Zuweilen ist es schwer zu entscheiden, welches Motiv das ausschlaggebende ist, welches unterbewußt agiert und der wirkliche Beweggrund ist, der zum Schreiben reizte, und welches nur aus äußerlich vorgegebenen Motivationen stimuliert wurde. Den Soziologen, die mit der Methode der Autobiographie arbeiten, geht es darum, *eine zahlenmäßig möglichst große Menge von Autobiographien von sozial relativ einheitlichen Gruppen zu erhalten. In diesem Falle muß man an Motive appellieren, die gleichzeitig auf eine große Zahl von Menschen einwirken und insbesondere jenen Personen eine äußere Begründung und einen entscheidenden Anstoß geben, die aus anderen Gründen schon innerlich zum Schreiben einer Autobiographie geneigt sind. Hier erwies sich als bester Anreiz das Ausschreiben eines Wettbewerbs mit Geldpreisen für die beste Autobiographie.*

Zum ersten Male veranstaltete *F. Znaniecki* als Direktor des Soziologischen Instituts in Posen im Jahre 1921 einen solchen Wettbewerb. Er wandte sich an die polnischen Arbeiter im In- und Ausland. Für die beste Lebensbeschreibung stellte man eine Reihe von Preisen in Aussicht. Man erhielt 149 Lebensabrisse. Der beste von ihnen war sehr umfangreich und zählte 438 Druckseiten (*J. Wojciechowski* 1929). Diese Autobiographie, geschrieben von einem Arbeiter, der kaum schreiben konnte, aber die sozialen Schichten, in denen er sich bewegte, sehr scharf beobachtete, ist ein ungewöhnliches Dokument. Es erfüllt fast in idealer Weise alle gestellten Forderungen an persönliche Dokumente. Nach diesem Erfolge wurde die Sammlung von Autobiographien eine der Hauptmethoden zur Beschaffung soziologischer Materialien in Polen. Das gleiche soziologische Institut in Posen brachte im Jahre 1934 noch gegen 700 Lebensbeschreibungen von Bewohnern Schlesiens zusammen sowie gegen 400 von Arbeitslosen im Jahre 1938. Das in Warschau arbeitende Institut für Sozialwirtschaft sammelte Memoiren von Bauern, von Arbeitslosen sowie solche von polnischen Emigranten in aller Welt. Jeder Wettbewerb mit Preisen für die besten Lebensbilder brachte einige hundert Autobiographien. Andere Institute sammelten Tagebücher von Ärzten und Autobiographien von Lehrern. Man brachte auch 404 Tagebücher von Dorfführern zusammen. Manche dieser Sammlungen wurden veröffentlicht (vgl. den „Anhang" zur Literaturübersicht). Der größte Erfolg war der durch die Zeitschrift „Landwirtschaftliche Schulung" im Jahre 1936 für die Dorfjugend verkündete Wettbewerb unter dem Titel: „Beschreibung meines Lebens, meiner Tätigkeiten, Überlegungen und Bestrebungen." Man erhielt 1544 Antworten, die *J. Chalasinski* (1938) das Material zu seinem vierbändigen Werk „Die junge Bauerngeneration" lieferten. Es ist dies die größte soziologische Monographie, die einer einzelnen Gesellschaftsklasse gewidmet ist und sich ausschließlich auf autobiographisches Material stützt.

Alle Sammlungen von Materialien, die sich in polnischen Archiven befanden, wurden während der Okkupationszeit vernichtet oder weggeschafft. Nach dem Kriege führte man in Polen von neuem gegen 50 Wettbewerbe zur Erlangung von autobiographischen Materialien oder Erinnerungen aus der Kriegs- und Okkupationszeit durch. Man sammelte Tagebücher von Arbeitern, Soldaten, Bewohnern von Warschau, der Dorfjugend, Lehrern, Kleinstadtbewohnern, Teilnehmern von Organisationen, die während der Okkupation tätig waren, und ähnliches. Den größten Erfolg brachte der Wettbewerb für Autobiographien von jungen Akademikern, ausgesetzt durch die Zeitschrift „Po prostu" und das „Institut für soziologische Forschungen" der „Polnischen Akademie der Wissenschaften" vom Jahre 1956. Man erhielt 746 Autobiographien. Dies Bemühen um Sammlung von Selbstbildnissen in Polen rührt einerseits von dem gewichtigen Einfluß her, den nach wie vor *Florian Znaniecki* auf die Entwicklung der Soziologie in diesem Lande ausübt, andererseits aber vor allem von der politischen Situation, speziell den Folgen der Okkupation.

Aus den in Polen gewonnenen Erfahrungen geht hervor, daß man sein Augenmerk auf folgende Momente richten muß, wenn man einen Wettbewerb für „Erinnerungen" oder „Tagebücher" ausschreibt:

1. Es ist wichtig, zu überlegen, an welche Gemeinschaft, Klasse, Kategorie oder Gruppe wir uns mit dem Appell wenden müssen, und gut, ihre soziologischen Eigentümlichkeiten in Rechnung zu ziehen. Man sollte soziale Gruppen auswählen, die bezüglich ihres intellektuellen und sozialwirtschaftlichen Niveaus ungefähr auf gleicher Stufe stehen. Wenn ein solcher Wettbewerb gleichzeitig für Arbeiter und Intellektuelle ausgeschrieben wird, so wird eine solche Zusammenstellung einen Teil der möglichen Autoren unwillig machen, weil sie meinen,

daß sie in einem derartigen Wettbewerb keine Chancen hätten. — 2. In dem öffentlichen Aufruf muß man den Zweck des Wettbewerbs klarlegen, so daß keine Möglichkeit besteht, sich andere geheime oder versteckte Ziele oder Zwecke hineinzudenken. — 3. Dem Aufruf muß eine Instruktion beigefügt werden, die genau angibt, welche Probleme und in welcher Reihenfolge sie in der Selbstbiographie zu behandeln sind. — 4. Man darf aber auch kein starres Formular oder Schema aufdrängen und nicht etwa suggerieren, man solle sich einzig auf diese Fragestellung beschränken, und auch die Preisverteilung nicht von einer strikten Einhaltung der angegebenen Direktiven abhängig machen. — 5. Die Formulierung des Aufrufs soll für die niedrigste Intelligenzstufe der zu erwartenden Autoren redigiert sein. — 6. Es ist wichtig, zu überlegen, an welche Motive man appellieren soll. Am erfolgreichsten zeigte sich in Polen das Appellieren an wirtschaftliche Motive, verbunden mit patriotischen; auch zeigte sich das Motiv wirksam, wichtiges Material für die Wissenschaft beizutragen, da sich die Wissenschaft immer einer gewissen Autorität erfreut. — 7. Die Höhe der Prämien ist unzweideutig anzugeben, ferner die Zusammensetzung der Jury, die die Arbeiten beurteilen und die Preise zuerkennen soll (in ihr sollen bekannte und anerkannte Leute sein), schließlich der Termin der Einsendung der Arbeiten, ihr Umfang, die Anschrift der den Wettbewerb ausschreibenden Institution und wie und wo man nähere Informationen erhalten kann.

Das Sammeln von Autobiographien auf dem Wege eines Preisausschreibens ist jedoch nicht die einzige Möglichkeit der Materialbeschaffung. *Clifford R. Shaw* (1930) erlangte seine sehr ins einzelne gehenden Dokumente, indem er neben und trotz seiner Kenntnis des Lebenslaufs krimineller Jugendlicher aus den Gerichtsakten die Jugendlichen noch um eine zusätzliche Niederschrift ihrer „Lebensgeschichte" bat und dabei die ihm bekannten Vorgänge oder Ereignisse zeitlich ordnete. Wenn die Darstellung nicht detailliert genug war, forderte *Shaw* nähere Aufklärung. Da er in der Rolle eines Beraters auftrat, begegnete man ihm gewöhnlich mit Aufrichtigkeit. Ähnlich erlangte *Edwin H. Sutherland* (1937) seine Materialien. Anthropologen bedienen sich erzählter Autobiographien, die von Informanden aus verschiedenen Völkern erhalten und vom Forscher niedergeschrieben wurden; diese Materialien erfreuten sich in den letzten dreißig Jahren einer wachsenden Beliebtheit. Man kann auch zu wichtigen autobiographischen Dokumentensammlungen kommen, indem man systematisch aus eigenem inneren Drang geschriebene „Memoiren" sammelt; jedoch haben diese Materialien geringeren Wert für soziologische Forschungen, da es schwer ist, davon so viele zu erhalten, daß man einen Einblick in weitere soziale Zusammenhänge gewinnen könnte.

V. Die Art der Bearbeitung und Auswertung

a) Allgemeine ontologische Grundsätze

Wenn wir nun zur Besprechung der Verfahren zur Auswertung biographischer Dokumente übergehen, wollen wir mit der Entwicklung allgemeiner Grundsätze beginnen, auf die sich die biographische Methode — im gewöhnlichen Sinn dieses Ausdrucks — stützt. Diese Grundsätze teilen wir ein in *ontologische,* das heißt gewisse Thesen über die Natur der zu erforschenden Sozialwirklichkeit, und *methodologische Grundsätze.* Beginnen wir mit den ontologischen, die, obwohl nicht immer klar formuliert, ja sogar teilweise unbekannt, hier eine wichtige Rolle spielen.

Schon *Thomas* und *Znaniecki* (1919/21) formulierten einige grundlegende ontologische Thesen dieser Methode. Diese beziehen sich auf die Rolle der subjektiven Elemente in der Struktur sozialer Gruppen. Mit anderen Worten: Wir müssen uns darüber klar werden, ob ein Übergang von einer Reihe subjektiver Anschauungen und Meinungen zu objektiven Aussagen über die Gesellschaft, ihre Struktur und die in ihr vorgehenden Prozesse möglich ist. Wir wissen, daß zum Beispiel *Emile Durkheim* (1895, S. 57) die Möglichkeit der Auswertung persönlicher Dokumente ganz und gar ausschloß, weil er sie für Äußerungen der Individualpsyche und nicht des Sozialbewußtseins hielt. Den Soziologen interessieren nur die sozialen Fakten, definiert als etwas „Äußerliches" im Verhältnis zur innerpsychischen Verfassung einer Einzelperson. So schloß also die von *Durkheim* angenommene ontologische These über die Natur der soziologischen Tatbestände die Möglichkeit einer Auswertung persönlicher Materialien als Quelle soziologischer Erkenntnis aus. *Thomas* und *Znaniecki* nahmen dagegen eine von Grund auf andere Konzeption der sozialen Wirklichkeit an. Die vom Soziologen zu erforschende Wirklichkeit setzt sich gleicherweise aus objektiven Kulturwerten und subjektiven Wertungen (Einstellungen) der Einzelperson zusammen. Die natürlichen Objekte (Naturgegebenheiten), die sich im Laufe der Entwicklung entfalten, werden erst dann Elemente der Kultur, wenn die Einzelpersönlichkeit mit ihren subjektiven Akten ihnen eine gewisse Bedeutung verleiht und eine gewisse Wichtigkeit für die menschlichen Bedürfnisse und Zielsetzungen zuschreibt. Überdies spielen diese subjektiven Faktoren im sozialen Leben eine wichtige Rolle; ihre Äußerungen sind also eine notwendige Quelle für die Erkenntnis sozialer Prozesse. Man kann die ursächlichen Zusammenhänge des sozialen Geschehens nicht verstehen, solange man nicht ihre subjektive Seite berücksichtigt. „Die Ursache eines sozialen oder individuellen Phänomens ist niemals ein anderes soziales oder individuelles Phänomen für sich allein genommen, sondern immer die Verbindung einer sozialen und einer individuellen Äußerung" (*Thomas* und *Znaniecki* 1919/21). Die psychischen Attitüden und die kulturellen Werte sind also eng miteinander verflochtene Faktoren der vom Soziologen zu erforschenden sozialen Wirklichkeit. Die autobiographischen Materialien gewähren die Möglichkeit, die subjektive Seite dieser Wirklichkeit zu erkennen.

Diese Konzeption baute *Znaniecki* in späteren Arbeiten und besonders in der „Einleitung in die Soziologie" (1922) zu dem *Grundsatz des sogenannten humanistischen Faktors* aus. Dieser gebietet, Sozialphänomene als Objekte zu erfassen, wobei ein wesentlicher Teil die „Bedeutung" ist, die ihnen durch die Menschen zugeschrieben wird, die diese Vorgänge erleben. *Znaniecki* sah in diesem Grundsatz die methodologische Grundthese der Soziologie. Doch gibt er ihr in der „Einleitung in die Soziologie" eine deutlich ontologische Interpretation, nach der die Objekte der Kulturwelt derart sind, wie die Menschen sie erfahren, so daß sie also einzig in der Erfahrung der Menschen existieren und außerhalb dieser Erfahrung jede Bedeutung verlieren. Diese ontologische Interpretation des Grundsatzes vom humanistischen Faktor verdichtete sich in der Übertragung auf die Soziologie zu der These, daß jede Sozialwirklichkeit (d. h. soziale Gruppen, ihre Struktur usw.) im tiefsten ein Komplex subjektiver Faktoren, Attitüden, Forderungen, Erlebnisse und Wertungen von Menschen, die an ihnen teilnehmen, sei. Diese Grundthese bildet die letzte Begründung für eine Heranziehung autobiographischer Materialien als einziger und ausreichender Erkenntnisquelle der Sozialforschung.

Diesen Gesichtspunkt entwickelt *Znaniecki* in späteren Arbeiten. Im Vorwort zur „Autobiographie von Ladislaus Berkan" (*W. Berkan* 1923, S. V) schreibt er: „Die Umwelt an sich interessiert den Soziologen nicht; es geht ihm überhaupt nicht darum, sie möglichst getreu und objektiv vom Gesichtspunkt eines idealen, unparteiischen Beobachters wiederzuschaffen, sondern im Gegenteil darum, sie so zu nehmen, wie sie sich allein der Person, die in ihr lebt und wirkt, darstellt, um sich darüber klarzuwerden, was jene Umwelt für diese Person als *ihre* Umwelt darstellt, in welcher Rolle die sie bildenden Elemente in die Struktur ihrer konsequenten bewußten Persönlichkeit eingehen." Noch im Vorwort zu „Die junge Bauerngeneration" stellt *Znaniecki* (1938) fest: „Die soziale Wirklichkeit ist eigentlich nichts anderes als die teilweise geordnete Synthese vieler persönlicher Leben und jede individuelle Haltung und Strebung ist eine reale Sozialkraft."

Man darf jedoch nicht annehmen, daß *Znaniecki* wie auch *Chalasinski* damit eine besondere soziologische Theorie ausdrücken wollten, nach der die Gesellschaft einzig im Bewußtsein ihrer Glieder existiere. Trotz der oben zitierten radikalen Formulierungen nahmen beide wohl mehr eine vermittelnde Position ein, nach der die subjektiven Faktoren ein wesentliches Teilelement der sozialen Prozesse sind, und daher seien auch die Autobiographien, weil sie die Erkenntnis dieses Teilelementes vermitteln, für das Erfassen vieler Prozesse ausreichend.

Diese These über die Wichtigkeit der subjektiven Elemente in der Gesellschaft ist eine wesentliche ontologische Voraussetzung der Methode biographischer Dokumente. Das hatte wohl auch *E. W. Burgess* im Sinne, als er schrieb: „Die enge Beziehung, die die Einzelpersönlichkeit mit einer Sozialgruppe und mit der Nachbarschaft verbindet, macht jede Person nicht so sehr zu einem Exemplar einer bestimmten Gattung (wie das mit den Vertretern irgend einer botanischen Gattung der Fall ist), sondern vielmehr zu einem innerlich einheitlichen Teilglied eines sich vollziehenden Prozesses. Daher deckt die Erforschung der persönlichen Erfahrungen irgend einer Person gleichzeitig die Lebensregungen ihrer Gruppe auf. Die Gruppenmeinung spiegelt sich also in der Erfahrung der Einzelperson. Daher sind die Gewohnheiten des Einzelnen Ausdruck der in der Gesellschaft herrschenden Sitten. Daher kann man psychische Konflikte im Einzelnen immer aus den Konflikten zwischen verschiedenen Kulturen erklären" (in: *Clifford Shaw* 1930, S. 186).

b) Allgemeine methodologische Voraussetzungen

Erste Grundlage für die Benutzung persönlicher Dokumente in der Soziologie ist ein gewisser Komplex von Aussagen über die Rolle subjektiver Elemente in der sozialen Wirklichkeit. Aber diese Grundlage genügt nicht. Die Autobiographie ist eine Sammlung von Aussagen irgendeiner Person über Ereignisse, Menschen, Institutionen, eigene Erlebnisse und Stellungnahmen zu Erlebnissen und Haltungen anderer Menschen. Hätten wir sie also zu behandeln wie eine historische Quelle, die eine getreu beschriebene Wirklichkeit darbieten soll, dann müßten wir sofort alle Vorwürfe anerkennen, die die Historiker gegen persönliche Dokumente vorbringen (*L. Gottschalk, C. Kluckhohn, R. C. Angell* 1945). Die Stellung des Soziologen zu den persönlichen Dokumenten ist jedoch eine andere und stützt sich auf andere Voraussetzungen und andere methodologische Direktiven. Über diese Voraussetzungen schreibt *Znaniecki*: „Der Historiker gewöhnte sich daran, sich auf Autobiographien erst nach überaus genauer Konfrontierung mit anderen Quellen zu stützen und nach strenger Kritik ... So behandelt er als glaubwürdig nur die Seite an ihnen, wo ohne bewußte Absicht der Autoren nicht Ereignisse und Personen, sondern Sitten, Bekenntnisse der geschilderten Epoche und des Milieus aufleuchten ... Im Gegensatz zum Historiker analysiert der Soziologe die soziale Umgebung des Tagebuchschreibers ausschließlich und gänzlich im Hinblick auf seine Person ... Was für den Historiker eine Quelle von Fehlern bedeutet, ist für den Soziologen in jedem Falle Forschungsmaterial" (*W. Berkan* 1923, S. V—VI).

Diese ganze Konzeption stützt sich auf die Unterscheidung von zwei Arten von Aussagen. *Znaniecki* (1934, S. 10—12) unterscheidet Aussagen, die Beobachtungen und Verallgemeinerungen des Autors ausdrücken, und Aussagen, die seine Strebungen und Wertungen verraten. Die ersten sind keine Urteile über Tatsachen und sind kein Material für soziologische Analyse; solches Material sind allein die beschriebenen Fakten. Dagegen haben die Aussagen, die Strebungen und Wertungen ausdrücken, nicht den Charakter von Sätzen über Tatsachen, sondern sind selbst gesellschaftliche Fakten. „Sie drücken nämlich nicht Beobachtungen aus, sondern die aktiven, normgebenden, regulativen und entwicklungsbestimmenden Willensäußerungen des Aussagenden: Die Absicht, eine gewisse Tat auszuführen; das Gefühl einer gewissen Pflicht; die Lust, eine gewisse Verfahrensnorm anderen aufzuerlegen; der Wunsch nach Verwirklichung eines gewissen Gruppenideals" (*Znaniecki* 1932, S. 11). Anders ausgedrückt: die methodischen Voraussetzungen der Auswertung subjektiver autobiographischer Materialien zielen auf den Nachweis, daß wir in autobiographischen Aussagen einen Niederschlag sozialer Strebungen finden, die wesentliche soziale Fakten sind, sowie Urteile und Kriterien eines Wertens. *Chalasinski* urteilte in dieser Hinsicht (1931), daß die Autobiographien das beste Material seien; denn „nur Autobiographien geben uns erstens die Möglichkeit einer Erkenntnis der Bestrebungen, die am Anfang einer sozialen Entwicklung der Einzelpersönlichkeit liegen. Sie sprechen zweitens darüber, was Menschen in einer gegebenen Umgebung als Entwicklung, z. B. als Besserung der sozialen Lage erachten und womit sie dementsprechend zufrieden sind. Sie und nur sie lassen drittens die Rolle des sozialen Milieus und verschiedener sozialer Institutionen in der Entwicklung der Einzelperson und in der Bildung ihres Selbstbewußtseins erkennen."

Die grundlegenden methodischen Direktiven sind also eine Konsequenz der ontologischen Voraussetzungen: sie fordern die Erforschung der Bedeutung, die Menschen den Dingen und Ereignissen beimessen, der Bestrebungen, die die Menschen mit ihnen in Zusammenhang bringen, mit einem Wort die Erforschung dessen, was als aktive Umgestaltungskraft in einer gesellschaftlichen Struktur wirkt. Daher rührt auch die Vernachlässigung der objektiven Methoden der Statistik und Ökonomie. „Ökonomische Angaben", schreibt *Chalasinski*, „berichten uns über die objektive, tatsächliche Struktur der Gesellschaft oder ihrer Klassen. Nicht dagegen vermitteln sie uns, was die Struktur im Sozialbewußtsein der Gruppen besagt, welche Bedeutung sie für die sozialen Bestrebungen der Menschen und für ihr Zusammenleben besitzt." Der Autor einer Lebensbeschreibung ist also Teil eines Sozialmilieus, sein Bewußtsein ist durch dieses Milieu geformt, ist ein Teil desselben. Kennt man den Inhalt seines Bewußtseins, seine Attitüden, Ansichten und Willensrichtungen, so kann man die in diesem Milieu wichtigsten Bestrebungen aufdecken. Es ist also dabei nicht wichtig, ob man eine statistisch ausreichende Repräsentation der dort gefundenen Einstellungen besitzt: die Autobiographien lassen dagegen eine Aufstellung der wichtigsten Typen zu, die in diesem Milieu auftreten, was zunächst für eine Klassifikation der sozialen Kräfte hinreicht, die in diesem Milieu wirken.

c) Techniken der Interpretation und Auswertung von persönlichen Dokumenten

Skeptiker, die sich zur Methode der persönlichen Dokumente kritisch verhalten, kommen gewöhnlich zu folgender Frage: Angenommen, die angeführten Thesen seien wahr, was soll dann weiter geschehen? Welcher Weg führt von der Sammlung subjektiver Aussagen in Lebensabrissen zu wissenschaftlich haltbaren Sätzen über die Sozialstruktur und ihre Entwicklung? Gibt es ein Zusammenwirken logisch einwandfreier Verfahren, die die Garantie geben, daß der Forscher nicht Einflüssen subjektiver Beschreibungen, Überzeugungen und Attitüden der Autoren unterliegt? Wie kann man von diesen subjektiven Aussagen zu allgemeinen, bestätigten und greifbaren Hypothesen kommen? Wie kann man sich davor schützen, aus den autobiographischen Materialien nicht nur diejenigen Fälle herauszuziehen, die vorher schon bekannte Konzeptionen bestätigen?

Man kann feststellen, daß diejenigen Forscher, die autobiographische Dokumente herangezogen haben, sich eine gewisse mehr oder weniger deutlich formulierte Reihe von Richtlinien ausgearbeitet haben, die ihnen bei der Auswertung der Autobiographien dienten. Bei Durchsicht der vorhandenen Literatur kommt man zur Unterscheidung folgender Vorgehensweisen:

1. *Die konstruktive Methode.* Sie besteht in der Durcharbeitung einer möglichst großen Zahl von Autobiographien unter dem Gesichtspunkt einer klar umrissenen Problemstellung. Wenn der Soziologe die Autobiographien liest, gibt er ihnen eine bestimmte Interpretation mit Hilfe irgendeiner allgemeinen soziologischen Theorie. Dann werden die einzelnen Beschreibungen in den Autobiographien, die das Problem betreffen, für ihn Bausteine, aus denen er ein allgemeines Bild der zu er-

forschenden Phänomene konstruiert. Der Begriffsapparat, mit dessen Hilfe diese Konstruktion durchgeführt wird, wird gewöhnlich aus der allgemeinen Begriffssprache der soziologischen Forschung entnommen. Die Autobiographien geben Fakten für ein neues Bild, Fakten, die nach den Hypothesen aus der allgemeinen Theorie verknüpft werden. Die in den Autobiographien enthaltenen Beschreibungen können auch neue Hypothesen anregen. Bei dieser Methode spielt die Intuition des Forschers eine bedeutende Rolle, ebenso sein praktisches Gespür für die Wichtigkeit mancher Faktoren, die in den erforschten Phänomenen eine Rolle spielen. Darum könnte aber auch das von ihm gezeichnete Bild von den Erfordernissen wissenschaftlicher Genauigkeit weit entfernt sein, sollte einmal diese Fähigkeit des Forschers versagen.

2. *Die Methode der Exemplifikation.* Sie ist eine gewisse Abart der Konstruktionsmethode. Sie besteht in der „Illustrierung" und Begründung bestimmter Hypothesen durch ausgewählte Beispiele aus der Autobiographie. Diese Hypothesen können sogar erst im Verlauf der Lektüre einer Autobiographie entstehen. Sie stellen jedoch keine vom Autor der Autobiographie kritisch geprüften Thesen dar. Der Forscher sucht vielmehr in den Autobiographien allein die Bestätigung seiner eigenen Theorie. Man braucht nicht zu betonen, daß der Wert einer solchen Bearbeitung oft nicht sehr groß ist, wenn auch nicht zu leugnen ist, daß die formulierte Theorie wahr sein kann.

3. *Die Methode der Inhaltsanalyse.* Sie besteht in der Anwendung der Methoden der Inhaltsanalyse auf autobiographische Materialien; diese wurde in den letzten Jahrzehnten beträchtlich ausgearbeitet. Ursprünglich diente sie vor allem der Erforschung des Inhalts von Zeitungen und Zeitschriften, dann wurde sie weiterentwickelt in den Forschungen über Propaganda und andere Inhalte, die durch die Mittel der Massenkommunikation verbreitet werden. Bei der Analyse von Autobiographien könnte die Inhaltsanalyse eine strengere Technik für eine Prüfung der Einstellungen der Verfasser geben. Kleine Anfänge einer statistischen Inhaltsanalyse von Tagebüchern finden wir auch in der Arbeit von *W. Grabski* (1936, S. 307—309), der sich bemüht, geschilderte Einstellungen zu verschiedenen wichtigen Problemen eines dörflichen Milieus quantitativ zu erfassen. Man muß jedoch feststellen, daß die Methode der Inhaltsanalyse sich erst entwickelte, nachdem das Interesse an persönlichen Dokumenten schon im Schwinden war und als sich die Soziologen und Sozialpsychologen anderen Verfahrensweisen und Materialien zuwandten (vgl. das entsprechende Kapitel in diesem Handbuch).

4. *Statistische Bearbeitungen.* Sie gehen in verschiedene Richtungen und setzen sich vielerlei Ziele. Ganz allgemein zielt die statistische Analyse auf eine Feststellung der Abhängigkeit verschiedener Merkmale der Autoren von Autobiographien von ihren Einstellungen und Bestrebungen sowie der Abhängigkeit verschiedener Eigenschaften der sozialen Gruppen von den Eigenschaften der Autoren (*B. Zawadzki* und *P. Lazarsfeld* 1935). Wenn wir über einige hundert Autobiographien, die aus einem mehr oder weniger einheitlichen Sozialgebilde stammen, verfügen, dann sind die Möglichkeiten solcher statistischer Analysen wirklich sehr groß. Die statistischen Methoden sind präziser und geben zudem größere Möglichkeiten, subjektive und intuitive Neigungen des

die Autobiographien interpretierenden Soziologen zu eliminieren. Sie geben darüber hinaus die Möglichkeit, gewisse Abhängigkeiten zu messen. Sie sind ganz besonders brauchbar, wenn wir die Autobiographien als Hilfs- und Ergänzungsmaterial auswerten.

5. *Die typologische Analyse* besteht in der Aufstellung bestimmter Persönlichkeitstypen, Verhaltenstypen, Mustertypen des Zusammenlebens, die in verschiedenen Gruppen auftreten. Die autobiographischen Stoffe werden in diesem Falle einer bestimmten Kategorisierung und Klassifikation unterworfen, wobei man den ganzen Reichtum der in den Lebensabrissen beschriebenen Wirklichkeit auf einige Typen reduziert. So sind zum Beispiel die von *Znaniecki* (1934) aufgestellten Persönlichkeitstypen das Ergebnis eines solchen Vorgehens. Einige Soziologen glauben, gerade die Aufstellung von Typen sei der allergrößte wissenschaftliche Nutzen, den die Autobiographien bieten.

Diese zur Auswertung der Materialien benutzten verschiedenen Interpretationstechniken lassen sich bei der Forschung durchaus kombinieren, indem zum Beispiel weitreichende Hypothesen mit statistischen Teilanalysen unterbaut werden. Hierbei muß vor allem auf *John Dollard* (1935) hingewiesen werden. Er hat Versuche zur Analyse von Autobiographien mit Hilfe von allgemeinen Leitsätzen unternommen. In skizzenhafter Andeutung stellen sich diese folgendermaßen dar:

1. Die untersuchte Person repräsentiert eine gewisse kulturelle Schicht und stellt sich als reaktive Kulturerscheinung mit einer bestimmten inneren Struktur dar.

2. Daher zielt der ganze seelische Lebensstrom, voran die organische Dynamik, auf eine soziale Aktivität hin. So wird eine Deutung dieser Verhaltensweisen nicht von biologischen und instinktiven, sondern von soziologischen Determinanten auszugehen haben.

3. Hierbei spielt die Familie eine besonders wichtige Rolle.

4. Eine Autobiographie gibt uns Einblick in die sozialen Antriebe, wie sie in die weiteren sozialen Kanäle einmünden.

5. Dabei ist dieser funktionelle Prozeß als kontinuierlich-dynamisch von der Kindheit bis zum äußersten Reifealter zu verstehen; so allein ist der ganze Lebensstrom in seiner relationalen Verwobenheit zu erfassen.

6. Da das Leben in einer Verzahnung gemeinschaftsbezogener Situationen verläuft, darf die Schichtung dieser Verzahnungen nie ausgeklammert werden.

7. Die autobiographischen Materialien sind begrifflich zu erfassen und nach theoretischen Schemata einzuordnen.

Dollards Kriterien haben sich als ein beachtlicher Versuch für die Technik der Interpretation erwiesen. Sie bewahren den Soziologen bei seinen Analysen vor dem Abgleiten auf Neben- und Abwege. Leider bleiben diese Kriterien zu sehr in allgemeinen Direktiven verhaftet und können daher nicht allen Phänomenen gerecht werden. Ihre Verwendbarkeit bleibt auf jene Analysen beschränkt, die an Hand von autobiographischen Materialien auf eine allgemeine Theorie zur Erfassung und Deutung von Verhaltensweisen einer Einzelperson abzielen.

d) Die Anwendbarkeit biographischer Dokumente

Gordon W. Allport (1942) hat eine Klassifikation der Ergebnisse der biographischen Methode innerhalb der Psychologie unternommen. Diese sind entweder nomothetisch, wenn der Forscher mit seiner Untersuchung auf das Abstecken von allgemeinen Gesetzmäßigkeiten für eine Gruppe von Phänomenen abzielt, oder idiographisch, wenn er auf eine Darstellung aus ist, die sowohl die innere Struktur als auch den äußeren Verlauf der Erscheinungen zu beleuchten vermag. Gewiß bleiben solche Unterscheidungen immer in gewisser Weise gewaltsam. Denn es besteht die Gefahr, daß subjektive Deutungen zu allgemeinen Gesetzmäßigkeiten erhoben werden. Daher wird der Soziologe eher zur kritischen Analyse von den Ergebnissen her greifen, wie *Robert C. Angell* (1945) anbietet. Sein Versuch wollte zunächst einmal konstatieren, in welchen Bereich die biographische Methode die soziologische Diskussion voranzutreiben vermag und welche praktischen Ergebnisse sie bietet. *Angell* analysiert 22 Arbeiten und teilt sie in drei Kategorien auf. In der ersten will man feststellen, ob die Methode der Erfassung von persönlichen Dokumenten zur Interpretation der Entfaltung einer Einzelperson oder auch einer gewissen sozialen Schicht, zum Beispiel einer moralischen Person, einer Gruppe oder Institution beitragen kann. Es hat sich erwiesen, daß eine ganze Reihe von soziologischen Studien bei Verwendung dieser Methode historische Daten des Entfaltungsprozesses erleuchtet haben, indem sie die Struktur der inneren Gesetzlichkeiten des vorgegebenen Prozeßverlaufes erhellten. Allein diese Ergebnisse ermutigten *Angell* zu der Annahme, daß die gesammelten Materialien der Autoren von Autobiographien zu einer inneren Auswertung ermächtigen. In einem Vergleich mit dem Werke über die polnischen Bauern wiesen die unter diesem Aspekt verfaßten Arbeiten vier methodologische Möglichkeiten auf: Die erste eröffnet eine breitere Erfassung von Materialien; die zweite eine bessere Erfassung von Theorien zur Ausdeutung historischer Erscheinungen; die dritte eine Kontrolle zur Ausdeutung der Dokumentarberichte (dies in bezug auf *Shaw*); und schließlich gibt die vierte Methode bei der Erschließung eines fest umrissenen Phänomens die verwendbaren gesammelten Materialien gesichert in den Griff.

Die zweite Serie der Analysen *Angells* zielte auf eine Erleuchtung bereits gegebener oder noch möglicher soziologischer Theorien ab, die sich nach den vorliegenden Dokumentarberichten über Einzelpersonen angeboten hatten.

Es hatte sich nämlich erwiesen, daß bei einer Koppelung mit ökologischen oder statistischen Ergebnissen die persönlichen Dokumente an Bedeutung gewinnen. So vermögen die auf diese Materialien gestützten Forschungsergebnisse, besonders wenn sie begrifflich scharf abgegrenzt werden, Grundformen von Verhaltensweisen ganzer Gruppen und auch einzelner Individuen zu beleuchten. Zudem stellen persönliche Dokumente auf Beweise für die Richtigkeit von Hypothesen ab und eröffnen Perspektiven für weitere Versuche.

Die dritte Serie umfaßt die Analyse von methodologischen Kausalfaktoren. *Angell* übergeht diese fast ganz. Mehr Anhaltspunkte finden wir in dieser Hinsicht in dem schon mehrfach genannten Werk von *Allport* (1942).

Schließlich gibt die fast überall zitierte Dissertation von *Samuel A. Stouffer* (1930) Anhaltspunkte für die Zuverlässigkeit (reliability) der Methode der persönlichen Dokumente, denn sie stellt auf empirischer Ebene Vergleiche zwischen dieser und der statistischen an. Im Endergebnis erwies sich dann, und zwar von der Empirie her, daß beide Methoden einen hohen Zuverlässigkeitsgrad besitzen. Bei den Einzelverfahren mit persönlichen Dokumentarberichten bleibt allerdings zu bemängeln, daß sie gegenüber den statistischen und den Testversuchen mehr Arbeit beanspruchen und dabei nicht mehr Resultate bieten.

Angells Analyse hat erwiesen, daß die Methode der persönlichen Dokumente in den USA von 1920 bis 1940 beachtlich gefördert worden ist, und zwar durch neue Techniken für die Behandlung der Materialien, sowohl für die Analyse als auch für die allgemeine Interpretation und insbesondere für die Erzielung von Ergebnissen, die verallgemeinert werden können.

VI. Einwände gegen die biographische Methode

Die Methode zur Verwendung von persönlichen Dokumenten ist mancherorts auf Widerstand gestoßen. In den Vereinigten Staaten zählen auch heute noch die Behavioristen zu ihren geschworenen Gegnern. Sie messen den Versuchen mit persönlichen Dokumenten nur einen „empirisch-anekdotischen Charakter" bei und bestreiten ihre wissenschaftliche Verwendbarkeit, da sie nicht kontrollierbar seien, bleibt doch die Kontrolle immer in der „Intersubjektivität" verhaftet.

Ein zweites Lager bekämpft ausdrücklich die biographische Methode, nämlich der Marxismus. Er stellt die ontologischen Grundlagen dieser Methode in Frage. Die Marxisten bestreiten schlechthin, daß subjektive Elemente als Unterlagen für soziale Phänomene beweiskräftig herangezogen werden können. Ist doch nach ihnen die soziale Welt ein absolut objektives Gebilde, das ganz unabhängig von Einzelstrebungen und Einzelpositionen in sich existiert. So bestreiten die Marxisten jedwege wissenschaftliche Beweiskraft unserer Methode, spiegeln doch die Dokumente nur rein subjektive Eindrücke einzelner Individuen wider und bleiben daher ohne Wert für die Erschließung von Sozialstrukturen als objektiver Seinsgegebenheiten.

Aber auch unabhängig von allen diesen Einwänden aus dem mehr abstrakt-philosophischen Lager haben selbst Soziologen gegenüber dieser Methode kritische Positionen bezogen und Einwände bis zu Vorwürfen erhoben.

G. W. Allport (1942) hat diese Vorwürfe systematisch zusammengefaßt. Die Sammlung von persönlichen Dokumenten kann niemals den Charakter einer repräsentativen Erhebung beanspruchen. Hat doch die Erfahrung gezeigt, daß vielfach die Berichterstatter ihre Berichte einzig wegen der zu erwartenden Preise verfassen. Ferner haftet den Autobiographien an, daß sie nicht objektiv sind, da sie die Fakten nicht sachlich widerspiegeln; mangelndes Gedächtnis des Berichterstatters, Vorurteile, Unkenntnis, selbst Böswilligkeit spielen hier eine Rolle. Aber zweifelsohne können unsere Techniken der Kritik und der Interpretation diese Einwände teilweise annullieren.

Ferner wird der Vorwurf erhoben, daß keine Normen für die objektive Gültigkeit (validity) gefunden werden können. Es hat sich jedoch erwiesen, daß *Stouffers* Experiment auch diesen Einwand entkräftet hat.

Hier und da wird noch folgender Einwand laut: Persönliche Dokumente seien darum für die Forschung unbrauchbar, weil der Berichterstatter leicht Selbsttäuschungen verfalle, werde er sich doch nur selten der seelischen Kräfte bewußt, die zum Schreiben drängen. Das alles mag irgendwie richtig sein, aber es bietet doch keine Gewähr für die wissenschaftliche Wertlosigkeit persönlicher Dokumente. Ist es doch häufig so, daß in manchen Untersuchungen gerade die Herausstellung subjektiver Motive im Mittelpunkt der Beweisführung steht.

Bewußte Irreführung wird leicht aufgedeckt durch die unverfälschbaren inneren Kriterien eines Dokumentes. Zweifelsohne erschwert sie aber die Analyse und Interpretation, ohne dennoch ein grundsätzliches Hindernis zu bedeuten. Ein anderer Einwand: Der Berichterstatter wählt oft den Weg der Verallgemeinerung gewisser Fakten, Institutionen oder Gruppen. Und ferner: die jeweilige situationsbedingte moralische Verfassung des Schreibers beeinflusse die innere Struktur seiner Darstellungsweise; unterliegen doch situationsbedingte Verfassungen inneren Schwankungen, und so vermögen dann persönliche Dokumente nicht einmal die tatsächlichen psychischen Zustände der Gefragten widerzuspiegeln, noch weniger bestimmte Phasen der menschlichen Ratio zu beleuchten. Dazu gehören Gedächtnisschwund auf der einen Seite, Einstellungstendenzen in Richtung eines zu rosigen Optimismus auf der anderen, auch Vernachlässigung und Vergeßlichkeit. All das vermag die persönlichen Dokumente von objektivem Gehalt zu entleeren.

Ein anderer Vorwurf beruht auf der Feststellung, daß der Aufriß eines Lebenslaufes in der Fähigkeit zur Auswahl von Erinnerungen für die Darstellung gründet. Eine solche Auswahl erfolgt aber von gewissen Leitbildern her, so daß sie schon eine gewisse Interpretation des eigenen Lebens enthält. Dieser letzte Einwand trifft besonders bei Autobiographien von Personen mit einem gewissen Bildungsgrad zu. Dagegen bleibt jedoch festzuhalten: Die besten bisher veröffentlichten Autobiographien stammen aus der Feder ganz einfacher Menschen, deren Erlebnisse von spontaner Ursprünglichkeit getragen sind. So können selbst gewisse Denkschemata und verzeichnete Lebensformen eine treue Widergabe des eigenen Lebens vermitteln. Ein allerletzter Einwand hebt schließlich hervor, daß jede Autobiographie ein rein literarisches Werk, ja eine gewisse literarische Fiktion darstelle, und zwar in einem derartigen Ausmaß, daß zwischen ihr und irgendeiner Legende kein wesentlicher Unterschied besteht.

Vor dem Versuch einer letztgültigen Beurteilung dieser Methode seien auch noch einige Vorzüge erwähnt, wie sie von den Anhängern hervorgehoben werden.

VII. Die Vorzüge der Methode

Hier liegen zweierlei Möglichkeiten vor: Vorzüge, die entweder aus Forschungen mit kombinierten Methoden ersichtlich werden, oder aus solchen, denen einzig persönliche Dokumente vorgelegen haben.

Die Anhänger dieser Methode betonen: Die persönlichen Dokumente stellen das beste Material zur Ergründung des Sozialbewußtseins dar; bei der Eruierung von Grundhaltungen ermöglichen sie die Aufdeckung sozialer Mechanismen, die sich zu Leitbildern verdichten, und ihrer Veränderungen unter bestimmten sozialen Einflüssen. Sie ermöglichen also die Erschließung von Abhängigkeitsbeziehungen im Sozialbewußtsein ganzer Gruppen und einzelner Individuen und der Vorgänge in komplexen Sozialstrukturen. Ferner wird die Einblickmöglichkeit in die verschiedensten Motivationen und ihre Mechanismen hervorgehoben, bei der Bildung von Strebungen, moralischen Leitbildern bis hin zu Tabus.

Auch geben sie Auskunft über die psychischen Funktionsweisen sozialer Institutionen, der Apparatur sozialer Kontrollen, öffentlicher Meinungsbildungen und der verschiedensten Formen der sozialen Regelungen bis zu Druck und Zwang. Sie zeigen auf, wie Glaubensweisen sich zu Anschauungstabus verhärten, wie Mythen werden. — Die Anwendbarkeit solcher Biographien als Quellen der soziologischen Forschung ist hier wenigstens erwähnt worden, obwohl sie in keinerlei Beziehung zu den persönlichen Dokumenten steht.

VIII. Zusammenfassung

Der Überblick über die Vor- und Nachteile erlaubt folgende Schlußfolgerungen: Die Methode der persönlichen Dokumente dient mehr der Sozialpsychologie, obwohl zugestanden werden muß, daß das bedeutendste zeitgenössische Handbuch der Sozialpsychologie von *Gardner Lindzey* (1954) diese Methode nicht einmal erwähnt. Als alleinige Methode zur Erschließung aller einschlägigen soziologischen Fragestellungen ist sie jedoch rundweg abzulehnen. So haben sich denn auch die Versuche mit anderen Methoden als bedeutend aufschlußreicher in der Erforschung von sozialen Grundhaltungen erwiesen, während die allgemeine Umfrageforschung bei strittigen Fragen leichter Einsichten vermittelt.

In unseren Tagen sollte die Bedeutung der persönlichen Dokumente aber auch nicht unterschätzt werden; denn sie bieten ergänzende Materialien. Diese ermöglichen die Lokalisierung bereits erforschter Haltungen und Erlebnisse des Individuums in seinem Lebensprozeß und Einsichten in die soziale Verflechtung und in einzelne Milieubedingtheiten. Niemand wird sich mehr unterfangen, ganze soziale Schichten mit Hilfe von Autobiographien deskriptiv erfassen zu wollen, aber diese bleiben dennoch wertvoll als Hilfsmittel bei der Beleuchtung des Sozialbewußtseins einer bestimmten Schicht und bei Ansätzen zu Thesen über Entwicklungsprozesse. Ich bin daher der Meinung, daß Materialsammlungen von Autobiographien nach wie vor ein wertvoller Bestandteil soziologischer und sozialpsychologischer Feldforschung bleiben und zugleich eine besondere Hilfe bei der akademischen Lehre der Soziologie bieten. Denn die Lektüre von Autobiographien führt die im Studium Ringenden atmosphärisch in die verschiedensten soziologischen Dimensionen ein und formt sie dort wirklichkeitsnah im Verstehen konkreter menschlicher Anliegen und Belange.

In den letzten fünf Jahren erfuhr das Interesse für die Methode biographischer Dokumente in Polen eine starke Belebung. An der

Polnischen Akademie der Wissenschaften wurde eine Kommission zur Erforschung biographischer Dokumente *(Komisja Badan nad Pamietnikarstwem)* und eine Forschungsinstitution unter der Bezeichnung „Zentrum der polnischen biographischen Dokumente" *(Centrum Pamietnikarstwa Polskiego)*, beide unter dem Vorsitz von Prof. *Jozef Chalasinski*, eingerichtet. *Chalasinski* beschäftigt sich mit der Sammlung und der Bearbeitung bereits zusammengetragener persönlicher Dokumente. Im Jahre 1971 wurde die Zeitschrift „Polnische biographische Dokumente", Vierteljahresschrift zur Entwicklung des biographischen Dokumentationswesens *(Pamietnikarstwo Polskie. Kwartalnik ruchu pamietnikarskiego)* ins Leben gerufen, deren erste Nummer im September 1971 erschienen ist. Diese Zeitschrift bearbeitet historisches Material, publiziert Aufsätze und theoretische Abhandlungen zur biographischen Methode und bietet auch eine umfangreiche Chronik sowie eine Bibliographie von Lebenserinnerungen und biographischen Materialien, die in Polen gesammelt und herausgegeben werden.

Ausgewählte Literatur

Allier, Raoul, La psychologie de la conversion chez les peuples non-civilisés, 2 Bde., Paris 1929.

Allport, Gordon W., The Use of Personal Documents in Psychological Science. Social Science Research Council, New York 1942.

Angell, Robert C., A Critical Review of the Development of the Personal Documents Method in Sociology 1920 — 1940, in: *L. Gottschalk, C. Kluckhohn, R. C. Angell,* a. a. O.

Angell, Robert C., The Family Encounters the Depression, New York 1936.

Berkan, W., Zyciorys Wlasny. Z przedmova F. Znanieckiego, Poznan 1923.

Blumer, Herbert, An Appraisal of Thomas and Znaniecki's: The Polish Peasant in Europe and America. Social Science Research Council, New York 1939.

Bühler, Charlotte, Der menschliche Lebenslauf als psychologisches Problem, 2. Aufl., Göttingen 1959 (zuerst 1932).

Burgess, Ernest W., Research Methods, in: *Georges Gurvitch* und *Wilbert E. Moore,* Twentieth Century Sociology, New York 1945.

Cavan, Ruth S., Interviewing for Life History Materials, in: American Journal of Sociology, Bd. 35 (1929/30).

Chalasinski, J., Drogi awansu spolecznego robotnika, Poznan 1931.

Chalasinski, J., Mlode Pokolenie Chlopow. Z przedmowa F. Znanieckiego, 4 Bde., Warszawa 1938.

Dollard, John, Criteria for the Life History, New Haven 1935.

Durkheim, Emile, Les règles de la méthode sociologique, Paris 1895.

Geiger, Theodor, Den Danske Intelligens fra Reformationen til Nutiden, Aarhus 1949.

Gottschalk, Louis, Clyde Kluckhohn, Robert C. Angell, The Use of Personal Documents in History, Anthropology and Sociology. Social Science

Research Council, New York 1945.

Grabski, Wladyslaw, Pamietniki chlopow i srodowisko wsi polskiej, in: Przeglad Socjologiczny, Bd. 4 (1936).

Jakubczak, Franciszek, Konkursy na pamietniki w Polsce 1921—1966, Warszawa 1966.

Lindzey, Gardner (Hrsg.), Handbook of Social Psychology, 2 Bde., Cambridge, Mass., 1954, 2. Aufl. 1968.

Poincaré, Henri, Science et méthode, Paris 1908.

Shaw, Clifford, The Jack-Roller: A Delinquent Boy's Own Story, with comments by *C. R. Shaw* and *E. W. Burgess,* Chicago 1930.

Stouffer, Samuel A., An Experimental Comparison of Statistical and Case History Method in Attitude Research, ungedruckte Dissertation Chicago 1930.

Stouffer, Samuel A., Experimental Comparison of the Statistical and Case History Method in Attitude Research, American Sociological Society, Publications Nr. 25, 1931.

Sutherland, Edwin H., The Professional Thief, Chicago 1937 (4. Aufl. 1950).

Thomae, Hans, Die biographische Methode in den anthropologischen Wissenschaften, in: Studium Generale, Bd. 5 (1952).

Thomas, William, I., Social Behavior and Personality, New York 1951 (dtsch. Übers. Person und Sozialverhalten, Neuwied—Berlin 1965).

Thomas, William I., und *Florian Znaniecki,* The Polish Peasant in Europe and America, zuerst 1919—21, neue Ausgabe, 2 Bde., New York 1958.

Thurnwald, Hilde, Charaktere und Schicksale von Menschen der Südsee, Stuttgart 1937.

Thurnwald, Hilde, Berliner Familien der Nachkriegszeit, Berlin 1948.

Wojciechowski, J., Zyciorys wlasny robotnika. Opracowal J. Chalasinski, Poznan 1929.

Young, Pauline V., Scientific Social Surveys and Research, 2. Aufl., New York 1949.

Zawadzki, B., und *Paul F. Lazarsfeld,* The Psychological Consequences of Unemployment, in: Journal of Social Psychology, Bd. 6 (1935).

Znaniecki, Florian, Einführung in die Soziologie, polnisch, 1922.

Znaniecki, Florian, Miasto w swiadomosci jego obywateli, Poznan 1931.

Znanecki, Florian, The Method of Sociology, New York 1934.

Znaniecki, Florian, Menschen der Gegenwart und die Zivilisation der Zukunft, polnisch, 1935.

Znaniecki, Florian, Cultural Sciences, Urbana, Ill., 1952.

Einige wichtige Sammlungen von Autobiographien aus Polen

Mlode Pokolenie Wsi Polski Ludowej, hrsg. v. d. Kommission zur Erforschung biographischen Materials der polnischen Akademie der Wissenschaften, 8 Bde., 1964 ff.

Pamietniki Bezrobotnych. Instytut Gospodarstwa Spolecznego, Warszawa 1933.

Pamietniki Chlopow. Instytut Gospodarstwa Spolecznego, Warszawa 1936.

Wiejscy Dzialacze Spoleczni. Instytut Socjologii Wsi, Warszawa 1937.

Pamietniki Emigrantow. Instytut Gospodarstwa Spolecznego, Warszawa 1939.

Pamietniki Lekarzy. Zaklad Ubezpieczen Spolecznych, Warszawa 1939.

Pamietniki Robotnikow z Czasow Okupacji, Warszawa 1948.

Pamietniki Opolan. Wydawnictwo Literackie, Krakow 1954.

Pamietnikarstwo Polskie, hrsg. v. Centrum Pamietnikarstwa Polskiego, Warszawa, Nowy Swiat 18/20, 1971 ff.

Systematische Inhaltsanalyse

Von Alphons Silbermann

I. Entwicklungsgeschichte und Umschreibung

Wollte man versuchen, der Entwicklungsgeschichte der Inhaltsanalyse in allen Details nachzugehen, und zwar zurück bis in Zeiten, zu denen dieses Fachwort noch nicht geprägt war, so müßte man bei denjenigen Forschern beginnen, die den Weg zur wissenschaftlichen Untersuchung der Seele vorbereitet haben. Zumindest aber müßte der Name von *Sigmund Freud* Erwähnung finden und insbesondere sein Buch „Die Traumdeutung" aus dem Jahre 1900. Wird doch hier zum ersten Male eine zusammenfassende Arbeit vorgelegt, die versucht, experimentell, d. h. unter Ausschluß philosophischer Gedankengänge, ein Licht auf die irrationalen Elemente des menschlichen Verhaltens zu werfen, und dies insbesondere in bezug auf Symbolismus, Sprache und Mythos. Die konzeptionelle Analyse symbolischer Formen, wie sie sonst noch bis zu *Ernst Cassirers* „Philosophie der symbolischen Formen" (1923/29) im Vordergrund steht, wird hier bereits verlassen, um einer Analyse Platz zu machen, die die Bedeutung von Symbolen für das soziale Leben aufzuzeigen sucht. Wenn heute noch bei der Untersuchung von Kulturen (zum Beispiel *Margaret Mead* und *Rhoda Métraux* 1953) mit symbolischen Materialien gearbeitet wird, so wird zwar nicht länger wie bei *Freud* davon ausgegangen, daß das Soziale dem Sexuellen entspringt, wohl aber wird symbolisches Material nach wie vor als repräsentativ unterstellt.

Im Augenblick nun, als die kollektive und komplexe Psychologie an die Stelle der analytischen Individualpsychologie trat, als seit 1921 *C. G. Jung*, beginnend mit seinem Werk „Psychologische Typen", das Beziehungsgefüge des Ich mit der Umwelt auf Funktions- und Archetypen hin entwickelte, entstand auch in der Sozialwissenschaft für diejenigen Forscher, die der Psychoanalyse nahestanden, ein Bedürfnis, Symbole, die innerhalb des sozialen Gefüges der Kommunikation dienen (verbale, bildliche, musikalische u. a. m.), auf Inhalt und Bedeutung hin zu untersuchen. Trotz der an sich selbstverständlichen Tatsache, daß jede Mitteilung, die auf uns zukommt, sei sie auditiv oder visuell, automatisch vom menschlichen Wesen interpretiert wird, entwickelte sich eine wissenschaftliche Interpretationstechnik, so wie sie uns heute als Inhalts-, Bedeutungs- oder Aussagenanalyse bekannt ist, nur recht zögernd.

Bernard Berelson (1952) führt in seinem grundlegenden Buch „Content Analysis in Communication Research", dem ersten Werk in der soziologischen Literatur, das sich ausschließlich Problemen der Inhaltsanalyse widmete, aus, daß in der Zeitspanne von 1921 bis 1930 in Amerika nur etwa 10 bis 15 Analysen pro Jahr durchgeführt wurden. (Als eine der ersten Analysen in den USA wird vielfach die Arbeit von *J. G. Speed* (1893) genannt, der die Veränderungen in den Sonntagsausgaben der New Yorker Tageszeitungen zwischen 1881 und 1883 miteinander verglich; siehe hierzu *Kurt Koszyk* und *Karl H. Pruys* 1969.) Ein ähnlich minimales Interesse läßt sich auch in Deutschland feststellen, wobei zu bemerken ist, daß es sich hierbei hauptsächlich um Diplomarbeiten, Dissertationen (darunter *Otto Groth* 1915) oder Arbeiten handelt, die angesichts ihrer mangelhaften Auswahlpläne heute nicht mehr als gültig zitiert werden können (z. B. *Walter Zimmermann* 1928; *Friederike Recktenwald* 1926). Die erste beachtliche Aktivität auf diesem Gebiet, die dann zur Entwicklung derjenigen Methoden führen sollte, die später im einzelnen darzustellen sein werden, ist während der zweiten Hälfte der dreißiger Jahre zu beobachten. Sie erhielt ihren Anstoß durch die rapide Entwicklung von Presse, Film und Rundfunk, durch stärkere Vertiefung in die Bedeutung der öffentlichen Meinung, durch die Ausdehnung von politischer Propaganda und kommerzieller Werbung, und nicht zuletzt durch den zweiten Weltkrieg und dessen Prinzip der totalen Kriegsführung. Zwischen 1900 und 1958 hat *Francis Earle Barcus* (1959) über 1700 kommunikationswissenschaftliche Inhaltsanalysen festgestellt, von denen 70 % nach 1940 entstanden sind.

Es war das Verdienst des Amerikaners *Harold D. Lasswell* und seiner Mitarbeiter in diesem Forschungsbereich, unter Unterstreichung des politischen Wertes der Inhaltsanalyse neue theoretische und praktische Fragestellungen aufgerollt zu haben, die der von ihm geprägten, oft zitierten Umschreibung des Massenkommunikationsprozesses — *„Wer sagt was zu wem und mit welcher Wirkung"* (*Lasswell* 1948) — entsprangen. Es galt also, das „Was" (Inhalt) ebenso genau zu erfassen wie das „Wer" (Kommunikator), das „Wem" (Empfänger) und den Effekt. Soweit es Fragen der Propaganda und der öffentlichen Meinung betrifft, hat *Lasswell* seine Erfahrungen und Methoden mehrfach dargelegt (z. B. in *Bruce Lannes Smith* u. a. 1946). Was seine Tätigkeit als Leiter der *„Experimental Division for the Study of War-Time Communications"* angeht, einer in Washington stationierten Abteilung des amerikanischen Kriegsministeriums, deren Aufgabe es war, durch Analyse der Weltpresse einen *„World Attention Survey"* durchzuführen, so finden sich auch hierüber detaillierte Beschreibungen (*Lasswell* 1941, 1942; *Lasswell* und *Joseph M. Goldsen* 1947 u. a. m.). Ähnliche Projekte wurden insbesondere in bezug auf die deutsche Rundfunkpropaganda während des zweiten Weltkrieges an der *New School for Social Research* in New York (*Ernst Kris* und *Hans Speier* 1944) vom amerikanischen *Foreign Broadcast Intelligence Service* in Washington (*Berelson* und *Sebastian de Grazia* 1947) und von anderen offiziellen und halboffiziellen Stellen durchgeführt. Zur gleichen Zeit begann das *Bureau of Applied Social Research* der Columbia University unter der Leitung von *Paul F. Lazarsfeld* seine grundlegenden Untersuchungen, auf die wir noch zu sprechen kommen werden. Alle möglichen theoretisch erarbeiteten Gegebenheiten fanden hier ihren Antrieb zur Praxis hin. So vereinten sich Prinzipien der alten Psychologie mit den von *George H. Mead* entwickelten der Sozialpsychologie, um schließlich zu einer empirischen Methode vordringen zu können, die sich sowohl der Untersuchung von symbolischem Material als auch der Untersuchung von kulturellen Mustern, der Voraussage von Ereignissen, der Identifizierung von Absichten, der Analyse von Trends und vielen anderen mehr widmen konnte.

In Übersetzung aus dem Amerikanischen wurde eine zusammenfassende Definition der Inhaltsanalyse im Jahre 1952 vorgelegt. Sie lautet: „Die Bedeutungsanalyse ist eine Untersuchungstechnik, die der objektiven, systematischen und quantitativen Beschreibung des offenbaren Inhalts von Mitteilungen aller Art dient" (*Berelson* und *Lazarsfeld* 1952, S. 143; *Berelson* 1952, S. 18). Hierzu ist zu bemerken, daß die Übersetzung des Begriffs „content analysis" als „Bedeutungsanalyse" — so wie sie sich in der deutschen Ausgabe findet (*Berelson* und *Lazarsfeld* 1952) — irreführend ist. Zwar enthält jede Inhaltsanalyse implizite gewisse Zweckrichtungen, insbesondere die der Erkenntnis von Kommunikationswirkungen, jedoch in diesem frühen, sehr engen Umschreibungsversuch sind diese noch nicht enthalten. Denn sieht man sich die Definition von *Berelson* im amerikanischen Text genau an, so stipuliert er — ausgehend von der Bedeutung des Kommunikationsinhalts als einem „body of meanings through symbols which makes up the communication itself" (*Berelson* 1952, S. 13) — für die Inhaltsanalyse als soziologische Methode vier charakteristische Elemente. 1. Die Inhaltsanalyse muß objektiv sein, d. h. „that the categories of analysis should be defined so precisely that different analysts can apply them to the same body of content and secure the same results" (ibid. S. 16). — 2. Die Inhaltsanalyse muß systematisch sein, d. h. „all of the relevant content is to be analyzed in terms of all the relevant categories for the problem at hand" und „that analyses must be designed so secure data relevant to a scientific problem or hypotheses" (ibid. S. 17). — 3. Die Inhaltsanalyse muß quantitativ sein, was nicht notwendigerweise verlangt „the assignment of numerical values to the analytic categories (ibid. S. 17). — 4. Die Inhaltsanalyse beschreibt den „offenbaren" (manifesten) Inhalt von Mitteilungen, d. h. sie hat sich zu beschränken auf Elemente der Syntax und der Semantik, und dabei sind latente Intentionen, die im Inhalt verborgen liegen mögen, nicht zu beachten.

Wenn auch *Berelson* unter Hinweis auf eine Arbeit von *William Schutz* (1950) in einer Anmerkung zu seiner Umschreibung (ibid. S. 18, A. 4) andeutet, daß sich eine Ausdehnung auf die „description of human behavior, particularly linguistic" erwägen ließe, so ist doch gerade sein Verlangen nach einer Beschränkung der Inhaltsanalyse auf *offenbare* Mitteilungen von vielen Soziologen von der Hand gewiesen worden. Zusammengefaßt dargestellt, hält man es für fruchtbarer, die Inhaltsanalyse auf gleich welchen Inhalt anzuwenden (darunter auch auf die Äußerungen des menschlichen Verhaltens), sei dieser als bewußte oder unbewußte Kommunikation gedacht. Damit glaubt man, zu einer wahrhaften Bedeutungsanalyse vordringen zu können; denn nicht länger werden nur die Charakteristika des Inhalts unterstrichen, sondern auch die Motive und andere soziologische Merkmale der Produzenten dieser Äußerungen.

Der Versuch, den Begriff „Content Analysis" eindeutig in die deutsche Sprache zu übertragen, wurde erneut von *Gerhard Maletzke* unternommen, dem ebenso wie uns eine Bezeichnung dieses Forschungsinstrumentes als „Bedeutungsanalyse" zu einengend erscheint. Er schlägt daher vor, von „Aussagenanalyse" zu sprechen, „da sich die Methode der ‚Content analysis' auf alle Aspekte der Aussage richten kann" (1963, S. 57). Wenn wir davon ausgehen, daß „Inhalt" sich als Inbegriff aller das Wesen eines Gegenstandes bestimmenden Merkmale darstellt, wohingegen „Aussage" ein Urteil bzw. einen Urteilsausdruck impliziert, dann glauben wir sagen zu müssen, daß die Eindeutschung des Begriffes „content analysis" als Aussagenanalyse der soziologischen Logik widerspricht. Wir ziehen daher vor, es bei der Bezeichnung „Inhaltsanalyse" zu belassen, möchten es aber dennoch nicht versäumen, *Maletzkes* Umschreibung derselben zu zitieren. Er schreibt: „Aufgabe der Aussagenanalyse ist es, Aussagen so systematisch und objektiv wie möglich beschreibend zu erfassen, indem bestimmte Aussagenmerkmale analytisch behandelt und ihre Bedeutung und ihr Gewicht im Rahmen des Ganzen bestimmt werden.

Dem Ideal der Objektivität sucht man dadurch näherzukommen, daß man – im Unterschied zu der älteren, subjektiv-impressionistisch vorgehenden Hermeneutik – die Merkmale der Aussagen quantitativ verarbeitet und auswertet" (1963, S. 58). Dabei unterscheidet *Maletzke* zwischen „reiner" Analyse, „die lediglich systematisch beschreiben will, was in den Aussagen vorliegt", und „erweiterter" Analyse, „die durch das Studium der Aussagen Aufschlüsse über die anderen Faktoren des Feldes der Massenkommunikation gewinnen soll" (ebd.). Sein Verweis auf die Massenkommunikation, der der Aufgabe seines Buches, aus dem wir zitieren, entspricht, erklärt nicht nur die Betonung der Aussage anstelle des Inhalts bei der Inhaltsanalyse, sondern auch die soeben aufgeführte Hauptunterscheidung. Denn wenn man das Forschungsinstrument der Inhaltsanalyse ausschließlich vom Standpunkt der Massenkommunikation und ihrer Medien aus sieht und nicht als Forschungsmethode auch für Zwecke ansieht, die mit Massenkommunikation gar nichts zu tun haben – wenn sich diese Methode auch erst mit dem Aufkommen der Massenmedien zu ihrer vollen Blüte entwickelt hat –, dann mögen *Maletzkes* Umschreibungen und Einteilungen ausreichend sein.

Geht man aber Inhalten jedweder Art nach, so genügen sie nicht. Es bleiben dann „Inhalte" Inhalte und „Aussagen" Aussagen, und eine differenzierte Ausrichtung kann sich nur entweder auf Quantitäten oder Qualitäten bzw. auf beide gemeinsam richten, eine Einteilung, auf die dann *Maletzke* (1963, S. 70 ff.) auch später in seiner Übersicht zu sprechen kommt. Die Idee der Beschränkung der systematischen Inhaltsanalyse auf das Quantitative allein erscheint uns als ein unnötiger Pessimismus, und wir glauben auch inzwischen aufgezeigt zu haben (*Alphons Silbermann* 1966, insbes. S. 44 ff. et pass.), daß sich sehr wohl praktikable Modi finden lassen, um mit Hilfe der Inhaltsanalyse auch soziologische Erkenntnisse in *qualitativer* Richtung zu erlangen. Um diesem Dilemma zwischen dem Quantitativen und dem Qualitativen zu entgehen, unterbreitet *Georges Vandersmissen* (1960) eine Definition der Inhaltsanalyse, in der er von der Erfassung von „émanations", von „Ausstrahlungen" des menschlichen Verhaltens spricht. Er schreibt: „Nous entendons par analyse de contenu en sociologie, un ensemble de techniques de recherches permettant la description objective, systématique et quantitative des ‚émanations' du comportement humain (destinées ou non à la communication) en vue d'inférer les motivations et caractéristiques sociologiques des auteurs de ces ‚émanations' et de déduire les réactions sociologiques que ces stimuli sont susceptibles de provoquer."

So lassen sich die folgenden *prinzipiellen* Untersuchungsvorgänge aufführen:

1. Nach einem systematischen Arbeitsschema wird eine repräsentative Auswahl von Texten, Filmen oder Images der Analyse unterworfen, um die Häufigkeit des Vorkommens und die Bedeutung gewisser gewichtiger Themen festzustellen. Die Zielsetzungen einer solchen Untersuchung können im einzelnen sein: a) Analyse der Attitüden des oder der Verfasser des Dokuments; b) Analyse der Attitüden, an die appelliert wird; c) Analyse der Attitüden, die hervorgerufen werden sollen; d) Analyse der sozialen Normen, denen der oder die Verfasser unterworfen sind. Jede einzelne dieser Zielsetzungen kann selbstverständlich mit einer oder mehreren der anderen verbunden sein.

2. Die Analyse eines oder mehrerer gleichartiger Dokumente, die ausschließlich quantitativ unternommen wird. Es gilt hierbei zum Beispiel festzustellen, wieviel Zeitungsspalten einem gewissen Ereignis oder einer spezifischen Idee gewidmet sind, wie oft das gleiche Wort im Verlauf einer Ansprache oder innerhalb eines gedruckten Dokuments erscheint oder welcher Stundenanteil der Musik, den Nachrichten, Hörspielen, Sport usw. im Total eines Rundfunk- oder Fernsehprogramms zukommt.

3. Die Analyse eines oder mehrerer gleichartiger Dokumente, die ausschließlich qualitativ oder kombiniert quantitativ und qualitativ unternommen wird. Hier wird die Struktur eines Textes, eines Films oder einer Rundfunk- bzw. Fernsehsendung auf die Bedeutung hin untersucht, die einer spezifischen Idee verliehen wird.

4. Die Analyse von Dokumenten im Hinblick auf ihren Zusammenhang mit dem Gruppenleben, wobei besonderer Wert darauf gelegt wird, soziale Prozesse wie Interaktionen oder Interdependenzen zu erkennen. Untersuchungen über den Inhalt von durch Massenkommunikationsmedien verbreiteten Aktualitäten oder von Schulbüchern zum Beispiel finden hier ihren Platz.

5. Die unter 4. angeführte Analyse kann auch vergleichend durchgeführt werden, indem die Aktualitäten bei den verschiedenen Medien miteinander verglichen werden, um so einen „Rundfunk-Inhalt", einen „Presse-Inhalt" usw. etablieren zu können.

6. Die Analyse gewisser Dokumente im Hinblick auf die Wirkung dieser Materialien auf Attitüden oder Attitüdenbildungen innerhalb spezifischer sozialer Gruppen. Bei einer derartigen sogenannten Antriebsanalyse (impact analysis) von Informationen, Ideen oder Symbolen entfernt man sich allerdings von der Inhaltsanalyse im strikten Sinne.

Was nun die bisher entwickelte Methodik angeht, so konzentriert sich die Analyse entweder auf bestimmte Zeichen, auf gewisse Worte, auf gewisse Symbole, auf konkrete Sujets, auf Themen oder auf die globale Struktur der zu untersuchenden Materialien. Hierbei wird von spezifischen Kategorien ausgegangen, die in jedem Fall neu aufgestellt werden müssen. Also: entweder Attitüden, die ein gewisses Land betreffen oder einen speziellen politischen Aspekt des Landes, oder Attitüden, die ein Problem im allgemeinen oder Teilaspekte dieses oder jenes Problems angehen, usw. Generell gesprochen, werden dementsprechend vor der endgültigen Auswertung die Zeichen, Symbole, Sujets oder Themen, die bei der Analyse zum Vorschein gekommen sind, klassifiziert, dann dem Objekt der Analyse gegenübergestellt, um so zu erkennen, ob sich eine neutrale, zweifelhafte, günstige oder ungünstige Haltung ergibt.

Überblickt man den heutigen Stand der Inhaltsanalyse, so darf wohl gesagt werden, daß sie sich nicht länger nur dem Studium stationärer oder, wie sie auch genannt werden, „instrumentaler" (siehe *John W. Riley Jr.* und *Matilda White Riley* 1959) Kommunikationsgegebenheiten, d. h. offen zutageliegenden Inhalten widmet, sondern auch dynamischen, auch als „expressiv" (ebda) bezeichneten, d. h. verborgenen und unterschwelligen (siehe hierzu *René König* 1973a). Wurden bei früheren Inhaltsanalysen nur Themen oder nur Medien oder nur Werte untersucht, so kennt man heute in den meisten Fällen die Kombination dieser drei Bezugskategorien. Nach der Ansicht von *Berelson* (1959) hat mit dieser konzeptuellen Zusammenführung die Entwicklung der Inhaltsanalyse ihren Höhepunkt und ihr Ende gefunden; denn auch die vier Hauptrichtungen der Kommunikationsforschung werden sich zusammenschließen müssen. Diese sind: 1. Die von *Lasswell* geschaffene politische Richtung und ihre makroskopische Untersuchungsmethode (dargetan bei *Bruce Lannes Smith, Harold D. Lasswell* und *Ralph D. Casey* 1946, S. 74 ff.); 2. die von *Lazarsfeld* entwickelte sozialpsychologische Richtung und ihre auf das empirische Studium des Publikums und der Wirkungen in der Massenkommunikation gezielte Befragungstechnik (dargetan in *Lazarsfeld, Berelson* und *Hazel Gaudet* 1948; *Lazarsfeld* 1949, S. 254 ff.; *Robert K. Merton* und *Lazarsfeld* 1957, S. 509 ff.); 3. die von *Kurt Lewin* (1953, S. 287 ff. und 1951) erarbeitete Richtung zur Untersuchung von Kleingruppen und deren Kommunikationen; 4. die von *Carl I. Hovland* (1953) geübte experimentell-psychologische Methode zum systematischen Studium der Wirkungen. Zwar kann kein Zweifel darüber bestehen, daß diese vier Haupttendenzen ebenso grundlegend für die Massenkommunikationsforschung als auch für die hiermit eng verbundene Technik der Inhaltsanalyse sind. Jedoch darf nicht außer acht gelassen werden, daß sich seither zahlreiche andere Richtungen entwickelt haben — die journalistische (*Wilbur Schramm* 1948), die mathematische (*Claude Shannon* und *Warren Weaver* 1949), die psycho-linguistische (*Charles E. Osgood* 1952,

S. 197 ff.), die psychiatrische (*Jurgen Ruesch* und *Gregory Bateson* 1951), um nur einige zu nennen, die alle darauf hindeuten, daß für eine fruchtbare Fortentwicklung der Inhaltsanalyse noch viel Raum besteht.

Bevor wir nun zur Darstellung einiger empirischer Forschungen übergehen, sei darauf hingewiesen, daß die Inhaltsanalyse, so wie sie im Augenblick noch vielfach verwertet wird, d. h. solange sie sich darauf beschränkt, nur Mittel zum Zweck zu sein, keine *direkten* Beweise erbringen kann über die Natur des Kommunikators, über Zuhörer-, Zuschauer- oder Leserschaften, also über die Empfänger oder über weiterreichende Auswirkungen von Kommunikationen. Die Beschränkung liegt zunächst noch dort, wo es nur um Beschreibung und Analyse des stationären oder dynamischen Inhalts von Mitteilung geht — nicht um Intentionen. Die Suche nach einer Erweiterung der Analysemöglichkeiten wird deutlich dort unterstrichen, wo Diskussionen über Sinn und Zweck der Inhaltsanalyse zu ausgedehnteren Definitionen geführt haben. So heißt es bei *Philip J. Stone et al.* (1966, S. 5): „Content analysis is any research technique for making inferences by systematically and objectively identifying specified characteristics within text"; und bei *Klaus Krippendorff* (in *George Gerbner et al.*, 1969, S. 11): Inhaltsanalyse sei „the use of replicable and valid methods for making specific inferences from text to other states or properties of its source".

Wie sich aus diesen neueren Umschreibungen erkennen läßt, wird versucht, Inhalte auf ihre Bedeutung hin zu „identifizieren"; denn „not all significance can be evoked by inspection nor is all significance accessible to casual inspection" (*George Gerbner et al.* 1969, S. X). Angesichts dieser Schwierigkeit, nämlich der Differenz zwischen der signifikaten und der signifikanten Ebene einer Kommunikation, dürfte es verständlich sein, daß sich die Beschäftigung von Spezialisten der Inhaltsanalyse immer stärker von dem abwendet, was sich heute als „traditionelle Inhaltsanalyse" bezeichnet findet, um sich einem mehr allumfassenden Vorhaben bei der Analyse von Botschaften zuzuwenden. Diese Allumfassenheit bedeutet eine Bezugnahme auf die sozio-kulturelle *Situation*, innerhalb der Botschaften zu analysieren sind.

Was Einzelfragen der Methode selbst betrifft, wird darauf noch später einzugehen sein. Verwiesen sei jedoch bereits auf die Ausführungen von *Dorwin Cartwright* (1953), *Carl W. Backmann* (1954), *William A. Scott* (1955), *Guido H. Stempel* (1955), *Ithiel de Sola Pool* (1959), *Richard W. Budd* et al. (1967), *Gernot Wersig* (1968) und *Hansjörg Bessler* (1970). Eine kritische Betrachtung der theoretischen Aspekte der Inhaltsanalyse vermittelt *George Gerbner* (1964).

Eine Reihe von ideologisierenden Kulturkritikern so z. B. *Jürgen Ritsert* (1972), haben sich im Anschluß an eine seit geraumer Zeit überholte Kritik am sogenannten „Primat der Quantifizierung" der Inhaltsanalyse angenommen, um dieses Forschungsinstrument als Variante ihrer Positivismuskritik zu benutzen. Ihr Ziel ist es, die Inhaltsanalyse in eine Untersuchungstechnik umzuformen, „mit deren Hilfe sich Kulturkritik zur empirischen Ideologiekritik erweitern ließe" (ebda, S. 10). Über die wahren Absichten von derlei Versuchen, eine Forschungstechnik zu „politisieren", siehe die Analyse von *Helmut Schoeck* (1972).

II. Analyse von kulturellen und sozialen Denksystemen

Seit jeher haben sich Generationen bemüht, die Denksysteme ihrer Vorfahren zu erforschen. Jede biographische Darstellung eines bedeutenden Denkers dient dazu, an Hand von überlieferten Texten und Aussagen die Gedankengänge von Einzelwesen zu erläutern und, wenn möglich, in den Rahmen des totalen sozialkulturellen Gefüges, aus dem sie entsprungen sind oder welches sie beeinflußt haben, einzuordnen. Fragt ein Kommentator, was hat dieser oder jener Dichter, Philosoph oder Wissenschaftler mit diesem oder jenem Satz gemeint, so betreibt auch er eine Art Inhaltsanalyse. Jedoch ist dies nicht jene, von der wir hier handeln. Denn trotz der Postulate, die in dieser Hinsicht von *Hippolyte Taine* und seinen Nachfolgern aufgestellt wurden, und auch trotz einer seither weit entwickelten vergleichenden Literaturwissenschaft überragt die qualitative Auslegung die quantitative, d. h. es wird auf diese Weise unausbleiblich, daß das Denksystem von Gestern durch das Denksystem von Heute gesehen und analysiert wird. Daher zogen es zahlreiche Forscher vor, der Einzelheit zu entfliehen, um sich der Interpretation des Geistes einer Zeit zu widmen. Sie wollen im Anschluß an die von *Wilhelm Dilthey* entwickelten Thesen das geschichtliche Leben aus sich selbst heraus verstehen, wollen alle überhaupt erschließbaren Quellen einer spezifischen Periode untersuchen, um daraus den geistigen Gehalt einer Zeit zu deduzieren. Im Grunde genommen laufen diese Absichten darauf hinaus, den Zeitgeist durch die Geistesgeschichte zu charakterisieren und zu untersuchen. Bei *Dilthey* geschah dies methodisch noch so, daß als Indizien für die Geistesgeschichte nur die Spitzen der menschlichen Leistungen in Frage kamen, während sich nunmehr eine Methodik zu entwickeln scheint, für die die höchsten Schöpfungen des menschlichen Geistes in diesem Zusammenhang erst in letzter Linie in Frage kommen.

Wie dem auch sei, es ist festzustellen, daß das Studium des Zeitgeistes eine ungeheure Literatur hervorgebracht hat, meistens jedoch ohne die vorbestimmte Auswahl eines klar erkennbaren Konzepts, weshalb der Großteil dieser Untersuchungen vom Standpunkt des Soziologen aus als irrelevant zu bezeichnen ist. Unter dieser Erkenntnis haben sich *J. S. Bruner, J. J. Goodnow* und *G. A. Austin* (1956) bemüht, eine Methodik zu entwickeln, nach der korrekte Konzepte unter einer Verschiedenheit von Umständen erreicht werden können. Es handelt sich hierbei um eine Systematisierung von Konzepten, je nachdem ob diese bei der Untersuchung Aufmerksamkeit verlangen oder ignoriert werden können, aber auch gleichzeitig um eine Katalogisierung, die es bei gewissenhafter Anwendung verbieten würde, mit verschwommenen Vorstellungen zu operieren, worunter die meisten Analysen von kulturellen und sozialen Denksystemen leiden.

Der wahre Sinn einer Inhaltsanalyse von kulturellen und sozialen Denksystemen besteht darin, an Hand von Materialien, die sich in philosophischen Systemen, in Belletristik, in Enzyklopädien, in Predigten, in Debatten, in Kunstwerken oder wissenschaftlichen Werken finden, sozial-kulturelle Charakteristika gewisser vorher bestimmter Denk- oder Nationalkreise zu erarbeiten. Meistens sind derlei Studien, soweit sie überhaupt empirischen Anforderungen genügen, darauf ausgerichtet, gewisse sozial-kulturelle Werte und Attitüden aufzuzeigen. Dies ist offensichtlich die Absicht der Studien von *E. Barker* (1927), *A. Siegfried* (1940, 1948), *R. F. Benedict* (1946), *M. Dessertaux* (1947, S. 81 ff.), *Roy Pascal* (1960) oder *Adolf Holl* (1969), um nur einige anzuführen. Ihr Mangel, wenn man so sagen darf, liegt dort, wo die zu untersuchenden Denksysteme mit Persönlichkeitscharakteristiken vermengt werden und somit den Rahmen der Gesinnungs- und Lebensgrundsatzerforschung, die sie sich zur Aufgabe gesetzt haben, sprengen. Hier steht man anscheinend einer unvermeidlichen Schwierigkeit gegenüber, die wohl daher rühren dürfte, daß die Grundlage aller dieser und ähnlicher Unternehmungen eine historische ist (so z. B. bei *Reinhard Kühnl* 1966 mit seiner Kritik am Geschichtsbild des Dritten Reichs). Ebenso wie noch immer die Frage offensteht, inwieweit die Soziologie die Produkte der Geschichtsschreibung als Material oder als Daten für soziologische Forschungen verwerten kann, ebenso unklar und manchmal zweifelhaft sind die Methoden, durch die die Historiker glauben, geschichtliche Ereignisse interpretieren zu können (gute Beispiele dafür bei *Peter Christian Ludz* 1972).

Ein typisches Beispiel für diese Zweideutigkeit ist die Untersuchung von *Henry Steele Commager* (1950), obwohl gerade hier die Interpretation und Würdigung sozialer Studien in Amerika (*Ja-*

mes, Ward, Veblen usw.) in den Vordergrund gerückt ist. Im gleichen Sinne und mit der Absicht „to grasp the pattern and inner meaning of contemporary American civilization" zeichnet *Max Lerner* (1957) durch Analyse einer Unmenge historischer Daten und der Schriften von *Tocqueville, Bryse, Veblen, Parrington, Laski, Mill* u. a. m. das Bild des amerikanischen Dynamismus, der für ihn das kulturelle Erbe der Nation darstellt. Unterbreiteten *R. M. J. Williams* (1951) sowie manche andere Soziologen eine Perzeptionsanalyse der amerikanischen Gesellschaft, so haben wir es bei der von *Lerner* verfaßten mit einer historiographischen zu tun. Sie alle ergänzen sich vorzüglich untereinander. Sie dürften insgesamt dem sehr aktiven Forschungszweig der sogenannten Amerikastudien dienlich sein, der allerdings auch Untersuchungen vorgelegt hat, die sich zur Erfassung des spezifischen sozial-kulturellen Denksystems der Inhaltsanalyse im engeren Sinne bedienen. Dazu gehören z. B. die Studien von *Joseph J. Kwiat* und *Mary C. Turpie* (1960), in denen eine interdisziplinäre Zusammenarbeit, bestehend aus Inhaltsanalysen, historischer Dokumentation, Literaturkritik, Trendauswertungen usw. ein recht beachtenswertes Resultat zeitigt. Weniger umfassend sind im Rahmen der Amerikastudien diejenigen Einzeluntersuchungen, die Wert darauf legen, nur die Entwicklung ganz spezieller Denksysteme zu beleuchten. Hier hat man sich letzthin stark der Analyse der sogenannten Massenkultur (*Richard Hoggart* 1957; *Bernard Rosenberg* und *David M. White* 1957) oder „popular culture" zugewandt, bei der, wie z. B. in der Schrift von *Reuel Denney* (1957), an Hand relevanter soziologischer Literatur über Massenkommunikationsmedien, über Kunst, Reklame, Sport, Automobilindustrie usw. der kulturelle Trend der „Surrogatisierung" (substitute) erarbeitet und erläutert wird. Ähnlich gelagert und wohl von der amerikanischen Literatur inspiriert, befassen sich auch in Europa zahlreiche Arbeiten mit dem Problem einer „Massenkultur", so z. B. *Jean Boniface* (1961), *Franz Mayrhofer* (1966), *Giorgio Galli* und *Franco Rositi* (1967) u. a. m. Auch der geistigen Einstellung des Ausländers gegenüber den Vereinigten Staaten ist bereits mit Hilfe einer Inhaltsanalyse des amerikanischen Denksystems mehrfach Aufmerksamkeit geschenkt worden. Sei es, daß amerikanische Wissenschaftler durch Zusammenstellungen und zusätzliche Analysen versuchen, dem Amerikabesucher das Verständnis ihres Landes zu erschließen (z. B. *H. S. Commager* 1947), oder daß europäische Quellen unterbreitet werden, die die geistige Einstellung gegenüber dem amerikanischen Denksystem beeinflußt haben (z. B. *Ernst Fraenkel* 1959).

Mit der gleichen Vielfalt von Methoden, mit denen das amerikanische Denksystem einer Analyse unterworfen wurde, sind auch Analysen der Denksysteme anderer Nationen durchgeführt worden. So benutzt *Nathan Leites* (1953) eine der Psychoanalyse verbundene Methode der Inhaltsanalyse, nicht um Doktrinen und Techniken in bezug auf die reale oder vorgestellte politische Situation, in der die bolschewistische Partei handelte, darzustellen, sondern um deren Eigenbedeutung zu erfassen. In „Studies in Chinese Thought“ (*Arthur F. Wright* 1953) finden sich neun Studien, die zu Methoden zur Erfassung des chinesischen Denksystems führen könnten. Grundlegende Konzepte, wie „Chung“ (Loyalität) oder „Hsiao“ (kindliche Pietät), werden untersucht und ebenso Symbole in der chinesischen Kunst, die übrigens schon vielfach die Aufmerksamkeit von Sinologen erweckt haben. Von anthropologischer Seite her kennen wir die Voruntersuchung eines speziellen Teiles des französischen Denksystems (*Rhoda Métraux* und *Margaret Mead* 1954), in der sich neben anderen Techniken die Inhaltsanalyse nützlich angewandt findet zur Untersuchung „at a distance“ von historischen Dokumenten, Filmen, was aufzeigt, daß Möglichkeiten bestehen, auch solche Kulturen zu untersuchen, die nicht direkt zugänglich sind (*Margaret Mead* und *Rhoda Métraux* 1953). Auch die interessante Studie von *Saul K. Padover* (1954) versucht, an Hand der Analyse gewisser hervorstechender Themen nationale Charaktere Frankreichs herauszuarbeiten. Da aber leider keinerlei Angaben über die Methode gemacht werden, mit der die Daten gesammelt wurden, bestehen berechtigte Zweifel an deren Zuverlässigkeit (siehe *Vladimir B. Cervin* 1955).

Wie wir eingehend sagten, geht es bei der Analyse sozial-kultureller Denksysteme und selbstverständlich auch bei der ausschließlichen Analyse von sozialen Systemen (u. a. *Rollin Chambliss* 1954; *Martin Schwonke* 1957; *David W. Noble* 1958) darum, gewisse Werte und Attitüden aufzuzeigen. Nun hat aber die Forschung erkannt, und die von uns angeführten Untersuchungen dürften dies wohl auch erkennen lassen, daß es einer rigoros angewandten reinen Inhaltsanalyse bei der Untersuchung von Materialien in bezug auf Denksysteme immer nur gegeben ist, Licht auf solche vermuteten Muster zu werfen, die a priori hervorstechend sind. Das führt zu einer zentralen Orientierung, die für das empirische Denken keineswegs erwünscht sein kann, weil die Mannigfaltigkeit der Phänomene dadurch vergewaltigt wird. Um dem entgegenzutreten, sind von verschiedenen Seiten Ausdehnungs- und Verbesserungsmöglichkeiten der Inhaltsanalyse (immer in bezug auf sozialkulturelle Denksysteme) durchprobiert worden. In einem Bericht von *William A. Scott* (1959, S. 299 ff.) wird ein Vorgehen entwickelt, bei dem Interviews oder Fragebögen eine „content analysis of responses to standardized questions concerning traits which the subject admires in other people" nach sich ziehen. Hierdurch wird eine Trennung erreicht zwischen dem Begriff der Kultur als einem System von „shared meanings" und dem Begriff der Kultur als einem „external system of ideas and products". Kurz gesagt: psychologische, insbesondere unterschwellige Momente werden sorgfältig von rein quantitativen getrennt, was die Möglichkeit eröffnet, sie dann später bei der endgültigen Einschätzung von Werten und Ideologien wieder zu integrieren. Gute Ergebnisse wurden in dieser Hinsicht u. a. erzielt von *Horst Schmelzer* (1967) in bezug auf Wertvorstellungen über Naturwissenschaft und Technik; von *Morris Janowitz* (1967), der bei seiner Untersuchung über die sozialen Elemente des Urbanismus davon ausgeht, daß „the urban community, like any social system, encompasses a process of communications and a system of values" (S. VII; siehe auch die Vorstudie von *Janowitz* 1951); von *Rudolf Steinbeck* (1967), der anhand einer Inhaltsanalyse der in deutscher Sprache erschienenen französischen kulturellen Zeitschrift „Lancelot" das deutsch-französische Verhältnis nach 1945 analysiert.

Ein anderer Versuch kommt von der Seite der Wissenssoziologie her. Um der philosophischen Spekulation in dieser Disziplin entgegenzuwirken, hat *Franz Adler* (1954, S. 42 ff.) eine Messungsmethode entworfen und experimentiert, die von der Unterstellung ausgeht, daß der Begriff „Wissen" auf dem Gebiet von Wissenschaft, Philosophie, Religion und Literatur ebensosehr einen Teil der sozialen und kulturellen Aktivitäten des Menschen ausmacht wie in anderen Tätigkeiten. Die quantifizierend zu untersuchende Problemstellung lautete: „In welcher Beziehung stehen Typen des epistemologischen Denkens zu sozialen und kulturellen Veränderungen, zu Aktionsfreiheit und zu allgemeiner Sicherheit?" Der daraufhin ausgearbeitete Fragebogen, dessen Einzelheiten sich in *Adlers* Bericht finden, wurde Historikern, Philosophen und Soziologen zugesandt. Nach der eingehenden, gezielt typisierenden Analyse der Antworten wurde die Auswertung vorgenommen, an Hand derer sich in der Tat aufzeigen ließ, daß sich auch wissenssoziologische Probleme qualitativ erfassen lassen. Zu beurteilen, inwieweit mit einer solchen Methode der wissenssoziologischen Forschung gedient ist, steht uns nicht an. Wohl aber weist *Adlers* Versuch darauf hin, daß eine wie immer geartete quantifizierende Forschungsmethode auch im Bereich der Denksysteme greifbarere Resultate zeitigen kann als die primitive Methode derer, die da glauben, mit einer mehr oder weniger willkürlichen Anhäufung sozialgeschichtlicher Materialien aus Kunst und Literatur sozialkulturelle Denksysteme herausschälen und analysieren zu können (zum Beispiel *Arnold Hauser* 1953, 1973).

Da es bei der Analyse von kulturellen und sozialen Denksystemen darum geht, sozial-kulturelle Charakteristika gewisser vorher bestimmter Denkkreise zu erarbeiten, vielfach auch schlechthin als Trend bezeichnet, zeigt sich dieses Feld besonders geeignet für unsystematische, sich keinerlei präziser soziologischer Methoden bedienender Erwägungen. So wie bei *Hauser*, inspiriert von marxistischen Gedankengängen, nach denen eine Analyse von Teilprozessen und Einzelerscheinungen mit dem *Wesen* der Gesellschaftsordnung in Zusammenhang zu bringen ist, wird besagtes vorkonzipiertes „Wesen" in gedruckte, musikalische, bildliche oder elektronische Botschaften hineinprojiziert, um sie daran anschließend im Sinne des Forschers als positiv oder negativ zu werten. Zwar wird hierbei vielfach von Inhalten und deren Analyse gesprochen — z. B. bei *Horst Holzer* (1969) sowie *Ralf Zoll* und *Eike Hennig* (1970) zum Thema „Massenkommunikation"; bei *Annie Goldmann* (1971) zum Thema „Film"; bei *Theodor W. Adorno* (1959) über Beethovens „Missa Solemnis"; bei *Lucien Goldmann* (1967) über Klassiker der französischen Literatur — oder wie bei *Lucien Goldmann* (1964, S. 219) gar von einer „sociologie des contenus" (!), um gesellschaftliche Strukturmerkmale zu erarbeiten, jedoch bedient man sich dabei keinerlei objektiver Merkmale, außer den eigenen Wertausrichtungen. Ausführliche Kritik an dieser Art von Literaturanalysen unter angeblich soziologisch relevanten methodischen Aspekten haben *Alphons Silbermann* (1966) und *Robert Escarpit et al.* (1970) geübt. Wesentlicher erscheint uns in diesem Zusammenhang der Hinweis auf Untersuchungen wie die von *Patrick Johns-Heine* und *Hans H. Gerth* (1949), die dazu gedient hat, Veränderungen in der Darstellung von Helden und heldenhaften Themen, die in der Zeit von 1921—1940 in fünf amerikanischen Illustrierten veröffentlicht wurden, festzustellen, um aufzuzeigen, daß diese Veränderungen eine Anzahl wichtiger sozialer Trends widerspiegeln. Ebenso verwertet *Noel P. Gist* (1953) in erfolgreicher Weise die Inhaltsanalyse von 400 Heiratsannoncen aus in Indien erscheinenden Zeitungen, um aufzuzeigen, inwieweit sich der sozio-kulturelle Wandel in der indischen Gesellschaft in den Heiratsannoncen niederschlägt. Ähnliche Untersuchungen wurden von *E. Bend* (1952) an Hand von Heiratsangeboten und von *D. L. Hatch* und *M. A. Hatch* (1947; hierzu *W. J. Cahnman* 1948) an Hand von Heiratsankündigungen durchgeführt. In der gleichen Richtung von Trenduntersuchungen mit Hilfe der Inhaltsanalyse liegen die Studien von *Ethel Shanas* (1945), von *Jacques Kayser* und *Percy H. Tannenbaum* (1962) sowie *Jürgen Haese* (1963). Überhaupt zeigt sich die Inhaltsanalyse dort als besonders ergiebig, wo sie dazu dient, auf vergleichender Basis sozio-kulturelle Wert- und Bedeutungstrends spezifischer Gesellschaften an Hand bestimmter spektakulärer Ereignisse auszumachen. So ermöglichte sie es z. B., Haltungen und Attitüden der amerikanischen Gesellschaft gegenüber den Naziverbrechen zu bestimmen (*Charles Y. Glock, Gertrude J. Selznick* und *Joe L. Spaeth* 1966) oder antisemitische Tendenzen und Erscheinungsweisen festzustellen (*Gertrude J. Selznick* und *Stephen Steinberg* 1969). Während hier systematisch durchgeführte Inhaltsanalysen von Aussagen unterschiedlicher Art als Grundlage von Trenduntersuchungen dienen, verlassen sich viele Analysen von Denksystemen oder dem Wandel derselben auf globale Impressionen, so z. B. die der jugendlichen Subkultur gewidmeten Arbeiten von *Theodore Roszak* (1971) oder *Charles Reich* (1970). Auch Trendanalysen gesellschaftskritischer Art verfahren vielfach ohne Hinzuziehung empirischer Methoden, so z. B. die interessanten Darstellungen von *Jean-François Revel* (1971), *Erich Fromm* (1971) und *Peter Atteslander* (1971).

Besonders häufig ist dies der Fall bei Schriften und Studien pseudo- oder vulgärmarxistischer Herkunft. Gleich was sie analysieren, ob künstlerische, politische, ökonomische, kulturelle oder soziale Denksysteme, stets arbeiten sie inhaltsanalytisch fast ausschließlich mit der Polarisierung vager Kategorien: insbesondere mit solchen wie „Bürgerlichkeit", „Kapitalismus", „Demokratie" oder „Repressivität". So verständlich dies auch dem Sinn und Zweck dieser Schriften entsprechend sein mag, so beunruhigend wirkt es jedoch, daß sie sich auf eine Wissenschaftlichkeit berufen, der sie mangels korrekter Anwendung der Methode nicht einmal in die Nähe gelangen. Ohne hier aus der Menge der auf diese Weise verfaßten Schriften zu zitieren, gehen sie insofern meist unmethodisch vor, als sie anstelle von nachvollziehbaren Kategorien einfach mit Beispielen arbeiten. Gegen ein solches Vorgehen wandte sich bereits *W. I. Lenin* (1957) als er schrieb: „Auf dem Gebiet der gesellschaftlichen Erscheinungen gibt es ein außerordentlich verbreitetes und ebenso fehlerhaftes Verfahren, nämlich das Herausgreifen einzelner Tatsachen und das Jonglieren mit Beispielen" (S. 285).

III. Literaturanalyse (Vorbilder und Themen)

An sich gehört die Analyse jedes literarischen Produkts unter die Überschrift Literaturanalyse. Märchen- oder Schulbücher, Romane oder technische Schriften, Essays, Biographien oder Ansprachen, sie alle und noch vieles mehr machen zusammen das große Feld der

Literatur aus. Es erscheint uns jedoch verfehlt, wollte man sie alle über einen Kamm scheren. Nicht nur wäre dies unsystematisch, sondern es würde auch die jeder Inhaltsanalyse innewohnende Zielsetzung verdunkeln, d. h. die Analyse erschiene wesentlicher als das ausgerichtete Konzept. Da gerade hierdurch viele Inhaltsanalysen ihre soziologische Relevanz verlieren, wollen wir uns auch in der Systematik unserer Hinweise, trotz mannigfaltiger Überschneidungen, mehr von den Zweckrichtungen als von den zu analysierenden Objekten leiten lassen. Daher sei in diesem Kapitel nur eine Auswahl solcher Literaturanalysen diskutiert, deren Zweck es ist, gewisse Vorbilder (nicht Stereotypen) und gewisse Themen zu erfassen.

Hierzu muß eingangs darauf hingewiesen werden, daß jene Literaturanalyse, von der wir sprechen, zwar — insofern sie ihr eine Hilfsdisziplin sein kann — einen Teil des Forschungsgebiets der vergleichenden Literaturwissenschaft ausmacht, nicht aber vergleichende Literaturwissenschaft im eigentlichen Sinne ist, wie oft fälschlicherweise angenommen wird. Interpretationsmethoden, die sich z. B. vom Sprachgebrauch leiten lassen, weil „neue Ausdrucksformen als ein Kriterium für die Gestaltung neuer Erfahrungen und neuen Bewußtseins zu werten sind" (*R. Hinton Thomas* und *Wilfried van der Will* 1969, S. 8), bedienen sich zu diesem Zweck nicht notwendigerweise der systematischen Inhaltsanalyse: sie berücksichtigen soziologische Kenntnisse, nicht aber soziologische Methoden. Allerdings findet sich schon 1954 bei *Roger Bastide* ein Hinweis auf die Notwendigkeit einer Zusammenarbeit der vergleichenden Literaturwissenschaft mit der Soziologie, und zwar in breitem Rahmen gedacht.

Dort, wo bei Analyse und Interpretation weltanschaulichen Gedankengängen der Vorrang gegeben (*R. M. MacIver* 1956) oder wo der Zeitgeist eines Kunstwerks durch die Weltanschauung des Forschers interpretiert wird (*W. H. Bruford* 1948; *Lucien Goldmann* 1955) schleichen sich automatisch unkontrollierte Fakten ein, und die Arbeit verliert an Bedeutung für die empirische soziologische Forschung. Es ist das gleiche, als wenn Biographen aus Bildern oder Musikwerken die „vollständige Persönlichkeit" von Malern oder Musikern ablesen wollten. Für diese Unsitte sei aus Hunderten von Beispielen nur ein einziges zitiert: *Rollo H. Myers* (1960, S. 9) versucht „to discover to what extent the music of Maurice Ravel can be said to represent the ‚integral man'".

Um die Kluft zwischen „the stimulating but impressionistic approach of the humanist and the requirements of reliable knowledge" zu schließen, bediente sich *Walter Hirsch* (1958) bei seiner

Untersuchung über das Bild oder Vorbild („the image") des Wissenschaftlers, so wie es in amerikanischen Science-Fiction-Zeitschriften erscheint, ausschließlich und vorbildlich der Technik der Inhaltsanalyse. Es wurde das Total aller in den Jahren von 1926 bis 1950 veröffentlichten Science-Fiction-Erzählungen genommen und zunächst die ganze Zeitspanne in sechs durch historische Ereignisse gekennzeichnete Perioden unterteilt. Jeder dieser sechs Perioden wurde ein Wahrscheinlichkeitssample von 50 Erzählungen zugeteilt. Danach wurde jede der Erzählungen, also ein Total von 300, analysiert und auf der Basis von durch zwölf Hypothesen erzielten Kategorien verschlüsselt, wobei Verallgemeinerungen sorgfältig vermieden wurden. Die Auswertung zeigte auf, „that the content of science fiction has undergone a number of significant changes", fernerhin, daß es angesichts der Verbreitung von Science Fiction notwendig sein wird zu untersuchen: „The perception of the content of the literature by its readers and the effect it has on their motivations for engaging in scientific activities or for choosing other occupations" (S. 512). Wir haben diese Untersuchung und ihre Folgerungen deshalb genauer umschrieben, weil über Inhalt und Einfluß der Science Fiction letzthin viele kulturkritische Abhandlungen erschienen sind, die meistens mit vagen Terminologien wie „Geschmacksnivellierung", „Halbbildung" und dergleichen mehr operieren. So gut sie auch gemeint sein mögen, Effekte können, wie die obige Untersuchung zeigt, erst dann festgestellt werden, wenn Inhalte wissenschaftlich exakt geklärt sind. Aber über Wirkungen zu sprechen, sei es lobend oder anklagend, bevor quantitative Fakten zur Hand sind, bedeutet nicht nur Willkür, sondern auch einen bedauerlichen Mangel an Methodik. In ähnlich kompetenter Weise, jedoch mit der ausgesprochenen Absicht, der politisch-strategischen Planung zu dienen, wurden 753 Biographien von Vor- und Nachkriegsgeneralen innerhalb der sowjetischen Einflußsphäre untersucht (*Ithiel de Sola Pool* 1955), um 1. den Zustand der militärischen Führerschaft und 2. deren Verhältnis zu kommunistischen Prinzipien zu erkennen.

Eine geradezu klassische und sehr ausgedehnte Studie von Vorbildern und den damit verbundenen Folgerungen stellt *Leo Lowenthals* Untersuchung von Biographien in populären Magazinen dar (1944). Hier handelt es sich primär um eine Inhaltsanalyse, da der Autor zu Recht der Ansicht war, daß man, bevor man durch diverse Befragungsmethoden Leserreaktionen sammeln und analysieren kann, erst Genaueres über die inhaltliche Struktur wissen muß. *Lowenthal* hat diese Art Studien später noch fortgesetzt, zunächst einmal durch seine Untersuchung über das Verhältnis von Kunst und Populärkulturerscheinungen im England des 18. Jahrhunderts (o. J.) und dann in seinem Buch mit dem eindeutigen Titel: „Literature and the Image of Man" (1957). In letzterem wird die Untersuchungsrichtung umgekehrt: nicht das „image" des „Anderen" wird ausgewertet, sondern aus seinem Vorbild wird das „image" des „Wir" analysiert. Aus dem Künstler als passivem Chronisten wird der Schaffende in seiner sozialen Bedeutung für die Gestaltung des heutigen „Ich". Die individuelle Gleichung von Themen und stilistischen Mitteln wird mit Hilfe einer darauf gerichteten Inhaltsanalyse in eine soziale Gleichung verwandelt. Denn, so führt *Lowenthal* aus, es geht darum, soziologische Kategorien für die Klarstellung spezifischer Probleme der literarischen Künste, wie Genre, Perioden, Künstler, Stile, literarische Mode, zur Geltung zu bringen (1967, S. 89). Daß dies mit oder ohne Zuhilfenahme der Inhaltsanalyse geschehen kann, bedarf keiner sonderlichen Erwähnung. Nicht unähnlich gestaltet ist die Untersuchung von *D. V. McGranahan* und *I. Wayne* (1950), bei der sich durch Gegenüberstellung Werte und Attitüden erkennen ließen, die gewisse Verhaltensmuster beeinflußt haben. In dieser Richtung liegt auch *E. H. Eriksons* (1948) Analyse der Vorbilder in Hitlers „Mein Kampf", um daraus diejenigen Faktoren im Charakter des Deutschen zu ermitteln, die den starken Eindruck jener Vorbilder auf die deutsche Jugend verständlich machen.

Was nun die *Analyse spezifischer Themen* angeht, so kennen wir hiervon so viele, daß wir uns mit einigen Hinweisen begnügen müssen. Das Thema „Religion" betreffend, verweisen wir auf die von *Louis Schneider* und *Sanford M. Dornbusch* (1958, auch 1957) mit Hilfe der Inhaltsanalyse von religiösen Schriften und Traktaten durchgeführte Untersuchung über populäre Religionsbewegungen in Amerika. Zum Thema „Liebe", analysiert als ein Element sozialer Aktion und sozialer Strukturierung, findet sich als Ausgangspunkt die Studie von *William J. Goode* (1959), die Literatur über die Liebe nach ihrem Inhalt in Typen aufteilt. „Russische Sprichworte" wurden von *D. B. Shimkin* und *P. Sanjuan* (1953) mit Hilfe einer an den Rorschachtest angelehnten Inhaltsanalyse auf ihre psychologischen Variablen hin erforscht. Dem Thema „Humor", sei es, daß es sich um Witze handelt, die in Anthologien abgedruckt sind, oder um solche, die mündlich kolportiert werden, sind, insbesondere in Hinsicht auf deren soziale Funktion, bereits mehrfach detaillierte Studien gewidmet worden (z. B. *Homer Croy* 1948; *Milton L. Burrow* 1950; *Richard M. Stephenson* 1951; *Russel Middleton* und *John Moland* 1959). „Fruchtbarkeitswerte" wurden durch Inhaltsanalysen von in den Jahren 1916, 1936 und 1956 in populären amerikanischen Zeitschriften erschienenen Erzählungen erhalten (*Russel Middleton* 1960); so wurden auch die Themen „Totschlag" (*David Brion Davis* 1957; *Marvin E. Wolfgang* 1958) — eine Untersuchung, die unter Benutzung von Polizei- und Gerichtsberichten durchgeführt wurde — und „Gewalttätigkeit" (*W. M. Frohock* 1950) bzw. „Aggressivität" (*Viktor Gecas* 1972) untersucht. Angesichts der Bildungsexplosion und einer fortschreitenden Emanzipation der Frau wurde vielfach das „Frauenbild", besonders in Schul-Lesebüchern, mit Hilfe der Inhaltsanalyse eruiert, so z. B. von *J. Sollwedel* (1967); *E. König* (o. J.); *A. Grömminger* (1969); *Alphons Silbermann* und *Udo Michael Krüger* (1971).

Da wir hier von Literaturanalysen sprechen, muß in diesem Zusammenhang auch auf die zahlreichen Untersuchungen hingewiesen werden, die mit Hilfe der Inhaltsanalyse festzustellen versuchen, woher es rührt, daß gewisse Schriften zu *Bestsellern* werden, andere nicht. Sehr häufig wird hierbei so verfahren, daß Literaturkritiken über die beiden Gruppen von Büchern, aber auch Charakteristiken ihres Inhalts, in Kategorien erfaßt einander gegenübergestellt werden. Die Inhaltsanalyse ergibt dann zu jeder Kategorie gewisse Häufigkeiten von Variablen, die als Indiz für die höheren oder niederen Verkaufsziffern eines Buches sprechen sollen. Auch kann hierbei so vorgegangen werden, daß versucht wird, Inhaltscharakteristika herauszuarbeiten, um die Bestseller von anderen, nicht so erfolgreichen Büchern zu unterscheiden (*John Harvey* 1953). So interessant sich auch diese Art Untersuchungen angesichts der darin verwerteten Methodik lesen lassen, glauben wir dennoch kaum, daß die Inhaltsanalyse allein genügt, um die Problematik des Bestsellers zu erfassen. Hier spielen unseres Erachtens viele andere, durch Inhaltsanalyse nicht erfaßbare Phänomene und soziale Prozesse eine viel bedeutendere Rolle als die inhaltlichen Gegebenheiten (*Robert Escarpit* 1966). Man bedenke nur, was es für den Umsatz eines Buches ausmacht, ob dieses von der Literaturkritik „totgeschwiegen" oder dem Verfasser ein Interview am Fernsehen zugestanden wird. Eine sich in dieser Richtung bewegende, sehr eingehende Untersuchung findet sich bei *Karl Erik Rosengren* (1968).

Insoweit die Aufgabe des Sozialforschers darin gesehen wird, die Beziehungen zwischen dem Kommunikator, dem Inhalt und dem Rezipienten von literarischen Werken zum Gegenstand seiner Untersuchungen zu machen — eine Ansicht, die vertreten wird von *Gerhard Maletzke* (1963), *Hans Norbert Fügen* (1964), *Robert Escarpit, Alphons Silbermann* (1968) und anderen Vertretern der sogenannten „positivistischen" Denkweise —, werden damit alle diejenigen Literaturuntersuchungen aus der Sphäre der empirischen Sozialforschung bzw. Literatursoziologie ausgeschaltet, denen mehr daran gelegen ist, Meinungen und Auffassungen an das Literaturwerk heranzutragen bzw. ihm zu oktroyieren, als spezifische Themen oder Vorbilder als totales soziales Phänomen zu erkennen. Gegen diese Auffassung wenden sich alle diejenigen, die wie *Lucien Goldmann* (1964, 1967), *Geneviève Mouillaud* (1967) oder *W. Delsipech* (1970) einem „genetischen Strukturalismus" huldigen, oder aber wie *Leo Kofler* (1962), *J. Elsberg* (1970) oder *Bernd Jürgen Warneken* (1971) ebenso wie *Theodor W*

Adorno (1958, 1961, 1965), beeinflußt von den geschichtsphilosophischen Ausführungen von *Georg Lukács* (1920), nur die immanente Bedeutung des Kunstwerks gelten lassen wollen, was eine irgendwie geartete systematische Inhaltserfassung erübrigt.

In Richtung der empirischen Sozialforschung liegend, sind in diesem Zusammenhang zu nennen: *César Graña* (1964), der sich bei seiner Analyse der französischen Gesellschaft und des französischen Schriftstellers im 19. Jahrhundert leiten läßt „by the social content and intention of literature itself"; *Martin Greiner* (1964), der sich den „drei mächtigen Zuflüssen" zuwendet, die „das bescheidene Rinnsal" des deutschen Romans und des in seiner Gefolgschaft stehenden Trivialromans speisen, nämlich den Robinsonaden, den Übersetzungen aus dem Französischen und den Nachahmungen englischer Familienromane; *Lorenz Winter* (1965), der das Verhältnis von Autor und Öffentlichkeit an Hand der Romane von Heinrich Mann untersucht; *Levin L. Schücking* (1964), dem es darum geht, die Prägekraft des Puritanismus in bezug auf die Ausbildung, Lebensform und Hauszuchtbücher aufzuweisen; *Charles Winick* (1964), der die amerikanische Zeitschrift „Mad" inhaltsanalytisch auf die verschiedenen Themengruppen und die Häufigkeit ihres Auftretens hin durchgearbeitet hat, um die Satire als ein Mittel zu erfassen, Orientierungen zu reflektieren und vielleicht auch vorherrschende Orientierungen zu ändern; *Herbert Knittel* (1967), der den Illustriertenroman in seinen Wechselbeziehungen zwischen Herstellung, Inhalt, Gestaltungsweise und Publikum untersucht. Die Anwendung einer nicht immer systematisch bzw. methodisch sauberen Inhaltsanalyse findet sich öfters bei Analysen der Trivialliteratur – z. B. bei *Walter Nutz* (1966, 1971); *Heinz Otto Burger* (1968) und *Rudolf Schenda* (1970) – sowie beim Vergleich von Inhalten in Kinderbüchern (*Ruth-Gisela Klausmeier* 1963). In soziologisch-theoretischer Hinsicht sind zu dieser Art Untersuchungen besonders wesentlich die Aufsätze von *Ruth A. Inglis* (1938) und *Milton C. Albrecht* (1956). Interessant ist zu sehen, wie *David C. McClelland* (1961) in seiner groß angelegten, sich auf einige von *Max Weber* entwickelte Theorien stützenden Studie der Inhaltsanalyse bedient, um festzustellen, ob die Anzahl der Leistungsvorstellungen in der imaginativen Literatur kurz vor einer Periode ausgeprägten wirtschaftlichen Wachstums zunimmt oder kurz vor einer Periode wirtschaftlichen Abstiegs abnimmt. Nicht unähnlich verfahren *I. L. Child, T. Storm* und *J. Veroff* (1958) in ihrer inhaltsanalytischen Untersuchung von in gewissen Kulturen verbreiteten Volksmärchen.

Eine ausführliche Bibliographie zur soziologischen Literaturanalyse, inklusive solcher inhaltsanalytischer Art, findet sich bei *Alphons Silbermann* (1973, S. 110 ff.).

IV. Analyse von Stereotypen und symbolischen Darstellungen

Der Natur der Materie entsprechend, bedient sich die soziologische Erforschung von Stereotypen und hiermit in Verbindung diejenige sozialer Vorurteile recht häufig der Inhaltsanalyse. So oft es auch genügen mag, durch andere Methoden, insbesondere durch Befragungen verschiedener Arten, das Vorhandensein, die Entwicklung, die Bildung (siehe hierzu *Rosette Avigdor* 1953), die Verbreitung, die Dynamik und die Effekte von Stereotypen innerhalb kleinerer oder größerer Gruppen festzustellen, so wurde doch erkannt, daß das durch Massenkommunikationsmedien verbreitete Wort, das gedruckte oder das gesprochene, von ebensolcher Bedeutung sein kann wie Momente des persönlichen Einflusses oder andere psychologischer oder sozialpsychologischer Art. Das ständig Wiederkehrende läßt sich sowohl in einem umfangreichen Buch als auch in einem kurzen Text oder in einer Ansprache aufzeigen, und denkt man folgerichtig über Sinn und Bedeutung der Inhaltsanalyse nach, so lebt sie ja in erster Linie davon, gleich in welchem Zusammenhang irgendwelche ständig wiederkehrende Momente quantitativ zu erfassen. Dementsprechend wäre die Erkenntnis einer jeden ständig wiederkehrenden Formel die Erkenntnis eines Stereotyps. Wenn dennoch Untersuchungen durch Inhaltsanalyse systematisch von der Analyse von Stereotypen unterschieden werden, so darum, weil uns letztere notwendigerweise auf den Effekt verweisen. Bei den Stereotypen insbesondere geht es um den Effekt des sozialen Vorurteils, einem ganz bestimmt umschreibbaren sozialen Phänomen (und so auch Forschungsfeld), durch das sich erklärt, 1. daß nicht jede Erforschung von ständig wiederkehrenden Ausdrücken, Begriffen oder Themen eine Stereotypen-Analyse bedeutet und 2. daß sich eine ganze Reihe von Stereotypen-Untersuchungen aufzählen läßt, die sich nicht der Inhaltsanalyse bedienen (so z. B. *Franz W. Dröge* 1967).

Untersuchungen von Xenophobien im weitesten Sinne des Wortes, insbesondere Rassenvorurteile, Vorurteile gegenüber Minoritäten und Antisemitismus, haben eine weitverzweigte Literatur hervorgebracht, innerhalb deren sich die Anwendung der Inhaltsanalyse immer wieder finden läßt. Manchmal beschränkt sich die Erforschung dieser sozialen Krankheiten ausschließlich auf den Inhalt diesbezüglicher Stereotypen, manchmal dient die Analyse des Inhalts als Ausgangspunkt für eine weitläufigere Untersuchung, manchmal findet sie sich auch als Bezugspunkt innerhalb des Rahmens der Gesamtuntersuchung. Sie alle aufzuzählen, würde zu weit führen, und wir verweisen daher auf die einschlägige Literatur, die in den entsprechenden Kapiteln dieses Handbuchs besprochen wird.

Nur einige Untersuchungen seien als typisch für die hier zu behandelnde soziologische Technik angeführt. Darunter als erste die von *Berelson* und *Patricia J. Salter* (1946), in der eine Inhaltsanalyse von 198 Kurzgeschichten, die in acht der meistgelesenen Zeitschriften Amerikas im Jahre 1937 und 1943 erschienen sind, durchgeführt wurde. Es zeigte sich ein wesentlicher Unterschied in der Darstellung des „Amerikaners" im Vergleich zur Beschreibung von Mitgliedern der Minoritätsgruppen oder von Ausländern. Letztere wurden immer unter Verwertung von Stereotypen gezeigt: Italiener waren Gangster, Juden waren schlau und verschmitzt, Iren waren stets leicht erregbar, Neger immer lächerlich dumm usw. Die Autoren kamen zu der Schlußfolgerung, daß sich solche Zeitschriftenromane dahingehend auswirken, daß die Leser diese stereotypen Umschreibungen auf ausländische Gruppen anwenden und daß sie in den Romanen einen „gültigen Beweis" für stereotype Charakteristika finden. In einer ähnlich angelegten Untersuchung analysiert *Andrey M. Shuey* (1953) 292 Ausgaben von insgesamt sechs Zeitschriften über die Periode von 1949 bis 1950 auf die *bildliche Darstellung* von Negern und Weißen hin. Jedes Bild, das einen oder mehrere Neger zeigte, wurde tabuliert und beschrieben, die Größen wurden notiert und alle Bilder aufgeteilt in Kategorien „Advertising" und „Non-Advertising". Die Kontrollgruppe bildeten die Abbildungen von Weißen. Die Einteilung der Bilder geschah dann nach den dargestellten Berufsgruppen: „above-skilled labor" — „skilled-clerical labor" — „below-skilled labor" — „unclassified advertisements". Als Ergebnis zeigten sich 1. eine Glorifizierung des weißen Amerikaners, da 80—90 Prozent der Bilder Weiße als „above-skilled labor" vorstellten; 2. in der Kategorie „Advertising" erschienen Neger hauptsächlich als angelernte und ungelernte Arbeiter; 3. in der Kategorie „Non-Advertising" Neger zu einem Drittel als „above-skilled labor"; 4. für die Neger eine Betonung des Stereotyps „Diener" (Kategorie „Advertising"); 5. für die Neger eine Betonung des Stereotyps „Berufssportler" (Kategorie „Non-Advertising") (siehe hierzu auch *Guy B. Johnson* 1944). In diesem Zusammenhang ist die von *Dave Berkman* (1963) durchgeführte vergleichende Inhaltsanalyse in bezug auf die Werbung in der Neger-

Zeitschrift „Ebony" und „Life" zu erwähnen, die aufzeigt, wie „Ebony" die sozio-ökonomische Dichotomie reflektiert, die zwischen der Wirklichkeit der Existenz der Neger und ihren Statusaspirationen besteht. Was die Frequenz und die Art der Darstellung von Negern in der weitverbreiteten Illustrierten „Look" betrifft, sei auf die von *Verdelle Lambert* (1965) durchgeführte Inhaltsanalyse verwiesen. Als indirektes Resultat der hier aufgezeigten Analysen darf auch die Erkenntnis erwähnt werden, daß Stereotypen von Minoritäten selbst dort auftreten, wo sich die untersuchten Zeitschriften an anderer Stelle für die Doktrin der rassischen und religiösen Gleichheit einsetzen.

Was die Erforschung des Antisemitismus angeht, so haben *Leo Lowenthal* und *Norbert Guterman* (1949) an Hand von Ansprachen, Pamphleten, Zeitschriften und Büchern eine quantitative Analyse von Propagandathemen durchgeführt, die von faschistischen und antisemitischen Agitatoren in den Vereinigten Staaten verwendet werden (siehe auch *Theodor W. Adorno* 1946). Das Werk „The Authoritarian Personality" hingegen (*Theodor W. Adorno, Else Frenkel-Brunswik, D. H. Levinson, R. Nevitt Sanford* u. a. 1950), das es sich zur Aufgabe gestellt hat, die antisemitische Persönlichkeit zu erkennen, verwertet nur quantitative und qualitative Analysen von Interviews und Fragebogen. Eine Inhaltsanalyse von Materialien, die zur Stereotypisierung sowohl des Juden als auch der antisemitischen Persönlichkeit geführt haben — denn beide, Angegriffene und Angreifer, sind von der Gesellschaft stereotypisiert worden! —, wurde nicht für notwendig erachtet, worin unseres Erachtens eine der vielen Schwächen des im großen und ganzen bedeutenden Buches liegt. Strikt inhaltsanalytisch ausgerichtet ist die Untersuchung von *Albin Hänseroth* (1964) zur Feststellung anti-antisemitischer Stereotypen in der bundesrepublikanischen Presse zwischen 1955 und 1962, die zu dem Ergebnis geführt hat, daß bei Gelegenheit von antisemitischen Ausschreitungen (Synagogenschmierereien, Grabmalschändungen usw.) das anti-antisemitische Stereotyp der deutschen Presse in seiner Tendenz zu einem überwiegenden Prozentsatz auf den Nenner gebracht werden kann, entweder: „Alle Juden sind gut" oder: „Antisemitismus schadet der Bundesrepublik".

Ein weiteres wichtiges Feld für die Anwendung der Inhaltsanalyse ist die Untersuchung nationaler Stereotypen, ein Forschungsgebiet, das vielfach die von uns angedeuteten Spezialuntersuchungen miteinbezieht. Eine knapp zusammengefaßte Darstellung des wissenschaftlichen Studiums nationaler Stereotypen gibt *Otto Klineberg* (1951), einen Trend Report mit eingehender Bibliographie legten

H. C. J. Duijker und *N. H. Frijda* (1960) vor. Ein typisches Beispiel hierfür ist die von *Richard A. Garver* (1961) durchgeführte Analyse, die die Darstellung der amerikanischen Werte in der Illustrierten-Presse der UdSSR mit der Darstellung der russischen Werte in den Illustrierten in den USA vergleicht. Eine von *Alfred C. Lugert* u. a. (1969) durchgeführte Untersuchung über die Beziehung zwischen den in Österreich studierenden Ausländern und den Massenmedien dient der Erkenntnis der damit zusammenhängenden Einstellung zu Österreich. Es bleibt noch hinzuweisen auf einige Analysen die andere, teilweise weniger im Vordergrund stehende Stereotypen untersuchen. So widmete sich *Dorothy Yost Deegan* (1951), mit einem Blick auf Sozialreform, dem Studium der Charakteristika von „alten Jungfern" durch Analyse von 125 amerikanischen Romanen aus der Zeit zwischen 1851 und 1935. *E. Lerner* (1942) versuchte, durch eine Inhaltsanalyse von Stereotypen in technischen Zeitschriften aus der Nazizeit einen unterschwelligen paranoischen Geisteszustand nachzuweisen. *Orrin E. Klapp* hat sich sehr speziell der Erkenntnis des Narren (fool) (1949) und des Heroen (1948) als sozialen Typen gewidmet, so auch *Lord Raglan* (1949) und *Marshall W. Fishwick* (1954), letzterer unter Beachtung der mythischen Konzeption dieses Stereotyps. Eine Studie des Heroenkults an Hand einer Analyse der Schriften von *Carlyle, Nietzsche, Wagner, Spengler, George* und *Lawrence* wurde von *Eric Bentley* (1957) vorgelegt, während sich *Klapp* (1956; früher *Maximilian Rudwin* 1931) letzthin auch dem Studium des Stereotyps Bösewicht (villain) zugewandt hat. Auch das Stereotyp Geschäftsmann wurde untersucht (*Sigmund Diamond* 1955), ebenso wie das des amerikanischen „Business" als ideologisches Stereotyp (*Francis X. Sutton, Seymour E. Harris, Carl Kayser* und *James Tobin* 1956) und noch viele andere mehr.

Manchmal liegen diese Stereotypen-Analysen in der Nähe von Symboldeutungen. Das ist durchaus verständlich, wenn man bedenkt, daß die Sprache ein Symbol darstellt, wobei sofort darauf hingewiesen werden muß, daß Symbole keineswegs auf die Sprache allein zu beschränken sind. Die soziologische Theorie hat schon seit einiger Zeit erkannt, daß Symbole Aspekte eines Prozesses sind und sich daher eigentlich auch nur innerhalb dieses Prozesses von ihren Funktionen her definieren lassen. Dies wurde streng beachtet von *R. Richard Wohl* und *Anselm L. Strauss* (1958), die bei ihren Vorschlägen zur Untersuchung der symbolischen Darstellung von Städten die Analyse von rhetorischen Mustern nicht außer acht gelassen sehen möchte. Bei dem sogenannten RADIR-Projekt jedoch ging es nur um rein quantitative Analysen: Schlüsselsymbole oder Worte wurden gezählt, um quantitative Feststellungen von Ideologien und Attitüden, die gegenüber den Symbolen eingenommen werden, zu erzielen. Andere Untersuchungen innerhalb dieses Projekts erforschten solche internationalen politischen Symbole wie „Pazifismus", „Krieg", „Alliierte", „Bewaffnung" usw., alles mit Hilfe derjenigen Methode, die als „quantitative Semantik" bekannt geworden ist (*Harold D. Lasswell, Daniel Lerner* und *Ithiel de Sola Pool* 1952; 1951). Für eine ausführliche Darstellung der Symbol-Analyse siehe *Hansjörg Bessler* (1970, S. 84 ff.).

Um die Hypothese zu testen, nach der feindliches Massenverhalten durch vorhergehende Entwicklung von ungünstigen Symbolen hervorgerufen werden kann, untersuchten *Ralph H. Turner* und *Samuel J. Surace* (1956) mit Hilfe der Inhaltsanalyse die Presse von Los Angeles auf das Symbol des „Zoot-Suit" hin, mit dem sich das Stereotyp des Mexikaners verband und das 1943 zu den „Zoot-Suit Riots" in Los Angeles führte. Als noch ausgedehnter im Umfang, jedoch methodisch weniger kompetent wäre in diesem Zusammenhang auch noch eine Analyse von Symbolen zu erwähnen, die von *Lloyd Warner* (1959) unternommen wurde.

Inhaltsanalytische Auswertung von Wohnzeitschriften auf verbale und visuelle Stereotypen hin, und zwar als Kontrollinstanz von mit Interviews erforschten Leitbildern bei der Anschaffung von Wohnzimmereinrichtungen, benutzt *Alphons Silbermann* (1963). Auf eine visuelle Inhaltsanalyse in symbolischer Richtung zielen auch *Violette Morin* (1964) sowie *Roland Barthes* (1964) hin. Ein neu zu eröffnendes Gebiet wäre die inhaltsanalytische Untersuchung von Briefen, so wie sie von Jugendlichen über „vertrauliche" Fragen der „Liebe" an die zur Zeit wohletablierten Teenager-Zeitschriften gerichtet werden. Hier findet sich sehr viel wertvolles Material, sowohl in der Beurteilung von an Trivialromane angelehnten stereotypen Schreibweisen, als auch für familien- und jugendsoziologische Untersuchungen.

Ein Gebiet, das stark mit Stereotypen und Symbolen arbeitet, ist das der Comic-Serien. Daher haben sich ihm eine Anzahl von Untersuchungen zugewandt, von denen sich einige auch der inhaltsanalytischen Methode bedient haben. So u. a. *Lyle W. Shannon* (1954) und *Gerhard Saenger* (1955). Während sich *Shannon* in erster Linie um die Anerkennung oder Ablehnung von Symbolen durch die im Comic Strip dargestellte Hauptperson (hier: Little Orphan Annie) kümmert, untersucht *Saenger*, darin viel weitergehend, das soziale Milieu, die Charakterzüge, die Ziele und die Konflikte der Hauptpersonen, um stereotype Verhaltensmuster herauszuarbeiten. Nicht unähnlich ist die Untersuchung von *Marvin Spiegelman, Carl Terwilliger* und *Franklin Fearing* (1952) ausgerichtet, bei der Situationen, Szenerien sowie Stereotypen in Richtung verschiedener ethnischer Bevölkerungsgruppen erarbeitet wurden, sowie die sehr ausführliche Analyse der Person des „Superman" und seiner Taten durch *Alfonso Alvarez Villar* (1966). Auch *Paolo Leoni* (1970) arbeitet mit der Inhaltsanalyse, um Aggressions- und Perzeptionsgrade (gut/böse) in Comics festzuhalten; *George E. Hill* (1943) untersuchte das häufig angegriffene Vokabular der Comics an Hand von 16 populären Strip-Serien. *Francis Earle Barcus* (1963) legt Ergebnisse einer weitreichend angelegten Inhaltsanalyse von Comic Strips aus Sonntagszeitungen vor. Eine in erster Linie auf das Visuell-Symbolische ausgerichtete Analyse unternehmen *Wolfgang J. Fuchs* und *Reinhold C. Reitberger* (1970). Eine Übersicht über die sozialen und soziologischen Implikationen der Comic Strips gibt *Otto Hesse-Quack* (1969).

Gemäß der Ansicht von *Ernst Cassirer* (1923) spielen Symbole eine hervorstechende Rolle im Leben des Menschen. Inwieweit dies nach wie vor der Fall ist, zeigen u. a. einige Inhaltsanalysen von Plakaten, einem bisher stark vernachlässigten Gebiet. An diesbezüglichen Untersuchungen sind anzuführen: *Horst Reimann* (1961), *Louis F. Peters* (1968) und *Abraham A. Moles* (1970), der diverse Plakate funktional und dimensional analysiert.

V. Inhaltsanalyse im Dienste von Kriegsführung und Politik

In der Einleitung wurde bereits darauf hingewiesen, daß die Anwendung der Inhaltsanalyse durch offizielle und halboffizielle Stellen während des zweiten Weltkrieges methodische Entwicklungen und Verbesserungen zur Folge gehabt hat, aber auch gleichzeitig eine Feuerprobe für ihre Bedeutung darstellte. Heute liegen die meisten Resultate der damaligen Aktivitäten in gedruckter Form vor, und es ist wohl anzunehmen, daß man sich bei Regierungsstellen nach wie vor ausgebildeter Soziologen bedient, um an Hand regelmäßiger und einwandfrei durchgeführter Inhaltsanalysen die Mittel, mit denen Kriege geführt werden, zu beobachten. Dabei dürfte es sich wohl nicht nur darum handeln zu sehen, wie sich der Gegner — wer immer er auch sein möge — verhält, sondern auch zu untersuchen, ob propagandistische Mittel so appliziert sind, daß sie bedeutsame Wirkungen hervorzurufen in der Lage sind. Was damals geschah, als zu Beginn des 2. Weltkrieges der Dichter und Diplomat *Jean Giraudoux*, Leiter des französischen Informationsministeriums, die Bevölkerung über den Rundfunk vermittels durchgeistigter Ansprachen zu Ruhe und nationaler Treue aufforderte, als die *British Broadcasting Corpora-*

tion dringende Notmaßnahmen gemischt mit Unterhaltungssendungen ausstrahlte (hierzu *Stephen Tallents* 1940), als der *Deutsche Rundfunk* von der leichten Eroberung Polens erzählte, genügt heute nicht mehr. Der Rundfunk, um im Augenblick nur von diesem Medium zu sprechen, wurde sehr bald als ein „emsiger Diener des Nationalismus" erkannt (*O. W. Riegel* 1934) und provozierte schnell die Förderung von Gegenattacken, und zwar zunächst durch wissenschaftlich unterlegte Aufklärungsliteratur (zum Beispiel *Vernon Mackenzie* 1940). Dabei stieß man, grosso modo gesprochen, auf die Bedeutung des sorgfältigen Abhörens von Rundfunksendungen und auf das ebenso sorgfältige Durchlesen der gegnerischen Presse mit einem Blick auf eine tiefergehende Analyse des Inhalts. Die Fragestellung lautete nicht länger: „Wo wird gelogen und was wird propagiert?", sondern: „Warum wird gelogen und dieses oder jenes propagiert?" Parallel mit dem materiellen Krieg entspann sich der psychologische Krieg, ein Krieg mit Worten, zu dessen Exemplifizierung es genügen dürfte, an die Sendungen von Lord Haw-Haw zu erinnern (hierzu *Harold N. Graves, Jr.,* 1940 sowie *J. A. Cole* 1965).

Sehr früh schon, im April 1941, wurde von Amerika aus die deutsche Rundfunkpropaganda in allen Einzelheiten systematisch und methodisch durchforscht, und zwar in einem solchen Ausmaß, daß auf Grund ihrer Inhaltsanalyse den zuständigen Stellen Voraussagen unterbreitet werden konnten, von denen wir heute wissen, daß sie eingetroffen sind und ihren Teil zur Niederwerfung des Naziregimes beigetragen haben. Die Darstellungen von *Ernst Kris, Howard White, Hans Speier, Margaret Otis* und *Hans Herma* (1944) geben hierüber ein sehr detailliertes Bild. Noch ausführlicher und unter Einbeziehung aller derzeit praktisch verwertbaren Massenkommunikationsmedien berichtet *Leonard W. Doob* (1948) über diese Entwicklungsperiode der Inhaltsanalyse, indem er nicht nur die Geschichte der Propaganda-Analyse in Amerika skizziert, sondern auch einige der angewandten Methoden in allen Einzelheiten diskutiert. Dies muß ausdrücklich unterstrichen werden; denn leider werden nach wie vor allzu viele Abhandlungen über nationale und internationale politische Propaganda publiziert, die nur dadurch auffallen, daß sie keinerlei Beziehungen zur Systematik der Inhaltsanalyse, der Strategieanalyse oder anderen Analysetechniken aufweisen, zum Beispiel *Lindley Fraser* (1957).

Es bedarf wohl keinerlei besonderer Erwähnung, daß während des Krieges auch die japanische Propaganda der Untersuchung unterworfen wurde, wobei eine Studie von *Joel V. Berreman* (1948) uns gewahr werden läßt, wie schwierig es für den Kriegspropagandisten ist, seine Aufrufe der feindlichen Hörerschaft anzupassen: Bloße Unterstellungen über Mentalität, Struktur und Dynamik der Empfänger genügen eben nicht. In einem anderen Zusammenhang können jedoch auch Unterstellungen von Bedeutung sein, nämlich dann, wenn sie die Form von Gerüchten oder Verzerrungen annehmen. Das umfassendste Werk (*Gordon W. Allport* und *Leo Postman* 1947), das sich, ebenfalls veranlaßt durch die im zweiten Weltkrieg gesammelten Erfahrungen, mit diesem sozialpsychologischen Phänomenen befaßt, unterscheidet übrigens deutlich zwischen „rumor" und „distortion". Dem Gerücht im 2. Weltkrieg, und zwar als Widerstands-Kommunikation im Innern des Nazireiches, widmet *Franz Dröge* (1970) eine sehr ausführliche, wenn auch streckenweise verworrene Analyse. Mit der wachsenden Nachkriegsspannung zwischen der UdSSR und den Vereinigten Staaten ist auch die Anzahl von Studien angestiegen, die es unternehmen, gewissen Vorkommnissen, Attitüden, Taktiken und Strategien der Sowjets mit Hilfe der Inhaltsanalyse näher zu kommen, als es der rigorose Eiserne Vorhang erlaubt. Hierzu sind Arbeiten vorgelegt worden von *Frederick C. Barghoorn* (1950), *Barrington Moore* (1950), *Harold D. Lasswell* (1951), *Nathan Leites* (1951) *Leites* und *Elsa Bernaut* (1954), *Herbert S. Dinerstein* und *Leon Goure* (1955), *Ivor Wayne* (1956) und anderen mehr. Wie Amerika durch die Augen der Sowjets aussieht, analysierte *Alexander Dallin* (1947), während *W. Phillips Davison* (1947) die Tendenzen der von den Sowjets kontrollierten Berlin-Presse durchforschte.

Zur Information über die Reaktion von Bevölkerungsgruppen in und nach Kriegszeiten auf die Propaganda ihrer eigenen und anderen Regierungen verweisen wir auf die von *Paul M. A. Linebarger* (1948) zusammengestellten Daten, und zur Information über die Arbeit, die während des zweiten Weltkrieges in dieser Hinsicht von ungefähr 200 Psychologen ausgeführt wurde, auf den von *Charles W. Bray* (1948) unternommenen Auszug. Von Forschungen, die trotz ihrer zweckbedingten Ausrichtung veröffentlicht wurden, sei besonders angeführt die Erhebung von *Robert C. Sorensen* (1961), die durch Interviews mit Flüchtlingen und Reisenden aus osteuropäischen Ländern, Analyse von Hörerbriefen und Inhaltsanalyse der kommunistischen Medien in den Ländern Tschechoslowakei, Ungarn, Polen, Rumänien und Bulgarien festzustellen suchte, in welchem Maße die für das Publikum dieser Länder errichteten Stationen des Radios Freies Europa gehört wurden und wie wirksam diese westlichen Sendungen waren. Um ihrer Bedeutung willen wurde diese Untersuchung in den von *Lewis Anthony Dexter* und *David Manning White* (1964) herausgegebenen Sammelband (S. 444 ff.) aufgenommen. Wenn auch nicht streng inhaltsanalytisch ausgerichtet, sondern eher von der „inhaltsanalytischen Gestaltung" von Rundfunkprogrammen zu politischen Zwecken ausgehend, sind die Studien von *Gerhard Walther* (1961) und *Bernhard Wittek* (1962). Was speziell das Studium internationaler Krisen betrifft, sei auf die inhaltsanalytischen Anweisungen von *Robert C. North* u. a. (1963) verwiesen sowie auf die Übersicht in *The Annals* (1971).

Auch zur Erkenntnis von politischen Bewegungen bedient man sich der Inhaltsanalyse. Typisch hierfür sind u. a. die Untersuchungen periodisch erscheinender Zeitschriften und deren Stellungnahme zum seinerzeit stark umstrittenen „Taft-Hartley-Act" (*Philip Ash* 1948) sowie die Inhaltsanalyse der Artikel, die der bekannte amerikanische politische Kommentator *Walter Lippmann* zwischen 1932 und 1938 über das „New Deal" veröffentlicht hat (*David E. Weingast* 1950). Fernerhin eine quantitative Erforschung führender Negerzeitungen (*Maxwell R. Brooks* 1959), denen bereits in *Gunnar Myrdals* bekanntem Werk „An American Dilemma" (1944) Aufmerksamkeit gezollt wurde, und unter Benutzung von Primärquellen wie Pamphleten, Zeitungen und Wahlliteratur eine Studie der antiparlamentarisch ausgerichteten Poujade-Bewegung in Frankreich (*Stanley Hoffmann* u. a. 1956). Eine Analyse der von der Nationalsozialistischen Partei Deutschlands durchgeführten innerpolitischen Propaganda und deren Auswirkungen findet sich in dem Sammelwerk von *Karl Dietrich Bracher, Wolfgang Sauer* und *Gerhard Schulz* (1960), allerdings ohne spezifische Verwertung systematischer Inhaltsanalysen.

In den Bereich der Inhaltsanalysen im Dienste der Politik fallen auch einige Studien über Wahlkampagnen, so die Studie von *LeRoy C. Ferguson* und *Ralph H. Smuckler* (1954); die Untersuchung über die Beziehung zwischen Fernsehen und Wahlkampagne von *Charles A. H. Thompson* (1956), ein seit der ansteigenden Fernsehdichte immer stärker in den Vordergrund tretendes Problem, dem sich *Joseph Trenaman* und *Denis McQuail* (1961) in bezug auf die Parlamentswahlen 1959 in England zugewandt haben. Ähnlich wird von *Theodor Wernerus* (1965) der Einfluß der Massenkommunikationsmittel im Bundestagswahlkampf 1961 sowohl quantitativ als auch qualitativ inhaltsanalysiert. Eine sehr ausführliche, Presse, Rundfunk und Fernsehen umfassende quantitative und qualitative Inhaltsanalyse zu den belgischen Parlamentswahlen 1965 legt das *„Centre d'étude national des techniques de diffusion collective"* (Brüssel 1968) vor. In diesem Zusammenhang sind auch noch einige derjenigen Studien zu erwähnen, die Nachrichten über Wahlkampagnen analysieren (z. B. *Chilton R. Bush* 1951), oder Zeitungen auf den Raum hin untersuchen, den sie bei Wahlen den diversen Parteien zugestehen (z. B. *Guido H. Stempel* 1961), oder in interessanter Weise diese „coverage" in zwei Ländern vergleichend analysieren (z. B. *Jim A. Hart* 1965). Politisch relevant sind auch Inhaltsanalysen von Pressekonferenzen (z. B. *Luther W. Sanders* 1965) und deren Kommunikationsfluß (*Manfred Koch* und *Waltraud Hausmann* 1971).

Abschließend ist zu erwähnen, daß *Alexander L. George* (1959) eine Studie unterbreitet hat, in der er die seinerzeit von der *Rand Corporation* für die US Air Force und die Federal Communication Commission mit Hilfe von Inhaltsanalysen durchgeführte Erforschung der Nazipropaganda mit erst später bekanntgewordenen Daten aus deutschen Kriegsprotokollen vergleicht. Er kommt zu dem Ergebnis, daß „it is often difficult, sometimes imprudent, and sometimes unnecessary to utilize systematic quantitative procedures" (S. 83). Seine Bemerkung will aufzeigen, daß zwischen der Erforschung des Inhalts als solchem und dem Studium des Inhalts als einer Interrelation von Symptomen in bezug auf einen fortschreitenden sozialen Prozeß ein Unterschied besteht, auf den wir später noch zu sprechen kommen werden.

VI. Inhaltsanalyse der Sprache im Spannungsverhältnis von Erkenntnis und Verhalten

Im Verlauf unserer Darstellung wurden bereits einige Male empirische Forschungen erwähnt, denen die Methode der quantitativen Semantik zugrunde liegt. Ihr wird von einer Anzahl von Forschern zum Vorwurf gemacht, daß sie in ihrer Einseitigkeit das Total des sozial-kulturellen Bereichs völlig übergehe. Diesem Einwand kann natürlich durch das logische Argument begegnet werden, daß es, wenn es keine Sprache gäbe, auch keine Inhaltsanalyse gäbe, und da es sie gibt, man sich auch an sie, und nur an sie und ihren Inhalt zu halten habe. Ganz abgesehen von der Tatsache, daß derlei „kausale" Argumente dem Sinn und Wesen der Empirie widersprechen, heißt ja Semantik nicht Sprachforschung im engeren Sinne, sondern Wortbedeutungslehre im weiteren. Daher dürfte es denn wohl auch rühren, daß — wie bereits ausgeführt wurde — manche deutsche Wissenschaftler von der „content analysis" entweder als Inhalts-, als Bedeutungs- oder als Aussagenanalyse sprechen, womit sie nur den Fehler begehen, eine Technik durch ihre Methoden zu verallgemeinern.

Denn unternimmt man es, das große Gebiet der Inhaltsanalyse zu systematisieren, und weiß man, daß es der modernen soziologischen Forschung fremd ist, sowohl Theorie und Praxis zu trennen als auch mit Eigensinn bei Untersuchungen nur auf ein und derselben Methode zu bestehen, dann ist es auch ein leichtes, aus den Zusammenhängen zu erkennen, warum hier jene methodische Kombination und dort diese zur Anwendung gebracht wird. Dabei handelt es sich weder um Imperialismus noch um ein Bestehen auf höchsten Spezialisierungen, denen meist der Verweis erteilt wird, sie als Bindestrichsoziologien anzuprangern. Wer von Sprach-Soziologie spricht und für deren „selbständige" Entwicklung plädiert (zum Beispiel *Marcel Cohen* 1956), der handelt nicht nur von der Sprache als sozialem Instrument und ihrer Kraft, sondern sieht selbstverständlich die Sprache auch in ihrem Verhältnis zu anderen sozial-kulturellen Gegebenheiten, zu sozialen Gruppen, kurz zu Struktur und Funktion (siehe hierzu *René König* 1973b, sowie *Rolf Kjolseth* und *Fritz Sack* 1971). Je nachdem nun, ob Struktur oder Funktion einer Sprache der Inhaltsanalyse unterworfen werden oder ob beide zusammen unter einseitiger oder gleichmäßiger Gewichtsverteilung analysiert werden, je nachdem tritt die eine oder andere Theorie und damit auch Praxis in den Vordergrund. Die Technik bleibt dabei immer die der Inhaltsanalyse. Es verändern sich nur die Methoden (siehe hierzu *Robert Edward Mitchell* 1967).

Greift man zurück auf die frühen bahnbrechenden Forschungen von *Harold D. Lasswell* und seinen Mitarbeitern, dann läßt sich deutlich erkennen, daß hier der Schwerpunkt in der Suche nach Erkenntnis der „Sprache der Macht" und des Stils in der „Sprache der Politik" lag, wobei *Lasswell* die Funktion des sozialen Prozesses keineswegs außer acht ließ. Denn er schrieb: „The social process is one of collaboration and communication and quantitative methods have already demonstrated their usefulness in dealing with the former. Further understanding and control depend upon equalizing our skill in relation to both" (*Lasswell, Nathan Leites* u. a. 1949; siehe auch in *Berelson* und *Morris Janowitz* 1953, S. 265). Indem also *Lasswell* eine quantitative Methode verwertete, um auch die Analyse von Interaktionen durchzuführen, pflichtete er denjenigen bei, die danach verlangen, daß die Sprache funktional zu interpretieren sei. Die von dem holländischen Psychologen *G. Révész* (1956) entwickelte und verfochtene „Kontakttheorie" wird hier in die Praxis umgesetzt. Das Spannungsverhältnis, in dem die Sprache zum menschlichen Verhalten steht, wurde erkannt, und der Linguist *Kenneth L. Pike* (1954) konnte die folgende These aufstellen: 1. Die Strukturen von linguistischem und nichtlinguistischem Verhalten ergänzen sich in der Wirklichkeit; 2. sie sind daher gemeinsam zu erfassen; 3. eine unifizierte Theorie, eine unifizierte Terminologie und eine unifizierte Methodologie müssen entwickelt werden, damit Untersuchungen auf diesem Gebiet von jeder Art komplexer menschlicher Tätigkeit aus begonnen werden können. Hier wird von einem Sprachforscher theoretisch zusammengefaßt, was Spezialisten im Felde der Sprachverhaltenslehre bereits zu explorieren suchten (*Charles E. Osgood* 1952, sowie *Osgood* und *Thomas A. Sebeok* 1954). *Osgood* (1954), insbesondere bekannt durch die Aufstellung einer Bewertungsmethode mit Hilfe des sogenannten „semantic differential" (*Osgood* 1952), hat eine Studie zur Methodologie der Inhaltsanalyse vorgelegt, deren Hauptziel es ist, eine analytische Methode zu entwickeln: 1. zur Erkenntnis „aller" wertbestimmten Bedeutungen innerhalb eines Textes; und 2. zur Erhöhung der Zuverlässigkeit von Chiffrierungen.

Die Auswirkung all dieser teils theoretischen, teils praktischen Experimente wird deutlich, wenn man z. B. eine empirische Forschung betrachtet, die an Hand der Analyse des „Argot" von Taschendieben aufzeigt, wie deren spezifischer Sprachjargon nicht nur die Verhaltensmuster der Eigengruppe reflektiert, sondern auch deren Attitüden gegenüber dominierenden Fremdgruppen (*David W. Maurer* 1955). Mit ähnlichen Absichten wurde von *Willard Ridings* (1934) der „Slang" von Sportreportagen und von *J. W. M. Nystrom* und *H. Sigouney* (1951) der Jargon analysiert, den die für die Unterhaltungsindustrie maßgebliche Zeitschrift „Variety" verwendet. Als weitere Beispiele für Untersuchungen, die sich in der von uns umschriebenen Richtung bewegen, seien noch angeführt die von *Herbert Lewin* (1947/48) unternommene Analyse amerikanischer und deutscher Boy-Scout-Leitfäden zur Aufdeckung von Unterschieden in Zielen und Attitüden, die von UNESCO (1950, insbesondere S. 52 ff.) angeregte Erforschung von Schulbüchern im Hinblick auf die Attitüden, welche diese Dokumente widerstrahlen, und die von *Jean Giraud* (1959) durchgeführte vergleichende Analyse des Vokabulariums der Filmindustrie und dem anderer audio-visueller Medien.

Auch gehören unseres Erachtens in diesen Zusammenhang jene Untersuchungen, die sich mit dem Inhalt der Texte von Schlagern befassen. Ein Ansatz hierzu findet sich bei *John Gray Peatman* (1944). Konsequent durchgeführt wird eine solche Analyse in den Studien von *Donald Horton* (1957) und *James T. Carey* (1969); sie seien allen jenen Kulturkritikern zur Lektüre empfohlen, die ohne Rücksicht auf inhaltliche Analysen jede Schlagerliteratur als wertlos, wenn nicht gar als für die Gesellschaft schädlich abtun. Auch der historischen Forschung kann die Inhaltsanalyse im umschriebenen Spannungsverhältnis dienlich sein, wie sich aus den Studien von *John D. Durand* (1960) und *Oliver Knight* (1960) ersehen läßt.

Bei allen diesen Untersuchungen, ebenso wie bei denen von *Fillmore H. Sanford* (1942), *Ralph K. White* (1942) und *Frederik Ritter Dowling* (1955), ist es die Sprache als solche, die im Vordergrund der Erwägungen steht. Die gleiche Tendenz macht sich in *Wimston Lamont Brembecks* und *William Smiley Howells* (1952) Abhandlung und *Brenda Danets* (1971) inhaltsanalytischer Studie zum Phänomen der „Überredung" als Mittel der sozialen Kontrolle deutlich bemerkbar. Führen doch ihre Ausführungen über das Phänomen der Überredung zu den Überredungsmitteln, also zu den Werkzeugen der Überredung hin. Zwar heißt es zu Recht, daß „an adequate understanding of persuasion must rest upon knowledge of the relevant bases of human behavior". Jedoch dürfen dabei keineswegs übersehen werden: „the tools of the persuador-language and the psychological and logical forms in which it appears" (*Brembeck* und *Howell,* S. VII). Dementsprechend findet sich sowohl eine Abhandlung über „The Language of Persuasion" inklusive einer Diskussion über die Bedeutung der Semantik für Sprachanalysen (S. 139 ff.), als auch die Behandlung einiger inhaltsanalytischer Studien, von denen auch wir bereits einige angeführt haben (S. 396 ff.).

Unter noch stärkerer Betonung sozialpsychologischer Aspekte widmet sich *Carl I. Hovland* seit Jahren dem Problem der Überredung. Zunächst, und zwar im zweiten Weltkrieg im Auftrag des *U. S. War Department,* ging es darum, die Wirkung diverser Propagandamaterialien zur Unterweisung und Beeinflussung der eigenen Truppen zu untersuchen (*Carl I. Hovland, Arthur A. Lumsdaine* und *Fred D. Sheffield* 1949). Sodann wurde das gesamte Verhältnis von Kommunikation, Kommunikator, Empfänger zu Empfänglichkeitsgraden, sozialen Rollen und der Wirksamkeit von Argumenten, Ansprachen usw. dargetan (*Carl I. Hovland, Irving L. Janis* und *Harold H. Kelley* 1953; besonders relevant für uns „Content Factors", S. 66 ff.), um dann Experimente vorzulegen, die die Auswirkungen auf Meinungen und Attitüden aufzeigen, je nach der Aufeinanderfolge, mit der die Informationen präsentiert werden (*Carl I. Hovland* 1957).

Was der von uns bereits in anderem Zusammenhang erwähnten Studie der Techniken des amerikanischen Agitators (*Leo Lowen-*

thal und *Norbert Guterman* 1949) nachgesagt wird, daß nämlich ihre Autoren die Nachteile der mechanischen quantitativen Methoden der Inhaltsanalyse, so wie sie von *Lasswell* und seinen Mitarbeitern entwickelt wurden, zugunsten einer psychologischen Interpretation vermieden haben, wird bei *Hovland* und seiner Schule noch viel weiter vorgetrieben. Das aber ist durchaus verständlich, wenn man bedenkt, daß ein Unterschied besteht zwischen der Analyse etwa der Ansprache eines Staatsmannes, die nur der Information oder der Ablegung eines Rechenschaftsberichts dienen soll (z. B. *Jacques Boulanger* 1956), und einer Ansprache, die, über Information hinausgehend, die Sprache explizit als Werkzeug der Überredung benutzt, d. h. wo das agitatorische Element überwiegt (siehe die Untersuchung von *Horst Tholfus* 1970). Zu beachten ist hierbei allerdings, wo das Moment der „persuasion" endet und das der Kollektivtäuschung beginnt.

Was die Sprache als Informationsmedium betrifft, so zeigen sich hier bedeutsame Neuansätze zu Zwecken ihrer Analyse. Angeregt durch die Entwicklung der Kybernetik, hierin einbegriffen die der Informationstheorie, werden zur Zeit zahlreiche Sprach- und in Verbindung damit Klanganalysen durchgeführt, die darauf ausgerichtet sind, erstens Merkmale der Sprachqualität zu bestimmen und zweitens die Faktoren, von denen diese beeinflußt wird. Diese Absichten und ihre Ergebnisse haben zweifellos dazu geführt, daß theoretische Erkenntnisse zum Verständnis von Kommunikationsmedien sich vom Inhalt der Kommunikation abwenden, und nachzuweisen versuchen, daß es primär die Form des Mediums ist, die bestimmt, was kommuniziert wird. So schreibt beispielsweise *Marshall McLuhan* (1964): „The ‚content' of writing or print is speech, but the reader is almost entirely unaware either of print or of speech." Damit wird auf den ersten Blick das eigentliche Gebiet der Inhaltsanalyse im strengen Sinne verlassen, doch glauben wir, daß sich hier gewiß neue Wege finden werden, um, sozusagen indirekt, über die Synthese von Klang- und Sprachmaterialien auf Inhalt ausgerichtete Erkenntnisse zu erarbeiten. Nicht unähnlich, wenn auch nicht mit Hilfe elektronischer Sprachanalysatoren, versucht die *semiologische* Forschung den inhaltlichen Elementen von Sprache, Klang und Bild nahezukommen (siehe hierzu *Communications*, Bd. 4, Paris 1964, mit ausführlicher Bibliographie). — Auch die in der Nähe von Sprachuntersuchungen im eigentlichen Sinn liegenden Studien über Lesbarkeit und Verständnis bedienen sich einer Art von Inhaltsanalyse, wenn diese auch mehr auf spezifisch linguistische oder typographische und/oder andere Faktoren, darunter vor allem den Kommunikationsprozeß, ausgerichtet ist.

Hierzu gibt es eine endlose, viele wissenschaftliche Disziplinen umfassende Literatur (eine gute Zusammenstellung findet sich bei *Osmo A. Wiio* 1968). Eine diesbezügliche, das soziologische Schrifttum betreffende Studie haben *Frances E. Cheek* und *Maureen Rosenhaupt* (1968) vorgelegt.

VII. Inhaltsanalyse von Massenkommunikationsmedien

a) Presse

Spricht man von der Inhaltsanalyse, so wird dabei im allgemeinen auch sofort an die Lehre von der Massenkommunikation gedacht. Die Durchsicht zahlreicher Lehrbücher, Abhandlungen und Studien hat es uns erneut gezeigt, wie stark die beiden Begriffe in der soziologischen Literatur miteinander gekoppelt sind. Die Berechtigung hierfür wird schon allein aus der in der Einleitung skizzierten Geschichte der Inhaltsanalyse evident. Das entschuldigt jedoch nicht den Mangel an Systematik, so daß man etwa im Inhaltsverzeichnis oder Sachindex von Büchern das Kapitel Inhaltsanalyse unter dem Titel Massenkommunikation suchen muß, und auch Mittel und Zweck bis zur Unkenntlichkeit vermengt werden. Auch wir hätten dieser Unklarheit zum Opfer fallen können, hätten wir es nicht, um einer gewissen Strenge der Systematik willen, vorgezogen, Schritt für Schritt voranzugehen, um erst jetzt auf das Verhältnis von Inhaltsanalyse und Massenkommunikationsmedien (Presse, Film, Rundfunk, Fernsehen) zu sprechen zu kommen. Denn es geht uns darum, möglichst eindeutig zu zeigen, daß zur Erforschung des Inhalts der Materialien, die die Medien abdrukken, sprechen lassen oder in Bildern zeigen, jede der von uns aufgezeigten Methoden je nach den Umständen anzuwenden ist, daß man aber, wenn man den Inhalt der Medien selbst zu untersuchen wünscht, etwas gänzlich anderes erforscht, nämlich deren interne Struktur. Was bedeutet in diesem Zusammenhang interne Struktur? Es bedeutet, um zunächst einmal von der Presse zu sprechen, die Linie, die von einem oder mehreren journalistischen Medien eingehalten wird, die Tendenz einer Presse, die sich aus der Analyse dessen, was sie bringt und wie sie es bringt, ergibt. In anderen Worten, es geht entweder um eine Inhaltsanalyse *bei* oder *von* Massenkommunikationsmedien. Die Inhaltsanalyse *bei* Massenkommunikationsmedien ist jene, die sich, nach der von *Lasswell* geprägten Formel, *allein auf das Was* bezieht, die der Analyse *von* Massenkommunikationsmedien bezieht sich auf beides in Interaktion, *auf das Was* und *auf das Wie*.

Es ist insbesondere die Außerachtlassung besagter Interaktion, die zu einer Unzahl von sich wissenschaftlich gebärdenden Analysen geführt hat. Ist es doch ein Leichtes, ein nach seiner Ausrichtung strenges Verfahren in ein rein impressionistisches zu verwandeln, bei dem ein aprioristisches Denken sowohl das Sample als auch das Kategorienschema und die Interpretation beherrschen. Als typisch für die vielen, insbesondere dem Pressewesen gewidmeten Untersuchungen, die deutlich diesen Mangel aufweisen — sei es aus Unkenntnis der Materie oder weil mit Hilfe von „Wissenschaftlichkeit" ideologisch verfärbte Anklagen erhoben werden sollen —, sind einige dieser pseudo-wissenschaftlichen Studien, sozusagen als Warnung, anzuführen. Da ist z. B. die Studie von *Nathan B. Blumberg* (1954), die den Nachweis zu erbringen versucht, daß die amerikanische Presse bei der Präsidentschaftskampagne im Jahre 1952 keinerlei Voreingenommenheit an den Tag gelegt hat. Aus einem Wahrscheinlichkeits-Sample von 35 Tageszeitungen wurden die der Kampagne gewidmeten Schlagzeilen, Artikel und Informationen auf ihren Inhalt hin untersucht und mit dem hierdurch erreichten, recht primitiv anmutenden Resultat die obige These als erwiesen dargetan. Wenn ein Besprecher dieser Untersuchung dazu schreibt: „The study is questionable on three aspects — sampling, content analysis and interpretation — any one of which is sufficient to invalidate the final classificatory results" (*David Gold* 1955), so will er damit sagen, daß die Analyse des Inhalts von Zeitungsartikeln allein noch lange kein Indiz für die Haltung einer Zeitung ist, daß auch andere Gegebenheiten miteinzubeziehen sind, und zwar vor allem das Ausmaß dessen, was man die „Coverage" eines Ereignisses nennt, und das wiederum im Vergleich zur Beachtung, die anderen zur gleichen Zeit sich abspielenden Ereignissen von der zu untersuchenden Presse gewidmet wird. Geschieht dies nicht (wie z. B. bei *Ralf Zoll* 1971 oder *Erich Küchenhoff* u. a. 1972), dann entstehen nur Schmäh- und Streitschriften ohne relevanten Aussagewert. Die Sorge über solche der Wissenschaft schadende, oberflächliche Untersuchungen spricht auch aus dem Beitrag von *Franz Dröge* (1968), wenn er schreibt, daß „Vorwürfe, wie sie in der aktuellen Pressediskussion erhoben werden, wohl nur an einzelnen Sachfragen im Vergleich aller zur Debatte stehenden Zeitungen schlüssig mit empirischen Daten belegt werden (können)" (S. 347).

Dem Verlangen, die Coverage eines Ereignisses sowie deren Verhältnis zu anderen Ereignissen in der Presse als übergeordnete Kontrollmaßnahme miteinzubeziehen, folgt z. B. die von *F. James Davis* (1952) durchgeführte Untersuchung über die Beachtung von

Verbrechen in der Presse des Staates Colorado, und zwar durch eine sorgfältig durchgeführte Inhaltsanalyse der Kriminalnachrichten selbst und deren Gegenüberstellung 1. mit der Coverage, die diese in den einzelnen Zeitungen erhalten, und 2. mit der Anzahl der während der Untersuchungsperiode in Colorado begangenen, gemeldeten oder nicht gemeldeten Verbrechen. Er gelangt zu dem Resultat, daß „the amount of crime news in any one of these newspapers varies independently of both the amount of crime in the state and the amount of crime news in the other newspapers" (S. 330). Ähnlich verfuhren auch *Leonhard Broom* und *Shirley Reace* (1955), als sie sich die Fragen stellten: 1. In welchem Ausmaß beeinflußt die Rassenidentität mit den Beklagten die Höhe und den Charakter der Coverage in der Neger- und Weißen-Presse; 2. in welchem Ausmaß beeinflußt die politische Orientierung die Coverage; 3. in welchem Ausmaß beeinflußt die Nähe die Coverage? Auch eine vom *Centre National d'Étude des Techniques de Diffusion Collective* bis in alle Details durchgeführte Inhaltsanalyse der belgischen Presse verfolgt das aufgezeigte Prinzip, indem die Coverage der politisch bedeutsamen belgisch-kongolesischen Verhandlungen auf die Coverage des für Belgien äußerst unwesentlichen Strafprozesses *Jaccoud* in Genf bezogen wird (*Gabriel Thoveron* 1960). Weitere sehr instruktive strukturelle Untersuchungen der belgischen Presse finden sich in *Techniques de Diffusion Collective* (Institut de Sociologie Solvay, Heft 2, S. 50 ff.). Als entsprechende Untersuchungen sind zu erwähnen *Stein Rokkan* und *Per Torsvik* (1960); *Robert L. Jones* und *Roy E. Carter, Jr.*, (1959); *Hillier Krieghbaum* (1966) und viele andere, hauptsächlich im *Journalism Quarterly* veröffentlicht.

Bleibt die Methode, wenn richtig konzipiert, im Prinzip immer die gleiche (hierzu sehr instruktiv *Granville Price* 1954), so ändert sich natürlich das Thema, auf das hin die Presse zu untersuchen ist, und damit auch die Bezugsgruppen. Untersuchten *Martin S. Allwood* (1951) die Ideologiesucht der amerikanischen kommunistischen Zeitung „The Daily Worker" oder *Ernst F. Mueller* und *Peter Greiner* (1969) die der DDR-Zeitung „Neues Deutschland", so widmeten sich *Wendell J. Coats* und *Steve W. Mulkey* (1950) einer Analyse von 100 Zeitungen auf ihren militärischen Inhalt hin oder *Nathan Maccoby*, *Freddie O. Sabghir* und *Bryant Cushing* (1950) einer Analyse industrieller Nachrichtencoverage, die zu einer Methode führte, mit der man die Länge der Spalten jeder Art von Nachrichten über eine Gesellschaft oder Industrie tabulieren und einen Vergleich zwischen Coverage und der Art der Nachrichten über die verschiedenen Gesellschaften und Industrien durchführen kann. So wird es möglich, sowohl der Zahl der angesprochenen Leser als auch der Länge des Artikels Rechnung zu tragen. Ähnlich verfahren die Untersuchungen von *Evelyne Sullerot* (1966) und *Bernd Foth* (1969) zur Erarbeitung des Bildes der Frau in der Frauenpresse; *Edwin B. Parker* und *Bradley S. Greenberg* (1965) über den Inhalt von 26 U. S. Zeitungen bei Gelegenheit der Ermordung von Präsident Kennedy; *James F. Evans* (1966) über Berichterstattung zu landwirtschaftlichen Fragen; *Heinz-Jürgen Ipfling* (1965) über die Illustrierte und Jugenderziehung. *Claude Geerts* und *Edith Watrin* (1963) vergleichen inhaltsanalytisch die Kinderpresse mit der Kinderseite von Tageszeitungen; *Alphons Silbermann* u. a. (1967) untersuchten quantitativ und qualitativ die Gegebenheit „Sauberkeit" und so auch das Bild der Deutschen in der jüdischen Presse der USA (1967), das Bild der Deutschen in der jüdischen Presse Frankreichs (1968) und das Bild der Deutschen in der deutschsprachigen Presse Kanadas (1971). In der gleichen Richtung verlaufen die in Abständen erschienenen Analysen über das Bild Spaniens in der ausländischen Presse (*Análisis de la Prensa Extranjera* 1965, 1966, 1970).

In diesen Zusammenhang gehören selbstverständlich auch alle diejenigen Forschungen, die erkennen lassen, inwieweit sich die Presse gewisser Themen wie Sexualität oder Verbrechen bedient, inwieweit sie zur Entwicklung politischer Ziele beigetragen hat (z. B. *K. Koszyk* 1958, *Alfred Grosser* 1959), inwieweit sie diese verhindert hat (z. B. *Stanley K. Bigman* 1950) oder wie sie gleichgeschaltet wurde (z. B. *Carl Dietrich Bracher* u. a. 1960). Sie alle im einzelnen zu erwähnen, würde zu weit führen, zumal gerade die Presse als Druckwerk zu einem beliebten Untersuchungsfeld geworden ist. Hingewiesen sei nur noch auf die Möglichkeit, durch Inhaltsanalyse einzelner Zeitungen oder Zeitschriften deren Leserkreis zu typisieren, so wie es z. B. *Pierre Bessaignet* (1951) im Hinblick auf den Lesertyp der französischen Frauenzeitschrift „Elle" unternommen hat, *Harold Hurwitz* (1966) im Hinblick auf „heimliche Leser" in der DDR, oder sie auch auf ihren erzieherischen Wert hin zu erforschen, was allerdings z. B. bei *Erich Wasem* (1959) dadurch geschieht, daß Inhalte von Zeitungen zwar „gewürdigt" werden, aber nirgends eine strenge Inhaltsanalyse durchgeführt wird.

Schon bei anderen Absätzen der vorliegenden Systematisation haben wir die Presse als ein Medium gesehen, welches dazu dient, um aus ihr, mit Hilfe der Inhaltsanalyse, gewisse Interessenkomplexe zu erfassen. In den meisten dieser Fälle geht es darum, der Presse ganz spezielle Tendenzen politischer, ökonomischer, sozialer, kommunikativer oder strategischer Art zu entnehmen wie

z. B. bei *George Gerbner* (1964), *Edward J. Trayes* (1970) und *Ingrid Langer-El Sayed* (1971); oder wie bei *Manfred Hintze* (1966) Funktionswandlungen der Presse festzustellen: man versucht, sozusagen zwischen den Zeilen zu lesen. Im Grunde genommen geht es jedoch immer darum, die Presse als solche, ihr Gehabe, ihre Art und Weise der Berichterstattung zu erfassen. (Siehe beispielsweise *Uwe Magnus* 1967.) Ein frühes Beispiel hierfür bietet *Martin Millspaugh* (1949), der Zeitungsberichte daraufhin analysierte, wie die Ereignisse bei der Untersuchung eines durch einen Farbigen begangenen Mordes, zwischen dem Mord und der Festsetzung der Gerichtsverhandlung berichtet wurden. Über die methodischen Schwierigkeiten, insbesondere was im Zusammenhang der Untersuchung über Verbrechensnachrichten die Zeitungs*auswahl* betrifft, berichten *F. James Davis* und *Lester W. Turner* (1951). Die Berichterstattung gerichtlicher Untersuchungen wird ebenfalls analysiert von *Bartlett H. Stoodly* (1960), während sich *Percy H. Tannenbaum* und *James E. Noah* (1959) der Sportberichterstattung zuwenden und *Jerome Ellison* und *Franklin T. Gosser* (1959) dem Inhalt von „Non-Fiction-Magazine"-Artikeln.

Als sehr wichtig und effizient hat sich die Inhaltsanalyse zur Analyse der Informations*verbreitung* erwiesen. So untersuchen *Richard W. Budd* (1964) die Berichterstattung über die USA in der Presse Australiens und Neuseelands; *Ibrahim Ahu-Lughod* (1962) die internationalen Nachrichten in der arabischen Presse; *James W. Markham* (1961) Ausmaß sowie Art und Weise der Berichterstattung ausländischer Nachrichten in einer repräsentativen Gruppe von bedeutenden großstädtischen Zeitungen der USA und Südamerikas; *Edwin B. Parker* und *Bradley S. Greenberg* (1965, S. 46 ff.) die Berichterstattung der amerikanischen Zeitungen am Wochenende der Ermordung des Präsidenten Kennedy und *Alphons Silbermann* (1966) bietet mit Hilfe der Inhaltsanalyse eine vergleichende Analyse des Informationsangebots durch Presse und Fernsehen in fünf europäischen Ländern (Niederlande, Belgien, Frankreich, Bundesrepublik Deutschland, Großbritannien).

Da Informationsverbreitung gleichzeitig Informationsunterdrükkung oder -manipulation impliziert — in der Lehre von der Massenkommunikation als Gate-Keeping bezeichnet (siehe das Kapitel über Massenkommunikation in diesem Handbuch) — bedienen sich zur Erfassung dieses Phänomens viele Forscher der systematischen Inhaltsanalyse. Als Beispiele seien angeführt: *Scott M. Cutlip* (1954); *John B. Adams* (1964); *Jim A. Hart* (1966); *Peter Glotz* und *Wolfgang R. Langenbucher* (1969); *Análisis de contenido de la prensa diaria* (1967); *Han C. Liu* und *Shelton A. Gunaratne* (1972).

Zum Abschluß sei noch vermerkt, daß *Roger Clausse* (1960) sich bemüht hat, eine die herkömmliche Soziologie der Presse fortentwickelnde Theorie und damit verbunden auch eine ihr angepaßte Untersuchungsmethodik zu entwerfen, indem er das Schwergewicht von der Erforschung der gedruckten Nachricht auf die Erforschung des Ereignisses selbst im funktionellen Verhältnis zur Nachricht zu verlegen sucht. (Ausführlich dargestellt in *Roger Clausse* 1962.) Funktionale Dimensionen behandelt auch *Gerhard Kunz* (1967).

b) Rundfunk, Film und Fernsehen

Ohne die wertvollen Arbeiten bedeutender Forscher auf dem Gebiet der Massenkommunikation zu unterschätzen, würde es angesichts des bereits in den vorhergehenden Kapiteln Ausgeführten, angesichts der unter VII a) prinzipiell dargestellten Leitlinien und angesichts unseres ausführlichen Beitrags über Massenkommunikation in diesem Handbuch nur zu Wiederholungen führen, wollten wir es unternehmen, auf alle die vielen empirischen Untersuchungen von und bei Massenkommunikationsmedien, bei denen die Inhaltsanalyse eine Rolle spielt, im einzelnen einzugehen. Eine summarische, systematisierte Erörterung dürfte genügen, zumal viele der von uns im folgenden zitierten Schriften sehr ausführliche Literaturverzeichnisse enthalten, auf die hiermit verwiesen wird.

1. An erster Stelle steht die Untersuchung dessen, was die Medien thematisch, und zwar nach Kategorien tabelliert, enthalten. Hieraus wird ersichtlich, wieviel Prozent der totalen Sendezeit von Rundfunk oder Fernsehen jeweils auf Hörspiele, religiöse Themen, Sport, Musik, Wirtschaft, Politik, Nachrichten usw. entfallen. Es gilt hierbei, die rein quantitativ erfaßbaren Trends einzelner Sendestationen festzuhalten, um sie je nach Bedarf vergrößern oder verringern zu können. Angaben über diese für jede Forschung unerläßlichen Ausgangsdaten finden sich in allen Rundfunk- und Fernsehfachzeitschriften, im Internationalen Handbuch für Rundfunk und Fernsehen (Hamburg), im Bulletin de Documentation et d'Information O. I. R., Prag, im Bulletin de Documentation et d'Information U. E. R., Genf, in den von UNESCO herausgegebenen Rapports sur les Moyens Techniques de l'Information und zu Beginn fast jeden einschlägigen wissenschaftlichen Buches, wie z. B. bei *Alphons Silbermann* (1968), speziell nur darauf ausgerichtet bei *Uwe Magnus* (1966), den Jahrbüchern von Rundfunk-

und Fernsehanstalten, in Berichten parlamentarischer Kommissionen sowie global für alle Medien bei *Henk Prakke* u. a. (1970).

Die Aufspaltung von Filmstrukturen ausschließlich nach dem Inhalt ist bedeutend schwieriger, weil der gleiche Film verschiedene, manchmal sogar sehr gegensätzliche Inhalte repräsentieren kann. Von *Georges Friedmann* und *Edgar Morin* (1952) werden ihrem Inhalt nach drei große Gruppen unterschieden: sozialer, historischer und anthropologischer Inhalt, während *Gilbert Cohen-Séat* (1959) bei seiner Einteilung von der „matière à montrer" ausgeht und dementsprechend spricht von: Dem Wunderbaren, der geläufigen Welt, der heroischen Aktion und von Themen, die sich auf dem Niveau latenter Konflikte des individuellen Mitglieds der Gesellschaft bewegen, wozu nach ihm auch die Diskussion des inneren Lebens und persönlicher Tragödien gehören. Strukturen des Filmmarktes werden nach Inhalten behandelt von *Walter Dadek* (1957 und 1968), wobei auch auf die informative Übersicht des gleichen Autors (1960) und die von *I. C. Jarvie* (1970) über den Stand der Filmsoziologie hingewiesen werden soll. Als wesentlich für die Forschung zu erwähnen sind auch noch die diversen Filmstatistischen Jahrbücher und die UNESCO Bibliography on Filmology. Vielfach wird in diesem Zusammenhang auf *Siegfried Kracauers* (1947) Betrachtung der deutschen Filme zwischen 1910 und 1937 verwiesen, eine Studie, die mangels einer systematischen Inhaltsanalyse kaum wissenschaftlichen Charakter aufweisen kann. Überzeugender ist in dieser Hinsicht die Analyse von *George A. Huaco* (1965), die sich mit drei großen Filmstilen befaßt.

Alle diese Übersichten und Zusammenstellungen sind neben Dokumentation auch primär indikativ für die Programmgestaltungen der Media, und zwar zunächst derjenigen, die ohne Publikumsuntersuchungen vorgenommen werden können oder sollen. Wenn es sich um spezielle Fälle handelt, wie um die „Voice of America", so geben z. B. angesichts ihrer Mehrsprachigkeit durch Inhaltsanalysen erzielte Daten Auskunft über die jeweiligen Sendungen und auch Vergleiche zwischen den einzelnen nach Sprachen angeordneten Abteilungen (siehe hierzu das Kapitel „Radio im Wartime" in *Paul F. Lazarsfeld* und *Frank N. Stanton* 1944 sowie *Marie Jahoda* und *Joseph T. Klapper* 1952). Auch Programmtrendfeststellungen von Fernsehstationen dienen in erster Linie der Programmgestaltung, insbesondere im Hinblick auf kulturelle Werte. Zu dieser Problematik dürfen wir auf eine von uns selbst durchgeführte Untersuchung verweisen (*Alphons Silbermann* 1954, 1959 sowie auf diverse Ausführungen in den *Cahiers d'Études de Radio-*

Télévision 1953, Heft 3—4). Die interessante Frage nach der Programmierung von Musik am Fernsehen wurde in Amerika von *Burton Paulu* (1952), in Frankreich von *Jean-Etienne Marie* (1959) mit Hilfe der Inhaltsanalyse angerührt.

2. Gehen wir einen Schritt weiter, dann begegnen wir denjenigen Untersuchungen, die unter Verwertung der Inhaltsanalyse ihr Augenmerk auf den Anstoß (impact) richten, der von Filmen, Rundfunk- oder Fernsehsendungen ausgehen kann. Ihnen geht es hauptsächlich um sozial-kulturelle Reformen, Symptome sozialer Desorganisation wie Jugendkriminalität, Verbrechen, Affekte, Familienkonflikte oder sonstige soziale Störungen und auf den Anstoß zu spezifischen Lebenshaltungen im allgemeinen. Fernerhin um die Feststellung von Typisierungen und Stereotypen. Was die letzteren betrifft, so sei als Beispiel auf *Siegfried Kracauers* (1949) Analyse englischer und russischer Persönlichkeiten in Filmen verwiesen, auf die Untersuchung von *W. Lloyd Warner* und *William E. Henry* (1948), die aufzeigte, daß in amerikanischen Hörspielserien „the basic and primary theme is that good and noble women who are wives and mothers are invincible within their own arena of life, the American family", auf die Studie von *Georga Wiest-Welk* (1970) über das Bild der Mutter im westdeutschen Nachkriegsfilm, auf die Analyse des Bildes der Frau im Spielfilm der DEFA von *Alphons Silbermann* u. a. (1968) und die von *Dorothea Hollstein* (1971) durchgeführte Analyse der Darstellung des Juden in Nazi-Filmen. Sehr eingehend ist die von *Martin Osterland* (1970) durchgeführte Analyse von Gesellschaftsbildern im Filmangebot 1949 bis 1964 sowie die Analyse deutscher Heimatfilme von *Willi Höfig* (1973). Sehr speziell sind Filmuntersuchungen ausgerichtet, die wie *Otto Hesse-Quack* (1969) mit Hilfe der Inhaltsanalyse den Synchronisationsvorgang bei Filmen untersuchen, oder wie *Emily Venken* (1961) den Inhalt diverser Wochenschauen miteinander vergleichen.

Leo Bogart (1958) gibt seinem Buch „The Age of Television" den Untertitel: „A survey of viewing habits and the impact of television on American life" und macht damit klar, daß es sich nicht um die üblichen Kompilationen von Tatsachen über Fernsehen und Fernsehgewohnheiten handelt. Die zentrale Frage, um die er seine Daten ordnet, ist der Einfluß des Fernsehens auf die amerikanische Lebensweise. Sein Kapitel über Inhaltsanalyse führt die wesentlichsten Untersuchungen auf diesem Gebiet an (S. 54 ff.). Ein reichhaltiges Literaturverzeichnis vervollständigt das Buch. Im Gegensatz zu *Bogart* und anderen verzichten z. B. *Gerhard Maletzke* (1959); *Franz Zieris* (1963); *Barbara Fülgraff* (1965) oder

Karl Veit Riedel (1966) bei der Behandlung des Einfluß des Fernsehens auf Jugendliche oder die Familie auf quantitative Methoden. Sie beschränken sich vielfach auf Tiefeninterviews, projektive Verfahren und Vorführungen von Fernsehsendungen mit anschließenden Gruppendiskussionen. Was Untersuchung über die Anstoßkraft der Medien auf soziale Desorganisationen hin angeht, so gibt es seit Bestehen der Kommunikationsmittel derer so viele, daß es besser ist, mit einer Exemplifizierung gar nicht erst zu beginnen. Jedes einschlägige Literaturverzeichnis führt sie an, und es mag genügen, wenn wir sagen, daß viele hierbei von der Inhaltsanalyse Gebrauch machen.

3. Begeben wir uns nunmehr auf das Gebiet der Erforschung der öffentlichen Meinung, so bedient man sich dort unter häufiger Verwertung von Inhaltsanalysen hauptsächlich der Methoden der Meinungsforschung, wobei mehr nach den Auswirkungen der Massenmedien auf die Gesellschaft und ihr Verhalten als nach dem Inhalt der Programme und dementsprechend der internen Struktur der Medien gefragt wird. Als vorbildlich hierfür dürfen wohl die unter der Leitung oder durch die Anregungen von *Paul F. Lazarsfeld* entstandenen Untersuchungen zitiert werden (zusammen mit *Frank N. Stanton* 1940, 1941, 1944, 1946, 1949; zusammen mit *Bernard Berelson* 1941; zusammen mit *Patricia L. Kendall,* 1948). Eine diesbezügliche neuere Untersuchung über den „Mythos der öffentlichen Meinung" findet sich bei *Alphons Silbermann* und *Ernst Zahn* (1970, S. 337 ff.).

4. Wird bei der vorhergehenden Untersuchungsrichtung hauptsächlich erforscht, was gewisse Menschen denken, so fragt eine andere Zielsetzung nach den Gründen, warum Gruppen so denken, wie sie denken. Die Ursprünge von Publikumsgeschmack und Vorlieben werden jetzt im Hinblick auf eine Erklärung des Einflusses der Medien auf die Massen untersucht. Die Methode, die sich zunächst hauptsächlich auf tiefen- und gestaltpsychologische Erfahrungen stützte, führte später auch noch empirische Forschungsmethoden ein, um so zu einer Umschreibung der Persönlichkeit und der Beweggründe von Gruppenmitgliedern vorzudringen. Zur eingehenden Erläuterung dieser Untersuchungsmethode verweisen wir auf das Buch von *Carl I. Hovland, Arthur A. Lumsdaine* und *Fred D. Sheffield* (1949), dessen Hauptverdienst darin besteht, daß es das konzeptuelle System der Autoren zur Untersuchung von Massenkommunikationsmitteln aufzeigt und die benutzten Techniken sowie die Ergebnisse kritisch beleuchtet. Nicht unerwähnt bleibe in diesem Zusammenhang die von *Gregory Bateson* (1953) durchgeführte Analyse eines deutschen Pro-

pagandafilms, mit der er Überzeugungstechniken des Naziregimes demonstrieren konnte und auch gewisse typische Aspekte für damalige Filme und ihre Mentalität, nämlich, wie *Bateson* es ausdrückt „a split in the attitude towards primary satisfaction and purity".

5. Eine mehr experimentalpsychologisch ausgerichtete Methode betrachtet nicht länger die zu untersuchenden Gruppen oder Individuen in ihrem Verhältnis zu den Medien als passive Empfänger der Kommunikationen, sondern versucht, durch Untersuchungen des Menschen vor und nach Empfang der Mitteilung Stimulusreaktionen zu erfassen. Unter Bezugnahme auf die an Hand von Filmen für amerikanische Truppen zur Erweckung stärkerer Gefühle der Feindseligkeit gegenüber dem Feind von *C. I. Hovland* dargestellten Experimente sollen Bumerangeffekte erkannt werden, die beim Vergleich der Haltungen von Experimental- und Kontrollgruppen festzustellen sind (z. B. *Russel Middleton* 1960). Sehr stark in diese Richtung, aber nicht ausschließlich, tendiert die umfangreiche Forschung von *Hilde T. Himmelweit, A. N. Oppenheim* und *Pamela Vince* (1958). Gänzlich dieser Methode angepaßt ist die Studie von *F. B. Emery* (1959) über Wildwestfilme am Fernsehen. Nach einer zweistufigen Inhaltsanalyse, nämlich des manifesten und latenten Inhalts der Filme, konnten bei Zuschauern gewisse temporäre Veränderungen bezüglich der Art, wie sie sich selbst in Beziehung zu ihrer sozialen Umgebung sahen, festgestellt werden. Als vorbildlich darf wohl die ausführliche Analyse des amerikanischen Films im Vergleich mit englischen und französischen bezeichnet werden, die von *Martha Wolfenstein* und *Nathan C. Leites* (1950) vorgelegt wurde, deren prinzipielle Methoden später ausführlicher erläutert wurden (in: *Margaret Mead* und *Rhoda Métraux* 1953, S. 267 ff.). Durch Verwendung psychoanalytischer und anthropologischer Methoden, die im einzelnen darzulegen zu weit führen würde, gelingt es den Autoren, Materialien zu untersuchen und Interpretationen zu geben, die deutlich die ganz speziellen Charakteristika des amerikanischen Films und Verschiedenheiten zwischen manifestem und latentem Inhalt aufweisen. Auch Interaktionen von Person zu Person und zwischenmenschliche Attitüden finden starke Beachtung. Von dem primitiven Ab- und Auszählen von stereotypen Themen wie Liebe, Mord, Eifersucht usw. wird Abstand genommen.

6. Zu allerletzt kommen wir auf die spezifischen Untersuchungen des Publikums der Massenmedien zu sprechen, weil wir uns damit schon reichlich weit von der Technik der Inhaltsanalyse im eigentlichen Sinne entfernen. Publikumsuntersuchungen mit Hilfe der

Inhaltsanalyse sind zufolge der von uns eingangs dargelegten Prinzipien nur solche Studien wie z. B. die von *Alex Inkeles* (1952/53) und deren Erweiterung durch *Paul W. Massing* (1952/53); denn hier wurde erstens an Hand von 900 Referenzen aus 9 sowjetischen Tageszeitungen und anderem Material über vier Jahre hin die Häufigkeit der Erwähnung der „Stimme Amerikas" in den sowjetischen Massenkommunikationsmitteln untersucht, und zweitens der Inhalt der Bezüge auf die Rundfunksender der „Voice of America".

Jedoch darf man bei einer gewissen Großzügigkeit auch jene Untersuchungen anführen, die sich der Analyse von Hörer- oder Seherbriefen widmen, die telefonische Reaktionen studieren, die Pressekritik durchsehen, provozierte oder organisierte Zuschriften von Hörer- und Sehergruppen tabulieren und nicht zuletzt diejenigen, die in Deutschland als Auftrag der Rundfunkanstalten, in anderen Ländern, wie Belgien, Frankreich oder England, allerdings von den eigenen, zu diesen Zwecken eingerichteten Büros der entsprechenden sozio-kulturellen Institutionen selbst durchgeführt werden und zu erforschen suchen, welche Arten, Gattungen oder Gruppen von Menschen gewisse Programme hören oder sehen. Hierdurch versucht man festzustellen — immer gedacht als Inhaltsanalyse von Massenkommunikationsmitteln —, was, wann und wie Programme verlangt werden, um dementsprechend die Programmgestaltung vorzunehmen. Hierzu wurde eine große Anzahl von divergierenden Einzelmethoden entwickelt, die entweder ausschließlich oder in Verbindung miteinander angewandt werden können. Eine Übersicht dieser Methoden findet sich bei *Alphons Silbermann* (1954, 1959).

Insgesamt bleibt festzustellen, soweit es die Untersuchung von Inhalten von Rundfunksendungen, Filmen und Fernsehprogrammen betrifft, daß im allgemeinen mit recht globalen Kategorien gearbeitet wird. Das heißt, entweder mit Aufarbeitung der Prozentsätze nach Genres (Krimi, Western, Musik, Hörspiel, Nachrichten usw.), so z. B. bei *Uwe Magnus* (1966), oder mit Aufarbeitung der Prozentsätze nach der Thematik (Liebe, Ideale, Macht usw.). Für letztere bieten *Sidney W. Head* (1953, 1954) sowie *Dorothy B. Jones* (1950) ein klassisches Beispiel.

Wenn auf dem Gebiet der Fernseh- und Filminhaltsanalyse im strikten Sinne bisher noch nicht viel Literatur zur Hand ist, so liegt dies an den technischen Umständen, die zur Inhaltsanalyse besagter Medien vonnöten sind. Vorbedingung zur Durchführung sind nämlich erstens Aufzeichnungsapparaturen und Filmbetrachtungstische und zweitens eine minutiöse vergleichende Analyse von Wort und Bild, die sehr langwierig ist. So wurde z. B. von *Gerd Albrecht* (1969) gearbeitet, und zwar in bezug auf die Propagandainhalte von Nazifilmen und von *Steffen Wolf* (1969) in bezug auf Kinderfilme. Entgegen der Ansicht uninformierter Kreise, die behaupten, daß in Deutschland bisher nur wenig nach der Methode der Inhaltsanalyse gearbeitet wurde (*Fritz Eberhard* 1966, S. 7), zeigt schon unser Literaturverzeichnis auf, daß dem nicht so ist. Daher sei noch hingewiesen auf die inhaltsanalytischen Arbeiten von *Gertrud Willenborg* (1967) über die Helden in den Romanen von Karl May; von *Herbert A. Sallen* (1970) über die Wandlung von Klanginhalten durch Filmsynchronisation; von *Dietrich Buchner* (1968) über Hauszeitschriften für Ärzte, von *Heinz-Dietrich Fischer* (1971) über amerikanische Anzeigenblätter; von *Bálint Balla* (1971) über Leserbriefe u. a. m.

Zur Erfassung von Fernsehbildeinheiten bzw. deren mathematische Umrechnung zu Zwecken inhaltsanalytischer Vergleiche mit Pressedruckeinheiten finden sich methodische Erläuterungen bei *Alphons Silbermann* (1966). Überhaupt ist die Analyse von visuellen Darstellungen zu einem methodischen Problem geworden, insbesondere was deren Kategorisierung und Beurteilung betrifft. Zur Zeit wird noch viel über die „Macht des Bildes" diskutiert (siehe z. B. *Ernesto Grassi* 1970; *L'analyse des images* 1970; *Klaus Sliwka* 1971), ohne daß abgesicherte methodische Vorgehensweisen zur Erfassung dieser „Macht" bisher entwickelt worden wären. Über Grenzen und Möglichkeiten der Filminhaltsanalyse berichtet *Arne D. Pahl* (1967).

VIII. Zur Weiterentwicklung der Inhaltsanalyse

a) Eine Anzahl von Wissenschaftlern steht der Inhaltsanalyse mit großer Skepsis gegenüber. Sagen die einen, daß gewisse Gruppen der Gesellschaft ja doch nur hören (sehen und lesen), was sie zu hören (sehen und lesen) wünschen, und nur zu hören (sehen und lesen) wünschen, was sie zu hören (sehen und lesen) gelernt haben (z. B. *George C. Homans* 1951, S. 461/62), so ziehen sich die anderen auf den Standpunkt zurück, daß die Massenmedien zwar soziale Kontrollmittel sind, aber auch wiederum selbst Kontrollen unterliegen und sich daher gültige Regulationen kaum finden lassen dürften (z. B. *Nels Anderson* 1960, S. 448/49), was insbesondere für den Kommunikator gelte (hierzu *George Gerbner* 1969). Oder aber sie behaupten schlechthin, die Inhaltsanalyse habe „hervorstechende Schwächen" (z. B. *George C. Atteberry* u. a. 1946, S. 174). Selbstverständlich ist keine Untersuchungstechnik und

Methode perfekt. Ansonsten brauchte man nicht zu versuchen, sie weiterzuentwickeln, und könnte das wissenschaftliche Arbeiten aufgeben. Aber schon wenn man die diversen Varianten der inhaltsanalytischen Methoden überblickt, die in den verschiedenen angeführten empirischen Forschungen zum Ausdruck kommen, bemerkt man zweifellos Schlingen, Fallen und Schwächen, denen man leicht zum Opfer fallen kann; man sieht aber auch solche Disziplinen wie Linguistik, Phonetik, Philosophie, Kommunikationstheorie, Semantik, Psychologie und Psychoanalyse, die einzeln oder kombiniert eine hilfreiche Hand zur Fortentwicklung der soziologischen Technik leisten können (siehe die Übersicht bei *Colin Cherry* 1957; über den aktuellen Stand informieren *John W. Riley Jr.* und *Matilda White Riley* 1959; *George Gerbner* et. al. 1969, und *Hansjörg Bessler* 1970).

Dies entspricht im Grunde genommen durchaus dem Verlangen, dem *Emory S. Bogardus* schon 1951 Ausdruck verlieh, als er nahelegte, daß wir mehr als nur quantitative Methoden benötigen, um die öffentliche Meinung zu erforschen. Es entspricht auch — nur von der rein statistischen Seite her gesehen — der von *David Gold* (1957) ausgesprochenen Kritik und der von vielen Theoretikern aufgenommenen Suche nach einer angemessenen Verbindung von quantitativer und qualitativer Forschung (z. B. *Siegfried Kracauer* 1952); nach einer statistischen Technik zur Beschreibung der Natur der Beziehungen zwischen qualitativen Variablen oder, noch genereller ausgedrückt, nach Möglichkeiten, um die Beziehung von Werten einerseits und soziologischer Theorie und Forschung andererseits herzustellen (hierzu *Gunnar Myrdal* 1959; sowie *Alexander L. George* 1959).

Um dies zu erreichen, ist eine Mannigfaltigkeit von Wegen eingeschlagen worden. So wurde z. B. mit einer Art photographischer Inhaltsanalyse experimentiert (*Ralph E. Dakin* 1960), oder aber propagiert, daß mehr Wert auf nicht-verbale Kommunikationsprozesse zu legen sei (*Jurgen Ruesch* und *Weldon Kees* 1956), oder es wurde unmittelbar in das Zentrum der schwebenden Problematik vorgestoßen durch die von uns bereits erwähnten Arbeiten von *Charles E. Osgood* (1957) und seinen Mitarbeitern, um mit Hilfe des Messungsmodells, benannt „semantic differential", das allgemeine Problem des „meaning of meaning" zu klären. Zweifellos ist hier ein Fortschritt erreicht worden, der allen denjenigen besonders dienlich sein sollte, die sich um systematische Untersuchungen sowohl auf dem Gebiet der Attitüdenstruktur und Veränderung von Attitüden, als auch auf dem Gebiet der Persönlichkeitsentwicklung bemühen. Jedoch hier, ebenso wie bei anderen Ansätzen, erhebt sich die Problematik der „reliability" und der „validity", zumal, wie *Kurt Koszyk* und *Karl H. Pruys* (1969) sehr richtig schreiben, die Inhaltsanalyse „ein gegen Verzerrung aller Art empfindliches Instrument ist" (S. 43). Daher rühren in der Tat die vielen Ausführungen, Experimente und Vorschläge zum Thema „Verläßlichkeit" und „Gültigkeit", so z. B. bei *Irving Janis, Raymond N. Fadner* und *Morris Janowitz* (1943), *Milton D. Stewart* (1943), *William A. Scott* (1955), *Richard W. Budd, Robert K. Thorp* und *Lewis Donohew* (1967), u. a. m. Diese Sorge hat zu vielen Ausführungen in bezug auf Sampling und Kategorisierung bei Inhaltsanalysen geführt. Diesbezügliche Vorschläge finden sich u. a. bei *Guido H. Stempel* (1952), *William C. Schutz* (1958), *Chilton R. Bush* (1960), *Wayne A. Danielson* und *James J. Mullen* (1965) und in mehreren Beiträgen des Sammelbandes von *George Gerbner* et al. (1969).

Ein anderer Ansatz ist derjenige, der die Beziehung zwischen Inhalt und Intensität, zwischen dem Inhalt einer Mitteilung und der Dynamik, mit der diese verfaßt oder vorgetragen wird, in den Mittelpunkt der Untersuchungen stellt. Hierzu wurden recht instruktive Arbeiten vorgelegt von *Daniel Katz* (1947), *Hadley Cantril* (1946), *Abraham A. Moles* (1954), *Orville G. Brim, Jr.*, (1955) u. a. Sie führen uns in die Nähe der Motivforschungen, das heißt in die Nähe der Psychologie und der Psychoanalyse. In der Tat arbeiten z. B. *Robert F. Winch* und *Douglas M. More* (1956) bei einer quantitativen Analyse qualitativer Daten zur Einschätzung von Motivationsfaktoren u. a. mit dem Thematic Apperception Test (TAT) und rechtfertigen diese Form der Analyse als eine Art der Inhaltsanalyse unter Berufung auf die von *Betty Aron* (1949) experimentierte Technik. Es handelt sich hier um eine Verfeinerung all derjenigen Methoden, die der Persönlichkeitserforschung von der psychoanalytischen Seite her dienen.

Wesentlicher erscheinen uns im Zusammenhang einer Weiterentwicklung der Inhaltsanalyse die in letzter Zeit stärker und stärker in den Vordergrund tretenden sozialpsychologischen Untersuchungen unterschwelliger Inhalte von Mitteilungen und deren Auswirkungen. Trotz der Ansicht, daß beim Empfänger solcher Kommunikationen nur das ankommen wird, was „in der Erwartungsstruktur seiner Aufmerksamkeit bereits vorgebildet ist" (*René König* 1973a), und auch trotz des Resultats, zu dem eine Untersuchung unterschwelliger Reize gekommen ist, daß es nämlich immer nur einige wenige Personen sind, die auf unterschwellige Reize reagieren (*Melvin L. de Fleur* und *Robert M. Petranoff* 1959), scheint unseres Erachtens doch gerade hier ein Forschungsgebiet zu liegen, bei dem die Inhaltsanalyse ihren Wert bezeugen könnte. Allerdings bedeutet dies, daß man nun nicht nur thematisch zwischen manifesten und latenten, zwischen stationären und expressiven, zwischen dynamischen und verborgenen Äußerungen unterscheidet, sondern auch, daß man 1. deren genaue normative Bedeutung umschreibt und festlegt, 2. mit komparativen Musterkategorien arbeitet, 3. der Motivierung der Mitteilungen nachgeht und 4. bei der Analyse einige derjenigen Methoden kombiniert zur Anwendung bringt (und dadurch auch weiterentwickelt), die bereits ihre Relevanz für qualitative Inhaltsuntersuchungen erwiesen haben. Dann wird man erkennen, daß dem keineswegs so ist, daß nur wenige Menschen auf unterschwellige Reize reagieren, weil in ihnen Widerstände gegen diese entwickelt und aufgestapelt sind, sondern daß diesem Gebiet bisher nur deswegen geringe Aufmerksamkeit gezollt worden ist, weil die bei jeder menschlichen Kommunikation wirksamen unterschwelligen Faktoren, selbst bei einer Unterhaltung von Person zu Person, eben allgemein sehr schwer zu erfassen sind (hierzu auch: *Institute of Practitioners in Advertising* 1960, mit Literaturhinweisen). Was die Analyse von Normen angeht, in Form von verbalen oder nicht-verbalen Verhaltensmustern, sei verwiesen auf die Exposés von *Franz Adler* (1956) und *Allan Ross Anderson* und *Omar Khayyam Moore* (1957).

Ausgehend von der Methode, die *Robert F. Bales* zur Untersuchung von Interaktionsprozessen entwickelt und gefördert hat (1950; *Robert F. Bales, Fred L. Strodtbeck, Theodore M. Mills* und *Mary E. Roseborough* 1951; *Edgar F. Borgatta* und *Robert F. Bales* 1953), haben sich in mehreren Richtungen hin Methoden entwickelt, die die Untersuchung des manifesten Niveaus von Reaktionen verlassen, um Gründe und Ursachen für das Phänomen der Entscheidung, des „decision-making", zu erfassen, wie es die amerikanische Literatur bezeichnet. Hierzu verlassen *Elihu Katz* und *Paul F. Lazarsfeld* in ihrem Werk „Personal Influence" (1955; und *Elihu Katz* 1960) den früher eingenommenen Blickpunkt, bei dem das isolierte Individuum angesichts der Massenmedien betrachtet wurde. Sie wenden sich der relativen Bedeutung des persönlichen Einflusses im Gegensatz zu dem der Massenkommunikationsmittel zu. Der Nachdruck liegt nunmehr auf den interindividuellen Beziehungen, aus denen sich das soziale System zusammensetzt. Für uns bedeutet diese Art Modell von den Zweien, die zu Einem werden, ein wesentliches Bindeglied zu früheren Untersuchungen, bei denen meist nur die Gruppe als Kategorie erfaßt wurde. Hierdurch verändert sich das Bild der Inhaltsanalyse, ohne daß gleichzeitig jede ihrer vielen Methoden zur Unbrauchbarkeit verurteilt würde.

Um mit den Worten der Verfasser zu sprechen: Die meisten Arbeiten der Inhaltsanalyse (in bezug auf den Massenkommunikationsprozeß) „impute differences in intervening psychological processes — and thus, differences in effects — from observed differences in content" (S. 22). Und es geht jetzt darum, die Effekte zu analysieren, die entstehen, wenn eine Person eine Mitteilung oder einen Rat von einer anderen Person empfängt. Die Aufmerksamkeit richtet sich also auf das „influencer — influenced pair", und diesem Vorgang wird sich dann auch eine dementsprechende Inhaltsanalyse anzupassen haben. Wenn auch hierdurch versucht wird, Inhaltsanalysen und Wirkungsuntersuchungen nicht länger auf ein Aggregat isolierter Individuen auszurichten, sondern auf Zweier-Einheiten, so besteht unseres Erachtens das Publikum dennoch auch in diesem Sinne nach wie vor aus isolierten Individuen, nur bietet sich nunmehr eine Anhäufung von besagten Zweier-Einheiten zur Untersuchung an. Da wir selbst bereits mehrfach darauf hingewiesen haben, daß es *die* Hörer oder *die* Zuschauer nicht gibt, sondern nur *den* Hörer und *den* Zuschauer, und auch dementsprechend unsere Analysen konzipiert haben (siehe u. a. *Alphons Silbermann* 1954, 1959), ist uns dieses Dilemma nur allzu bekannt: wir waren uns selbst stets der Gefahr bewußt, durch unseren Blick auf das isolierte Individuum den Blick auf das totale soziale System zu verdunkeln oder gar zu verlieren. Dieser Gefahr stehen auch die von *Katz* und *Lazarsfeld* entwickelten Theorien und Methoden gegenüber. Immerhin, hier findet sich ein bedeutender Ansatz zur Weiterentwicklung der Massenkommunikationsforschung und damit einbegriffen der Inhaltsanalyse, der, wie die Autoren selbst sagen, erst durch weitere Untersuchungen über interpersonale Beziehungen gefestigt werden kann.

Letzthin hat sich unter dem Namen „*Informationstheorie*" eine Methodik entwickelt, die versucht, den Kommunikationsprozeß mit Hilfe mathematischer Verfahren abstrakt und höchst objektiv zu bewältigen (hierzu *Henry Quastler* 1956; *Abraham A. Moles* 1958; *Fred Attneave* 1959). Dabei geht es in erster Linie um eine neuartige Formulierung psychologischer Probleme. In zweiter Linie aber auch um eine Fortentwicklung statistischer Methoden zur Analyse gewisser psychologischer Daten, wobei besonderer Wert darauf gelegt wird, neue Maße für die Streuung von Frequenzverteilungen zu finden, was die Analyse einer Quantität von Informationen (Gedrucktes, Gesprochenes, Bild oder Musik) in Stückchen bedeuten dürfte. Da „Informationen" innerhalb sozialer Gruppen verarbeitet und bearbeitet werden, da sie übertragen und geteilt werden, glauben wir nicht, daß diese Theorie für Primärerkenntnisse innerhalb des sozialen Gefüges relevant ist. Wohl aber dürfte sie dazu dienen, Ungewißheiten und Ungenauigkeiten bei der Untersuchung von Übertragungsprozessen zu minimalisieren, womit der Inhaltsanalyse sicherlich sehr viel geholfen wäre. Und so kommen neuerdings bei der Inhaltsanalyse mehr und mehr mathematische bzw. kybernetische Prinzipien zur Anwendung, die insbesondere durch die Vervollkommnung der Datenverarbeitungsmaschinen sich als nützlich erweisen. Auf diesem Gebiet ist der von *Philip J. Stone, Dexter C. Dunphy, Marshall S. Smith* und *Daniel M. Ogilvie* (1966) erarbeitete „Computer Approach to Content Analysis" anzuführen, bei dem sich das Arbeitsteam an der Harvard University hat leiten lassen von einem Gedankengang von *Harold Lasswell,* der einleitend schreibt: „The procedures that pass under the label ‚content analysis' are among the distinctive achievements of modern civilization" (ebda. S. VII). Da es sich hierbei um eine sehr bedeutsame Neuerung handelt, wollen wir uns dieser inhaltsanalytischen Methode im nächsten Abschnitt ausführlicher widmen.

b)* Die neueste der inhaltsanalytischen Techniken ging von dem Bemühen aus, neue Wege zur maschinellen Übersetzung von Fremdsprachen zu finden: Wortinhalte waren exakt zu kategorisieren, damit eine entsprechende Übertragung möglich werden konnte. Diese Bildung von Kategorienschemata machten sich einige Soziologen, *Philip J. Stone* et al. (1966), für die Inhaltsanalyse zu Nutze, wobei an die Stelle der Übertragung von einer natürlichen Sprache in eine andere die Umwandlung in eine Begriffs- oder Merkmalssprache trat. Dazu wurde eine Unterteilung des Textes nötig, da dessen Erfassung auf drei Ebenen erfolgen kann: 1. der syntaktischen; 2. der semantischen; 3. der pragmatischen. Dies stellt eine bedeutungsvolle Erweiterung inhaltsanalytischer Möglichkeiten dar; denn mit einer solchen Technik sind auch nicht-quantitative Elemente des Inhalts exakt zu erfassen. Definitorisch wird diese neue Dimension wie folgt umschrieben: „Content analysis is any research technique for making inferences by systematically and objectively indentifying specified characteristics within text" (ebda. S. 5). Diesem Ansatz liegt das auf der nächsten Seite folgende Kommunikationsmodell zugrunde.

Das Modell zeigt, daß der wesentliche Schritt in der Verschlüsselung des Inhalts in Symbole liegt. Aufgabe der Inhaltsanalyse ist es nun, den Code zu entschlüsseln, um so aus der Struktur des ver-

---

* Dieser Abschnitt wurde verfaßt in Zusammenarbeit mit *D. A. Schriefer.*

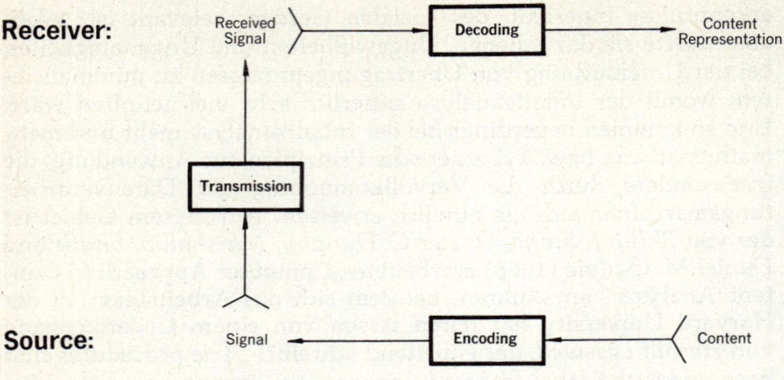

schlüsselten Textes Aufschluß über die Struktur des Ursprungs (source) zu gewinnen. Im wesentlichen werden dazu eindeutig erkennbare und beobachtbare Einheiten im Text gewählt. Daraus werden Indizes gebildet, die einen Index- oder Variablenset darstellen, der zur Beschreibung des Ursprungssystems geeignet ist. Diese forschungstechnischen Schritte lassen sich im Grunde auf die Ebene einer rein sprachlichen Analyse reduzieren. Abgesehen von der Bildung einer systemgerechten Theorie und dem Ziehen von Schlüssen vom Text auf das Ursprungssystem ist die eigentliche technische Analyse überwiegend Sprachwissenschaft oder Linguistik. Dabei stellen sich die erwähnten drei sprachlichen Ebenen wie folgt dar:

1. Auf der syntaktischen Ebene werden die Beziehungen der Zeichen (Wörter, Sätze, Idiome usw.) zueinander untersucht.

2. Auf der semantischen Ebene werden die Beziehungen zwischen sprachlichen Einheiten und der Umwelt bestimmt.

3. Auf der pragmatischen Ebene werden die Beziehungen zwischen dem sprachlichen und dem nichtsprachlichen Verhalten des Sprachbenutzers untersucht.

Bislang ergaben sich Schwierigkeiten bei der Anwendung der Inhaltsanalyse, wenn die Einheiten der Analyse nicht erfaßbar klein waren, sondern aus komplexeren Wortverknüpfungen bestanden. Dies war letztlich darauf zurückzuführen, daß vom Verkoder der qualitative Eindruck eines Satzteils ausgewertet wurde. Die Verschlüssleranweisungen waren nie exakt genug, um subjektive Einflüsse auszuschließen. So durfte die emotionale Stärke von „ablehnen" und „sich weigern" als Ausdruck negativer Aktivität wohl kaum bei all denen gleich eingeschätzt worden sein, die im deutschen Sprachraum solche Inhaltsanalysen anfertigten. Folglich blieb die Inhaltsanalyse bisher im Prinzip meist doch eine „qualitative“ Vorgehensweise, die keineswegs so objektiv war, wie es die traditionellen Definitionen verlangten. So bot sich der Einsatz von Computern an, weil zwei wesentliche Merkmale seine Arbeit bestimmen:

1. Die Unfähigkeit, über den Rahmen eines vorgegebenen Programmes Entscheidungen zu fällen, mithin auch der Fortfall aller subjektiven Einflüsse auf der Ebene der Verkodung.

2. Die enorme Geschwindigkeit, mit der große Massen von Material identifiziert werden können.

Als Beispiel für die Anwendung der beschriebenen Technik ließe sich folgendes denken: Um die Wandlung einer politischen Einstellung eines Systems zu untersuchen, werden verbale Äußerungen von sogenannten „decision makers“ zu bestimmten Zeitpunkten ausgewählt (z. B. Ausbruch des 1. Weltkrieges oder der Kubakrise). Nachdem auf syntaktischer Ebene festgelegt wird, wer was tut, wie, gegenüber wem und sich beziehend auf wen — indem also die Stellung der einzelnen Worte zueinander spezifiziert wird —, wird die semantische Dimension festgelegt, d. h. es werden qualitativ unterscheidbare Variablen definiert. Diesen Variablen werden Werte zugeordnet. So zum Beispiel mit Hilfe des bereits mehrfach erwähnten semantischen Differentials, indem Skalen konstruiert werden, die über eine Wertdimension (gut — schlecht) verlaufen: z. B. Aktivität (aktiv — passiv) usw. Das zu analysierende Material kann nun als eine Folge von Bewertungen von Variablen aufgefaßt und verkodet werden. Der Rest ist statistische Analyse und kann fast beliebig weit getrieben werden. Im Endergebnis erhält man ein „Profil“ für den oder die Texte. Die Profile werden dann miteinander verglichen und die zeitlichen Veränderungen in den Texten können somit ersichtlich werden.

Das Problem bei der Analyse ist und bleibt natürlich die Auswahl des zu untersuchenden Materials. Dazu ein weiteres Modell (S. 306):

Wie leicht zu sehen ist, ist es die Voraussetzung einer Analyse, daß das Ursprungssystem in irgendeiner Weise vom Forscher verstanden wird oder abgeleitet werden kann. Der aufgezeichnete Text wird im Laufe der Analyse in Angaben übertragen, die sich auf die nicht direkt beobachtbaren Zustände des Ursprungs beziehen müssen. Damit wird deutlich, daß die Meßwerkzeuge der Analyse, nämlich die Kategorien zur Erfassung des Textes, in einem relevanten Zusammenhang mit dem der direkten Beobachtung entzogenen Ursprung stehen müssen. Daher ist nach wie vor

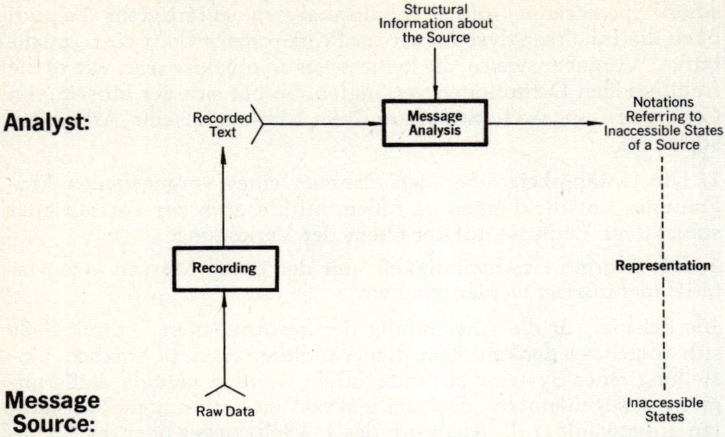

der Satz von *Bernard Berelson* (1952): „Content Analysis stands or falls with its categories" gültig. Ein weiteres Modell mag dies veranschaulichen:

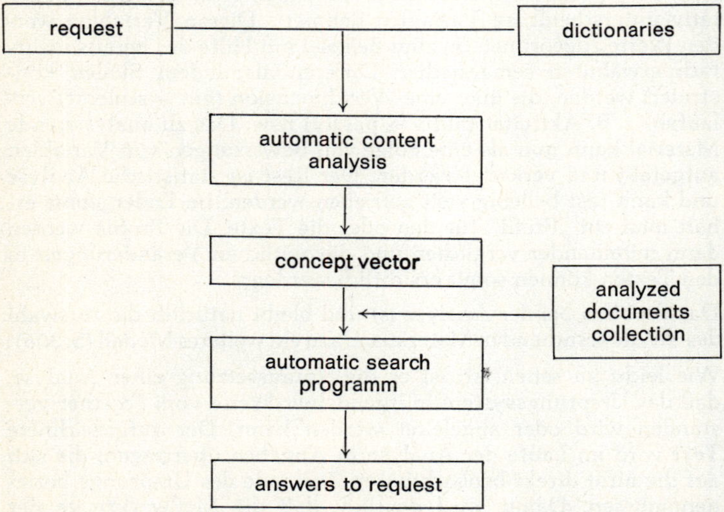

Nachdem nun die Untersuchungsfrage oder die Hypothese eingeführt worden sind, werden sie in Komponenten übertragen, die einer automatischen Analyse zugänglich sind, wobei oft Diktionäre benutzt werden, die aus einer Anzahl von Einzelstudien entwickelt wurden. Die sich ergebenden Inhalts-Indizes (concept vector) werden mit den Indizes der vorliegenden analysierten Dokumentensammlung (analyzed document collection) verglichen. Alle übereinstimmenden Indizes werden isoliert und sind relevant für die Beantwortung der Hypothese.

Unsere vereinfachte Darstellung soll verdeutlichen, an welcher Stelle des Vorganges die Inhaltsanalyse überhaupt automatisiert werden kann, aber auch, wo die Probleme nach wie vor ungelöst sind, und zwar:

1. Die Aufstellung der Hypothese ist eine kritische Angelegenheit, wenngleich diese sich oft aus speziellen Bedürfnissen nach bestimmten Ergebnissen ergibt, was sie an sich rechtfertigt, aber ihren Allgemeinheitsgrad und daher ihre Gültigkeit keineswegs positiv beeinflußt.

2. Die Auswahl der Kategorien zur Erfassung eines Textes setzt einige Kenntnis über das zu untersuchende System voraus. Vor allem aber erfordert die Anwendung der bestehenden Diktionäre fundamentale Kenntnisse im Bereich der Linguistik, insbesondere der Syntaktik und Semantik, was nicht ohne weiteres unterstellt werden kann.

3. Schließlich ist die bereits bestehende analysierte Dokumentensammlung alles andere als einheitlich, so daß sich daraus noch keine allgemeine Theorie der sozialen Systeme erarbeiten läßt.

Im wesentlichen ermöglicht der General Inquirer nur, die eigentlichen Forschungsprozesse, nämlich das Konstruieren einer Hypothese und das Definieren der Kategorien zuverlässiger zu gestalten.

Damit wird deutlich, daß die Voraussetzung der Anwendung des General Inquirer oder des Diktionärs, auch Thesaurus genannt, wiederum eine Theorie ist. Die relevanten sprachlichen Variablen der Theorie sind jedoch im Gegensatz zu früher — d. h. bei der Verkodung durch Menschen — genauer zu definieren, da ein Computer viel präzisere Anweisungen benötigt als ein Mensch. Aus verschiedenen Einzelstudien wurden bisher etwa 17 solcher Kategorien-Diktionäre entwickelt. Jedes dieser Diktionäre ist somit nicht mehr oder nicht weniger als die konkrete Darstellung der speziellen Theorie eines Forschers, soweit diese sich auf verbale Daten stützt.

Im wesentlichen besteht ein solches Diktionär aus einer Liste von Worten, die der Forscher untersuchen will, sowie den passenden

Kategorien für jedes Wort. Die erste Phase der Prozedur ist demnach die Anpassung eines bereits gegebenen Diktionärs an den Text, mit dem Resultat, daß viele Merkmale im Text in eine neue (sozialwissenschaftliche) Sprache mit bedeutend kleinerem Vokabular übersetzt werden. So wird also die große Anzahl der Worte im Text auf eine kleine Zahl grundsätzlicher Variablen reduziert, die für die Theorie relevant sind.

Zur Verdeutlichung ist im folgenden die Gegenüberstellung eines herkömmlichen Wörterbuches (Webster) und zweier solcher Diktionäre gegeben.

Webster	Thesaurus	Harvard III
ache = 1. to have or give dull steady pain 2. (coll.) to yearn, to long 3. continuous pain	ache = pain	ache = DISTRESS
achieve = 1. to do, do successfully accomplish 2. to get or reach by exertion attain, gain	achieve = end produce achieve accomplish	achieve = GET
achievement = 1. an achieving 2. a thing achieved esp. by skill work or courage feat, exploit	Achievement = sign feat	achievement = GET

Wie diese Darstellung verdeutlicht, ist die Definition eines bestimmten Wortes in einem Content Analysis Dictionary durch eine mehr oder weniger begrenzte Anzahl von Begriffen gegeben. Im Standard-Wörterbuch hingegen wird das Wort durch Synonyme oder eine Erklärung im Satz gedeutet. Dieser sogenannten alphabetischen Auflistung der entry-Worte steht die Kategorienauflistung gegenüber.

SELF	SELVES
I	we
me	us
my	our
mine	ours
myself	ourselves

Die Frage nun, welche Kategorien überhaupt den Diktionär ausmachen sollen, den der Forscher in einem spezifischen Fall benutzen will, hängt also allein von der zugrundegelegten Theorie ab.

So lassen sich z. B. Zitronen, Bananen und Äpfel verschiedenartig klassifizieren: entweder a) aufgrund der Farbe gelb-rot; oder b) aufgrund der Form lang-rund; oder c) aufgrund des Geschmacks süß-sauer. Genausogut mag der Forscher die Kategorie „Nahrungsmittel" einführen, um daraus einen Index über Eßgewohnheiten zu erhalten.

Das Problem der Kategorienbildung in Abhängigkeit von der Theorie des untersuchten Systems hat in der weiteren Entwicklung der Diktionäre dazu geführt, daß infolge des Mangels der Kenntnis exakt definierter Variablen von sozialen Systemen der Forschungsgang insofern abgeändert wurde, als nicht von vornherein spezifische Theorien und Variablen aufgestellt werden, sondern daß die in den Diktionären vorliegenden Variablen einfach an dem untersuchten System getestet werden, wodurch dann im Nachhinein die Bildung einer Theorie ermöglicht wird. Dies ist eben erst durch die Einführung von Computern möglich geworden. Eine eingehende Darstellung der Programmierung würde den vorliegenden Rahmen sprengen. Um jedoch einen Eindruck zu vermitteln, soll gezeigt werden, wie im einzelnen z. B. die Anweisung zur syntaktischen Erfassung eines Textes vor sich geht.

Zunächst liest der Computer den gesamten Text von vorne bis hinten, ein Vorgang, zu dem menschliche Koder ein vielfaches an Zeit benötigen würden. Sodann schlägt der Computer in dem eingegebenen Diktionär nach, ob er ein bestimmtes Wort dort findet. Findet er es nicht, so können z. B. die Endungen entfernt werden. In einem solchen Fall muß dem Computer ein Diktionär eingegeben werden, das nach Wortstämmen oder -wurzeln aufgebaut ist.

Weiterhin können die Positionen der einzelnen Worte im Satz, d. h. Subjekt, Attribut, Prädikat usw. bestimmt werden. Natürlich kann der Computer dies nur dann vollziehen, wenn die einzelnen Worte dementsprechend bezeichnet sind, etwa durch Ziffern oder Buchstaben. In gleicher Weise – durch die vorhin beschriebene Zuordnung der Worte und Kategorien – arbeitet das General Inquirer Programm auf semantischer Ebene. Die pragmatische Ebene jedoch, d. h. das eigentliche Rückschlußverfahren bleibt nach wie vor dem Forscher selbst vorbehalten.

Die hier angeführte Technik der Inhaltsanalyse ist ein Hilfsmittel, aus objektiv und systematisch beobachtbaren Einheiten (Text) indirekte Erkenntnisse über die Struktur des Ursprungssystems (source) des Textes zu gewinnen. Diese Betrachtungsweise setzt jedoch voraus, daß der Text in irgendeiner zu spezifizierenden Form Informationen über seinen Ursprung beinhaltet. Für den Forscher bedeutet dies, daß die Auswahl der untersuchten Texte repräsentativ oder charakteristisch für das Ursprungssystem sein müssen, was wiederum voraussetzt, daß über das System bereits Erkenntnisse vorliegen.

Es ist zu erwarten, daß durch die ständige Weiterentwicklung der Diktionäre wohl ein immer größerer Set von relevanten Variablen geschaffen wird, da es dank der Schnelligkeit der Computer möglich ist, aus sämtlichen Variablen einige wesentliche zu isolieren. Die Entscheidung darüber, inwieweit diese Variablen nun tatsächlich das soziale System beschreiben, kann vom Computer selbst nicht getroffen werden. Nach wie vor steht und fällt die Inhaltsanalyse mit ihren Kategorien, und es ist anzunehmen, daß nur in jahrzehntelanger Entwicklungsarbeit und eben unter Einsatz von Computern irgendwann einmal ein allgemeingültiger Diktionär existieren wird, der aber natürlich stetem Wandel unterworfen sein wird, ebenso wie die sozialen Systeme selbst.

Für Einzelheiten zur computerisierten Inhaltsanalyse siehe die 11 Beiträge im 4. Kapitel bei *George Gerbner* et al. (1969) sowie *Philip J. Stone* et al. (1967). Informationen über die Weiterentwicklung des General Inquirer sind erhältlich von *Philip J. Stone,* Dep. of Social Relations, Harvard University, Cambridge (Mass.), USA.

IX. Die Vorgehensweise bei der Analyse

Vorbemerkung

Bei den beiden ersten Auflagen des Handbuches wurde in Besprechungen des vorliegenden Beitrages öfters das Fehlen einer Darstellung der

Vorgehensweise bei der systematischen Inhaltsanalyse bemängelt. Diesem Mangel soll durch die folgenden Erläuterungen abgeholfen werden, was keineswegs bedeuten soll, daß durch diese Einführung in die Arbeitsweise eine Lektüre umfangreicherer Darlegungen überflüssig wird. Im deutschen Sprachraum finden sich solche u. a. bei *Gernot Wersig* (1968), *Renate Mayntz, Kurt Holm* und *Peter Hübner* (1972[3]) und *Hansjörg Bessler* (1970).

a) Wann sollte die systematische Inhaltsanalyse angewendet werden?

Wie aufgezeigt, sind die Anwendungsgebiete der systematischen Inhaltsanalyse sehr vielfältig. Jedoch besitzt sie als Hilfsmittel des Sozialwissenschaftlers auch ihre Grenzen. Denn nicht immer ist es möglich, mit Hilfe der Inhaltsanalyse zuverlässig und gültig Hypothesen zu überprüfen oder Theorien zu stützen. So ist es mit ihren Methoden allein niemals möglich, über den Wahrheitsgehalt einer Behauptung oder die literarische Qualität eines Dokumentes zu entscheiden. Ohne an dieser Stelle erneut auf den Streit um den quantitativen oder qualitativen Ansatz zu sprechen zu kommen, ist doch festzuhalten, daß der Forscher in gewissen Fällen mit einer sorgfältigen subjektiven Analyse die gleichen Ergebnisse erzielen kann wie mit der aufwendigeren Inhaltsanalyse.

Grundsätzlich kann die systematische Inhaltsanalyse in folgenden Fällen als geeignete Methode angesehen werden:

1. Wenn der Umfang des zu untersuchenden Materials ein solches Ausmaß annimmt, daß aus der Menge der vorliegenden Kommunikationen eine Stichprobe gezogen werden muß.

2. Wenn das vorliegende Material von einem Team bearbeitet wird, in dem jedes Mitglied eine eigene, subjektive Prädisposition besitzt.

3. Wenn sich der zu untersuchende Gegenstand durch räumliche oder zeitliche Distanz dem direkten Zugriff des Forschers entzieht und er somit seine Daten „aus zweiter Hand" beziehen muß, bzw. „at a distance" zu bearbeiten hat. (Spezifische Notwendigkeiten der psychiatrischen, psychoanalytischen Betrachtungsweise oder der „readability" bleiben hier unberücksichtigt.)

Bei der Durchführung einer Inhaltsanalyse wird für gewöhnlich unterstellt, daß ein bestimmtes Sprachsymbol sowohl vom Produzenten als auch vom Empfänger einer Kommunikation mit dem gleichen Bedeutungsinhalt identifiziert wird. Das Sprachverhalten bestimmter Subkulturen zeigt jedoch auf, daß dies keineswegs immer der Fall sein muß. Das gleiche gilt für die Analyse von Textmaterialien aus einem anderen Sprachsystem. Der eigentlichen Inhaltsanalyse sollte daher möglichst eine empirisch-semantische Analyse vorausgehen, um die tatsächliche Bedeutung sprachlicher Einheiten festzustellen. Auch wenn aus dem Inhalt eines vorliegenden Textes auf nicht-sprachliche Variablen geschlossen werden soll, also z. B. bei der Messung von Einstellungen, ist festzustellen, „welchem Objekt eine Einstellung gilt, welche Richtung sie hat und mit welcher Intensität sie vertreten wird" (*Hans-*

jörg Bessler 1970, S. 25) — und eben dann auch, wie sie sich sprachlich äußert. Dieser kurze Hinweis soll verdeutlichen, daß eine akribische Durchführung der Inhaltsanalyse vielfach danach verlangt, Nachbardisziplinen hinzuzuziehen. Nur ein solches Zusammenwirken, insbesondere mit der Soziolinguistik und der Sozialpsychologie, wird es ermöglichen, eine umfassende Theorie zu etablieren, deren Fehlen oft manchen berechtigten Zweifel an der Relevanz inhaltsanalytischer Aussagen aufkommen läßt. So ist also vor der Anwendung der systematischen Inhaltsanalyse auf dieses oder jenes Problem stets zu überlegen, ob der Nutzen, der sich daraus ziehen läßt, in einem angemessenen Verhältnis zu dem Aufwand steht, den die Vorgehensweise erfordert.

b) Welche Analyseform ist anzuwenden?

Das unter VIII. erläuterte „General Inquirer Programm" hat die systematische Inhaltsanalyse zweifellos einen gewaltigen Schritt weitergebracht. Jedoch verlangt diese Methode nach einem technischen Apparat, der nicht überall zur Verfügung stehen dürfte. Daher beschränken wir uns in unserer Darstellung auf die im allgemeinen stets noch gängigen vier traditionellen Formen der Analyse. Wir tun dies, ohne auf die jeweiligen Schwierigkeiten in bezug auf Validitätsprobleme, Reliabilitätsprobleme, Kategorienbildung und Auswahlfragen im einzelnen einzugehen. Mannigfaltige diesbezügliche Hinweise wurden bereits im Laufe unseres Beitrags gegeben.

Die *einfache Häufigkeitsanalyse* bildet eine Vorstufe zur Inhaltsanalyse. Als simple Auszählmethode verbaler oder sonstiger Elemente der Kommunikation ist sie relativ problemlos zu bewerkstelligen; meist wird dabei die Besetzungshäufigkeit einzelner Kategorien festgestellt. Ihr Aussagewert ist beschränkt, und Folgerungen können nur auf der Grundlage bewährter Hypothesen über den Prozeß der Aussagenentstehung vorgenommen werden. Das mit diesem Vorgehen gewonnene statistische Material kann zur Weiterverwendung im Rahmen anderer Analysen benutzt werden.

Die *Contingency Analysis* (*Charles E. Osgood* und *Lois Anderson* 1957) basiert auf der Annahme, daß durch die Feststellung des gemeinsamen Vorkommens von inhaltlichen Kategorien eine Messung der Assoziationsstruktur der Verfasser von Texten vorgenommen werden kann. Der Anwendung der operationalen Vorschriften der Contingency Analysis muß eine Auswahl der zu analysierenden Texte und ihre Aufgliederung in praktikable Inhaltseinheiten vorausgehen. Eine Inhaltseinheit sollte mindestens so groß sein, daß ein mehr als zufälliges gemeinsames Auftreten von zwei oder mehreren Wörtern tatsächlich möglich ist. Als Kategorien der Inhaltsbeschreibung werden nun Symbolwörter benutzt (z. B. Namen) und auf ihr gemeinsames Auftreten hin untersucht. Aus der über- oder unterdurchschnittlich häufigen Verbindung zweier Kategorien werden dann Rückschlüsse gezogen. So kann auch das Fehlen einer sachlich naheliegenden Kategorie im Zusammenhang mit einer anderen Kategorie für den Kommunikator charakteristisch sein. Insofern die Kategorien der Inhaltsbeschreibung als Einstellungsobjekte angesehen werden, läßt sich durch die Einführung grober Richtungskategorien untersuchen, in welche Richtung die Äußerungen zu den Einstellungsobjekten verlaufen. Die Ergebnisse werden meist in Form einer einfachen Aneinanderreihung von signifikant assoziativen bzw. dissoziativen Kategorien dargestellt.

Die *Symbol Analysis* (*Harold D. Lasswell, Daniel Lerner* und *Ithiel de Sola Pool* 1952) ist in erster Linie eine semantische Analyse von Textinhalten. Zunächst werden mit Hilfe von Häufigkeitsanalysen die Schlüsselkategorien des zu untersuchenden Symbolträgers festgestellt. Bei jedem registrierten Auftreten einer Schlüsselkategorie, in der Annahme, daß jede häufig vorkommende Schlüsselkategorie ein Einstellungsobjekt symbolisiert, wird ermittelt, ob es sich bei den dazu abgegebenen Äußerungen um positive, negative oder neutrale Stellungnahmen handelt. Es wird somit also nur festgestellt, daß in einem Text bestimmte Einstellungsobjekte so und so häufig erwähnt werden und positive, negative oder neutrale Stellungnahmen dazu mit dieser oder jener Häufigkeit zu finden sind. Angesichts der Schwierigkeiten einer zuverlässigen semantischen Analyse von Textinhalten, läßt sich auf Grund von Ergebnissen einer Symbolanalyse lediglich sagen, daß in einem Text zu einem bestimmten Symbol eine vergleichsweise positivere, negativere oder neutralere Einstellung vertreten wird als zu einem anderen Symbol. Die Messung der Intensität solcher Einstellungen sowie die Einführung von Richtungskategorien bringt große Schwierigkeiten bei der Verschlüsselung mit sich, da die semantische Analyse der im Text geäußerten Einstellungen zu einem Schlüsselbegriff stark dem subjektiven Ermessen der Verschlüssler unterworfen ist.

Die *Evaluative Assertion Analysis* (*Charles E. Osgood, The Representational Model and Relevant Research Methods* 1959) beruht auf einer Einteilung von Texten in semantische Einheiten und einer Verschlüsselung der Bestandteile dieser Einheiten. Als semantische Einheiten werden die in einem Text enthaltenen Äußerungen zu theoretisch relevanten Einstellungsobjekten betrachtet. Die Einstellungsobjekte („attitude objects") werden auf Grund von umfangreichen Vorarbeiten ermittelt, d. h. wenn z. B. in einem bestimmten Zusammenhang die Einstellung eines Wirtschaftsführers festgestellt werden soll, wird er zum „attitude object". Die sogenannten „verbal connectors", d. h. semantische Einheiten, die zwei „attitude objects" miteinander verbinden, werden ihrer Richtung und Intensität nach auf einer siebenstufigen Wertskala eingeordnet, die positive, negative oder neutrale Positionen ergibt. Das einzelne „attitude object" kann seinerseits wiederum durch einen „verbal connector" mit einem „evaluative common-meaning term" verbunden sein, d. h. mit einer bewertenden Einheit, die sich ebenfalls auf einer Wertskala einordnen läßt.

Das Endergebnis, das auch graphisch dargestellt werden kann, sieht für alle gleichen Einstellungsobjekte, zu denen im Text eindeutig Stellung genommen wurde, einen gemittelten Wert vor. Dieser Durchschnittswert wird als Maß für die Richtung und Intensität der verschiedenen Äußerungen zu einem Einstellungsobjekt betrachtet. Trotz der hier nur skizzierten Darstellung dieser Analysetechnik dürfte deutlich sein, daß sie für die Messung von Einstellungsäußerungen sehr geeignet ist. Allerdings enthält sie, insbesondere was die Verschlüssleranweisungen betrifft, viele Probleme und wird daher recht selten angewandt.

Unser knapper Überblick mag verdeutlichen, daß vielfältige Schwierigkeiten (insbesondere im semantischen Bereich) es noch nicht erlaubt haben, eine allgemeingültige Analyseform zur Messung oder Feststellung von Einstellungen zu erstellen. Hinzu kommt noch, daß bei der Durchführung und/oder Auswertung der Analyse öfters mit einer gewissen Sorglosigkeit vorgegangen wird, die leicht zu unqualifizierten Ergebnissen führen kann.

c) Die einzelnen Schritte des Verfahrens

Da die Inhaltsanalyse eine objektive und systematische Untersuchungsmethode ist, kann im folgenden ein Rahmenplan für ihre Durchführung beispielhaft aufgeführt werden. Die systematische Inhaltsanalyse läuft im Prinzip wie folgt ab:

1. Theoretische Vorbereitung
2. Bestimmung des relevanten Materials
3. Operationalisierung
4. Vorbereitung der Datenerhebung
5. Pretest/Datenerhebung
6. Auswertung der Daten
7. Kontrolle auf Zuverlässigkeit und Gültigkeit
8. Hypothesenprüfung bzw. Interpretation.

Gewisse praktische Erfordernisse können geringfügige Modifikationen des Schemas in der einen oder anderen Weise erforderlich machen.

Zu 1. Theoretische Vorbereitung

Die theoretische Vorbereitung dient der Abklärung des Bezugsrahmens, in dem sich der Forscher bewegen will. Nachdem das Forschungsthema daraufhin untersucht wurde, ob es tatäschlich am besten mit Hilfe der Inhaltsanalyse gelöst werden kann, folgt als erster Schritt die Formulierung der Hypothese. Sie enthält das zu klärende Problem und muß daher so beschaffen sein, daß sich einerseits aus ihr die nächsten Schritte ergeben und andererseits das Ergebnis der Untersuchung unmittelbar auf sie bezogen werden kann. Von diesem ersten Schritt hängt die Genauigkeit der gesamten Untersuchungsergebnisse ab. Danach erfolgt die Bestimmung der unabhängigen und abhängigen Variablen, die, da sie mit Hilfe der Inhaltsanalyse gemessen werden, exakt zu definieren sind.

Zu 2. Bestimmung des relevanten Materials

Aus der Hypothese ergibt sich meist, aus welchem Kommunikationsuniversum das zu analysierende Material zu entnehmen ist. Dem Forschungsthema sowie der Hypothese folgend, wird also zunächst einmal das zu untersuchende Medium festgelegt; bei einer medienvergleichenden Untersuchung wird der Rahmen dementsprechend abgesteckt.

Wird das Material unmittelbar für die Analyse produziert, dann muß der Forscher die Produzenten so bestimmen, daß das Ergebnis verallgemeinerungsfähig bleibt. Dies kann meist nur durch eine Stichprobe gewährleistet werden, wie auch für das übrige vorliegende Material eine Stichprobe dann angebracht ist, wenn es sich für eine Vollerhebung als zu umfangreich erweist. Auch der Untersuchungszeitraum, der mitunter von großem Einfluß auf das Ergebnis der Analyse ist, kann auf diese Weise festgelegt werden. (Für die hierzu erforderlichen Verfahrensweisen siehe das Kapitel über Auswahlverfahren in diesem Handbuch.)

Zu 3. Operationalisierung

Bei diesem Schritt werden die Voraussetzungen sowie die sprachlichen Einheiten in der Weise festgelegt, daß sie tatsächlich gemessen werden können. An diesem Punkt der Vorbereitung treten die Probleme der Zuverlässigkeit und der Gültigkeit auf. Und zwar muß sowohl die Operationalisierung der Variablen als auch die Festlegung und Operationalisierung der Kategorien so beschaffen sein, daß einerseits verschiedene Auswerter zu den gleichen Ergebnissen kommen, andererseits auch tatsächlich die Variablen gemessen werden, die gemessen werden sollen. Das entscheidende Moment ist hier fraglos die Kategorienbildung. Abhängig von der Analyseform sind die Kategorien so festzulegen, daß sie 1. einheitlich sind, d. h. sich nur auf jeweils eine Bedeutungsdimension beziehen; daß sie 2. einander ausschließen, d. h. ein Merkmal nur jeweils einer Kategorie zugeordnet wird; daß 3. jede festzulegende sprachliche Einheit, die für die Untersuchung von Bedeutung ist, überhaupt einer Kategorie zugeordnet werden kann, und daß sie 4. tatsächlich auf die gegebene empirische Situation beziehbar sind.

Zu 4. Vorbereitung der Datenerhebung

Als erstes sind die inhaltsanalytischen Einheiten festzulegen, die während der Untersuchung gemessen werden sollen. Dies können Wörter, Satzteile, Sätze, aber auch Sekunden, Zentimeter oder Zeilen sein. Ihre Bestimmung ist abhängig von der Analyseform und dem zu untersuchenden Medium. *Gernot Wersig* (1968, S. 29) unterscheidet hier die folgenden Einheiten:

— die Maßeinheit
— die systematische Einheit
— die Zähleinheit
— die Interpretationseinheit
— die Kontexteinheit.

Dem sollte nach Möglichkeit die Erarbeitung eines Darstellungskonzeptes folgen. Bestimmte Werte, die man im Ergebnis verwenden möchte, können hier noch für die Untersuchung festgelegt werden. Nunmehr folgt die Ausarbeitung der Anweisungen für die Verschlüssler sowie die Anfertigung eines Auswertungsbogens.

Zu 5. Pretest/Datenerhebung

Da bei empirischen Untersuchungen gewisse Unzulänglichkeiten niemals auszuschließen sind, sind diese durch einen Pretest zu beseitigen. Weist der Pretest auf, daß das Analyseinstrumentarium verläßliche Ergebnisse liefert, kann mit der Datenerhebung begonnen werden. Dabei haben sich die Verschlüssler genau an die Anweisungen zu halten.

Zu 6. Auswertung der Daten

Vor der Auswertung sind die erhobenen Daten auf ihre Vollständigkeit und Richtigkeit zu überprüfen. Nachträglich entdeckte Fehler oder Unterlassungen können die Richtigkeit des Ergebnisses erheblich beeinträchtigen. Anschließend werden die Daten so zusammengefaßt, daß sie mit Hilfe von Tabellen oder Diagrammen dargestellt werden können: es erleichtert erheblich die folgende statistische Auswertung. Für die abschließende statistische Darstellung der Daten gelten die bekannten Prüfmethoden, deren Anwendung die Gültigkeit des Ergebnisses sichert.

Zu 7. Kontrolle auf Zuverlässigkeit und Gültigkeit

Soll das Ergebnis den Anforderungen, die von der empirischen Sozialforschung an die systematische Inhaltsanalyse gestellt werden, entsprechen, so muß es einer Reihe von Kontrollen genügen. Die Zuverlässigkeit, die der Forderung nach Objektivität entspricht, kann dadurch festgestellt werden, daß mehrere Auswerter zu dem gleichen Ergebnis gelangen, was der Fall sein wird, wenn die Kategorien und die Auswertungsanweisungen eindeutig waren und vom Verschlüssler exakt befolgt wurden.

Die Feststellung der Gültigkeit der gewonnenen Daten gestaltet sich erheblich schwieriger. Hier schlagen sich alle Probleme nieder, die in bezug auf die Rückschlußmöglichkeiten bereits erwähnt wurden. Überdies stellen sie weniger ein Problem inhaltsanalytischer Technik dar, als vielmehr die Problematik ungeklärter Fragen der Theorie sozialer Systeme. Soweit es die Inhaltsanalyse direkt betrifft, läßt sich deren Gültigkeit mit den bekannten Methoden der Gültigkeitsermittlung überprüfen.

Zu 8. Hypothesenprüfung bzw. Interpretation

Nachdem die Daten ausgewertet und auf die Hypothese bezogen worden sind, läßt sich feststellen, ob sie die Hypothese stützen oder nicht. Damit ist die eigentliche inhaltsanalytische Arbeit beendet. In den meisten Fällen wird es jedoch sinnvoll sein, das Ergebnis (unter den bereits dargestellten Vorbehalten) zu interpretieren und in seiner Bedeutung darzustellen.

Ausgewählte Literatur

Adams, John B., A Qualitative Analysis of Domestic and Foreign News on the APTA Wire, in: Gazette, Bd. 10 (1964).

Adler, Franz, A Quantitative Study in the Sociology of Knowledge, in: American Sociological Review, Bd. 19 (1954).

Adler, Franz, The Value Concept in Sociology, in: American Journal of Sociology, Bd. 21 (1956).

Adorno, Theodor W., Anti-Semitism and Fascist Propaganda, in: *Simmel, Ernst* (Hrsg.), Anti-Semitism: A Social Disease, New York 1946.

Adorno, Theodor W., Noten zur Literatur I, Frankfurt/M 1958.

Adorno, Theodor W., Verfremdetes Hauptwerk, in: *Joachim E. Berendt* und *Jürgen Uhde* (Hrsg.), Prisma der gegenwärtigen Musik, Hamburg 1959.

Adorno, Theodor W., Noten zur Literatur II,, Frankfurt/M. 1961.

Adorno, Theodor W., Noten zur Literatur III, Frankfurt/M. 1965.

Adorno, Theodor W., Else Frenkel-Brunswik, Daniel J. Levinson, R. Nevitt Sanford u. a., The Autoritarian Personality, New York 1950.

Ahu-Lughod, Ibrahim, International News in the Arabic Press: A Comparative Content Analysis, in: Public Opinion Quarterly, Bd. 26 (1962).

Albig, William, The Content of Radio Programs 1925—1935, in: Social Forces, Bd. 16 (1938).

Albrecht, Gerd, Film und Verkündigung, Gütersloh 1962.

Albrecht, Gerd, Die Filmanalyse — Ziele und Methoden, in: *Franz Everschor* (Hrsg.), Filmanalyse, Düsseldorf 1964.

Albrecht, Gerd, Nationalsozialistische Filmpolitik, Stuttgart 1969.

Albrecht, Milton C., Does Literature Reflect Common Values?, in: American Sociological Review, Bd. 21 (1956).

Allport, Gordon W., und *Leo Postman*, The Psychology of Rumor, New York 1947.

Allwood, Martin S., The Daily Worker, in: *Martin S. Allwood* (Hrsg.), Studies in Mass Communication, Geneva 1951.

Análisis de prensa extranjera (Noviembre 1963 — Junio 1964), in: Revista española de la opinión pùblica, 1965, Nr. 2, S. 137 ff.

Análisis de la Prensa Extranjera (Julio 1964—Diciembre 1964), ebda. 1966, Nr. 3, S. 243 ff.

Análisis de la Prensa Extranjera (Enero 1965 — Julio 1965), ebda. 1966, Nr. 5, S. 233 ff.

Análisis de contenido de la prensa diaria, ebda. 1967, Nr. 10, S. 171 ff.

Análisis de prensa extranjera No. 4, ebda. 1970, Nr. 20, S. 175 ff.

L'analyse des images, in: Communications, Paris 1970, Heft 15.

Anderson, Allan Ross, und *Omar Khayyam Moore*, The Formal Analysis of Normative Concepts, in: American Sociological Review, Bd. 22 (1957).

Anderson, Nels, The Urban Community: A World Perspective, London 1960.

The Annals, Propaganda in International Affairs, Vol. 398, November 1971.

Aron, Betty, A Manual for Analysis of the Thematic Apperception Test, Berkeley 1949.

Ash, Philip, The Periodical Press and the Taft-Hartley Act, in: Public Opinion Quarterly, Bd. 12 (1948).

Asheim, Lester E., From Book to Film: A Comparative Analysis of the Content of Selected Novels and the

Motion Pictures Based Upon Them, Diss., Chicago 1949.

Atteberry, George C., u. a., Introduction to Social Science, New York 1946.

Atteslander, Peter, Die letzten Tage der Gegenwart, Bern/München/Wien 1971.

Attneave, Fred, Applications of Information Theory to Psychology, New York 1959.

Auffermann, Jörg, und *Gernot Wersig*, Analyse des Anzeigenteils ausgewählter Zeitungen und Zeitschriften, in: Publizistik, Bd. 10 (1965), S. 78 ff.

Auster, Donald A., A Content Analysis of "Little Orphan Annie", in: Social Problems, Bd. 2 (1954), S. 26 ff.

Avigdor, Rosette, Etude expérimentale de la genèse des stéréotypes, in: Cahiers Internationaux de Sociologie, Bd. 14 (1953).

Backmann, Carl W., Sampling Mass Media Content, Diss. Indiana 1954. 1954.

Backmann, Carl W., Sampling Mass Media Content, in: American Sociological Review, Bd. 21 (1956).

Bales, Robert F., Interaction Process Analysis. A Method for the Study of Small Groups, Cambridge 1950.

Bales, Robert F., Fred L. Strodtbeck, Theodore M. Mills, und *Mary E. Roseborough*, Channels of Communication in Small Groups, in: American Sociological Review, Bd. 16 (1951).

Bales, Robert F., The Equilibrium Problem in Small Groups, in: *Talcott Parsons, Robert F. Bales*, und *Edward A. Shils*, Working Papers in the Theory of Action, Glencoe, Ill., 1953.

Balla, Bálint, Funktionswandel der Massenmedien in totalitären Systemen. Leserbriefe in der Parteipresse Ungarns, in: *Franz Ronneberger* (Hrsg.), Sozialisation durch Massenkommunikation, Stuttgart 1971.

Barcus, Francis Earle, Communications Content: Analysis of the Research 1900—1958, Diss., University of Illinois 1959.

Barcus, Francis Earle, A Content Analysis of Trends in Sunday Comics, 1900—1959, in: Journalism Quarterly, Bd. 38 (1961), S. 171 ff.

Barcus, Francis Earle, The World of Sunday Comics, in: *D. M. White*, und *R. H. Abel* (Hrsg.), The Funnies. An American Idiom, Glencoe, Ill., 1963, S. 109 ff.

Barghoorn, Frederick C., The Soviet Image of the United States: A Study in Distortion, New York 1950.

Barker, E., National Character and the Factors in its Formation, London 1927.

Barrillon, R., Le cas Paris-Soir, Paris 1959.

Barron, Milton L., A Content Analysis of Intergroup Humor, in: American Sociological Review, Bd. 15 (1950), S. 88 ff.

Barthes, Roland, Rhétorique de l' image, in: Communications, Bd. 4 (1964).

Bastide, Roger, Sociologie et Littérature comparée, in: Cahiers Internationaux de Sociologie, Bd. 15 (1954).

Bateson, Gregory, An Analysis of the Nazi Film „Hitlerjunge Quex", in: *Margaret Mead*, und *Rhoda Métraux* (Hrsg.), op. cit. 1953.

Bechelloni, G., La stampa quotidiana e il movimento studentesco, in: Tempi Moderni, Bd. 33 (1968).

Bend, Emil, Marriage Offers in a Yiddish Newspaper 1935 and 1950, in: American Journal of Sociology, Bd. 58 (1952), S. 60.

Benedict, Ruth F., The Chrysanthemum and the Sword: Patterns of Japanese Culture, Boston 1946.

Bentley, Eric, A Century of Hero-Worship, Boston 1957.

Berelson, Bernard, und *Patricia J. Salter,* Majority and Minority Americans: An Analysis of Magazine Fiction, in: Public Opinion Quarterly, Bd. 10 (1946).

Berelson, Bernard, und *Sebastian de Grazia,* Detecting Collaboration in Propaganda, in: Public Opinion Quarterly, Bd. 11 (1947).

Berelson, Bernard, und *Paul F. Lazarsfeld,* Die Bedeutungsanalyse von Kommunikationsmaterialien, in: Praktische Sozialforschung (Hrsg. v. *René König)* Dortmund und Zürich 1952.

Berelson, Bernard, Content Analysis in Communication Research, Glencoe, Ill., 1952.

Berelson, Bernard, The State of Communication Research, in: Public Opinion Quarterly, Bd. 23 (1959).

Berelson, Bernard, und *Morris Janowitz* (Hrsg.), Reader in Public Opinion and Communication, New York 1953.

Berenda, Ruth W., The Influence of the Group on the Judgements of Children, New York 1950.

Berkman, Dave, Advertising in "Ebony" and "Life": Negro Aspirations v. Reality, in: Journalism Quarterly, Bd. 40 (1963), S. 53 ff.

Berreman, Joel V., Assumptions about America in Japanese War Propaganda to the United States, in: American Journal of Sociology, Bd. 54 (1948).

Bessaignet, Pierre, Portrait of the Reader as a Young Woman, in: *Martin S. Allwood* (Hrsg.), a. a. O. 1951.

Bessler, Hansjörg, Aussagenanalyse, Bielefeld 1970.

Bigman, Stanley K., The "New Internationalism" Under Attack, in: Public Opinion Quarterly, Bd. 14 (1950).

Blankenship, Jane, A Linguistic Analysis of Oral and Written Style, in: Quarterly Journal of Speech, Bd. 48 (1962), S. 419 ff.

Blumberg, Nathan B., One-Party Press? Lincoln, Nebraska, 1954.

Blumler, Jay G., und *Denis McQuail,* Television in Politics — Its Uses and Influence, Chicago 1969.

Bobrow, Daniel G., Syntactic Analysis of Language by Computer — a Survey, in: Proceedings of the Fall Joint Computer Conference, 24 (1963), S. 365 ff.

Bogardus, Emory S., The Making of Public Opinion, New York 1951.

Bogart, Leo, The Age of Television: A Survey of Viewing Habits and the Impact of Television on American Life, 2. Aufl., New York 1958.

Boniface, Jean, Arts de masse et grand public, Paris 1961.

Borgatta, Edgar F., und *Robert F. Bales,* The Consistency of Subject Behavior and the Reliability of Scoring in Interaction Process Analysis, in: American Sociological Review, Bd. 18 (1953).

Boulanger, Jacques, Les Allocutions Radiodiffusées du Président Mendès-France, in: Revue Française de Science Politique, Bd. 6 (1956).

Bouman, J. C. (Hrsg.), Reports and Papers on Mass Communication No. 9, UNESCO, Paris 1954.

Bracher, Karl Dietrich, Wolfgang Sauer, und *Gerhard Schulz,* Die nationalsozialistische Machtergreifung, Köln/Opladen 1960.

Bray, Charles W., Psychology and Military Proficiency: A History of the Applied Psychology Panel of the National Defense Research Committee, Princeton 1948.

Brembeck, Wimston Lamont, und *William Smiley Howell,* Persuasion. A Means of Social Control, New York 1952.

Brim Jr., Orville G., Attitude Content-Intensity and Probability Expectations, in: American Sociological Review, Bd. 20 (1955).

Brooks, Maxwell R., The Negro Press Re-Examined: Political Content of Leading Negro Newspapers, Boston 1959.

Broom, Leonhard, und *Shirley Reace*, A Study in Content Analysis, in: Public Opinion Quarterly, Bd. 19 (1955).

Bruford, W. H., Chekhov and his Russia: A Sociological Study, New York 1948.

Bruner, J. S., J. J. Goodnow, und *G. A. Austin*, A Study of Thinking, New York 1956.

Buchner, Dietrich, Hauszeitschrift für Ärzte, Stuttgart 1968.

Budd, Richard W., U. S. News in the Press Down Under, in: Public Opinion Quarterly, Bd. 28 (1964).

Budd, Richard W., Robert K. Thorp, und *Lewis Donohew*, Content Analysis of Communications, New York/London 1967.

Burger, Heinz Otto (Hrsg.), Studien zur Trivialliteratur, Frankfurt/M. 1968.

Burrow, Milton L., A Content Analysis of Intergroup Humor, in: American Sociological Review, Bd. 15 (1950).

Bush, Chilton R., The Analysis of Political Campaign News, in: Journalism Quarterly, Bd. 28 (1951), S. 250ff.

Bush, Chilton R., A System of Categories for General News Content, in: Journalism Quarterly, Bd. 37 (1960), S. 206 ff.

Cahiers d'Etudes de Radio-Télévision, Paris 1953, Heft 3—4.

Cahnman, Werner J., A Note on Marriage Announcements in the New York Times, in: American Sociological Review, Bd. 13 (1948), S. 97 ff.

Cantril, Hadley, The Invasion from Mars, Princeton 1940.

Cantril, Hadley, The Intensity of an Attitude, in: Journal of Abnormal and Social Psychology, Bd. 41 (1946).

Carey, James T., Changing Courtship Patterns in the Popular Song, in: American Journal of Sociology, Bd. 74 (1969), S. 720 ff.

Cartwright, Dorwin, Analysis of Qualitative Material, in: *Leon Festinger* und *Daniel Katz* (Hrsg.), Research Methods in the Behavioral Sciences, New 1953.

Casey, Ralph D., und *Thomas D. Copland, Jr.*, Use of Foreign News by 19 Minnesota Dailies, in: Journalism Quarterly, Bd. 35 (1958), S. 87 ff.

Cassirer, Ernst, Philosophie der symbolischen Formen, Berlin 1923 et pass.

Centre national d'étude des techniques de diffusion collective, Presse, radio et télévision aux prises avec les élections, Brüssel 1968.

Cervin, Vladimir B., Buchbesprechung, in: American Sociological Review, Bd. 20 (1955).

Chambliss, Rollin, Social Thought: From Hammurabi to Comte, New York 1954.

Champion, Dean, J., und *Michael F. Morris*, A Content Analysis of Book Reviews in the AJS ASR, and Social Forces, in: American Journal of Sociology, Bd. 78 (1973), S. 1256 ff.

Cheek, Frances E., und *Maureen Rosenhaupt*, Are Sociologists Incomprehensible? An Objective Study, in: American Journal of Sociology, Bd. 73 (1968), S. 617 ff.

Cherry, Colin, On Human Communication: A Review, a Survey, and a Criticism, London 1957.

Child, I. L., J. Storm und *J. Veroff*, Achievement Themes in Folk Tales Related to Socialization Practice, in: *J. W. Atkinson* (Hrsg.), Motives in Fantasy, Action, and Society, Princeton, N. J., 1958.

Clausse, Roger, Introduction à une Sociologie „événementielle" des Nouvelles, in: Techniques de Diffusion Collective, Heft 2.

Cohen, Marcel, Pour une Sociologie du Langage, Paris 1956.

Clausse, Roger, Publikum und Information, Köln-Opladen 1962.

Coats, Wendell J., und *Steve W. Mulkey,* A Study in Newspaper Sampling, in: Public Opinion Quarterly, Bd. 14 (1950).

Cohen-Séat, Gilbert, Problèmes actuels du Cinéma et de l'Information visuelle, in: Cahiers de Filmologie II (1959).

Cohen-Séat, Gilbert, und *Pierre Fougeyrollas,* L'action sur l'homme: Cinéma et télévision, Paris 1961.

Cole, J. A., Hier spricht der Großdeutsche Rundfunk. Wien—Hamburg a. M. 1965.

Commager, Henry Steele, America in Perspective: The United States through Foreign Eyes, New York 1947.

Commager, Henry Steele, The American Mind: An Interpretation of American Thought and Character Since the 1880's, New Haven 1950.

Contest, Inhaltsanalytische Studie der Zeitschrift „Film + Frau", Frankfurt 1965.

Croy, Homer, What Grandpa Laughed at, New York 1948.

Cutlip, Scott M., Content and Flow of AP News — From Trunk to TTS to Reader, in: Journalism Quarterly, Bd. 31 (1954), S. 434 ff.

Dadek, Walter, Die Filmwirtschaft, Freiburg 1957.

Dadek, Walter, Der gegenwärtige Stand der Filmsoziologie, in: Kölner Zeitschrift für Soziologie und Sozialpsychologie, Bd. 12 (1960).

Dadek, Walter, Das Filmmedium, München/Basel 1968.

Dakin, Ralph E., Cultural Occasions and Group Structures: A Photographic Analysis of American Social Situations, in: American Sociological Review, Bd. 25 (1960).

Dale, Edgar, The Content of Motion Pictures, New York 1935.

Dallin, Alexander, America through Soviet Eyes, in: Public Opinion Quarterly, Bd. 11 (1947).

Danet, Brenda, The Language of Persuasion in Bureaucracy: "Modern" and „Traditional" Appeals to the Israel Customs Authorities, in: American Sociological Review, Bd. 36 (1971), S. 847 ff.

Danielson, Wayne A., und *James J. Mullen,* A Basic Space Unit for Newspaper Content Analysis, in: Journalism Quarterly, Bd. 42 (1965), S. 108 ff.

Davis, David Brion, Homicide in American Fiction 1798—1860: A Study in Social Values, Ithaca, N. Y., 1957.

Davis, F. James, Crime News in Colorado Newspapers, in: American Journal of Sociology, Bd. 57 (1952).

Davis, F. James, und *Lester W. Turner,* Sample Efficiency in Quantitative Newspaper Content Analysis, in: Public Opinion Quarterly, Bd. 15 (1951).

Davison, W. Phillips, An Analysis of the Soviet-Controlled Berlin Press, in: Public Opinion Quarterly, Bd. 11 (1947).

Day, Fay, Content Analysis in Mass Communication, in: *R. Nafziger* (Hrsg.), An Introduction to Journalism Research, Baton Rouge 1949, S. 86 ff.

Deegan, Dorothy Yost, The Stereotype of the Single Woman in American Novels, New York 1951.

De Lillo, A., L'analisi del contenuto, Bologna 1971.

Delsipech, W., „Les Chats": essai d'analyse formelle, in: Sociologie de la littérature, Recherches récentes et discussions, Brüssel 1970, S. 87 ff.

Denney, Reuel, The Astonished Muse, Chicago 1957.

Dessertaux, M., Droit comparé et

géographie humaine: in: Annales de géographie, Paris 1947.

Deutschmann, P. J., News-Page Content of Twelve Metropolitan Dailies, Cincinnati 1959.

Dexter, Lewis Anthony, und *David Manning White* (Hrsg.), People, Society, and Mass Communications, New York 1964.

Diamond, Sigmund, The Reputation of the American Businessman, Cambridge, Mass. 1955.

Dinerstein, Herbert S., und *Leon Goure*, Two Studies in Soviet Controls: "Communism and the Russian Peasant" and "Moscow in Crisis", Glencoe, Ill., 1955.

Doob, Leonard W., Public Opinion and Propaganda, New York 1948.

Dowling, Frederik Ritter, The Style of Five Radio Commentators, Diss., Madison, Wisc., 1955.

Dröge, Franz W., Publizistik und Vorurteil, Münster 1967.

Dröge, Franz, Konzept einer empirischen Stereotypenforschung. Methodische Überlegungen zu einer Aussagenanalyse der „Bild-Zeitung", in: Publizistik, Bd. 13 (1968), S. 340 ff.

Dröge, Franz, Der zerredete Widerstand. Zur Soziologie und Publizistik des Gerüchtes im 2. Weltkrieg, Düsseldorf 1970.

Dunphy, Dexter C., *Philip J. Stone* und *Marshall S. Smith*, The General Inquirer: Further Developments in a Computer System for Content Analysis of Verbal Data in the Social Sciences, in: Behavioral Science, Bd. 10 (1965), S. 468 ff.

Duijker, H. C. J., und *N. H. Frijda*, National Character and National Stereotype. Band I von: Confluence, Amsterdam 1960.

Durand, John D., Mortality Estimates from Roman Tombstone Inscriptions, in: American Journal of Sociology, Bd. 65 (1960).

Eberhard, Fritz, Der Rundfunkhörer und sein Programm, Berlin 1962.

Eberhard, Fritz, Macht durch Massenmedien?, in: *Peter Heilmann* (Hrsg.), Materialien zur Einführung in die Publizistikwissenschaft, Bd. 1, Berlin 1966.

Eifler, Deborah, *Elizabeth Hokada* und *Catherine Ross*, Sex-Role Socialization in Picture Books for Preschool Children, in: American Journal of Sociology, Bd. 77 (1972), S. 1125 ff.

Ellison, Jerome, und *Franklin T. Gosser*, Non-Fiction Magazine Articles: A Content Analysis Study, in: Journalism Quarterly, Bd. 36 (1959).

Elsberg, J., La sociologie dans l'étude bourgeoise contemporaine de la littérature, in: Sociologie de la littérature. Recherches récents et discussions, Brüssel 1970, S. 197 ff.

Emery, F. B., Psychological Effects of the Western Film. A Study in Television Viewing, in: Human Relations, Bd. 12 (1959).

Erikson, E. H., Hitler's Imagery and German Youth, in: *C. Kluckhohn*, und *H. A. Murray* (Hrsg.), Personality in Nature, Society and Culture, New York 1948.

Escarpit, Robert, Das Buch und der Leser. Entwurf einer Literatursoziologie, Köln/Opladen, 2. Auflage 1966, zuerst 1961.

Escarpit, Robert, u. a., Le littéraire et le social, Paris 1970.

Evans, James F., Agricultural News in Illinois Daily Newspapers, in: Journalism Quarterly, Bd. 43 (1966), S. 124 ff.

Feld, Sheila, und *Charles P. Smith*, An Evaluation of the Objectivity of the Method of Content Analysis, in: *John W. Atkinson* (Hrsg.), Motives in Fantasy, Action, and Society, Princeton, N. J., 1958.

Ferguson, LeRoy C., und *Ralph H. Smuckler*, Politics in the Press: An

Analysis of Press Content in 1952 Senatorial Campaigns, East Lansing, Michigan, 1954.

Fischer, Heinz-Dietrich, Publizistik in Suburbia. Strukturen und Funktionen amerikanischer Vorortzeitungen, Dortmund 1971.

Fishwick, Marshall W., American Heroes: Myth and Reality, Washington 1954.

Flanagan, James L., Speech Analysis, Synthesis and Perception, Berlin, Heidelberg und New York 1965.

Flesch, Rudolf, A New Readability Yardstick, in: Journal of Applied Psychology, Bd. 32 (1948), S. 221 ff.

Flesch, Rudolf, The Art of Readable Writing, New York/Evanston 1949.

Fleur, Melvin L. de, und *Robert M. Petranoff,* A Televised Test of Subliminal Persuasion, in: Public Opinion Quarterly, Bd. 23 (1959).

Foth, Bernd, Das Bild der Frau im interkulturellen Vergleich, Köln 1969 (Dipl. Arbeit).

Fraenkel, Ernst, Amerika im Spiegel des deutschen politischen Denkens, Köln/Opladen 1959.

Francis, W. Nelson, A Standard Corpus of Edited Present-day American English for Computer Use, in: *J. Bessinger und S. M. Parrish* (Hrsg.), Proceedings of the IBM Literary Data Processing Conference, Yorktown Heights, New York, IBM, 1964, S. 79 ff.

Frazer, Lindley, Propaganda, New York 1957.

Friedmann, Georges, und *Edgar Morin,* Sociologie du Cinéma, in: Revue Internationale de Filmologie, Bd. 3 (1952).

Frohock, W. M., The Novel of Violence in America 1920—1950, Dallas, Texas, 1950.

Fromm, Erich, Die Revolution der Hoffnung, Stuttgart 1971.

Fuchs, Wolfgang J., und *Reinhold C. Reitberger,* Comics. Anatomie eines Massenmediums, München 1970.

Fucks, Wilhelm, Musical Analysis by Mathematics-Random Sequences, Music and Accident, in: Gravesaner Blätter, Bd. 6 (1962), S. 146 ff.

Fügen, Hans Norbert, Die Hauptrichtungen der Literatursoziologie und ihre Methoden, Bonn 1964.

Fülgraff, Barbara, Fernsehen und Familie. Die Rolle des Fernsehens im Prozeß des strukturellen Wandels der Familie, Freiburg/Br. 1965.

Galli, Giorgio, und *Franco Rositi,* Cultura di massa e comportamento collettivo, Bologna 1967.

Galtung, Johan, und *Mari Holmboe Ruge,* The Structure of Foreign News: The Presentation of the Congo, Cuba and Cyprus Crisis in Four Norwegian Newspapers, in: Journal of Peace Research, Bd. 2 (1965), S. 64 ff.

Garraty, John A., The Application of Content Analysis to Biography and History, in: *Ithiel de Sola Pool* (Hrsg.), Trends in Content Analysis, Urbana, Ill., 1959.

Garth, Thomas R., A Statistical Study of the Content of Newspapers, in: School and Society, Bd. 3 (1916), S. 140 ff.

Garver, Richard A., Polite Propaganda: "USSR" and "America Illustrated", in: Journalism Quarterly, Bd. 38 (1961), S. 480 ff.

Gecas, Viktor, Motives and Aggressive Acts in Popular Fiction: Sex and Class Differences, in: American Journal of Sociology, Bd. 77 (1972), S. 680 ff.

Geerts, Claude, und *Edith Watrin,* Vingt — cinq ans d'évolution de la presse enfantine, in: Techniques de diffusion collective, Brüssel 1963, Nr. 9—10, S. 85 ff.

George, Alexander L., Propaganda Analysis: A Study of Inferences Made from Nazi Propaganda in World War II, Evanston, Ill., 1959.

George, Alexander L., Quantitative and Qualitative Approaches to Content Analysis, in: *Ithiel de Sola Pool* (Hrsg.), Trends in Content Analysis, Urbana, Ill., 1959.

Gerbner, George, On Content Analysis and Critical Research in Mass Communication, in: *Lewis Anthony Dexter* und *David Manning White*, People, Society, and Mass Communications, Glencoe, Ill., 1964.

Gerbner, George, Ideological Perspectives and Political Tendencies in News Reporting, in: Journalism Quarterly, Bd. 41 (1964), S. 495 ff.

Gerbner, George, Institutional Pressures upon Mass Communicators, in: *Paul Halmos* (Hrsg.), The Sociology of Mass-Media Communicators, Keele 1969.

Gerbner, George, Ole R. Holsti, Klaus Krippendorf, William J. Paisley und *Philip J. Stone*, The Analysis of Communication Content. Developments in Scientific Theories and Computer Techniques, New York 1969.

Gilson, Miriam, und *Jerzy Zubrzucki*, The Foreign-Language Press in Australia 1848—1964, Canberra 1967.

Ginglinger, Geneviève, Basis Values in "Reader's Digest", "Selection" and "Constellation", in: Journalism Quarterly, Bd. 32 (1955), S. 56 ff.

Giraud, Jean, Les Relations de Vocabulaire entre le Cinéma et les autres Moyens audiovisuels, in: Cahiers d' Etudes de Radio-Télévision (1959).

Gist, Noel P., The Negro in the Daily Press, in: Social Forces, Bd. 10 (1931), S. 405 ff.

Gist, Noel P., Mate Selection and Mass Communication in India, in: Public Opinion Quarterly, Bd. 17 (1953).

Glock, Charles Y., Gertrude J. Selznick und *Joe L. Spaeth*, The Apathetic Majority. A Study Based on Public Responses to the Eichmann Trial, New York 1966.

Glotz, Peter, und *Wolfgang R. Langenbucher*, Der mißachtete Leser, Köln/Berlin 1969.

Gold, David, A Note on Statistical Analysis, in: American Sociological Review, Bd. 22 (1957).

Gold, David, Buchbesprechung, in: American Journal of Sociology, Bd. 61 (1955).

Goldmann, Annie, Cinéma et société moderne, Paris 1971.

Goldmann, Lucien, Le Dieu caché, Paris 1955.

Goldmann, Lucien, Pour une sociologie du roman, Paris 1964.

Goldmann, Lucien, Weltflucht und Politik. Dialektische Studien zu Pascal und Racine, Neuwied/Berlin 1967.

Goldmann, Lucien, Le structuralisme génétique en sociologie de la littérature, in: Littérature et Société. Problèmes de méthodologie en sociologie de la littérature, Brüssel 1967, S. 195 ff.

Goldsen, Joseph M., Analyzing the Content of Mass Communication, in: International Journal of Opinion and Attitude Research, Bd. 1 (1947).

Goldstein, J., Content Analysis. A Propaganda and Opinion Study, Diss., New York 1942.

Goode, William J., The Theoretical Importance of Love, in: American Sociological Review, Bd. 25 (1959).

Graf Bluecher, Viggo, Content Analysis of the Press in the East German Republic, in: Gazette, Bd. 5 (1959), S. 89 ff.

Graña, César, Bohemian versus Bourgeois, New York 1964.

Grassi, Ernesto, Macht des Bildes: Ohnmacht der rationalen Sprache, Köln 1970.

Graves, Harold N., Jr., Lord Haw-Haw of Hamburg: The Campaign against Britain, in: Public Opinion Quarterly, Bd. 4 (1940).

Greiner, Martin, Die Entstehung der modernen Unterhaltungsliteratur, Reinbek bei Hamburg 1964.

Grey, Alan, David Kaplan und *Harold D. Lasswell,* Recording and Context Units, in: *H. D. Lasswell, N. Leites u. a.* (Hrsg.), Language of Politics, Cambridge 1955 (zuerst 1949), S. 113 ff.

Grömminger, A., Die deutschen Fibeln der Gegenwart, Weinheim 1969.

Grosser, Alfred, Hitler, la presse et la naissance d'une dictature, Paris 1959.

Groth, Otto, Die politische Presse Württembergs, Stuttgart 1915.

Hänseroth, Albin, Untersuchung von Presseveröffentlichungen in der Bundesrepublik Deutschland zwischen 1955 und 1962 zur Feststellung antiantisemitischer Stereotypen, Diplomarbeit, Köln 1964.

Haese, Jürgen, Das Gegenwartshörspiel in der Sowjetischen Besatzungszone Deutschlands, Berlin 1963.

Halloran, James D., Philip Elliott, Graham Murdock, Demonstrations and Communication: A Case Study, Middlesex 1970.

Hart, Jim A., Election Campaign Coverage in English and U. S. Daily Newspapers, in: Journalism Quarterly, Bd. 42 (1965), S. 213 ff.

Hart, Jim A., Foreign News in U. S. and English Daily Newspapers: A Comparison, in: Journalism Quarterly, Bd. 43 (1966), S. 443 ff.

Harvey, John, The Content Characteristics of Bestselling Novels, in: Public Opinion Quarterly, Bd 17 (1953).

Haseloff, Otto Walter, Content-Analysen und ihre Anwendung in der Marktforschung, in: Emnid-Institut (Hrsg.), Kleiner Almanach der Marktforschung 1967, Bielefeld 1967, S. 17 ff.

Haskins, Jack B., Headline-and-Lead Scanning vs. Whole-Item Reading in Newspaper Content Analysis, in: Journalism Quarterly, Bd. 43 (1966), S. 333 ff.

Hatch, David L., und *Mary G. Hatch,* Criterial of Social Status as Derived from Marriage Announcements in the New York Times, in: American Sociological Review, Bd. 12 (1947), S. 396—403.

Hauser, Arnold, Sozialgeschichte der Kunst und Literatur, München 1953.

Hauser, Arnold, Kunst und Gesellschaft, München 1973.

Hayakawa, Samuel I., Popular Songs vs. the Facts of Life, in: *B. Rosenberg* und *D. M. White* (Hrsg.), Mass Culture, London 1964, S. 393 ff.

Hays, David G., Automatic Content Analysis, Santa Monica, Calif., in: Rand Corporation Publication, 1960.

Head, Sidney W., Television and Social Norms, Diss. New York 1953.

Head, Sidney W., Content Analysis of Television Drama Programs, in: Quarterly of Film, Radio, and Television, Bd. 9 (1954).

Heine, Patrick Johns, und *Hans H. Gerth,* Values in Mass Periodical Fiction 1921—40, in: Public Opinion Quarterly, Bd. 13 (1949).

Henry, Andrew F., und *Edgar F. Borgatta,* A Consideration of Some Problems of Content Identification in Scaling, in: Public Opinion Quarterly, Bd. 20 (1956), S. 457 ff.

Hesse-Quack, Otto, Der Übertragungsprozeß bei der Synchronisation von Filmen, München/Basel 1969.

Hesse-Quack, Otto, Der Comic-Strip als soziales und soziologisches Phänomen, in: Kölner Zeitschrift für Soziologie und Sozialpsychologie, Bd. 21 (1969), S. 680 ff.

Hill, George, E., Relation of Children's Interest in Comic Strips to the Vocabulary of these Comics, in: The

Journal of Educational Psychology, Bd. 34 (1943), S. 48 ff.

Himmelweit, Hilde T., A. N. Oppenheim und *Pamela Vince, Television* and the Child. An Empirical Study of the Effect of Television on the Young, London 1958.

Hintze, Manfred, Massen — Bildpresse und Fernsehen, Gütersloh 1966.

Hirsch, Walter, The Image of the Scientist in Science Fiction. A Content Analysis, in: American Journal of Sociology, Bd. 63 (1958).

Höfig, Willi, Der deutsche Heimatfilm 1947—1960, Stuttgart 1973.

Hoffmann, Gabriele, NS-Propaganda in den Niederlanden, München-Pullach/Berlin 1972.

Hoffmann, Stanley, u. a., Le Mouvement Poujade, Paris 1956.

Hoggart, Richard, The Uses of Literacy: Changing Patterns in English Mass Culture, Fairlawn 1957.

Holl, Adolf, Gott im Nachrichtennetz, Freiburg/Br. 1969.

Hollstein, Dorothea, Antisemitische Filmprograganda. Die Darstellung des Juden im nationalsozialistischen Spielfilm, München—Pullach und Berlin 1971.

Holsti, Ole R., An Adaptation of the "General Inquirer" for the Systematic Study of Political Documents, in: Behavioral Science, Bd. 9 (1964), S. 382 ff.

Holsti, Ole R., Computer Content Analysis in International Relations Research, in: *Edmund A. Bowles* (Hrsg.), Computers in Humanistic Research, Englewood Cliffs, N. J., 1967 S. 18 ff.

Holsti, Ole R., Content Analysis for the Social Sciences and Humanities Reading, Mass., 1969.

Holsti, Ole R., Richard A. Brody und *Robert C. North,* Theory and Measurement of Interstate Relations: An Application of Automated Content Analysis, Stanford 1964 (mimeo.).

Holsti, Ole R., und *Robert C. North,* Comparative Data from Content Analysis: Perceptions of Hostility and Economic Variables in the 1914 Crisis, in: *Richard L. Merritt* und *Stein Rokkan* (Hrsg.), Comparing Nations: The Use of Quantitative Data in Cross-National Research, New Haven, Conn., 1966.

Holzer, Horst, Illustrierte und Gesellschaft, Freiburg 1967.

Holzer, Horst, Massenkommunikation und Demokratie in der Bundesrepublik Deutschland, Opladen 1969.

Homans, George C., The Human Group, London 1951.

Hoopes, Paul R., Content Analysis of News in Three Argentine Dailies, in: Journalism Quarterly, Bd. 43 (1966), S. 534 ff.

Horton, Donald, The Dialogue of Courtship in Popular Songs, in: American Journal of Sociology, Bd. 62 (1957), S. 569 ff.

Hovland, Carl I., (Hrsg.), The Order of Presentation in Persuasion, New Haven 1957.

Hovland, Carl I., Arthur A. Lumsdaine, und *Fred D. Sheffield, Experiments* on Mass Communication, Princeton 1949.

Hovland, Carl I., Irving L. Janis und *Harold H. Kelley,* Communication and Persuasion: Psychological Studies of Opinion Change, New Haven 1953.

Huaco, George H., The Sociology of Film Art, New York/London 1965.

Hurwitz, Harold, Der heimliche Leser. Beiträge zur Soziologie des geistigen Widerstandes, Köln/Berlin 1966.

Iken, Howard P., und *Norman I. Harway,* A Computer Approach Towards the Analysis of Content, in: Behavioral Science, Bd. 10 (1965), S. 173 ff.

Ikeuchi, H., K. Okazaki und *N. Kube*, The Japanese Communist Party as Seen by the Daily Press, in: Gazette, Bd. 6 (1960), S. 79 ff.

Inglis, Ruth A., An Objective Approach to the Relationship between Fiction and Society, in: American Sociological Review, Bd. 3 (1938).

Inkeles, Alex, Soviet Reactions to the Voice of America, in: Public Opinion Quarterly, Bd. 16 (1952/53).

Institute of Practitioners in Advertising, London: Unterschwellige Kommunikation, in: Rundfunk und Fernsehen, Bd. 7 (1960).

Ipfling, Heinz-Jürgen, Jugend und Illustrierte, Osnabrück 1965.

Jahoda, Marie, und *Joseph T. Klapper*, From Social Bookkeeping to Social Research, in: Public Opinion Quarterly, Bd. 16 (1952).

Janis, Irving, Meaning and the Study of Symbolic Behavior, in: Psychiatry, Bd. 6 (1943), S. 425 ff.

Janis, Irving, Raymond N. Fadner und *Morris Janowitz*, Reliability of a Content Analysis Technique, in: Public Opinion Quarterly, Bd. 7 (1943), S. 293 ff.

Janowitz, Morris, The Imagery of the Urban Community Press, in: Public Opinion Quarterly, Bd. 15 (1951), S. 519 ff.

Janowitz, Morris, The Community Press in an Urban Setting, Chicago und London 1967².

Jarvie, I. C., Towards a Sociology of the Cinema. A Comparative Essay on the Structure and Functioning of a Major Entertainment Industry, London 1970.

Johns-Heine, Patrick, und *Hans H. Gerth*, Values in Mass Periodical Fiction 1921—1940, in: Public Opinion Quarterly, Bd. 13 (1949), S. 105 ff.

Johnson, Guy B., The Stereotype of the American Negro, in: *Otto Klineberg* (Hrsg.), Characteristics of the American Negro, New York 1944.

Jones, Dorothy B., Quantitative Analysis of Motion Picture Content, in: Public Opinion Quarterly, Bd. 14 (1950).

Jones, Robert L., und *Roy E. Carter, Jr.*, Some Procedures for Estimating „News Hole" in Content Analysis, in: Public Opinion Quarterly, Bd. 23 (1959), S. 399 ff.

Just, Dieter, Der Spiegel — Arbeitsweise, Inhalt, Wirkung, Hannover 1967.

Katz, Daniel, The Measurement of Intensity, in: *Hadley Cantril*, and associates, Gauging Public Opinion, Princeton 1947.

Katz, Elihu, und *Paul F. Lazarsfeld*, Personal Influence, Glencoe, Ill. 1955.

Katz, Elihu, Communication Research and the Image of Society. Convergence of Two Traditions, in: American Journal of Sociology, Bd. 65 (1960).

Katz, Elihu, Michael Gurewitch, Brenda Danet und *Tsiyona Feled*, Petitions and Prayers: A Content Analysis of Persuasive Appeals, Chicago 1967 (mimeo.).

Kawanaka, Yasuhiro, An Analysis of the Japanese Dailies, in: Gazette, Bd. 6 (1960), S. 1 ff.

Kayser, Jacques, und *Percy H. Tannenbaum*, A Comparative Study of Foreign News Coverage in French and American Papers, in: I.A.M.C.R. Bulletin, Nr. 1 (1962).

Kingsbury, Susan M., u. a., Newspapers and the News, New York 1937.

Kjolseth, Rolf, und *Fritz Sack* (Hrsg.), Zur Soziologie der Sprache, Sonderheft 15 der Kölner Zeitschrift für Soziologie und Sozialpsychologie, Opladen 1971.

Klapp, Orrin E., The Creation of Popular Heroes, in: American Journal of Sociology, Bd. 54 (1948).

Klapp, Orrin E., The Fool as a Social Type, in: American Journal of Sociology, Bd. 55 (1949).

Klapp, Orrin E., American Villain-Types, in: American Sociological Review, Bd. 21 (1956).

Klausmeier, Ruth-Gisela, Völkerpsychologische Probleme in Kinderbüchern. Vergleichende Untersuchung an englischer, französischer und deutschschweizerischer Kinderliteratur, Bonn 1963.

Klineberg, Otto, The Scientific Study of National Stereotypes, in: International Social Science Bulletin, UNESCO, Bd. 3 (1951).

Knight, Oliver, The Grand Remonstrance, in: Public Opinion Quarterly, Bd. 24 (1960).

Knittel, Herbert, Der Roman in der deutschen Illustrierten 1946—1962, Berlin 1967 (Diss.).

Koch, M., B. Bredercк u. a., Systematische Inhaltsanalyse großer deutscher illustrierter Zeitschriften 1960—1963, Quick — Abteilung Research, München 1965.

Koch, Manfred, und *Waltraud Hausmann*, „Auf ewig". Inhaltsanalytische Untersuchung über den Kommunikationsfluß nach der Bundespressekonferenz vom 9. Mai 1969, in: Publizistik, Bd. 16 (1971) S. 369 ff.

König, E., Soziologische Aspekte ausgewählter Lesebuchtexte. Eine Inhaltsanalyse von Lesebüchern für die 5. Klasse (Schweiz). Diplomarbeit, Universität Bern, o. J.

König, René, Tiefenpropaganda in der Politik, in: *R. König*, Soziologische Orientierungen, 2. Aufl. Köln 1973a (zuerst 1958).

König, René, (Hrsg.), Soziologie, Frankfurt/M. 1973b.

Kofler, Leo, Zur Theorie der modernen Literatur, Neuwied/Berlin 1962.

Koszyk, K., Zwischen Kaiserreich und Diktatur. Die sozialdemokratische Presse von 1914 bis 1933, Heidelberg 1958.

Koszyk, Kurt, und *Karl H. Pruys*, Wörterbuch zur Publizistik, München 1969.

Kracauer, Siegfried, From Caligari to Hitler: A Psychological History of the German Film, Princeton 1947.

Kracauer, Siegfried, National Types as Hollywood Presents them, in: Public Opinion Quarterly, Bd. 13 (1949).

Kracauer, Siegfried, The Challenge of Qualitative Content Analysis, in: Public Opinion Quarterly, Bd. 16 (1952).

Krieghbaum, Hillier, Two Gemini Space Flights in two Metropolitan Dailies, in: Journalism Quarterly, Bd. 43 (1966), S. 120 ff.

Kriesberg, Martin, Soviet News in the New York Times, in: Public Opinion Quarterly, Bd. 10 (1947), S. 540 ff.

Krippendorff, Klaus, An Examination of Content Analysis; A Proposal for a General Framework and an Information Calculus for Message Analytic Situations, Diss., Urbana, Ill., 1967.

Kris, Ernst, Howard White, Hans Speier, Margaret Otis und *Hans Herma*, German Radio Propaganda, New York 1944.

Küchenhoff, Erich, u. a., Bild-Verfälschung, Frankfurt/M. 1972, 2 Bde.

Kühnl, Reinhard, Das Dritte Reich in der Presse der BRD, Frankfurt/M. 1966.

Kunz, Gerhard, Untersuchungen über Funktionen und Wirkungen von Zeitungen in ihrem Leserkreis, Köln/Opladen 1967.

Kwiat, Joseph J., und *Mary C. Turpie* (Hrsg.), Studies in American Culture: Dominant Ideas and Images, Minneapolis 1960.

Lambert, Verdelle, Negro Exposure in Look's Editorial Content, in: Journalism Quarterly, Bd. 42 (1965), S. 657 ff.

Langer-El Sayed, Ingrid, Frau und Illustrierte im Kapitalismus. Die Inhaltsstruktur von illustrierten Frauenzeitschriften und ihr Bezug zur gesellschaftlichen Wirklichkeit, Köln 1971.

Lasswell, Harold D., Propaganda Technique in the World War, New York 1927.

Lasswell, Harold D., World Attention Survey, in: Public Opinion Quarterly, Bd. 4 (1941).

Lasswell, Harold, D., Analyzing the Content of Mass Communication: A Brief Introduction. Library of Congress, Experimental Division for Study of War-Time Communications, Washington 1942, Document No. 11.

Lasswell, Harold D., Describing the Contents of Communications, in: *Bruce Lannes Smith, Harold D. Lasswell* und *Ralph D. Casey* (Hrsg.), Propaganda, Communication, and Public Opinion, Princeton 1946.

Lasswell, Harold D., The Structure and Function of Communication in Society, in: *Lyman Bryson* (Hrsg.), The Communication of Ideas, New York 1964 (zuerst 1948).

Lasswell, Harold D., und *Joseph M. Goldsen,* Public Attention, Opinion and Action, in: International Journal of Opinion and Attitude Research (1947).

Lasswell, Harold D., Nathan Leites and *associates,* Language of Politics: Studies in Quantitative Semantics, New York 1949, überarb. Aufl. Cambridge, Mass., 1965.

Lasswell, Harold D., The Strategy of Soviet Propaganda, in: Proceedings of the Academy of Political Science, Bd. 24 (1951).

Lasswell, Harold D., Daniel Lerner, und *Ithiel de Sola Pool,* Symbols of Internationalism, Stanford 1951.

Lasswell, Harold D., Daniel Lerner, und *Ithiel de Sola Pool,* Symbols of Democracy, Stanford 1952.

Lasswell, Harold D., Daniel Lerner, und *Ithiel de Sola Pool,* The Comparative Study of Symbols. An Introduction, Stanford 1952.

Lazarsfeld, Paul F., Radio and the Printed Page, New York 1940.

Lazarsfeld, Paul F., The People Look at Radio, Chapel Hill 1946.

Lazarsfeld, Paul F., Communication Research, in: *W. Dennies* (Hrsg.), Current Trends in Social Psychology, Pittsburgh 1949.

Lazarsfeld, Paul F., Bernard Berelson und *Hazel Gaudet,* The People's Choice, New York 1941, 2. Aufl. 1948.

Lazarsfeld, Paul F., Frank N. Stanton (Hrsg.), Radio Research 1941, New York 1941.

Lazarsfeld, Paul F., Frank N. Stanton (Hrsg.), Radio Research 1942–1943, New York 1944.

Lazarsfeld, Paul F., Frank N. Stanton (Hrsg.), Communications Research, 1948–1949, New York 1949.

Lazarsfeld, Paul F., Patricia L. Kendall, Radio Listening in America, New York 1948.

Leed, Jacob (Hrsg.), The Computer and Literary Style, Kent, Ohio, 1966.

Leites, Nathan, The Operational Code of the Politbureau, New York 1951.

Leites, Nathan, A Study of Bolshevism, Glencoe, Ill., 1953.

Leites, Nathan, und *Elsa Bernaut,* Ritual of Liquidation: The Case of the Moscow Trials, Glencoe, Ill., 1954.

Lenin, W. I., Statistik und Soziologie, in: Werke, Bd. 23, Berlin 1957.

Leoni, Paolo, Il ruolo dei personaggi dei fumetti nella dinamica della proiezione ostile, in: IKON, Bd. 20 (1970), S. 57 ff.

Lerner, E., Pathological Nazi-Stereotypes Found in Recent German Technical Journals, in: Journal of Psychology (1942).

Lerner, Max, America as a Civilization: Life and Thought in the United States, New York 1957.

Lewin, Herbert, Hitler Youth and the Boy Scouts of America, in: Human Relations, Bd. 1 (1947/48),

Lewin, Kurt, Studies in Group Decision, in: *Dorwin Cartwright* und *Alvin Zander* (Hrsg.), Group Dynamics, Research and Theory, Evanston, Ill., 1953, 2. Aufl. 1960.

Lewin, Kurt, Field Theory in Social Science, New York 1951.

Linebarger, Paul M. A., Psychological Warfare. Infantry Journal Press, Washington 1948.

Lippmann, Walter, Content Analysis, in: Public Opinion Quarterly, Bd. 14 (1950).

Liu, Han C., und *Shelton A. Gunaratne,* Foreign News in two Asian Dailies, in: Gazette, Bd. 18 (1972), S. 37 ff.

Lowenthal, Leo, Biographies in Popular Magazines, in: *Paul F. Lazarsfeld* und *Frank N. Stanton* (Hrsg.), Radio Research 1942—1943, New York 1944; auch in: *Bernard Berelson* und *Morris Janowitz* (Hrsg.), Reader in Public Opinion and Communication, Glencoe, Ill., 1953.

Lowenthal, Leo, The Debate over Art and Popular Culture in Eighteenth Century England, in: *Mirra Komarovsky* (Hrsg.), Common Frontiers of the Social Sciences, Glencoe, Ill., 1957.

Lowenthal, Leo, Literature and the Image of Man, Sociological Studies of the European Drama and Novel, 1600—1900, Boston 1957.

Lowenthal, Leo, Literature and Sociology, in: *James Thorpe* (Hrsg.), Relations of Literary Study, New York 1967, S. 89 ff.

Lowenthal, Leo, und *Norbert Guterman,* Prophets of Deceit: A Study of the Techniques of the American Agitator, New York 1949.

Ludz, Peter Christian (Hrsg.), Soziologie und Sozialgeschichte, Sonderheft 16 der Kölner Zeitschrift für Soziologie und Sozialpsychologie, Opladen 1972.

Lugert, Alfred C., u. a., Die fremde Elite. Massenkommunikation und Stereotype ausländischer Studenten, Wien 1969.

Lukács, Georg, Die Theorie des Romans, Berlin 1920.

Lynch, Mervin D. und *Atiya Effendi,* Editorial Treatment of India in the New York Times, in: Journalism Quarterly, Bd. 41 (1964), S. 430 ff.

Maccoby, Nathan, Freddie O. Sabghir und *Bryant Cushing,* A Method for the Analysis of the News Coverage of Industry, in: Public Opinion Quarterly, Bd. 14 (1950).

MacIver, R. M. (Hrsg.), Great Moral Dilemmas, in: Literature, Past and Present, New York 1956.

Mackenzie, Vernon, Here Lies Goebbels! London 1940.

Magnus, Uwe, Aussagenanalyse. Eine Untersuchung des 1. Fernsehprogramms, Hamburg 1966.

Magnus, Uwe, Time and Newsweek. Darstellung und Analyse, Hannover 1967.

Mahl, George F., Exploring Emotional States by Content Analysis, in: *Ithiel de Sola Pool* (Hrsg.), Trends in Content Analysis, Urbana, Ill., 1959, S. 89 ff.

Maletzke, Gerhard, Fernsehen im Leben der Jugend, Hamburg 1959.

Maletzke, Gerhard, Psychologie der Massenmedien, Hamburg 1963.

Marie, Jean-Etienne, Pour ou contre la Musique pure à la Télévision, in: Cahiers d'Etudes de Radio-Télévision (1959).

Markham, James W., Foreign News in the United States and South American Press, in: Public Opinion Quarterly, Bd. 25 (1961).

Marx, Herbert L. (Hrsg.), Television and Radio in American Life, New York 1953.

Massing, Paul W., Communist References to the Voice of America, in: Public Opinion Quarterly, Bd. 16 (1952/53).

Maurer, David W., Whiz Mob: A Correlation of the Technical Argot of Pickpockets with their Behavior Pattern, American Dialect Society, Gainesville 1955.

Mayntz, Renate, Kurt Holm und *Peter Hübner*, Einführung in die Methoden der empirischen Soziologie, Opladen 1972, 3. Auflage.

Mayrhofer, Franz, Raub der Freiheit. Zum Problem der Vermassung, Wien/Frankfurt/Zürich 1966.

McClelland, David C., The Achieving Society, New York 1961.

McGranahan, D. V., und *I. Wayne*, German and American Traits Reflected in Popular Drama, in: *J. G. Miller* (Hrsg.), Experiments in Social Process, New York 1950.

McGranahan, Donald, Content Analysis of the Mass Media of Communication, in: *C. Selltitz, M. Jahoda, M. Deutsch* und *S. W. Cook* (Hrsg.), Research Methods in Social Relations, New York/Chicago/San Francisco/Toronto 1965, S. 330 ff.

McKenzie, Vernon, Treatment of War Themes in Magazine Fiction, in: Public Opinion Quarterly, Bd. 5 (1941).

McLuhan, Marshall, Understanding Media, London 1964.

Mead, Margaret, und *Rhoda Métraux* (Hrsg.), The Study of Culture at a Distance, Chicago 1953.

Mead, Margaret, Rhoda Métraux und *Martha Wolfenstein* (Hrsg.), Childhood in Contemporary Cultures, Chicago 1955.

Merton, Robert K., Marjorie Fiske und *Alberta Curtis*, Mass Persuasion: The Social Psychology of a War Bond Drive, New York 1946.

Merton, Robert K., und *Paul F. Lazarsfeld*, Studies in Radio and Film Propaganda, in: *Robert K. Merton*, Social Theory and Social Structure, Glencoe, Ill., 1957.

Métraux, Rhoda, und *Margaret Mead*, Themes in French Culture: A Preface to a Study of French Community, Stanford 1954.

Middleton, Russel, und *John Moland*, Humor in Negro and White Subcultures: A Study of Jokes among University Students, in: American Sociological Review, Bd. 24 (1959).

Midleton, Russel, Fertility Values in American Magazine Fiction 1916—1956, in: Public Opinion Quarterly, Bd. 24 (1960).

Middleton, Russell, Ethnic Prejudice and Susceptibility to Persuasion, in: American Sociological Review, Bd. 25 (1960).

Miller, Philip J. (Hrsg.), Inquirer II Programmer's Guide, St. Louis, Mo., 1969.

Millspaugh, Martin, Trial by Mass Media?, in: Public Opinion Quarterly, Bd. 13 (1949).

Mitchell, Robert Edward, The Use of Content Analysis for Explanatory Studies, in: Public Opinion Quarterly, Bd. 31 (1967), S. 230 ff.

Moles, Abraham A., Rôle des Facteurs dynamiques dans la Caractérisation physique du Discours, in: Cahiers d'Etudes de Radio-Télévision (1954).

Moles, Abraham A., Théorie de l'Information et Perception Esthétique, Paris 1958.

Moles, Abraham A., L'affiche dans la société urbaine, Paris 1970.

Moore, Barrington, Soviet Politics. The Dilemma of Power: The Role of

Ideas in Social Change, Cambridge 1950.

Morin, Violette, Le voyage de Khrouchtchev en France: essai d'une méthode d'analyse de la presse, in: Communications, Bd. 1 (1961).

Morin, Violette, Des rites et des hommes: mort d'Edith Piaf et de Jean Cocteau, in: Communications, Bd. 3 (1964).

Mott, Frank L., Trends in Newspaper Content, in: Annals of the American Academy of Political and Social Science 219, 1942, S. 60 ff.

Mouillaud, Geneviève, Problèmes d'une étude sociologique des romans de Stendhal, in: Littérature et Société. Problèmes de méthodologie en sociologie de la littérature, Brüssel 1967, S. 73 ff.

Mueller, Ernst F., und *Peter Greiner,* Mauerbau und „Neues Deutschland", Bielefeld 1969.

Myers, Rollo H., Ravel, London 1960.

Myrdal, Gunnar, An American Dilemma, New York 1944.

Myrdal, Gunnar, Value in Social Theory: A Selection of Essays on Methodology, hrsg. von *Paul Streeten,* New York 1959.

Nixon, Raymond B., The Content of Non-Competitive vs. Competitive Newspapers, in: Journalism Quarterly, Bd. 33 (1956), S. 299 ff.

Noble, David W., The Paradox of Progressive Thought, Minneapolis 1958.

North, Robert C., Ole R. Holsti, M. George Zaninovich und *Dina A. Zinnes,* Content Analysis: A Handbook with Applications for the Study of International Crisis, Evanston, Ill. 1963.

Novak, Benjamin J., An Analysis of the Science Content of the New York Times and Selected General Science Textbooks, Diss., Temple University, 1942.

Nutz, Walter, Der Trivialroman. Seine Formen und seine Hersteller, Köln/Opladen, 2. Aufl., 1966.

Nutz, Walter, Die Regenbogenpresse. Eine Analyse der deutschen bunten Wochenblätter, Opladen 1971.

Nystrom, J. W. M., und *H. Sigouney,* „Variety" is the Spice of the Entertainment World, in: *Martin S. Allwood* (Hrsg.), Studies in Mass Communication, Geneva 1951.

Ohlstrom, Bo, Information and Propaganda: A Content Analysis of Editorials in Four Swedish Daily Newspapers, in: Journal of Peace Research, Bd. 3 (1966), S. 75 ff.

Osgood, Charles E., The Nature and Measurement of Meaning, in: Psychological Bulletin, Bd. 49 (1952).

Osgood, Charles E., Evaluative Assertion Analysis: A Method for Surveying the Semantic Content of Messages, Institute of Communication Research (University of Illinois), Urbana 1954, mimeographiert.

Osgood, Charles E., The Representational Model and Relevant Research Methods, in: *Ithiel de Sola Pool* (Hrsg.), Trends in Content Analysis, Urbana, Ill., 1959, S. 33 ff.

Osgood, Charles E., und *Thomas A. Seboek* (Hrsg.): Psycholinguistics: A Survey of Theory and Research Problems, in: Journal of Abnormal and Social Psychology, Bd. 50 (1954).

Osgood, Charles E., und *Lois Anderson,* Certain Relations Between Experienced Contingencies, Association Structure, and Contingencies in Encoded Messages, in: American Journal of Psychology, Bd. 70 (1957), S. 411 ff.

Osgood, Charles E., und *Evelyn Walker,* Motivation and Language Behavior: A Content Analysis of Suicide Notes, in: Journal of Abnormal and Social Psychology, Bd. 59 (1959), S. 58 ff.

Osterland, Martin, Gesellschaftsbilder in Filmen. Eine soziologische Untersuchung des Filmangebots der Jahre 1949 bis 1964, Stuttgart 1970.

Padover, Saul K., French Institutions: Values and Politics, Stanford 1954.

Pahl, Arne D., Methoden und Ergebnisse der Filminhaltsanalyse, Köln 1967 (Dipl. Arbeit).

Paisley, William J., Identifying the Unknown Communicator in Painting, Literature and Music: The Significance of Minor Encoding Habits, in: Journal of Communication, Bd. 14 (1964), S. 219 ff.

Parker, Edwin B., und *Bradley S. Greenberg*, Newspaper Content on the Assassination Weekend, in: *Bradley S. Greenberg* und *Edwin B. Parker* (Hrsg.), The Kennedy Assassination and the American Public, Stanford, Cal., 1965.

Pascal, Roy, Design and Truth in Autobiography, London 1960.

Paulu, Burton, Televising the Minneapolis Symphony Orchestra, in: Quarterly of Film, Radio and Television (1952).

Peatman, John Gray, Radio and Popular Music, in: *Paul F. Lazarsfeld* und *Frank N. Stanton* (Hrsg.), op. cit. 1944.

Peters, Lous F., Kunst und Revolte. Das politische Plakat und der Aufstand der französischen Studenten, Köln 1968.

Piault, Colette, A Methodological Investigation of Content Analysis Using Electronic Computers for Data Processing, in: *Dell Hymes* (Hrsg.), The Use of Computers in Anthropology, Den Haag 1965, S. 273 ff.

Pike, Kenneth L., Language in Relation to a Unified Theory of the Structure of Human Behavior, Summer Institute of Linguistics, Glendale 1954.

Powers, Richard D., W. A. Summer und *B. E. Kearl*, A Recalculation of Four Adult Readability Formulas, in: Journal of Educational Psychology, Bd. 49 (1958), S. 99 ff.

Pralcke, Henk, Winfried B. Lerg und *Michael Schmolke* (Hrsg.), Handbuch der Weltpresse, 2 Bde., Köln—Opladen 1970.

Price, Granville, A Method for Analyzing Newspaper Campaign Coverage, in: Journalism Quarterly, Bd. 31 (1954), S. 447 ff.

Quastler, Henry (Hrsg.), Information Theory in Psychology: Problems and Methods, Glencoe, Ill., 1956.

Raglan, Lord, The Hero: A Study in Tradition, Myth, and Drama, New York 1949.

Ranulf, Svend, Hitlers Kampf gegen die Objektivität, Kopenhagen 1946.

Ranulf, Svend, La méthode de „Content Analysis", in: Revue de l'Institut de Sociologie, Bd. 24 (1951).

Recktenwald, Friederike, Kriegsziele und öffentliche Meinung Englands, 1914—1916, Stuttgart 1926.

Reich, Charles, Die Welt wird jung. Der gewaltlose Aufstand der neuen Generation, Wien / München / Zürich 1971.

Reimann, Horst, Wahlplakate, in: „Ruperto-Carola", Mitteilungen der Vereinigung der Freunde der Studentenschaft der Universität Heidelberg, Jg. XIII, Bd. 30 (1961).

Revel, Jean-François, Die Revolution kommt aus Amerika, Hamburg 1971.

Révész, G., The Origins and Prehistory of Language, New York 1956.

Ridings, Willard, Use of Slang in Newspaper Sports Writing, in: Journalism Quarterly, Bd. 11 (1934), S. 348 ff.

Riedel, Karl Veit, Jugend und Fernsehen, Untersuchungen und Überlegungen zur Jugendeignung von Fernsehprogrammen, Neuwied/Berlin 1966.

Riegel, O. W., Mobilizing for Chaos, New Haven 1934.

Riley Jr., John W., und *Matilda White Riley*, Mass Communication and the Social System, in: *Robert K. Merton* u. a. (Hrsg.), Sociology Today, New York 1959.

Riley, Matilda White, und *Clarice S. Stoll*, Content Analysis, in: International Encyclopedia of the Social Sciences, Bd. 3, New York 1968, S. 371 ff.

Ritsert, Jürgen, Inhaltsanalyse und Ideologiekritik, Frankfurt a. M. 1972.

Rokkan, Stein, und *Per Torsvik*, Der Wähler, der Leser und die Parteipresse, in: Kölner Zeitschrift für Soziologie und Sozialpsychologie, Bd. 12 (1960).

Rosenberg, Bernard, und *David M. White*, Mass Culture. The Popular Arts in America, Glencoe, Ill., 1957.

Rosengren, Karl Erik, Sociological Aspects of the Literary System, Stockholm 1968.

Rosi, Eugene J., How 50 Periodicals and the Times Interpreted the Test Ban Controversy, in: Journalism Quarterly, Bd. 41 (1964), S. 545 ff.

Roszak, Theodore, Gegenkultur. Gedanken über die technokratische Gesellschaft und die Opposition der Jugend, Düsseldorf/Wien 1971.

Rudwin, Maximilian, The Devil in Legend and Literature, Chicago 1931.

Ruesch, Jurgen, und *Gregory Bateson*, Communication: The Social Matrix of Psychiatry, New York 1951.

Ruesch, Jurgen, und *Weldon Kees*, Nonverbal Communication: Notes on the Visual Perception of Human Relations, Berkeley 1956.

Saenger, Gerhard, Male and Female Relations in the American Comic Strip, in: Public Opinion Quarterly, Bd. 19 (1955).

Sallen, Herbert A., Die Sonoritätsgruppentheorie. Ein Beitrag zur Theorie des auditiven Verhaltens im Kommunikationsprozeß, in: *Alphons Silbermann* (Hrsg.), Die Massenmedien und ihre Folgen, München/Basel 1970.

Sanders, Luther W., A Content Analysis of President Kennedy's First Six Press Conferences, in: Journalism Quarterly, Bd. 42 (1965), S. 114 f.

Sanford, Fillmore H., Speech and Personality, in: Psychological Bulletin, Bd. 39 (1942).

Schenda, Rudolf, Volk ohne Buch. Studien zur Sozialgeschichte der populären Lesestoffe 1770—1910, Frankfurt/M. 1970.

Schmelzer, Horst, Kommunikationsmedien und gesellschaftliche Wertvorstellungen, Diss., Köln 1967.

Schneider, Louis, und *Sanford M. Dornbusch*, Inspirational Religious Literature: From Latent to Manifest Functions of Religion, in: American Journal of Sociology, Bd. 62 (1957).

Schneider, Louis, und *Sanford M. Dornbusch*, Popular Religion: Inspirational Books in America. Chicago 1959.

Schoeck, Helmut, Vorsicht Schreibtischtäter, Stuttgart 1972.

Schramm, Wilbur (Hrsg.), Communication in Modern Society, Urbana, Ill., 1948.

Schramm, Wilbur (Hrsg.), Mass Communications, Urbana, Ill. 1949.

Schramm, Wilbur (Hrsg.), The Process and Effects of Mass Communication, Urbana, Ill., 1955.

Schücking, Levin L., Die puritanische Familie in literar-soziologischer Sicht, Bern/München 1964.

Schutz, William, Theory and Methodology of Content Analysis, Diss., University of California, Los Angeles 1950.

Schutz, William C., Reliability, Ambiguity and Content Analysis, in: Psychological Review, Bd. 59 (1952), S. 119 ff.

Schutz, William C., On Categorizing Qualitative Data in Content Analysis, in: Public Opinion Quarterly, Bd. 22 (1958), S. 503 ff.

Schwonke, Martin, Vom Staatsroman zur Science Fiction: Eine Untersuchung über Geschichte und Funktion der naturwissenschaftlich-technischen Utopie, Stuttgart 1957.

Scott, William A., Reliability of Content Analysis: The Case of Nominal Scale Coding, in: Public Opinion Quarterly, Bd. 19 (1955), S. 321 ff.

Scott, William A., Empirical Assessment of Values and Ideologies, in: American Sociological Review, Bd. 24 (1959).

Sebald, Hans, Studying National Character Through Comparative Content Analysis, in: Social Forces, Bd. 40 (1962), S. 318 ff.

Sebeok, Thomas A., und *Valdis J. Zeps,* An Analysis of Structured Content, with Application of Electronic Computer Research in Psycholinguistics, in: Language and Speech, Bd. 1 (1958), S. 181 ff.

Sedelow, Sally Yeates, Walter A. Sedelow, Jr., und *Terry Ruggles,* Some Parameters for Computational Stylistics: A Computer Aid to the Use of Traditional Categories in Stylistic Analysis, Literary Data Processing Conference Proceedings, in: *Jess. B. Bessinger, Jr., Stephen M. Parrish* und *Harry F. Arader* (Hrsg.), New York 1964.

Sedelow, Sally Yeates, und *Walter A. Sedelow, Jr.,* Stylistic Analysis, in: *Harold Barko* (Hrsg.), Automated Language Analysis, New York 1967.

Selznick, Gertrude J., und *Stephen Steinberg,* The Tenacity of Prejudice. Anti-Semitism in Contemporary America, New York 1969.

Shanas, Ethel, The American Journal of Sociology through Fifty Years, in: American Journal of Sociology, Bd. 50 (1945).

Shannon, Claude, und *Warren Weaver,* Mathematical Theory of Communication, Urbana, Ill., 1949.

Shannon, Lyle W., The Opinions of Little Orphan Annie and her Friends, in: Public Opinion Quarterly, Bd. 18 (1954).

Shimkin, D. B., und *P. Sanjuan,* Culture and World View: A Method of Analysis applied to Rural Russia. in: American Anthropologist, Bd. 55 (1953).

Shuey, Andrey M., Stereotyping of Negroes and Whites: An Analysis of Magazine Pictures, in: Public Opinion Quarterly, Bd. 17 (1953).

Siegfried, André, L'âme des peuples, Paris 1940.

Siegfried, André, La Suisse, Démocratie témoin, Paris 1948.

Silbermann, Alphons, La Musique, la Radio et l'Auditeur, Paris 1954; deutsch: Musik, Rundfunk und Hörer, Köln/Opladen 1959.

Silbermann, Alphons, Considérations Sociologiques sur la Musique au Cinéma, à la Radio et à la Télévision, in: Cahiers d'Etudes de Radio-Télévision (1960).

Silbermann, Alphons, Vom Wohnen der Deutschen, Köln-Opladen 1963.

Silbermann, Alphons, Die soziologischen Untersuchungsfelder der Massenkommunikation, in: *E. Feldmann* und *K. Meier* (Hrsg.), Film und Fernsehen im Spiegel der Wissenschaft, Gütersloh 1963, S. 42 ff.

Silbermann, Alphons, Bildschirm und Wirklichkeit, Berlin—Frankfurt/M. 1966.

Silbermann, Alphons, Literaturphilosophie, Soziologische Ästhetik oder Literatursoziologie, in: Kölner Zeitschrift für Soziologie und Sozialpsychologie, Bd. 18 (1966), S. 139 ff.

Silbermann, Alphons, Vorteile und Nachteile des kommerziellen Fernsehens, Düsseldorf/Wien 1968.

Silbermann, Alphons, Situation et vocation de la sociologie de l'art, in: Revue internationale des sciences sociales, Bd. 20 (1968), S. 617 ff.

Silbermann, Alphons, Empirische Kunstsoziologie. Eine Einführung mit kommentierter Bibliographie, Stuttgart 1973.

Silbermann, Alphons, u. a., Objekund Wertbereiche der Sauberkeit, Köln 1967 (Mimeogr. Manuskript).

Silbermann, Alphons, u. a., Das Bild der Deutschen in der jüdischen Presse der Vereinigten Staaten von Amerika, Lausanne/Köln 1967 (Mimeogr. Manuskript).

Silbermann, Alphons, u. a., Das Bild der Deutschen in der jüdischen Presse Frankreichs, Lausanne 1968 (Mimeogr. Manuskript).

Silbermann, Alphons, u. a., Das Bild der Frau im Spielfilm der DEFA, Köln 1968 (Mimeogr. Manuskript).

Silbermann, Alphons, und *Ernest Zahn,* Die Konzentration der Massenmedien und ihre Wirkungen. Eine wirtschafts- und kommunikationssoziologische Studie, Düsseldorf/Wien 1970.

Silbermann, Alphons, und *Udo Michael Krüger,* Abseits der Wirklichkeit. Das Frauenbild in deutschen Lesebüchern, Köln 1971.

Silbermann, Alphons, u. a., Das Bild Deutschlands und der Deutschen in der deutschsprachigen Presse Kanadas, Köln 1971 (Mimeogr. Manuskript).

Silbermann, Alphons, und *Udo Michael Krüger,* Soziologie der Massenkommunikation, Stuttgart 1973.

Sliwka, Klaus, Aspekte zum Unterrichtsfeld Bildende Kunst — Visuelle Kommunikation, Köln 1971.

Smith, Bruce Lannes, Harold D. Lasswell und *Ralph D. Casey* (Hrsg.), Propaganda, Communication, and Public Opinion, Princeton 1946.

Smith, Charles P., und *Sheila Feld,* How to Learn the Method of Content Analysis for n Achievement, n Affiliation, and n Power, in: *John W. Atkinson* (Hrsg.), Motives in Fantasy, Action, and Society, Princeton, Toronto, London und New York 1958.

Sola Pool, Ithiel de, Satellite Generals: A Study of Military Elites in the Soviet Sphere, Stanford 1955.

Sola Pool, Ithiel de (Hrsg.), Trends in Content Analysis, Urbana, Ill., 1959.

Sola Pool, Ithiel de, Harold D. Lasswell und *Daniel Lerner,* The Prestige Papers: A Survey of Their Editorials, Stanford, Calif.1952.

Sollwedel, J., Das Bild des Mädchens und der Frau in Lesebüchern für Volksschulen und Realschulen, in: Informationen für die Frau, Bonn, Nov./ Dez. 1967, Nr. 11/12, S. 10 ff.

Sorensen, Robert C., Media Research Can Learn from Psychological Warfare, in: Mediascope, 1961.

Speed, J. G., Do Newspaper Now Give the News?, in: The Forum, Bd. 15 (1893), S. 705 ff.

Spiegelman, Marvin, Carl Terwilliger und *Franklin Fearing,* The Content of Comic Strips, in: Journal of Social Psychology, Bd. 35 (1952).

Spiegelman, Marvin, Carl Terwilliger und *Franklin Fearing,* The Reliability of Agreement in Content Analysis, in Journal of Social Psychology, Bd. 37 (1953).

Steinbeck, Rudolf, Lancelot — Der Bote aus Frankreich, Diss., Berlin 1967.

Steiner, Rudolf, Illustrierte und Politik, Bern und Stuttgart 1971.

Stempel, Guido H., Sample Size for Classifying Subject Matter in Dailies, in: Journalism Quarterly, Bd. 29 (1952), S. 333 f.

Stempel, Guido H., Increasing Reliability in Content Analysis, in: Journalism Quarterly, Bd. 32 (1955).

Stempel, Guido H., Uniformity of Wire Content of Six Michigan Dailies, in: Journalism Quarterly, Bd. 36 (1959), S. 45 ff.

Stempel, Guido H., The Prestige Press Covers the 1960 Presidential Campaign, in: Journalism Quarterly, Bd. 38 (1961), S. 157 ff.

Stempel, Guido H., Content Patterns of Small and Metropolitan Dailies, in: Journalism Quarterly, Bd. 39 (1962), S. 88 ff.

Stephard, David W., Henry J. Taylor's Radio Talks: A Content Analysis, in: Journalism Quarterly, Bd. 33 (1956), S. 15 ff.

Stephenson, Richard M., Conflict and Control: Functions of Humor, in: American Journal of Sociology, Bd. 56 (1951).

Stewart, Janice S., Content and Readership of Teen Magazines, in: Journalism Quarterly, Bd. 41 (1964), S. 580 ff.

Stewart, Milton D., Importance in Content Analysis: A Validity Problem, in: Journalism Quarterly, Bd. 20 (1943), S. 286 ff.

Stoodly, Bartlett H., Bias in Reporting the FCC (Federal Communications Commission) Investigation, in: Public Opinion Quarterly, Bd. 24 (1960).

Stone, Philip J., Robert F. Bales, J. Zvi Namenwirth und *Daniel M. Ogilvie*, The General Inquirer: A Computer System for Content Analysis and Retrieval Based on the Sentence as Unit of Information, in: Behavioral Science, Bd. 7 (1962), S. 484 ff.

Stone, Philip J., Dexter C. Dunphy, Marshall S. Smith und *Daniel M. Ogilvie*, The General Inquirer. A Computer Approach to Content Analysis, Cambridge, Mass., 1966.

Stone, Philip J., Dexter C. Dunphy, Marshall S. Smith und *Daniel M. Ogilvie*, User's Manual for The General Inquirer, Cambridge, Mass., 1967.

Stone, Philip J., und *Cambridge Computer Associates, Inc., J. Kirsch* (Technical Editor), User's Manual for the General Inquirer, Cambridge, Mass., 1968.

Sullerot, Evelyne, La presse féminine, Paris 1966.

Sutton, Francis X., Seymour E. Harris, Carl Kayser und *James Tobin*, The American Business Creed, Cambridge 1956.

Tallents, Stephen, British Broadcasting and the War, in: Atlantic 1940.

Tannenbaum, Percy H., und *James E. Noah*, Sportugese: A Study of Sports Page Communication, in: Journalism Quarterly, Bd. 36 (1959).

Tannenbaum, Percy H., und *Mervin D. Lynch*, Sensationalism in Newspaper and Radio Wire Copy, in: Journalism Quarterly, Bd. 37 (1960), S. 590 ff. und S. 622.

Tannenbaum, Percy H., H. K. Jacobson und *E. L. Norris*, An Experimental Investigation of Typeface Connotations, in: Journalism Quarterly, Bd. 41 (1964), S. 65 ff.

Tannenbaum, Percy H., und *Richard K. Brewer*, Consistency of Syntactic Structure as a Factor in Journalistic Style, in: Journalism Quarterly, Bd. 42 (1965), S. 273 ff.

Tarroni, Evelina, Ragazzi, radio e televisione, Bologna 1960.

Tholfus, Horst, Systematische Inhaltsanalyse politischer Reden. Ein Vergleich von NPD- und NSDAP-Reden. Köln 1970 (Dipl. Arbeit).

Thomas, R. Hinton, und *Wilfried van der Will*, Der deutsche Roman und die Wohlstandsgesellschaft, Stuttgart 1969.

Thompson, Charles A. H., Television and Presidential Politics, Washington 1956.

Thoveron, Gabriel, L'Evènement et le Fait-Divers, in: Techniques de Diffusion Collective, Bd. 3 (1960).

Trayes, Edward J., News — Emphasis Patterns of the National Observer, in: Gazette, Bd. 16 (1970), S. 207 ff.

Trenaman, Joseph, und *Denis McQuail,* Television and the Political Image, London 1961.

Turner, Ralph H., und *Samuel J. Surace,* Zoot-Suiters and Mexicans: Symbols in Crowd Behavior, in: American Journal of Sociology, Bd. 61 (1956).

UNESCO, La Réforme des Manuels Scolaires et du matériel d'enseignement. Comment les mettre au service de la compréhension internationale, UNESCO, Paris 1950.

Vandersmissen, Georges, La Méthode d'Analyse de Contenu, in: Techniques de Diffusion Collective, Bd. 2 (1960).

Venken, Emily, Analyse du contenu des actualités cinématographiques, in: Techniques de Diffusion Collective, Bd. 5 (1961).

Vignale, A., Le mythe et la politique: analyse de contenu, in: L'Année Sociologique, Bd 13 (1965), S. 213 ff.

Villar, Alfonso Alvarez, Supermán, mito de nuestro tiempo, in: Revista española de la opinión pública, Bd. 6 (1966), S. 217 ff.

Walther, Gerhard, Der Rundfunk in der Sowjetischen Besatzungszone Deutschlands, Bonn—Berlin 1961.

Warneken, Bernd Jürgen, Zur Kritik positivistischer Literatursoziologie, in: *Horst Albert Glaser, Peter Hahn* u. a., Literaturwissenschaft und Sozialwissenschaften, Stuttgart 1971, S. 81 ff.

Warner, W. Lloyd, und *William E. Henry,* Radio Daytime Serial: A Symbolic Analysis, in: Genetic Psychology Monographs No. 37, Provincetown 1948.

Warner, W. Lloyd, The Living and the Dead: A Study of the Symbolic Life of Americans, New Haven 1959.

Warr, Peter B., und *Christ Knapper,* A Content Analysis of the English National Daily Press, in: Gazette, Bd. 11 (1965), S. 139 ff.

Wasem, Erich, Presse, Rundfunk, Fernsehen, Reklame pädagogisch gesehen, München-Basel 1959.

Wayne, Ivor, American and Soviet Themes and Values. A Content Analysis of Pictures in Popular Magazines, in: Public Opinion Quarterly, Bd. 20 (1956).

Weingast, David E., Walter Lippmann: A Content Analysis, in: Public Opinion Quarterly, Bd. 14 (1950).

Wernerus, Theodor, Die Massenkommunikationsmittel und der Bundestagswahlkampf 1961, Diss., Köln 1965.

Wersig, Gernot, Inhaltsanalyse. Einführung in ihre Systematik und Literatur, Berlin 1968.

White, Ralph K., A Quantitative Analysis of Hitler's Speeches, in: Psychological Bulletin, Bd. 39 (1942).

White Ralph K., Value-Analysis: A Quantitative Method for Describing Qualitative Data, in: Journal of Social Psychology, Bd. 19 (1944), S. 351 ff.

Wiest-Welk, Georga, Das Bild der Mutter im westdeutschen Nachkriegsfilm, in: *Alphons Silbermann* (Hrsg.), Die Massenmedien und ihre Folgen, München/Basel 1970.

Wiio, Osmo A., Readability, Comprehension and Readership, Tampere 1968.

Wilkens, Claus, Presse und Fernsehen. Die Funktion der Presse bei der gesellschaftlichen Rezeption des Fernsehens, Düsseldorf 1972.

Willenborg, Gertrud, Von deutschen Helden. Eine Inhaltsanalyse der Karl-May-Romane, Diss., Köln 1967.

Williams, R. M. J., American Society: A Sociological Interpretation, New York 1951.

Winch, Robert F., und *Douglas M. More*, Quantitative Analysis of Qualitative Data in the Assessment of Motivation: Reliability, Congruence, and Validity, in: American Journal of Sociology, Bd. 61 (1956).

Winick, Charles, Teenagers, Satire, and Mad, in: *Lewis Anthony Dexter* und *David Manning White* (Hrsg.), People, Society, and Mass Communications, New York 1964.

Winter, Lorenz, Heinrich Mann und sein Publikum, Köln-Opladen 1965.

Wittek, Bernhard, Der britische Ätherkrieg gegen das Dritte Reich, Münster 1962.

Wohl, Richard R., und *Anselm L. Strauss*, Symbolic Representation and the Urban Milieu, in: American Journal of Sociology, Bd. 63 (1958).

Wolf, Steffen, Kinderfilm in Europa, München-Pullach und Berlin 1969.

Wolfenstein, Martha, und *Nathan C. Leites*, An Analysis of Themes and Plots, in: Annals of The American Academy of Political and Social Science, 254, 1947, S. 41 ff.

Wolfenstein, Martha, und *Nathan C. Leites*, Movies: A Psychological Study, Glencoe, Ill., 1950.

Wolfgang, Marvin E., Patterns in Criminal Homicide, Philadelphia 1958.

Woodward, Julian L., Quantitative Newspaper Analysis as a Technique of Opinion Research, in: Social Forces, Bd. 12 (1934), S. 526 ff.

Wright, Arthur F. (Hrsg.), Studies in Chinese Thought, Chicago 1953.

Zieris, Franz, Jugend vor dem Fernsehschirm. Psychologische Untersuchungen und ihre pädagogische Anwendung, Gütersloh 1963.

Zimmermann, Walter, Die englische Presse zum Ausbruch des Weltkrieges, Charlottenburg 1928.

Zoll, Ralf (Hrsg.), Manipulation der Meinungsbildung. Zum Problem hergestellter Öffentlichkeit, Opladen 1971.

Zoll, Ralf, und *Eike Hennig*, Massenmedien und Meinungsbildung. Angebot, Reichweite und Inhalt der Medien in der BRD, München 1970.

Soziologie und Geschichte

Von Gottfried Eisermann

Das Verhältnis von Soziologie und Geschichte muß als eins der zentralen Probleme angesprochen werden, um das, zumal innerhalb der deutschen Geschichtsschreibung, gegenwärtig die historische Methodendiskussion kreist. Wenn dies innerhalb der Soziologie in bezug auf die Geschichte nicht in gleichem Maße der Fall ist, so kann das nicht etwa als Folge der allgemein akzeptierten Haltung der Soziologen gegenüber der Geschichte bezeichnet werden, sondern als die, erkenntnistheoretisch wie miserabel auch immer begründete, bewußte Begrenzung nicht weniger Soziologen auf die „Gegenwart“ als eines scheinbar viel sicherer gegebenen Erfahrungsgegenstandes, als sei diese Gegenwart, von der wir selbst, eingespannt in den engen Rahmen unseres zumeist trivialen Alltags, in der Regel nur einen äußerst kleinen Ausschnitt persönlich in Erfahrung bringen können, nicht eine fragwürdige Grenzscheide zwischen einer ungeheuer anschwellenden Vergangenheit und einer fortwährend hereinbrechenden Zukunft. „Denn alles ist Geschichte, das, was gestern gesagt worden ist, ist Geschichte, das, was vor einer Minute gesagt worden ist, ist Geschichte“ (*C. Lévi-Strauss* 1958, S. 17). In diesem Sinne ist die Geschichte nichts anderes als der ungeheure Erfahrungsschatz der gesamten Menschheit.

So bietet die Geschichte dem Soziologen zunächst ihr, seine begrenzte individuelle Erfahrung weit überragendes Warenhaus von Tatsachen und Verläufen dar, die ihm nicht nur das Material für die Einsicht in Sozialstrukturen und ihr Entstehen, Werden und Vergehen, kurz in den sozialen Wandel ermöglichen, so daß ihm nicht nur auf diese Weise die historische Dimension aller seiner Erfahrungsobjekte, auch wenn er danach strebt, sie nur der „Gegenwart“ zu entnehmen, erschlossen wird. Die Soziologie als Erfahrungswissenschaft unterliegt dabei selbstverständlich den methodischen und erkenntnistheoretischen Prinzipien aller Erfahrungswissenschaften, die durch ein Zusammenspiel von Theorie und Empirie charakterisiert werden. Die Erkenntnisintention dieser, der methodischen Prinzipien der empirischen Wissenschaften liegt darin, einen immer größeren Ausschnitt der Welt durch ein Geflecht rationaler Schemata zu erklären, d. h. durch die vermittels theoretischer Analyse in der Realität aufgedeckten „Gleichförmigkeiten“ dem menschlichen Verständnis in ihrem Zusammenhang zu erschließen. Durch ein solches Vorgehen kann der grundlegende

Bereich von Erfahrung und Beobachtung von vornherein nicht auf die in der gebrechlichen individuellen Existenz gegebenen beschränkten Möglichkeiten in Zeit und Raum eingeengt, die in alles soziale Geschehen hineinragende historische Dimension etwa a limine ausgeklammert werden.

Vielmehr leuchtet bereits unmittelbar ein, daß man prinzipiell die zu analysierenden sozialen Tatsachen sowohl der Gegenwart, dem eigenen Miterleben und womöglich der eigenen Beobachtung, als auch der Vergangenheit, also der historischen Erfahrung entnehmen kann. „Jedes dieser Vorgehen hat seine eigenen Vorzüge und Mängel. Die Tatsachen der Gegenwart sind häufig besser bekannt, besonders in den Einzelheiten, weshalb sie häufig objektiv gegenüber den Tatsachen der Vergangenheit den Vorzug verdienen. Auf der anderen Seite verletzen sie meistens die Leidenschaften, weshalb sie subjektiv weniger nützlich sind und dann nützlicherweise durch die Tatsachen der Vergangenheit ersetzt werden" (*V. Pareto* 1906). Aus diesem Grunde haben weder *Max Weber*, bei dem eine Unterscheidung zwischen Soziologie und Geschichte überhaupt nicht disziplinär, sondern lediglich methodisch vorgenommen wird (*M. Weber* 1956, S. 6, 10, 14), noch *Vilfredo Pareto* oder *Emile Durkheim* jemals den Gegenstand der Soziologie unhistorisch aufgefaßt, sondern betont, daß auch die aktuellen Phänomene der Soziologie der Zeitgeschichte zu entnehmen sind, und stets haben sie deshalb die Entstehungsgeschichte und die Entwicklungsbedingungen der Phänomene in die soziologische Analyse einbezogen (vgl. *G. Eisermann* 1973, S. 27–34). Ja, *Durkheim*, den man als den bedeutendsten Begründer der sogenannten „strukturell-funktionalen" Schule ansehen muß und von dem man mit Recht gesagt hat, er habe die Geschichte nachhaltiger beeinflußt als irgendein Fachhistoriker (*M. Bloch* 1954, S. 22), ging sogar so weit[1], daß er sagte, „die wahre Soziologie ist Geschichte", und somit verschiedene Male zu bezweifeln, ob Soziologie und Geschichte tatsächlich als zwei getrennte Disziplinen aufgefaßt werden könnten.

An diesem Punkt unserer Betrachtung angelangt, haben wir zunächst einmal zu fragen, was denn überhaupt unter „Geschichte" deutlicher zu verstehen sei. In Beantwortung dessen haben wir zu unterscheiden zwischen Geschichte (Vergangenheitsform von geschehen) als den res gestae, d. h. den wirklichen Geschehnissen in Raum und Zeit, erkennbar und verfügbar immer nur in Ausschnitten, und der Geschichte als der Historie (vom griechischen historein = erforschen) als der historia rerum gestarum, d. h. der Geschichtsschreibung, und als der wissenschaftlichen Ansprüchen zu genügen suchenden Berichterstattung von diesen Geschehnissen.

Als Objekt dieser Wissenschaft können wir, indem wir der Gefahr zu entrinnen suchen, daß unsere Antwort bewußt oder unbewußt unsere eigene Einstellung zur Zeit, mithin auch „la condition historique du sociologue" (*R. Aron* 1971), widerspiegele und bereits einen Teil unserer Antwort auf die umfassendere Frage darstelle, wie wir die Gesellschaft, in der wir leben, betrachten, ohne Anspruch auf definitorische Exaktheit die Schilderung des menschlichen Geschehens und Werdens in allen Einzelheiten bezeichnen, wobei die gesellschaftlichen Gebilde und Bindungen der Menschheit und ihre Veränderungen einen wesentlichen Teil davon ausmachen. Das Wort „Geschichte" weist also eine doppelte Bedeutung auf, es bezeichnet nicht nur den Lauf der Ereignisse, sondern auch den (wissenschaftlich geklärten) Bericht von jenen Ereignissen. Hieraus resultiert nicht nur die Gefahr der von vornherein mehr oder weniger ideologisch gefärbten Deutung dieses Geschehens, sondern auch unmittelbar eine enge Beziehung zwischen Soziologie und Geschichtswissenschaft. Kürzer könnten wir deshalb sagen, die Geschichte ist die Wissenschaft von den Menschen in der Zeitabfolge (*M. Bloch* 1954, S. 27 ff.). Angesichts dieser engen Verwandschaft von Geschichtsschreibung und Soziologie tut sich deshalb unvermeidlich die Frage auf, was denn die Geschichtsschreibung zur Herausbildung der Soziologie als eigenständiger Wissenschaft beigetragen habe.

I. Geschichtsschreibung und Soziologie

Noch vor *Herodot* (etwa 484—425), der von *Cicero* als „Vater der Geschichtsschreibung" bezeichnet wurde, könnten wir *Heraklit* (etwa 544—483), der mit seinem panta rhei der später von *Parmenides* systematisierten statisch-starren Seinsbetrachtung den immer wieder aufgegriffenen Inbegriff der Idee vom ewigen Werdefluß entgegenstellte, als den Urheber geschichtlicher Weltauffassung betrachten. Aber während *Herodot* alles Seltsame, was er auf seinen weiten Reisen zusammentrug, wie Götter-, Helden- und Königssagen zu einem bunten Teppich von Geschichten zusammenwob, legte *Thukydides* (etwa 456—396) den Grundstein zu einer wissenschaftlichen Geschichtsschreibung, indem er nicht nur die gesammelten Zeugnisse und Überlieferungen objektiv abzuwägen, sondern auch analytisch nach Ursachen und Wirkungen logisch zu zergliedern und darüber hinaus die Gleichförmigkeiten in den Handlungsverläufen aufzudecken suchte[2]. „Kraft seiner Einsicht in die wahren Zusammenhänge und unabdingbaren Notwendigkeiten alles historischen Geschehens entreißt *Thukydides* das Erlebnis von Athens Glanz und Fall seiner furchtbaren Unbegreiflichkeit und erhebt es zur ewigen Lehre" (*H. Berve*, Blütezeit des Griechentums, 3. Aufl. 1963, S. 160).

Die soziologische Auffassung der Geschichte durch *Thykydides*, der auch als erster zwischen den tieferen Gründen und den äußeren Anlässen des von ihm geschilderten Geschehens zu unterscheiden suchte, geht dabei von der Verflochtenheit des einzelnen mit der Polisgemeinschaft aus, die für ihn den Lebensraum kat' exochén darstellt, und dokumentiert sich darin, daß er den inneren Zusammenhängen des Geschehens, dem nackten, harten Geschichtsablauf ins Auge sah, weshalb man ihn mit Recht nicht nur als Begründer einer empirisch-kritischen Geschichtswissenschaft, sondern auch der Soziologie ansprechen könnte.

In *Polybios* (etwa 201—120) können wir den Fortsetzer des *Thukydides* in der Auffassung der Geschichte und ihrer methodischen Konzeption erblicken. Wenn er die Geschichte als den Kampf der Völker gegen die Macht der Tyche ansieht und sich philosophisch als ganz von der Weltauffassung der mittleren Stoa, der einflußreichsten philosophischen Strömung seines Jahrhunderts, erfaßt erweist, so differenziert er sich durchaus nicht von dem typischen ideologisch-soziologischen Gesamtgefüge seines Zeitalters. Erst wenn er die Aristotelische Konzeption des Kreislaufs der Verfassungen, die selbst eine empirische Basis hat, mit der Auffassung des *Thukydides* vom ewigen sozialen Kreislauf verknüpft und aus den überall gleichen Eigenschaften der als sozialen Typus begriffenen menschlichen Natur folgern läßt, gibt er ihr damit eine Wendung zu einer historisch fundierten Theorie des sozialen Wandels, die voraussetzt, daß die Menschen sich aus Gründen der Selbsterhaltung zusammenschließen. Indem er die empirisch beobachtbare Tatsache hervorhob, daß Gruppen-Billigung und -Mißbilligung eine maßgebliche Rolle im menschlichen Zusammenleben spielen, hat er der Idee des Kreislaufs, der einzigen Gestalt, unter der „Entwicklung" als Wiederkehr des Gleichen der Antike faßbar war, eine weitaus tiefer reichende, aus modern anmutendem wissenschaftlichen Geiste geborene, letztlich soziologisch fundierte Begründung aus eigenem hinzugefügt[3]. Durch die logische Analyse der beobachteten und erfahrenen historischen Verläufe sucht er als erster die Ursachen zu klären, die Rom befähigten, in wenigen Jahrzehnten fast alle Reiche der antiken Ökumene zu unterwerfen und zu einer staatlich-imperialen Einheit, dem Imperium Romanum, zusammenzufügen.

In anderer, aber auf die Dauer durch die ungeheure Geschichte seiner Wirkung durch die Jahrhunderte womöglich noch nachhaltigerer Weise hat ein anderer Grieche, *Plutarch*, (etwa 46—120), die soziologische Auffassung des geschichtlichen Geschehens gefördert und darüber hinaus das geschaffen, was man heute als „komparative Methode" weithin in der soziologischen Literatur anwendet. In seinen „Vergleichenden Lebensbeschreibungen" hat er bewußt stets einen Griechen und einen Römer nebeneinander gestellt, um auf diese Weise deren Charakter, Schicksal und Taten durch die Kontrastierung und den Vergleich besser schildern und deutlicher herausarbeiten zu können, wobei er für die Beschaffung des Materials Beobachtung, Sammlung und Sichtung als die gegebene Methode ansah[4]. Er hat auf diese Weise nicht allein die Biographie geschaffen, denn Bios bedeutet im literarischen Sinne für den Griechen nicht nur die Summe der äußeren Lebensereignisse, sondern die Darstellungsart, wie der Mensch als sozialer Typus lebt und seinen Charakter entfaltet.

Nicht geringere Aufmerksamkeit verdient in diesem Zusammenhang der mittelalterliche Repräsentant arabischer Wissenschaft *Ibn Chaldun* (1332—1406), dessen „Prolegomena zur Geschichte" über eine geschichtswissenschaftlich-methodische Einleitung hinaus eine soziologisch tiefer begründete Auffassung der Geschichte angebahnt haben, die besonders auch durch den Aufweis des Einflusses von Boden und Klima auf das geschichtliche Geschehen, im Anschluß an Beobachtungen von *Hippokrates,* weitgehend Ideen von *Bodin,* dem in unserem Zusammenhang ungleich gewichtigeren *Montesquieu* und den nicht wenigen neuzeitlichen Autoren, die ihnen folgten, vorwegnehmen. Er zerbricht die mittelalterlichen Fesseln exegetischer Autoritätsgläubigkeit, indem er außer seiner Zustimmung zur Auffassung des *Aristoteles,* daß der Mensch ein zoon politikon sei, jener fundamentalen Erkenntnis, die in nuce die gesamte Soziologie enthält, sich beim Studium der Geschichte und der Gesellschaft lediglich auf die Methode der Beobachtung und logisch-rational zergliedernden Erfahrung stützt, die seine Vorgänger, die großen arabischen Philosophen, erfolgreich in ihren naturwissenschaftlichen und medizinischen Werken benutzt hatten, nicht aber die Realität bestehenden philosophischen oder sonstigen autoritativen „Lehrmeinungen" anzupassen sucht. Kurz, „was er schrieb, das *nennen* wir heute Soziologie[5]". So kommt *Ibn Chaldun* in der Tat das Verdienst zu, dessen er sich selbst rühmt, nämlich die menschliche Gesellschaft zum Gegenstand einer neuen, eigenen Wissenschaft gemacht zu haben.

Bedeuteten die Kreuzzüge gegen die „Ungläubigen", soziologisch gesehen, die beginnende Auflösung des Feudalismus, so zeigten sich darüber hinaus in wachsendem Maße die Anfänge einer selbständigen bürgerlichen Kultur. Es hatte deshalb eine innere Konsequenz, daß *Niccolò Machiavelli* (1469—1527) „mit einem *Ibn Chaldun* wesentlich ähnlichen Gesichtspunkt[6]" an die Schilderung historischen Geschehens herantrat und somit nicht nur der Schöpfer einer dynamischen Betrachtungsweise des geschichtlichen Geschehens, sondern geradezu der Vater der modernen Geschichtsschreibung wurde. In seinen „Istorie Fiorentine" (1520—1525) und seinen „Discorsi sopra la prima deca di Tito Livio" (1531), die hier in erster Linie genannt werden müssen, wendet er nicht nur weithin die „komparative Methode" an, sondern zählt den Staat, indem er an *Polybios* anknüpft, „zu den Gebilden der Natur". Wie schon *Thukydides* war auch er überzeugt, daß die Gleichförmigkeiten menschlichen Handelns, wie sie sich in der Geschichte auffinden lassen, es gestatten, den Verlauf der künftigen Ereignisse vorherzusehen, wodurch er bereits *Auguste Comte,* der gewöhnlich als Begründer der Soziologie angesehen wird, vorwegnimmt. In seiner Geschichtsbetrachtung auf dem zu seiner Zeit vordringenden Denken des Nominalismus und einer eingehenden Kenntnis der römischen Geschichtsschreiber basierend, hat er, von dem *Francis Bacon* mit Recht rühmte, ihm verdanke die Menschheit, daß sie nunmehr wisse, wie der Mensch in Wirklichkeit handle, statt nur vorgepredigt zu bekommen, wie er handeln sollte, jenen harten Realismus in die moderne Geschichtsschreibung eingeführt, der zwar zu so beispiellosen Verleumdungen seiner Person geführt hat, obschon unter anderen *Johann Gottfried Herder* ihm bescheinigte, er predige nicht das Böse, sondern stelle lediglich die Geschichte als eine Folge von Naturgegebenheiten dar, der ihm andererseits aber unstreitig den Ruhmestitel eingebracht hat, einer soziologischen Betrachtung menschlichen Geschehens zum Durchbruch zu verhelfen.

Fairerweise muß hier zugleich sein Freund *Francesco Guicciardini* (1483—1540) genannt werden[7], der in seinen Werken „Storie Fiorentine" (1509) und „Storia d'Italia" (1567) die Geschichte nicht nur auf Grund eines sorgfältigen Studiums der Akten, deren Auswertungstechnik er wesentlich förderte, aus der Begrenzung territorialer Gesichtspunkte löste, sondern in einer mit *Machiavelli* übereinstimmenden Weise die menschliche Natur als sozialen Typus zu erfassen trachtete, da Erfahrung und Beobachtung lehrten, daß die menschlichen Dinge sich ja überall gleichen oder doch sehr ähnlich seien, wodurch die geschichtliche Erfahrung erst lehrreich für Gegenwart und Zukunft würde.

Als ein ins Christliche transponierter *Ibn Chaldun* könnte der einsame, zu seinen Lebzeiten kaum bekannt gewordene Neapolitaner *Giambattista Vico* (1668—1744) bezeichnet werden, dessen berühmtes Werk „Principî di una scienza nuova" (1725) an den

Grenzen von Geschichtsschreibung und Geschichtsphilosophie angesiedelt ist. Seine „neue Wissenschaft" von der Geschichte stellt mehr als einen großartigen, universalgeschichtlichen Entwurf dar und bildet die erste empirische Konstruktion der als Totalität aufgefaßten Menschheitsgeschichte. Seine Konzeption von den stets in der Geschichte zu beobachtenden Läufen und Rückläufen (corsi e ricorsi) beruht auf der auf uralte Traditionen zurückreichenden Lehre von den drei Zeitaltern, denjenigen der Götter, Heroen und Menschen, und zielt mit ihrem Grundsatz, daß alles, was in der Vergangenheit geschehen sei, auf ähnliche Weise auch in Zukunft geschehen werde, auf die empirische Erfassung geschichtlicher Gleichförmigkeiten. Seine Einsicht in die „ewige ideale Geschichte", nach der in der Zeit die Geschichte aller Völker mit ihrem Aufstieg, Fortschritt, Verfall und Ende verläuft, beruht auf der Vertauschbarkeit des verum und des factum, auf der Erkenntnis, daß die Menschen nur das wirklich wissen könnten, was sie auch gemacht haben.

Auch darin schließlich scheint *Vico* sich in Übereinstimmung mit *Ibn Chaldun* zu befinden, daß er nur äußerlich den herrschenden religiösen Gewalten seine Reverenz erweist, indem er das ebenso natürliche wie geschichtliche Gesetz, unter dem die Völker stehen, „Vorsehung" nennt und die Religion prinzipiell als ein „ziviles", will sagen profanes und geschichtliches Phänomen begreift, dessen große Bedeutung für die historischen Prozesse der Völker er zwar betont, ohne jedoch einen Unterschied zwischen den heidnischen Religionen und der wahren Religion zu machen oder sich gar zum Apologeten der letzteren aufzuschwingen. Es ist nach alledem folgerichtig, daß *Vicos* Suche nach den Strukturgesetzen des Entstehens, Wandels und Vergehens sozialer Systeme, für die er unübersehbares empirisches Material auswertete, ihn in den Augen von *Joseph Schumpeter* neben *Karl Marx* und *Francis Galton* zu einem der „drei größten Soziologen[8]" machte.

Vielleicht noch größere Bedeutung für unseren Zusammenhang besitzt jedoch *Montesquieu* (1689—1755), der nach dem Erlöschen des religiösen Fanatismus und des kirchlichen Dirigismus der Wissenschaft das Werk seines Landsmannes *Jean Bodin* (1530—1596) geistig fortsetzte. Der Reichtum seiner Schriften, mit denen er die ganze Fülle sozialer Gebilde, wie sie sich in der Geschichte darbieten, einer wissenschaftlichen Betrachtung zugänglich zu machen suchte, spannt sich von den „Lettres persanes" (1721) über die uns hier besonders interessierenden „Considérations sur les causes de la grandeur des Romains et de leur décadence" (1734), dieses Muster einer „geschichtssoziologischen" Monographie, bis zu seinem unvergänglichen Werk „De l'esprit des lois ou du rapport que les lois doivent avoir avec la constitution" (1748). Auf die beißende Kritik der gesellschaftlichen Verhältnisse seiner Zeit ließ er so eine auf Erfahrung, Beobachtung und ausgedehnte Lektüre beruhende Analyse historisch-sozialer Prozesse folgen. Auf Grund der vorgefundenen Zusammenhänge teilte *Montesquieu* die betrachteten Gesellschaften in drei Hauptstaatsformen ein, da für ihn Gesellschaft gleichbedeutend mit Staat ist[9]. Bei der Herleitung der Prinzipien, auf denen diese Staatsformen beruhen, hat sich *Montesquieu* sehr konsequent an den zuvor herausgearbeiteten sozialen Gebilden orientiert, wobei sein Wortschatz bezeichnenderweise keinerlei ethischen Hintergrund aufweist, so daß es nicht wunder nimmt, daß sein Hauptwerk sogleich bei seinem Erscheinen stark von religiösen Kreisen kritisiert wurde. Seine Betrachtung der historischen Wandlungsprozesse läßt eine Konzeption sozialer Dynamik erkennen, in deren Rahmen er die Entstehung der Staatsformen untersucht, indem er alle Faktoren, seien es materielle oder psychologische, die Einfluß auf die Gesellschaftsformationen haben könnten, sorgfältig analysiert. Das Zusammenwirken der physischen und moralischen Faktoren ergibt die Kollektivmentalität („esprit général") einer Gesellschaft, die, *Durkheims* Konzeption der „conscience collective" vorwegnehmend, für die Strukturierung der Gesellschaft entscheidende Bedeutung besitzt und deren Dekadenz *Montesquieu* für den Untergang Roms haftbar macht. Das ganze reiche, von ihm zusammengebrachte historische Material dient ihm derart als Stoff für sein Bestreben, gewisse Gleichförmigkeiten herauszuarbeiten, denen das gesellschaftliche Zusammenspiel gehorcht, und die Natur dieser Gleichförmigkeiten zu definieren. Man könnte fast sagen, daß *Montesquieu* nur die Kenntnis der industriellen Revolution gefehlt habe, um nicht nur als die Geschichtsschreibung in einzigartiger Weise befruchtender Denker und Vorläufer der Soziologie, sondern als großer Soziologe zu gelten (über *Montesquieu* und *Durkheim* siehe *R. König* 1971).

Montesquieu nicht unähnlich, gelingt dann *Voltaire* (1694—1778) die Zusammenschau der historischen Mannigfaltigkeiten, deren Entdeckung durch den im 18. Jahrhundert sich ausbreitenden Exotismus befruchtet wurde, mit der Idee des menschlichen Fortschritts, die das aufklärerische Schiboleth des sozialen Wandels bildete. Durch die Überwindung der Geschichtstheologie vom Schlage eines *Bossuet* (1627—1704), die in der Anwendung historisch-methodischer Kritik auf die Bibel gipfelt, dringt *Voltaire* zu einer „Philosophie der Geschichte" vor, die einen strikten Trennungsstrich zwischen sakraler und profaner Geschichtsbetrachtung zieht und die man, im Gegensatz zu dem heutigen Wortgebrauch, am treffendsten vielleicht als soziologische Geschichtsbetrachtung bezeichnen könnte, ohne daß er sich indes von dem aufklärerischen Fortschrittsglauben hätte lösen können.

Wohl hat er so den Begriff „Philosophie de l'histoire" (1756) überhaupt erst geschaffen und unter diesem Titel eine nachträglich verfaßte Einleitung seiner universalen Kulturgeschichte „Essai sur les moeurs et l'esprit des nations" (zuerst 1745) vorangestellt, aber den Riß zwischen der streng geknüpften historischen Kausalkette und dem aufklärerischen Moralbedürfnis zu überbrücken, blieb ihm versagt. Sein ausgesprochen universalhistorischer Gesichtspunkt kommt dabei sogar in seiner Darstellung „Le siècle de Louis XIV" (vollendet 1751) zum Ausdruck. Seine Überzeugung, daß — falls die Daten nur alle zur Hand wären — sich grundsätzlich alles in der Geschichte, will sagen im universalhistorisch konzipierten menschlichen Zusammenleben, berechnen ließe, und sein eigenes Zukunftswollen, das seine Geschichts- und Kulturphilosophie in den Dienst der Durchsetzung seines Kulturideals stellte, wollten nicht zur Einheit verschmelzen. Das Wesen der menschlichen Gesellschaft erblickte *Voltaire* so in der geselligen „Natur" des Menschen, die Ursachen ihres historisch-sozialen Wandels in den sich verändernden menschlichen Gewohnheiten[10]. Immer wieder spricht *Voltaire* vom historischen Geschehen explizit nicht allein als „Philosoph", sondern als „Historiker" und bemüht sich, nicht zuletzt unter dem Einfluß des starken Aufschwungs der empirischen Wissenschaften seiner Zeit, um eine ausgesprochen wissenschaftliche Auffassung von der Geschichte.

David Hume (1711—1776), der ebenfalls meist einseitig als Philosoph angesehen und leider zu Unrecht in den meisten Untersuchungen der Entwicklung des historischen Denkens nicht gebührend berücksichtigt wird, hatte zwar in seiner „History of England" (1754—1762) die Geschichte des englischen Volkes als einen kontinuierlichen Prozeß zur „Perfektion der bürgerlichen Gesellschaft" betrachtet, sie aber zugleich einer methodisch-kritischen und generelle Zusammenhänge erfassenden Auffassung unterworfen[11]. Dabei kam ihm zustatten, daß er bereits in seinem philosophischen Hauptwerk, anknüpfend an den Empirismus seines Landsmannes *John Locke,* durch seine Kritik am Substanz- und Kausalbegriff der aufstrebenden wissenschaftlichen Konzeption der Geschichte Hilfestellung geleistet hatte, wobei seine Auflösung des strengen naturrechtlichen Kausalitätszwanges in eine subjektive seelische Wahrnehmungsfolge der immer stärker spürbaren Dekomposition der bisherigen Ständegesellschaft entsprach.

In seiner Geschichte der bürgerlichen Gesellschaft („Essay on the history of civil society" 1767), in der er zwischen Staat und Gesellschaft wohl zu unterscheiden wußte, hat sodann der Schotte *Adam Ferguson* (1723—1816), dessen Bedeutung als Historiker, Soziologe und Philosoph noch längst nicht erschöpfend dargestellt wurde[12], das menschliche Zusammenleben als ein historischem Wandel unterworfenes Geschehen dargestellt, das von überindividuellen geschichtlichen Faktoren zusammengefügt und in seinen zwischenmenschlichen Beziehungen durch Gefühlskräfte beherrscht wird. Mit Recht hat man deshalb stets gezweifelt, ob er legitimer seinen Platz in einer Geschichte der Historiographie oder der Soziologie zugewiesen erhalten müsse.

Nicht nur etwa wegen seiner „History of the progress and termination of the Roman Republic" (1782) muß *Ferguson* überdies als Wegebahner von *Edward Gibbon* (1737 bis 1794) betrachtet werden, der einen viel weitreichenderen Einfluß auf die Emanzipation der Geschichte von der Theologie, vergleichbar in neuerer Zeit nur demjenigen *Voltaires*, besaß und mit seiner zu Recht berühmten „History of the Decline and Fall of the Roman Empire" (1776—1788) nicht allein einen unvergleichlichen Sinn für historische Totalitäten, sondern auch eine strikt wissenschaftliche Auffassung von der Geschichte dokumentierte. Er muß vielleicht als der größte unter den Historikern des Aufklärungszeitalters angesprochen werden, jedenfalls schuf er mit seinem Werk, mit dem er das „ewige Romgespräch" zu einem imposanten Gipfel emporführte, zugleich „das Höchste, was die Geschichtsschreibung des 18. Jahrhunderts in der Art geleistet hat[13]". In exemplarischer Weise wurde hier mit umfassendem Blick auf den Zusammenhang der verschiedenen Geschehnisreihen die Transformation eines sozialen Systems behandelt.

Dieses universal- und kulturgeschichtliche Interesse des 18. Jahrhunderts fand aber auch, beflügelt wiederum durch den Exotismus und die Reiselust des 17. und 18. Jahrhunderts, seinen Niederschlag in den großen Enzyklopädien, Reisewerken und „Staatsmerkwürdigkeiten" über ferne und fremde Völker, kurz in jener seit dem späten 17. Jahrhundert einsetzenden historisch vergleichenden Staatenkunde, die unter dem Namen „Universitätsstatistik" bekannt ist und neben den seit altersher veranstalteten öffentlichen Zählungen und der in England entstandenen sogenannten „politischen Arithmetik" bekanntlich die dritte historische Wurzel der modernen Statistik bildet. Ihre wissenschaftliche Dignität und ihr geistiges Wirkungszentrum erwarb diese Universitätsstatistik mit *Gottfried Achenwall* (1719—1772), der ja gern als

„Vater der Statistik" bezeichnet wird, wie überhaupt der Name „Statistica" von ihm stammt, ebenso wie der damals geradezu synonyme der „Staatsmerkwürdigkeiten" von dem noch zu erwähnenden *August Ludwig Schlözer*. Mit Recht hat deshalb *Ferdinand Tönnies* die moderne Soziographie sive „empirische Sozialforschung" als Erbin dieser Lehre von den Staatsmerkwürdigkeiten angesehen. *Achenwall* jedenfalls konnte mit dieser vergleichenden Staatenkunde vorerst alle auf eine rein zahlenmäßige Statistik gerichteten Bestrebungen zurückdrängen. Mit seiner Berufung an die 1737 begründete Universität Göttingen auf den Lehrstuhl für europäische Geschichte und Statistik wurde deren Bedeutung als eines weithin ausstrahlenden Zentrums historischen Denkens nachdrücklich gefördert.

Ihren Höhepunkt erreichte diese Entwicklung vorerst in *August Ludwig Schlözer* (1735—1809), der nach vorübergehender Tätigkeit in Rußland den nach dem Tode *Achenwalls* freigewordenen Lehrstuhl erhielt. Er war der typische Vertreter jenes Standes verpflanzbarer merkantilistischer „Wirtschaftsingenieure", die den Staat mit durchaus positivem Akzent als „Maschinenstaat" ansahen. In seinen historischen Werken kam eine an seinem Vorbild *Voltaire* gereifte universalgeschichtliche Konzeption zum Ausdruck, die der bloßen politischen und Militärgeschichte als Bericht von „Mordgeschichten" eine prinzipielle Absage erteilte. Von ihm stammt auch die mit Recht berühmte Definition: „Geschichte ist fortlaufende Statistik; Statistik ist stillstehende Geschichte", worin sich die hier hervorgehobenen inneren Zusammenhänge anschaulich ausprägen. *Schlözer* betrieb jedoch nicht nur die zukunftsweisende Anwendung der Statistik auf die gesellschaftlichen Erscheinungen, sondern auch auf die Geschichte, womit er die allermodernste Richtung der quantifizierenden Historiographie in Frankreich antizipierte. Überhaupt erscheint jene deutsche Universitätsstatistik nicht allein als Vorläuferin der heutigen Soziographie, sondern diese, ein reiches historisches Material ausbreitenden Staatsmerkwürdigkeiten sind zugleich auch Vorläufer der heutigen „Zeitgeschichte".

Auch *Henry Thomas Buckle* (1821—1862) hob in seinem lesenswerten Werk „History of Civilisation in England" (1857—1861) nicht allein den Allzusammenhang des allmählichen Transformationsprozesses der sozialen und kulturellen Phänomene in ihrer Interdependenz hervor, sondern suchte auch die Gleichförmigkeiten zu erfassen, die sich in diesem Prozeß abheben, handelt es sich doch nach seiner Auffassung dabei „nur um die Beweise für das Dasein einer Gleichmäßigkeit in den Vorgängen der Menschenwelt, welche zuerst durch die Statistiker zum Vorschein gebracht wurden[14]". Auf Grund eines mit unsäglichem Fleiß aufgehäuften Materials, das er in seinem an soziologischen Einsichten reichen Werk ausbreitete, das „zu den Meisterwerken der englischen Geschichtsschreibung" (*J. P. Gooch* 1964, S. 608) zählt, kam er, indem er nicht nur hierin *Herbert Spencer* antizipierte, abschließend zu der Auffassung, daß der Lauf der menschlichen Dinge von universalen und unerschütterlichen Regelmäßigkeiten durchdrungen sei.

Auf dem Werk von *Buckle* aufbauend hat dann späterhin *Karl Lamprecht* (1856—1915), vor allem in seinem umfangreichen Hauptwerk „Deutsche Geschichte" (1891—1909), die politischen Geschehnisse in ihrem strukturellen Zusammenhang mit den sozialen und ökonomischen Wandlungen herausgearbeitet[15]. Als der eigentliche Träger der Handlung wird dabei in konsequenter Anwendung seiner „kulturhistorischen Methode" im Gegensatz zu dem Kult der „großen Persönlichkeiten" die soziale Gruppe betrachtet. Derart erarbeitet er ein Schema von Seinsformen, die in der deutschen Geschichte aufeinanderfolgen und die seiner Auffassung nach auch auf die Historie anderer Völker sinngemäße Anwendung finden können.

Diese, sich als „Kulturgeschichte" deklarierende Auffassung vom historischen Geschehen kulminierte jedoch in *Jacob Burckhardt* (1818—1897), von dem man zweifeln könnte, ob er in einzelnen seiner Werke, so z. B. in den berühmten „Weltgeschichtlichen Betrachtungen" (1905) nicht mehr Soziologe als Historiker sei[16]. Da es aber weder die Aufgabe dieses Aufrisses sein kann, bis in die Gegenwart hineinzuführen, da sonst nicht allein *Burckhardt* einer ausführlichen Würdigung bedürfte, sondern auch zahlreiche andere Historiker hier behandelt werden müßten, so daß dieser Aufriß einen unzulässigen Umfang einnehmen müßte, können wir uns mit diesem Hinweis begnügen. Freilich schält sich andererseits aus diesem wesentlichen Beitrag, den die Geschichtsschreibung zur Ausbildung der Soziologie geliefert hat, keineswegs „eine große Linie heraus, die von der Geschichte zur Gesellschaft, und von der Historie zur Soziologie geführt" hätte (*F. H. Tenbruck*, in: *P. Chr. Ludz* 1972, S. 29), da die Erkenntnisintentionen der beiden Disziplinen ebenso wie sie selbst konstitutiv den „Gesetzen" unterworfen bleiben, „nach denen sie angetreten". Ihre Beziehungen müssen durch Kooperation, sollen nicht durch Konkurrenz und dürfen niemals durch Substitution geregelt werden.

Gerade an dem umfangreichen Werk von *Jacob Burckhardt* aber wird auch deutlich, daß der Historiker, bevor er irgendein historisches Werk zu schreiben beginnt, selber ein Produkt seiner Gesellschaft ist und das heißt zugleich ein Produkt der Geschichte. Andererseits aber hatte sich im Verlauf der Entwicklung des historischen Denkens und der Geschichtsschreibung gezeigt, daß Geschichte als Wissenschaft vom Menschen nur möglich ist durch die Bezugnahme auf soziale Begriffe und Konzeptionen. Ohne diese Betrachtung wäre sie gegenstandslos und ohne wirklichen Inhalt, eine bloße *Form* der Betrachtung. „Folglich kann der Soziologe nicht in der Werkstatt und den Arbeiten der Geschichte vom Wege abgelenkt werden: er findet dort seine Materialien, seine Werkzeuge, sein Vokabular, seine Probleme und sogar seine Ungewißheiten wieder" (*F. Braudel* 1958, S. 88). In der Tat ist die moderne Geschichtsschreibung unter dem Einfluß der Soziologie in ihren Fragestellungen, ihrer Begriffsbildung und sogar in ihren Methoden immer soziologischer und damit für den Soziologen immer relevanter geworden. Auf der anderen Seite kann man sich, angesichts der immer stärkeren Durchdringung der Geschichtsschreibung durch die Soziologie, bei gewissen Soziologen, wie z. B. *Henry Sumner Maine* (1822—1888) und *Numa Fustel de Coulanges* (1830—1889) geradezu fragen, „ob man sie als Historiker oder als Soziologen ansprechen soll" (*R. König* 1960, S. 305). Jedoch ist die Präsenz soziologischer Fragestellungen und soziologischer Erkenntnishaltung gegenüber dem historischen Geschehen, wie wir sahen, nicht allein bereits seit den Anfängen der Historiographie und nicht etwa nur unter ihren geringsten Repräsentanten vorhanden, sondern dieser Prozeß einer zunehmenden Durchdringung vollzieht sich auch im Gegensatz zu der landläufigen Geschichtsschreibung, die sich, um mit *Max Weber* zu reden, grundsätzlich als Beifallssalve für den jeweils Erfolgreichen zu konstituieren pflegt.

II. Evolutionismus und Historismus: die Todfeinde der Soziologie

Neben dieser Entwicklungslinie historischen Denkens, die wir im vorausgehenden verfolgt haben, gibt es aber noch zwei ganz andere, teilweise der Soziologie scheinbar förderliche und auch in bezug auf sie gewiß nicht einflußlose. Wir meinen den Evolutionismus, der sich alsbald mit der Organismusidee verband und vor allem in der zweiten Hälfte des 19. Jahrhunderts in Gestalt des Darwinismus zu seinem stärksten Einfluß gelangte, und seinen scheinbaren Widerpart, den Historismus, der die sachliche Erörterung der Bedeutung der Geschichte für die Soziologie bis in die Gegenwart hinein aufs schwerste belastet. Als Quellpunkt beider Entwicklungslinien in der neueren Zeit können wir *Johann Gottfried Herder* (1744—1803) ansehen.

Der Begriff „Evolution" in dem hier gebrauchten Sinne bedeutet Entwicklung aus dem kontinuierlichen Hervorgehen der komplizierteren Seinsformen als den einfacheren, die zeitlich geordnete Genese der Daseinsformen vom Einfachen zum Zusammengesetzten. Für die Idee der „Evolution" ist das Wesentliche, daß das Subjekt der Entwicklung selbst sich stets verändert, ständig neue Formen annimmt. Die Deutung des gesamten Natur- und des daraus möglichst fugenlos hervorgehenden Menschheitsgeschehens als einer kontinuierlichen Evolution ist im 19. Jahrhundert immer wieder versucht worden. Sie kulminiert in der Entwicklungslehre von *Charles Darwin* (1809—1882), die über den naturwissenschaftlichen Bereich hinaus als „Sozialdarwinismus" alsbald stärksten Einfluß erlangte. In der Auseinandersetzung mit dem Sozialdarwinismus hat man späterhin törichterweise zumeist einseitig das Gewicht auf den damit vollzogenen angeblichen „Einbruch der Naturwissenschaften" in die Sozialwissenschaften gelegt und darüber übersehen, daß *Darwin* nach seinem eigenen, in seinem zum meistgelesenen wissenschaftlichen Buch des 19. Jahrhunderts gewordenen Hauptwerk „On the Origin of Species by Means of Natural Selections" (1859) niedergelegten Eingeständnis, nur die Anwendung der Theorien des Soziologen, Ökonomen und Bevölkerungswissenschaftlers *Robert Malthus* (1766—1834) auf das Reich der Natur anstrebte: „It is the doctrine of Malthus applied with manifold force to the whole animal and vegetable kingdom."

Die Evolution beruht dabei sowohl auf von außen her wirksamen, wie in den jeweiligen Organismen selbst angelegten Faktoren, die aber beide — und das ist entscheidend — jedenfalls prinzipiell in „naturgesetzlicher" und das will heißen: zwangsläufiger Weise wirkend vorgestellt werden. Die „Entwicklung" wird hier losgelöst von der Tätigkeit eines „freien" menschlichen Willens und allein aus „naturgesetzlichen" Antrieben heraus zu erklären versucht. Bereits *Herder* strebte in diesem Sinne nach Feststellung der kausalen Verknüpfung der Tatsachen, wobei die Menschheitsentwicklung durchaus als Teil der Naturgeschichte erscheint. In die allgemeine Welt- und Erdgeschichte wird die Geschichte der organischen Lebewesen eingegliedert, so daß das gesamte Geschehen *eine* kontinuierliche Kette, eine Stufenreihe von Entwicklungsformen, bildet. Die Entwicklung des Menschen, der das bis jetzt letzte und höchste Glied dieser Entwicklung darstellt, sei dabei bestimmt durch die ihn umgebende Natur und mithin erklärbar genauso wie das Naturgeschehen durch die kausale Verknüpfung einzelner Faktoren.

Im inneren Zusammenhang mit der Ausbildung des Entwicklungsgedankens steht das fast gleichzeitige Aufleben der Organismusidee zu Beginn des 19. Jahrhunderts, vornehmlich durch die Romantik, die auch in dieser Hinsicht „eine geistige Gegenrevolution" *(F. Oppenheimer)* gewesen ist und zugleich dem heraufkommenden Historismus die entscheidenden Impulse verliehen hat. Die „organische" Auffassung von Staat und Gesellschaft geht dabei bis auf *Plato* und *Menenius Agrippa* zurück, dessen anschauliche Darlegung in der Fassung, die ihr *Shakespeare* bekanntlich in seinem Drama „Coriolan" (I, 1) gegeben hat, berühmt geworden ist. Mit den wesentlichen Merkmalen des Organismus, seiner natürlichen Entstehung, der Wechselwirkung seiner Teile und der darin enthaltenen inneren Zweckmäßigkeit wird Entstehung, Funktion und Struktur der sozialen Phänomene verglichen und dadurch zu „erklären" versucht. Die Auffassung, daß soziale Phänomene „organische" Gebilde seien, bedeutet dabei dreierlei, nämlich zunächst, daß sie nicht aus isolierten Einzelwesen „konstruiert" werden könnten, sondern logisch früher seien als die Einzelwesen, die ihnen angehören. Sie bedeutet ferner, soziales Leben könne nicht bewußt und mithin „künstlich" nach rationalen Theorien gestaltet oder verändert werden, sondern besitze seine Wurzeln im Prärationalen und wachse in naturhafter Weise. Sie bedeutet schließlich, jede soziale Gruppe, nicht nur die umgreifende Gesellschaft, sei ein eigentümliches Gebilde von spezifischem Wert und spezifischem Recht, das sein besonderes, eben „organisches" Bildungsgesetz in sich trage.

Ist der Ursprung der sozialen Phänomene derart ein „lebendiger" Entwicklungsprozeß, so ist ihre gegenwärtige Gestalt und deren „Besonderheit" nur aus ihrer Geschichte heraus verständlich. Historisch ist diese Auffassung aber auch in dem Sinne, daß jede Einzelerscheinung nicht nur im Ursprung, sondern auch in der Funktion überhaupt als Glied in einen Gesamtprozeß eingegliedert sei. Das Individuum erhält mithin Leben und Richtung nur aus dem Allzusammenhang der es umschließenden „Gemeinschaft". Die Idee des Allzusammenhangs der sozialen Phänomene, ihrer Mannigfaltigkeit und ihrer Veränderung in der Zeit, ihrer sich letztlich rational-empirischem Zugriff entziehenden Irrationalität ist durch die deutsche „Organologie", wie sie die Romantik ausgebildet hat, besonders nachdrücklich zur Geltung gebracht worden. Die auch in dieser Hinsicht erkenntnistheoretisch unsaubere Vermengung soziologischer und ökonomischer Tatbestände, die dabei zumeist vollzogen wurde, mag die verhältnismäßig späte Entwicklung der Soziologie als einer selbständigen Wissenschaft in Deutschland mit erklären. Neben dieser „geisteswissenschaftlichen" Entwicklungslinie des organologischen Evolutionismus bestand daneben, innerlich mit ihr verbunden, zuweilen sich mit ihr „auseinandersetzend", die rein „naturwissenschaftliche", die Kampf ums Dasein, Auslese und Überleben des Geeignetsten als kausale Faktoren der dennoch stets prinzipiell als naturwüchsig und naturhaft festgehaltenen, in der Zeit verlaufenden Evolution betonte[17].

Daneben lief, ebenfalls an *Herder* anknüpfend und über ihn hinaus zumindest bis zu *Justus Möser* (1720—1794) zurückgreifend, sich späterhin zuweilen sogar mit dem Sozialdarwinismus verknüpfend, eine andere geistige Bewegung, der Historismus. Unter Historismus soll dabei nicht etwa jeder Standpunkt grundsätzlich geschichtlicher Auffassung verstanden werden, sondern jene sich verstärkt seit der Romantik anbahnende, selbst historisch-singuläre Synthese der Vorstellung vom ewigen Werdefluß mit dem Sinn für das Einmalige, ja Einzigartige aller Erscheinungen (vgl. dazu *W. Dilthey; E. Troeltsch; F. Meinecke; C. Antoni* 1950; *G. Eisermann* 1956). Sie ist insbesondere für die deutschen sogenannten Geistes- und Kulturwissenschaften bis in die Gegenwart hinein von richtunggebender Bedeutung und methodenbildender Wirkung gewesen. Diese Auffassung kommt bereits deutlich zum Ausdruck bei *Möser*, von dem *Goethe*, dem bekanntlich *Friedrich Meinecke* selbst einen hervorragenden Platz in der Ausbildung des historischen Weltbildes zuweist, im 13. Buch von „Dichtung und Wahrheit" als dem „herrlichen, unvergleichlichen Manne" spricht.

Voll kommt diese Auffassung der Realität aber erst bei *Herder* zum Durchbruch. Die erklärte Absicht seines Jugendwerkes „Auch eine Philosophie der Geschichte der Menschheit" (1774), „des großartigen Grundbuches des Historismus", wie man es genannt hat[18], besteht bereits darin, die Begriffe „Fortschritt" und „Entwicklung" ihres moralisierend-aufklärerischen Gehalts zugunsten eines funktionell-dynamischen zu entkleiden. Im immer wieder gebrauchten Bilde des strömenden Flusses suchte *Herder*, getragen von dem Erlebnis der Gegenwart als zerbrechlicher Grenzscheide zwischen einer fortwirkenden Vergangenheit und unaufhörlich hereinbrechenden Zukunft, das emphatische Erlebnis des Geschichtlichen herauszustellen. Nicht minder wichtig war, daß damit zugleich auch jener Sinn für das Einzigartige aller Erscheinungen verschmolzen wurde, daß zu der Vorstellung vom ewigen Werdefluß das Prinzip der Individuation trat, die komplementär den Historismus bilden. Aber *Herder* beweist sein im wahrsten Sinne „historisches" Verständnis vor allem dadurch, daß er das Prinzip der Individuation mit der treibenden Kraft geschichtlichen Lebens selbst fest zu verklammern weiß.

Denn einmal führt bei ihm die Überlegung, daß durch bestimmte Eigentümlichkeiten einer geschichtlichen Gestalt andere ausgeschlossen werden, zu der Erkenntnis, daß Gestaltwerdung einer Möglichkeit immer auch Ausschluß anderer Bildungen bedeutet, die aus der nämlichen Anlage hätten hervorgehen können. Immer ist Individuation daher zugleich Verzicht oder, wie *Herder* sagt, *„Privation"*. Aber auch der Fortgang der Geschichte durch alle Phasen hindurch bleibt stets an die Überwindung der jeweils tieferen mit all ihren Gebrechen gebunden. Das Negative bildet daher für ihn das Werkzeug oder das „vehiculum", das den Fortgang der Geschichte mit dem Individuationsprinzip verklammert. In seinem Hauptwerk, den „Ideen zur Philosophie der Geschichte der Menschheit" (1784—1791), wurde dagegen diese Konzeption noch fester mit den allgemeinen, das gesamte Weltall durchwaltenden, für ihn organologisch-biologischen Gesetzen verknüpft. Sein richtungsweisender Einfluß auf *Goethe*[18] ist bekannt; aber auch *Hegel, Fichte* und *Schelling* können ohne seine Anregungen nicht gedacht werden. Zur vollen Auswirkung aber kommen sie in der Romantik.

Von dorther strömten sie in die deutsche Geschichtsschreibung ein und gelangten über *Johann G. Droysen*, der in seiner „Historik" (1858) das Individuelle als das Wesen des Geschichtlichen überakzentuierte, und *Heinrich von Treitschke*, der verhinderte, daß neben der Staatslehre in Deutschland eine besondere Wissenschaft von der Gesellschaft ihre Anerkennung und Aufnahme im akademischen Bereich finden konnte, über *Wilhelm Ditlhey* (1833—1911) und *Ernst Troeltsch* (1865—1923) zur Auswirkung in der deutschen Soziologie, nicht zuletzt auch bei *Max Weber* (1864—1920), und kulminierten im Werk von *Friedrich Meinecke* (1862—1954). Wie vielfältig sich dabei diese Vorstellungen mit den zuvor geschilderten organologisch-biologischen überkreuzten oder verschränkten, geht schon daraus hervor, daß *Dilthey* mit seinen Freunden *Lazarus* und *Steinthal*, den Begründern der Völkerpsychologie, zeitweilig darin übereinstimmte, „daß er die geschichtlichen Ereignisse analogen Gesetzen gehorchen ließ wie die Natur" (*C. Antoni* 1950, S. 10)[20]. *Diltheys* Kampf um die „Autonomie der Geisteswissenschaften", nämlich das Problem des wissenschaftlichen Wertes der Geschichtsschreibung, wurden Berufung und Qual seines Lebens.

Hinter dieser Formel verbarg sich, sichtbarer noch bei *Troeltsch* und deutlich erkennbar auch bei *Meinecke*, die präwissenschaftliche weltanschauliche Dezision christlicher Provenienz zugunsten der völligen „Freiheit" und mithin Autonomie und Selbstverantwortlichkeit des Individuums vor Gott, die das Individuum in vermeintlichem, unüberbrückbarem Gegensatz zur „Gesetzmäßigkeit“ jedweder Art erblickte. Auf diese Weise wurde nicht nur das Problem der wissenschaftlichen Behandlung des historischen Geschehens mit unlösbaren weltanschaulichen Glaubensinhalten verwickelt, sondern in die vorgebliche Bastion des letzlich unerkennbaren, weil mit einem irrationalen „Rest“ durchwobenen, menschlichen Geschehens flüchtete sich die nur schlecht maskierte Hybris der prätendierten Einzigartigkeit und prinzipiellen Unvergleichbarkeit menschlicher Existenz schlechthin innerhalb des Universums, um die herum alle und jede irdischen Phänomene wissenschaftlicher Behandlung — und das will sagen, der Aufdeckung von Gleichförmigkeiten — unterworfen werden könnten, während das unvergleichlich-einzigartige Individuum sich selbst in der irrationalen Freiheit seiner menschlichen Sonderstellung sonnt.

Mit ostentativer Ironie hat sich deshalb *Max Weber* mit Recht in diesem Sinne gegen *Treitschkes* und *Meineckes* „Andacht“ vor einem sogenannten irrationalen „Rest“, einem inneren „Heiligtum“ und „Rätsel“ der freien Persönlichkeit, und ihre Auffassung gewandt, daß die Tatsache der „Freiheit“ des Menschen alle Berechenbarkeit seiner Handlungen fragwürdig mache und daß deshalb zum Wesen der Geschichte ein irrationales Element gehöre — als ob, sagt *Weber*, „die Dignität einer Wissenschaft oder aber ihres Objektes gerade in dem beruhe, was wir nicht wissen können“ (*M. Weber* 1951, S. 46). Die Richtigkeit dieses Einwandes sollte sich in geradezu tragischen Ausmaßen im Schaffen *Meineckes* zeigen. Denn am Ende seines Lebens bekundete der alte *Meinecke* in seinem Werk „Die deutsche Katastrophe“ (1946) den Glauben, daß die Geschichte dem blinden, unerbittlichen Zufall ausgeliefert sei — „Bankrotterklärung eines großen Historikers, den der Druck der Mißgeschicke seines Vaterlandes zerstörte“ (*E. H. Carr* 1963, S. 99). Vom wissenschaftlichen Standpunkt aus kann als „Zufall“ daher immer nur das Zusammentreffen einer Reihe von der Realität inhärenten Faktoren bezeichnet werden, dem wir aus Unkenntnis diesen Namen beilegen, woraus resultiert, daß der Zufall den Historikern ein schwierigeres Problem aufgibt als den Soziologen, für die der Zufall immer nur die konkrete Interferenz von Faktoren darstellt, von denen in der Abstraktion der rationalen Schemata notwendigerweise abgesehen werden mußte.

Jedoch ist diese Auffassung, daß der Zufall die Geschichte regiere, keineswegs etwa auf Deutschland beschränkt geblieben. Der englische Historiker *H. A. L. Fisher* beispielsweise hat erklärt: „Ich sehe ein Ereignis dem anderen folgen wie die Wellen des Meeres.

Ich sehe Tatsachen, die alle in sich geschlossen sind und keine Verallgemeinerungen zulassen. Für den Geschichtsschreiber gibt es nur eine einzige feste Regel: Er soll in der Entwicklung der menschlichen Geschicke das Wirken des Zufalls und des nicht Vorherzusehenden erkennen" (*H. A. L. Fisher* 1951, S. 5). Historismus stellt, wie dadurch überdeutlich wird, letzten Endes nichts anderes dar als den Verzicht auf jede theoretische, d. h. abstrahierende und generalisierende Einordnung der individuell-empirischen Erfahrungen und Beobachtungen in irgedwelche „gleichförmige" Zusammenhänge überhaupt.

Nun ist eine jede Gesellschaft natürlich einzigartig, nicht nur nach ihrer Beschaffenheit und ihren Bestandteilen, sondern auch in ihrem „So-und-nicht-anders-geworden-Sein", ist „ein Kind ihrer Zeit". Und doch gilt es ganz offensichtlich, in ihr generelle Prinzipien und Zusammenhänge, eben „Gleichförmigkeiten" aufzudecken, wenn man Wissenschaft will. Denn das Interesse an allgemeinem Verständnis des Geschehens im Gegensatz zum Interesse an individuell-konkreten Erscheinungen, die uns an und für sich aus anderen Gründen wertvoll sind, ist für die Wissenschaft konstitutiv. Wissenschaft vom Individuellen ist im Grunde eine contradictio in adjecto. Denn der Sinn wissenschaftlicher Arbeit besteht letzten Endes in nichts anderem als darin, die unendliche Mannigfaltigkeit der Realität in irgendeiner Weise zu ordnen und durch Auffindung von Gleichförmigkeiten in ihr dem menschlichen Geist „begreiflich" und „verständlich" zu machen. Anderenfalls ist das menschliche Leben und seine Geschichte „ein wandelnder Schatten nur; ein armer Spieler, der auf der Bühn sein Stündchen prahlt und tobt, und dann nicht mehr gehört wird; 's ist ein Märchen, erzählt von einem Narrn, voll Klang und Wut, bedeutend — nichts" (*Shakespeare,* Macbeth, V, 5, 24—28).

Ist der aus subtheologischen Quellen gespeiste und deutlich seinen metaphysischen Hintergrund verratende Standpunkt des Historismus letztlich nicht allein mit der Soziologie, sondern mit jeder wissenschaftlichen Behandlung der äußeren Welt inkompatibel, so überrascht es nicht, daß immer mehr Historiker von ihm abrücken. Insbesondere der Kult des „Einzigartigen", der natürlich auf dem christlichen Individualitätsbegriff beruht, erfährt gerade unter Historikern eine zunehmende Diminuition. „Früher hatten die Historiker auf der Unterscheidung zwischen den ‚generalisierenden' Methoden der Naturwissenschaften und dem ‚individualisierenden' Vorgehen der Geschichtswissenschaft bestanden; nun waren sie mit wenigen Ausnahmen überzeugt, daß den Generalisierungen eine wesentliche Rolle in der Historiographie zukommt" (*G. G.*

Iggers 1971, S. 337). Zwar ist diese Auffassung noch keineswegs generell akzeptiert und unumstritten, aber gegenwärtig doch in ständigem Vordringen begriffen.

Denn „der Individualitätsbegriff" der Historie in der alten Form genügt nicht mehr, da er selber nicht mehr eindeutig ist, wodurch bei den Historikern heute die Einsicht nahezu selbstverständlich geworden ist, „daß den Historiker nicht nur das Einmalige, sondern auch das Typische beschäftigt" (*K. Bosl* 1964, S. 476 f.). Hiergegen vermögen die traditionellen Einwände, daß die Geschichte sich nahezu ausschließlich mit dem Einmaligen beschäftige, keine durchschlagende Überzeugungskraft mehr zu gewinnen: „Jedoch die Geschichte ist nicht nur das Abweichende, das Singuläre, das noch nicht Dagewesene – was man nicht zweimal erblicken wird. Und übrigens ist das noch nicht Dagewesene niemals völlig neu. Es kohabitiert mit dem Wiederholten oder Regelmäßigen" (*F. Braudel* 1958, S. 86). Es handelt sich hierbei im Grunde um die Einsicht, „daß ein Grundstock theoretischer Auffassungen schon zum Vortrag eines individuellen historischen Ablaufs unvermeidlich ist" (*J. A. Schumpeter*). Das geht schon daraus hervor, daß der Historiker selbstverständlich nicht den einfachsten Vorgang, geschweige denn etwa den Ablauf eines so komplizierten Prozesses wie einer Revolution, schildern kann, ohne eine noch so rudimentäre oder möglicherweise „präwissenschaftliche" Theorie bzw. ein rationales Schema dieses Vorganges zu besitzen, das ihn instand setzt, aus der schlechthin unendlichen Vielzahl der relevanten Fakten die seiner Auffassung nach für den Fortgang der Erzählung wirksamen oder gar entscheidenden auszuwählen.

In dieser Hinsicht geht es gewissen Historikern analog wie den berühmten Praktikern der Wirtschaft, die sich über jede volkswirtschaftliche Theorie erhaben dünken, während sie doch nur, wie *J. M. Keynes* gespottet hat, der Sklave eines längst toten Theoretikers sind. Die mit viel Emphase geführten Logomachien gegen „Verallgemeinerungen" in der Geschichte sind deshalb nahezu lächerlich. „Es ist unsinnig zu behaupten, Verallgemeinerungen seien der Geschichte fremd; die Geschichte gedeiht auf dem Boden von Verallgemeinerungen" (*E. H. Carr* 1963, S. 63 ff.).

Schon der Sprachgebrauch, der einen Niederschlag präwissenschaftlicher Generalisierungen menschlicher Erfahrungen und mithin Theoriebildung enthält, führt den Historiker speziell ebenso wie den Wissenschaftler generell zwangsläufig zu Verallgemeinerungen. Der von historischer Seite häufig vorgebrachte Einwand, die soziologischen Phänomene seien ebenso wie die historischen im Grunde einmalig, weshalb es legitim überhaupt keine spezielle

Wissenschaft wie die Soziologie geben könne, ist geradezu absurd. „Auch der Einwand, daß soziologische Ereignisse einmalig sind und sich nicht wiederholen, ist nicht stichhaltig, denn das stimmt auch für die physikalischen Geschehnisse. Das Wetter ist nie genau gleich an zwei verschiedenen Tagen, und der Zustand eines Stückes Holz ist nie derselbe wie der eines anderen Stückes. Der Wissenschaftler überwindet diese Schwierigkeiten, indem er die Einzelfälle in eine Klasse einordnet und nach Gesetzen sucht, welche die verschiedenen Einzelzustände wenigstens in der Mehrzahl der Fälle beherrschen. Warum soll der Soziologe nicht dasselbe fertigbringen?" (*H. Reichenbach* 1951, S. 346—347). In der Tat hat die Soziologie genau dies, wie ihre inzwischen reich angewachsene Literatur belegt, deshalb mit immer mehr wachsendem wissenschaftlichen Erfolg auch fertiggebracht.

Nicht geringer und weniger verhängnisvoll ist indes die Bedrohung für eine wissenschaftliche Soziologie durch den organologischen Evolutionismus. Aus seinen verschiedenen Varianten, von denen vor allem auch die emanatistische zu erwähnen ist, ergeben sich verschiedenartige methodologische Folgerungen für die Bearbeitung gesellschaftlich-geschichtlicher Phänomene. Mit der Evolutionsidee und der ihr entsprechenden biologischen Organismusidee geht in den Sozialwissenschaften grundsätzlich parallel die Anerkennung der methodologischen Erkenntnisprinzipien der „natürlichen" Organismen und ihrer Evolution für die Erkenntnis der „sozialen" Organismen und ihrer Evolution. Mit der bloßen Benennung etwa des Werdeprozesses einer sozialen Erscheinung als eines „organischen" ist natürlich für seine Erkenntnis noch gar nichts geleistet. Damit wird nur der ganze Komplex von Fragen angerührt, der in den Naturwissenschaften die Erkenntnis des „organischen" Lebens überhaupt ausmacht. Da die Vorstellung davon, was ein Organismus sei, zu den dunkelsten gezählt werden muß, läuft die Behauptung, irgendein soziales Gebilde sei ein Organismus, darauf hinaus, daß man versucht, ignotum per ignotius zu erklären. Es kann sich bei dieser Behauptung daher im besten Fall nur um eine Analogie handeln mit dem bekannten sehr begrenzten Erkenntniswert, der aus Analogien grundsätzlich zu gewinnen ist.

Aber nicht nur wird darüber hinaus der ganze sozialwissenschaftliche Erkenntniskomplex mit der Behauptung, soziale Gebilde seien „natürliche" Gebilde und ihre Evolution vollziehe sich nach naturhaften Gesetzen, etwa im Sinne natürlicher Auslese und durch Kampf ums Dasein, ins Naturwissenschaftliche transponiert, sondern auch der ganze Prozeß der *sozialen* Auslese beispielsweise und darüber hinaus die spezifischen sozialwissenschaftlichen Erkenntnisintentionen werden überlagert und hinwegeskamotiert, ja mystifiziert. Soziologie kann es nach dieser Auffassung überhaupt nicht geben, sondern höchstens eine spezielle Naturwissenschaft von den als „natürlich" aufgefaßten, in naturhafter Evolution begriffenen sozialen Phänomenen. Bei der emanatistischen Spielart des Evolutionismus kommt noch hinzu, daß das „absolute Sein", der Urgrund der Emanation selbst, als ein vorgefaßtes, nicht aus dem empirischen Verlauf des Geschehens entnommenes Entwicklungsschema deduktiv den Tatsachen aufgezwungen wird.

Darüber hinaus muß jede Auffassung der Entwicklung bzw. des Organismus, die metaphysische Elemente enthält, notwendig zur Spekulation hinführen. Das geschieht aber, wenn der Begriff der Entwicklung in prinzipiellem Gegensatz zu dem der bloßen Veränderung, etwa in Gestalt des sozialen Wandels, gesetzt wird. Denn dabei ist stets eine Wertung, also ein Unbeweisbares, im Spiel. Dies ist z. B. der Fall, wenn der Begriff des Organismus in prinzipiellem Gegensatz zu dem des „Mechanismus" gesetzt wird, wenn Leben von vornherein als etwas Überempirisches angesehen wird. Zwangsläufig muß deshalb der organologische Evolutionismus eine spezifische und spezielle Wissenschaft vom Sozialen unmöglich machen.

III. Die historischen Gesetze

Im Mittelpunkt des Streites, an dem sich diejenigen entzündeten, die einen Gegensatz zwischen Geschichte und Soziologie postulieren wollten, steht natürlich der Begriff des Gesetzes und somit das Problem, ob es soziale bzw. historische Gesetze gibt. Mit der historischen Argumentation, daß im Bereich der Geschichte angeblich alle Phänomene völlig einzigartig und deshalb unvergleichbar, wenn nicht vom Zufall beherrscht seien, die im Grunde unzweifelhaft, wenn auch in sehr gepflegten Argumentationen, auf einen, zuweilen sogar obskurantistischen, Agnostizismus hinausläuft, haben wir uns bereits beschäftigt. An sich ist selbstverständlich *jede* Gestalt oder jedes Ereignis, schon durch seine Bedingtheit in Zeit und Raum, vollkommen einzigartig und insofern unwiederholbar.

Es ist jedoch davon abgesehen und darüber hinaus tatsächlich in zweifacher Weise bedingt, einmal nämlich durch die allgemeinen Bedingungen des Systems, zu dem es gehört, und sodann zweitens durch die partiellen Bedingungen des einzelnen Falles. Jede Wolkenformation, der einzelne Zweig einer Gaisblattlaube oder eine Gebirgsformation sind vollkommen einzigartig und kehren in dieser Form nicht wieder, und dennoch wird kein vernünftiger Mensch daran zweifeln, daß es Meteorologie, Botanik und Geologie als legitime und über die Registration individueller Merkmale hinaus generelle Erkenntnisse, d. h. Gleichförmigkeiten, gewinnende Wissenschaften von diesen Phänomenen gibt.

Auch die Vorstellung, daß die „natürlichen" Phänomene und Prozesse im Gegensatz zu den menschlichen, als sei der Mensch ein „unnatürliches" Wesen, sich wiederholten und demzufolge im eigentlichen Sinne keine „Geschichte" besäßen, ist unzutreffend und beruht auf der unter „Geisteswissenschaftlern" weitverbreiteten Unkenntnis der Naturwissenschaften. Denn die Saurier z. B. werden nicht wiederkehren, und dennoch wird kein vernünftiger Zoologe daran zweifeln, daß diese Lebewesen prinzipiell denselben organischen Gesetzmäßigkeiten unterliegen wie heute lebende vergleichbare Tierarten. Ja, die heutige Astronomie ist zum Teil wesentlich Theorie des Weltalls, und sogar die moderne Geologie ist wesentlich *Erdgeschichte*[21]. Noch explizit weltanschaulicher, lies ideologischer, steigert sich diese Argumentation dann zu der Behauptung, das Reich der Natur sei das Reich der „Notwendigkeit", während das Reich des Menschen und mithin der Geschichte charakterisiert sei durch „Freiheit", will sagen, durch völlige Unberechenbarkeit und mithin Willkür[22]. Auch diese Argumentation beruht auf einer tiefen Unkenntnis der Naturwissenschaften (*F. Kaufmann* 1936, S. 151 ff., S. 218 ff.). Denn ein Physiker kann z. B. das generelle Prinzip der Gravitation formulieren, aber er kann nicht das Verhalten eines einzelnen Atoms voraussagen. Darüber kann er nur Aussagen statistischer Wahrscheinlichkeit, basiert auf der Beobachtung einer großen Anzahl von Phänomenen, machen. Ein Genetiker kann bei Kenntnis der erblichen Eigenschaften der Eltern und Vorfahren eines ungeborenen Kindes dessen genetische Charakteristiken mit einiger Wahrscheinlichkeit voraussagen, aber er könnte es nicht wagen, etwa mit Sicherheit z. B. das künftige Aussehen dieses späterhin erwachsenen Kindes, ja nicht einmal, beim gegenwärtigen Stand unseres Wissens, sein Geschlecht vorauszusagen.

Diese ganze Argumentation wird gewöhnlich zusammengefaßt und zugleich methodologisch und erkenntnistheoretisch überhöht zu der These von dem vermeintlichen (unüberbrückbaren) Gegensatz von Naturwissenschaften und Kulturwissenschaften oder „Geisteswissenschaften", die eigentlich durchweg Wissenschaften vom menschlichen Verhalten darstellen.

Gerade auf Grund der modernen Erkenntnistheorie und Wissenschaftslogik müssen wir aber jede präwissenschaftlich-philosophische Prämisse ablehnen, „die eine Trennungslinie zwischen den

Geisteswissenschaften und den Naturwissenschaften ziehen will und den Anspruch erhebt, daß grundlegende Begriffe wie ‚Erklärung' oder ‚wissenschaftliches Gesetz' oder ‚Zeit' auf beiden Gebieten verschiedene Bedeutung haben. Solche Behauptungen entspringen oft aus einem Mißverständnis der mathematischen Wissenschaften. In Wirklichkeit bringt die Analyse der Kausalität, wie sie in der Physik durchgeführt worden ist, diese Wissenschaft in viel näheren Kontakt mit der Soziologie, als es je vorher möglich war; die Entdeckung, daß die physikalischen Gesetze Wahrscheinlichkeitsbeziehungen und keine Diktate der reinen Vernunft darstellen, sollte den Soziologen ermutigen, ebenfalls Gesetze aufzustellen, selbst wenn seine Gesetze nur für die Mehrzahl der Ereignisse gültig sind. Die außerordentlich verwickelte Struktur sozialer Bedingungen, die es unmöglich macht, ein soziologisches Gesetz in einem Idealfall verwirklicht zu sehen, erinnert an ähnliche Fälle auf physikalischem Gebiet, nämlich an die Meteorologie. Obgleich es nicht möglich ist, strenge meteorologische Voraussagen zu machen, zweifelt der Physiker keinen Augenblick daran, daß das Wetter thermodynamischen und aerodynamischen Gesetzen gehorcht. Selbst wenn es schwer ist, das politische Wetter vorauszusagen, braucht der Soziologe doch die Existenz soziologischer Gesetze nicht zu bezweifeln" (*H. Reichenbach* 1951, S. 346).

Diese ganze notorische Argumentation von dem angeblich unüberbrückbaren Gegensatz von Natur- und Geisteswissenschaften jedoch gipfelte, angebahnt zumindest bereits durch *Dilthey*, in der *Windelband-Rickertschen* Wissenschaftstheorie, die zum Kern den Unterschied zwischen ideographischen und nomothetischen Wissenschaften hatte, der zwar keineswegs mit der Klassifikation von Kultur- und Naturwissenschaften zusammenfiel, aber häufig (fälschlich) so ausgedeutet wurde.

In diesem Zusammenhang oder auch aus anderen, oben ausgeführten Voraussetzungen heraus, wird dann argumentiert, daß die Naturwissenschaften absolut „exakte Gesetze", die mit „Notwendigkeit" ausgestattet seien, besäßen, während die Wissenschaften vom Menschen und seiner Geschichte im Gegensatz zu Kausalität und Determination durch „Freiheit" charakterisiert seien. Nun ist zunächst der Begriff des Gesetzes ursprünglich kein naturwissenschaftlicher, sondern ein menschlich-sozialer. Die Idee der absolut exakten Gesetze besitzt unter entsprechenden sozialen Verhältnissen ihren Ursprung in vorwissenschaftlichen „mythischen" Vorstellungen, nämlich der Wiederholbarkeit, der „ewigen Wiederkehr" allen menschlichen Geschehens (vgl. *M. Eliade*), die in *Nietzsches* Spätphilosophie eine grandiose Wiederauferstehung erlebt haben. Gesetze sind demnach Prinzipien eines göttlichen Schöpfungsplanes. Daneben wurden sie alsbald, sich entweder auf staatliche oder kirchliche Autorität gründend, normative Gebote für das menschliche Zusammenleben („Gesetz Mose"). Der Ursprung des Begriffs „Gesetz" liegt also in der geistig-sozialen, nicht naturalen Sphäre und beinhaltet eine Norm. Jede beobachtete Regelmäßigkeit im Naturgeschehen wird, wie bereits *Franz Eulenburg* und *Hans Kelsen* konstatierten, auf eine solche Norm zurückgeführt.

Darüber hinaus ist die Vorstellung „absolut gültiger Gesetze" unhaltbar (*F. Kaufmann* 1936, S. 58/62). Vielmehr gilt jedes Gesetz, wie bereits *Pareto* wieder und wieder hervorhob, stets nur innerhalb der Grenzen von Beobachtung und Erfahrung und unter Abstraktion von einer unendlichen Vielzahl von der Realität inhärenten „störenden" Faktoren, von denen bei der Formulierung des betreffenden „Gesetzes" abgesehen wird. Jedes Gesetz setzt das Vorhandensein bestimmter Bedingungen voraus, seine Geltung ist somit immer an bestimmte Voraussetzungen geknüpft, innerhalb deren diese Bedingungen gelten (*M. Weber* 1951). Die scharfe Zäsur zwischen vermeintlich strengen naturwissenschaftlichen Gesetzen und bloßen geistes- oder sozialwissenschaftlichen Regeln oder Tendenzen kann daher nicht aufrecht erhalten werden, denn auch die „Naturgesetze" gelten nur insofern „unverbrüchlich", als man sie konventionell festlegt, d. h. keine Erfahrung als Gegeninstanz anerkennt.

Generell ist dazu zunächst einmal zu sagen, daß überall dort, wo von „Gesetzen" gesprochen wird, mit besonderer Sorgfalt darauf geachtet werden muß, welche Art von Tatsachen als Kriterien ihrer Bewährung oder Widerlegung angesehen wird. In diesem Sinne ist die Wissenschaft in der Tat „ein selektives System von Erkenntnisorientierungen gegenüber der Wirklichkeit"[23]. Im Gegensatz zu den Auffassungen, wie sie noch bei *Rickert* dominieren, stellen deshalb auch die naturwissenschaftlichen „Gesetze" lediglich allgemeine hypothetische assertorische Urteile über eine Abstraktion, d. h. ein Gedankending, dar. Die gemeinsame Grundlage *aller* wissenschaftlichen „Gesetze" beruht daher in der isolierenden Abstraktion. Stets analysieren wir im Abstrakten, was im Konkreten synthetisch miteinander verbunden ist. Wir haben es also hier wie dort, im Bereich der „Naturwissenschaften" ebenso wie der „Geistes-" oder Kulturwissenschaften, in dieser Hinsicht durchweg, stets und unausweichlich bei dem Versuch, ein „Gesetz" bzw. eine Gleichförmigkeit zu formulieren, mit isolierender Abstraktion zu tun.

Bedeutsam wird eine solche Isolierung erstens dort, wo der isolierte Faktor eine Dominante des zu erklärenden Vorganges darstellt, oder zweitens dort, wo Ergänzungsregeln möglich sind (*F. Kaufmann* 1936, S. 229 ff.). Das soziale Gesetz ist demnach grundsätzlich ein Partialgesetz, d. h. es bezieht sich auf eine isolierte Klasse von Erscheinungen und auf ein isoliertes System von Begriffen, es kann also grundsätzlich nur ein Eintreffen der Ereignisse innerhalb dieses isolierten Systems vorhergesagt werden. Ebenso wie seit *Galilei* das „disseccare naturam" das Prinzip aller naturwissenschaftlichen Forschung darstellt, das eben darum die „abstrakten" Naturwissenschaften heraufführte, so wird in bezug auf die Geschichte das „disseccare historiam" zum Prinzip werden müssen, wenn die Soziologie tatsächlich zu einer theoretischen Erfahrungswissenschaft des stets „historisch" Sozialen werden soll. Ohne Abstraktion jedenfalls ist Wissenschaft, gerade wenn sie strikt im logisch-erfahrungsmäßigen Bereich zu verharren gedenkt, nicht möglich. Alle Wissenschaften müssen dabei vorgefundene Phänomene vereinfachen und des Beiläufigen entkleiden, eine Unterscheidung des als relevant Betrachteten vom Irrelevanten vornehmen. Die eigentliche Schwierigkeit des logisch-erfahrungsmäßigen Vorgehens im Bereich der Sozialwissenschaften beruht vielmehr darin, der offenkundigen wechselseitigen Abhängigkeit oder Interdependenz so vieler sozialer Tatsachen Rechnung zu tragen, wenn auch die Naturvorgänge, entgegen einem weiteren, weit verbreiteten Vorurteil, ebenfalls außerordentlich komplex und interdependent sind.

Die eine, ungesonderte, umfassende Wirklichkeit existiert hingegen für gar keine Wissenschaft, auch nicht für die Geschichte, wie naive Menschen immer wieder glauben. Diese Trennung der stets komplexen, in einer unendlichen, ungeschiedenen Vielfalt existierenden, einem Allzusammenhang unterliegende Realität in einzelne Gebiete und damit die Zuordnung auch der Gesetze zu einzelnen von ihnen, entspringt vielmehr unserer eigenen abstrahierenden Denktätigkeit. Im Grunde gehören ja z. B. alle Vorgänge allen Teilen der Physik an, und nur wir nehmen eine Trennung künstlich und begrifflich an ihnen vor. Das gilt sogar von den Vorgängen der Mechanik, denn an sich tritt ja auch jeder mechanische Vorgang niemals rein auf, sondern ist mit gewissen thermischen, elektrischen, magnetischen, chemischen oder physiologischen Vorgängen verbunden, von denen wir abstrahieren. Die Vorstellung eines „Gesetzes" kann sich wissenschaftlich daher zunächst immer nur auf Erscheinungen innerhalb eines solchen qualitativ separierten Gebietes beziehen. „Eine jede Wissenschaft hat ihre besondere Auffassung der Wirklichkeit, eine jede Wissenschaft nimmt eine besondere Umformung derselben zu ihren Zwecken vor" (*J. A. Schumpeter* 1953).

In diesem Sinne besitzt selbstverständlich auch die Soziologie ihre eigene Art von „Realität". Das Maß, wie weit und in welcher Hinsicht jedesmal wissenschaftlich zum Zwecke der Erkenntnisgewinnung abstrahiert wird, ist freilich verschieden. So kann man eine Stadt juristisch, geographisch, ökonomisch, ästhetisch, statistisch und eben auch soziologisch betrachten. Wissenschaftliche Analyse ist im Grunde daher nichts anderes als die Trennung und Auflösung der zusammengesetzten Tatsachen, mit denen schon das gemeine, vorwissenschaftliche Denken des Menschen operiert, um eine bessere Orientierung in der Welt zu ermöglichen.

Wissenschaftlich zerlegen wir das Insgesamt des komplex verschlungenen Geschehens in Teilinhalte und behandeln notwendig jeden von ihnen für sich. Für die Charakteristik dieser gedanklichen Operationen können wir auf die Analogie mit der wissenschaftlichen Betrachtung von physikalischen Vorgängen im leeren Raum hinweisen. Grundlage dieser theoretisierend-gedanklichen Operationen ist unveräußerlich jedoch immer die Erfahrung, d. h. mit anderen Worten: „Wir untersuchen die Gleichförmigkeiten, welche die Tatsachen darbieten, und geben diesen Gleichförmigkeiten den Namen ‚Gesetz'. Aber die Tatsachen sind den Gesetzen nicht unterworfen, wohl aber die Gesetze den Tatsachen. Diese Gesetze sind nicht ‚notwendig', sondern Hypothesen, die dazu dienen, eine mehr oder minder große Anzahl von Tatsachen zusammenzufassen, und sie sind nur solange dienlich, als sie nicht von besseren ersetzt worden sind" (*V. Pareto* 1964 ff.). So konnte sich z. B. *Kepler* nur schwer zu der Erkenntnis durchringen, daß die Planeten sich in Ellipsenbahnen um die Sonne bewegen, da der Kreis als die vollkommenste und darum als dem Lauf der Gestirne allein angemessene Bahn betrachtet wurde.

Die grundsätzliche wissenschaftliche Aufgabe in bezug auf die Formulierung von „Gesetzen" oder Gleichförmigkeiten besteht mit anderen Worten darin, die in den wissenschaftlichen Induktionen steckenden impliziten Voraussetzungen explizit zu machen, wobei diejenigen, die immer nur an die Gefahr der naturwissenschaftlichen Überlagerung des sozialwissenschaftlichen Erkenntnisprozesses denken, die beruhigende Gewißheit hegen können, daß das wissenschaftliche „Schließen" sich menschheitsgeschichtlich weitaus mehr am juristischen und grammatikalischen als am naturwissenschaftlichen Denken geschult und entwickelt hat.

Die Formulierung von Gleichförmigkeiten oder „Gesetzen" im Bereich des menschlich-historischen Geschehens impliziert folgerichtig nach alledem keinerlei „Notwendigkeit", sondern besitzt stets nur provisorischen Charakter. Dies äußert sich u. a. auch darin, daß sie stets, nicht nur prinzipiell, durch neue Erfahrungstatsachen umgestoßen werden können, denn alles das, was aus der Erfahrung stammt, kann durch Erfahrung auch wieder vernichtet werden. Innerhalb dieses Umkreises ist der oft gehörte und gedankenlos nachgeplapperte Einwand, der Unterschied zwischen naturwissenschaftlichen und sozialwissenschaftlichen Gesetzen bestehe darin, daß die letzteren Ausnahmen duldeten, die ersteren hingegen nicht, als ebenso töricht wie hinfällig anzusehen. „Weder die ökonomischen und sozialen noch die Gesetze anderer Wissenschaften dulden irgendwelche echte Ausnahme. Eine Gleichförmigkeit, die nicht gleichförmig ist, hat keinerlei Sinn. Das Phänomen, dem man gewöhnlich den Namen Ausnahme von einem Gesetz gibt, ist in Wahrheit die Überlagerung eines Effektes eines anderen Gesetzes über den Effekt des in Frage kommenden Gesetzes. Unter diesem Aspekt lassen alle wissenschaftlichen Gesetze, sogar die mathematischen, Ausnahmen zu" *(V. Pareto)*. Die „Genauigkeit" irgendeines Gesetzes, in bezug auf die es nicht wenigen Autoren zufolge angeblich ebenfalls zwischen natur- und sozialwissenschaftlichen Gesetzen einen grundlegenden Unterschied geben soll, bezieht sich deshalb lediglich auf die, gegebenenfalls meßbare, Häufigkeit des Dazwischentretens von Faktoren, die bei der Aufstellung der in Frage kommenden Gleichförmigkeit außer Betracht gelassen wurden.

Als charakteristisch für die Exaktheit der naturwissenschaftlichen Gleichförmigkeiten wird ferner oftmals ihr exakter zahlenmäßiger Ausdruck oder gar ihre allgemeine mathematische Formulierung angesehen. Auch dies ist irrig. Bei sehr vielen Gesetzen der Physiologie, Mineralogie oder Meteorologie ist dies z. B. wegen der Komplexität der Elemente gar nicht möglich. Als Beispiel sei ferner das Talbotsche Gesetz des Heliotropismus angeführt, das besagt, daß die Reaktion einer Pflanze auf Lichtreize proportional der Intensität der Lichtquelle und der Intermission des Lichtreizes sei, und das, wie viele sozialwissenschaftliche Gesetze ebenfalls, nur innerhalb ganz bestimmter angebbarer Grenzen quantifizierbar formuliert werden kann.

Die Zahl der „speziellen" Gesetze ist folglich fernerhin gemäß den vorgenommenen Abstraktionen (und Isolationen) praktisch unbegrenzt. Dies wirft ein interessantes Licht auf das Problem von Gesetz und Anwendungsbereich (vgl. *F. Kaufmann* 1936, S. 148). Eine der wesentlichen Schwierigkeiten bei der Aufstellung der sozialwissenschaftlichen Gleichförmigkeiten besteht darin, daß sich die möglichst sehr weitgehend abstrahierte Isolation und dadurch zahlenmäßige Reduktion der involvierten Variablen, Konstanten und Parameter, die für die gesuchte Gleichförmigkeit als Dominanten angesehen werden müssen, wegen der weitreichenden Interdependenz der sozialen Tatsachen und Prozesse nicht in solchem Ausmaß, wie es vielfach bei den Naturwissenschaften durch den Einsatz des isolierenden Experiments geschehen kann, durchführen läßt. Hingegen ist es nicht stichhaltig, daß die Naturwissenschaften experimentieren könnten, die Sozialwissenschaften hingegen nicht. Zwar ist es richtig, daß die sozialwissenschaftlichen Gesetze nur aus einem gegebenen Komplex von Tatsachen oder Prozessen abgeleitet werden können, es also nicht möglich ist, etwa die Bedingungen für einzelne Reihen willkürlich zu gestalten. Jedoch experimentiert das Leben gleichsam selbst, indem die Geschichte Versuche macht und dieselben Vorgänge unter verschiedenen variablen Bedingungen und unterschiedlichen Bestandteilen von Begleitumständen wiederholt. Unter diesem Gesichtspunkt könnte man die gegenwärtige Weltkonstellation, analog wie dies z. B. *K. Marx* und *F. Engels* mit der ihren taten, als ein ungeheures sozialwissenschaftliches Laboratorium ansehen. Es gibt außerdem eine Art von Gedankenexperimenten, die abstrakt vorgenommen werden und bei denen beispielsweise, im Unterschied zu den realen, an den theoretisch konzipierten Modellen virtuelle Bewegungen der vorgestellten Variablen durchgeführt werden können. Dennoch darf man freilich niemals darüber vergessen, daß die analytisch an der Realität vorgenommene Isolation in Wirklichkeit eine künstliche, nie eine reale ist.

Jedes Bestreben, im Verhalten von Menschen und ihrer Geschichte Gleichförmigkeiten aufzudecken, stößt aber, wie jede wissenschaftliche Intention, die sich mit der dem individuellen Bewußtsein vorgegebenen äußeren Realität befaßt und wie das im Verlauf unserer Überlegungen ebenfalls bereits geschehen ist, auf das Problem der Kausalität sive der „Notwendigkeit" der derart gefundenen Gleichförmigkeiten. Vor allem der früher behandelte Evolutionismus, insbesondere in seiner sozialdarwinistischen Ausprägung, prätendierte, die Ursachen des ganzen beobachtbaren historisch-soziologischen Entwicklungsprozesses aufgedeckt zu haben. Nun ist selbstverständlich auch bei den sozialwissenschaftlichen Gleichförmigkeiten, ähnlich wie bei den naturwissenschaftlichen, eine weitgehende Invarianz des Bezugssystems gegenüber den Ausgangsphänomenen anzustreben. Davon bleibt aber die Frage noch ganz unberührt, ob es „Ur-sachen" der ganzen beobachteten Prozesse gibt, die „notwendig" ihren Verlauf herbeiführen. Dazu ist zunächst zu sagen, daß es eine prinzipiell falsche Auffassung von Kausalität darstellt, derzufolge es zu jedem Phänomen eine causa efficiens oder doch eine einzige Kausalreihe gibt, wodurch überdies den Sozialwissenschaften eine einzige Erklärungsweise als die schlechthin richtige vorgezeichnet wäre.

Diese Auffassung ist ebenso wie diejenige des „Gesetzes", von der wir früher sprachen, archaisch-mythisch-anthropomorphen Ursprungs. Sie orientiert sich an der Vorstellung der Kausalität als einer durch willensgelenkte menschliche Kraft erzeugten Wirkung. Bereits *David Hume,* dem wir schon in anderem wichtigen Zusammenhang begegneten, hat überzeugend dargetan, daß die noch in der Scholastik dominierende und auch späterhin prävalierende Auffassung von der Kausalität und ihrem Operieren mit den Begriffen der „Notwendigkeit" bzw. der „Unmöglichkeit" keinen empirisch angebbaren Sinn enthält, da wir jeweils von zwei Ereignissen oder Ereignisgruppen E_1 und E_2 immer nur feststellen können, daß E_2 tatsächlich E_1 gefolgt ist, abgesehen davon, daß der Übergang von der „realen Verknüpfung" zur „notwendigen Verknüpfung" eine μετάβασις εἰς ἄλλο γένος darstellt. Der berühmte Schluß aus dem post hoc auf das propter hoc aber transzendiert unsere Erfahrung und ist letzlich metaphysischer Natur. „Die Metaphysiker bilden sich ein, daß die Erfahrungswissenschaft über absolute Aussagen verfügt, und von dieser Hypothese leiten sie vernünftigerweise die Folgerung ab, daß in der Aussage: ‚Wasser wird bei 0° fest' etwas sein muß, was mehr ist als eine bloße Zusammenfassung von Erfahrungen: es müsse ein Prinzip der *Notwendigkeit* sein. Aber dieses Gebäude stürzt zusammen, weil die Fundamente nicht standhalten. Die wissenschaftliche Aussage: ‚Wasser wird bei 0° fest' zeigt lediglich, daß man dies bislang beobachtet hat und daß es deshalb *sehr wahrscheinlich* ist, daß man es auch künftig beobachten wird" *(V. Pareto).* Der menschliche Geist ist freilich so geartet, daß er stets die empirischen Verläufe zu transzendieren und eine letzte „Ur-sache" aufzufinden trachtet, und wenn er keine reale findet, so erfindet er eine irreale.

Wir müssen vielmehr eine grundsätzliche Unterscheidung treffen zwischen Tatsachenfeststellungen im engeren Sinne, Tatsachendeutungen und schließlich von kausal adäquaten Zurechnungen, bei konkret selbstverständlich gleitenden Übergängen (vgl. *F. Kaufmann* 1936, S. 201 f.). Ebensowenig aber wie für den Bereich der menschlichen Geschichte das Prinzip der „Notwendigkeit", das vielmehr gleichfalls, wie das Problem der „Willensfreiheit", ein Erfahrung und Beobachtung tranzendierendes weltanschauliches Apriori zum Inhalt hat, Geltung besitzen kann, ist das scholastische Diktum „natura non facit saltum" gültig, das das die Natur angeblich einheitlich durchwaltende Kausalitätsprinzip formelhaft behauptet. Die klassische Physik des 17., 18. und 19. Jahrhunderts hatte diese Formel scheinbar bestätigt, und erst unserer Zeit blieb es vorbehalten, den Nachweis zu führen, daß auch in der Natur nur die statistische Gesetzmäßigkeit herrscht (vgl. *Ph. Frank* 1932).

Angesichts der Interdependenz der historisch-sozialen Phänomene haben wir vielmehr den Begriff der Bestimmtheit durch denjenigen der *Mit*bestimmtheit zu ersetzen und sodann die Art der Abhängigkeit dadurch genauer zu charakterisieren, daß wir Korrelationsreihen zwischen den Variationen der „Ursache" und den korrespondierenden Variationen der „Wirkung" herzustellen suchen. Statt auf Kausalzusammenhänge intendieren wir prinzipiell deshalb stets auf Funktionalzusammenhänge. Nur als Idealtypus und rationales Schema, vor allem beim ersten Schritt zur Annäherung an die Realität, ist der Kausalzusammenhang zu gebrauchen, indem wir, nach dem berühmten Wort von *Max Weber,* häufig unwirkliche Kausalzusammenhänge konstruieren, um die wirklichen zu finden. Daraus ergeben sich zwingend verschiedene Stufen des Prozesses der sozialwissenschaftlichen Theoriebildung. Bevor wir aber näher darauf eingehen, haben wir uns zunächst hier noch mit einem Apriori jeder wissenschaftlichen Empirie zu beschäftigen.

Die erkenntnistheoretische Bedeutung der Annahme von Gesetzen, nicht nur „historischen" Gesetzen, beruht nämlich unerläßlich auf der apriorischen Überzeugung von dem relativ einheitlichen und durchgängigen Aufbau der äußeren Welt. In der Tat gehen so die Naturwissenschaften, explizit oder implizit, von dem Apriori der durchgehenden und relativen Einheitlichkeit der Natur aus. Obschon jeder daran Interessierte weiß, daß die Saurier und die Schachtelhalmwälder niemals wiederkommen, andererseits im Gegensatz zu dem törichten Wort von *Hegel,* es geschehe nie etwas Neues in der Natur, sowohl mit dem, gegenwärtig sich teilweise bereits sichtbar vollziehenden, Absterben sowie dem Auftauchen neuer Tier- und Pflanzenarten zu rechnen ist, wird doch kein vernünftiger Mensch an der legitimen wissenschaftlichen Existenz z. B. von Zoologie oder Botanik zweifeln.

Zu einem analogen Vorgehen im Bereich der menschlichen Phänomene sind wir zweifellos gezwungen, wenn wir Soziologie als Wissenschaft betreiben wollen. Oder, wie *Franz Oppenheimer* es bereits formulierte, Soziologie als logisch-erfahrungsmäßige oder rational-empirische Wissenschaft „steht und fällt mit der Voraussetzung, daß alle Menschen in den großen Hauptzügen gleich geartet und daher gleich motiviert sind, d. h. auf gleiche Reize oder

Veranlassungen hin in gleicher Weise reagieren. Wäre es anders, so wäre ein gesetzmäßiges Verhalten undenkbar, und vom Gesetzlosen kann es keine Wissenschaft geben" (*F. Oppenheimer* 1964, Bd. I/1, S. 213; vgl. auch Bd. I/2, S. 739). Diese Auffassung von der durchgängigen Identität des Menschengeschlechts ist daher nicht überraschenderweise auch die auf Grund ihrer Forschungen gewonnene Überzeugung der weitaus überwiegenden Mehrheit der heutigen Anthropologen und Biologen[24]. Dieser homo socialis *Oppenheimers* ist daher niemand anders als der thukydideische Mensch, der Mensch als soziales Gattungswesen, wie ihn bereits der große griechische Historiker seinen Betrachtungen zugrundelegte.

Dieses soziologische Apriori von der durchgehenden relativen Einheitlichkeit des Menschengeschlechts ist in der Tat unvermeidlich. Wir haben es hier mit dem Goetheschen Phänomen der „Dauer im Wechsel" zu tun, der ständigen prozessualen Veränderung des Geschehens und des hierzu korrelativen Beharrens in der Veränderung. Übrigens verfahren die Historiker, trotz ihres zuweilen übergroßen Nachdrucks auf der angeblichen, unvergleichbaren Einzigartigkeit des Individuums und des historischen Geschehens nicht anders, denn sonst wären uns ihre Berichte nicht nur von den Pharaonen und Cäsaren, sondern beispielsweise auch von *Wallenstein* und *Ludwig XIV.* „unverständlich". Haben wir auf diese Weise nach alledem nicht nur die „Möglichkeit" historischer Gesetze, will sagen von Gleichförmigkeiten im menschlichen Bereich, nachgewiesen, so müssen wir jetzt noch daran gehen, auch noch die „Tatsächlichkeit" derartiger Gleichförmigkeiten zu erweisen.

Nun orientiert der vergesellschaftete Mensch — und von keinem anderen haben wir Kenntnis, was gerade durch die marginalen Fälle à la *Robinson* und *Kaspar Hauser* des zeitweilig aus der Gesellschaft und wieder hinein Geratens belegt wird — sich ständig an fremdem Verhalten, d. h. er betrachtet dies in einem großen Ausmaß unwillkürlich unter dem Gesichtspunkt des eigenen praktischen Interesses. Dieses praktische Verhalten aber kann bereits der Annahme sozialer Gleichförmigkeiten nicht entraten. Nicht nur beruht beispielsweise das ganze moderne Versicherungswesen auf der Annahme des Eintretens bestimmter Ereignisse, nicht nur beruht der etatmäßige Voranschlag einer Gemeinde oder einer Aktiengesellschaft auf der Annahme, daß die Verhältnisse des kommenden Jahres denen des vorangegangenen in gewisser Weise ähneln werden, sondern auch ein Staatsmann, der nicht mit den Gleichförmigkeiten des sozial-historischen Geschehens rechnete, vermöchte keinen Schritt zu unternehmen. Kurz, „der letzte Grund für die Annahme sozialer Gesetze ist in unserer praktischen

Orientierung über die Welt, in unserem aktiven Verhalten zu anderen Menschen und Dingen zu suchen. Unser ganzes persönliches Wirken in allen seinen Sphären ist auf eine nähere oder fernere Zukunft gerichtet" (*F. Eulenburg* 1911, S. 697).

Aber das Wissen um die Gleichförmigkeiten in der Welt — das Wissen aller Wissenschaften — soll nicht nur Prognosen und auf diesen beruhende praktische Einordnung in die Welt gestatten, sondern soll auch Aussagen über nicht beobachtetes vergangenes Geschehen ermöglichen. Nur auf diese Weise kann der Historiker übrigens, indem er bewußt oder unbewußt solche historischen „Gesetze" unterstellt, die Lücken in dem ihm zur Verfügung stehenden historischen Material ausfüllen. Jede Erfahrung enthält derart bereits ein rationales Moment, enthält ein gewisses Maß an Reflektion, das die verstandesmäßige Bearbeitung von Eindrücken, Erlebnissen und Empfindungen im interpersonalen Bereich des menschlich-historischen Geschehens ermöglicht. „Die Reflexion geht der Wissenschaft voraus, die sich ihrer nur mit mehr Methode bedient" (*E. Durkheim* 1953, S. 15).

Wir haben daher in dem Bereich der menschlich-historischen Beziehungen prinzipiell zu unterscheiden zwischen der umweltlichen Beziehung, in der der Urteilende den Handelnden leibhaftig vor sich hat, der mitweltlichen Beziehung, in der Urteilender und Handelnder zwar Zeitgenossen, aber nicht Raumgenossen sind, und der vorweltlichen Beziehung, bei der der Urteilende zum Handelnden grundsätzlich nicht mehr in umweltliche oder mitweltliche Beziehung treten kann (*A. Schütz* 1960). Die letztgenannte Beziehung stellt dabei die spezifisch historische Dimension dar, „obschon die Gegenwart nur imaginär, als bloß gedachte Trennungslinie zwischen der Vergangenheit und der Zukunft existiert" (*E. H. Carr* 1963, S. 106). In den beiden erstgenannten menschlich-historischen und mithin „sozialen" Beziehungen werden dabei allenthalben schon typische Verhaltensweisen unterstellt. Das Typische aber nähert sich bereits dem „Gleichförmigen".

Es findet hier ein beständiger Vergleich zwischen Tatbeständen statt, die gleichen Klassen von Tatsachen zugeordnet werden. Diese „komparative Methode" ist zugleich die Voraussetzung für das Auffinden sozialer Gleichförmigkeiten. Die Vergleichung kann dabei grundsätzlich doppelter Art sein. Einmal geschieht sie in der Zeit, indem man etwa bei der Sprache dieselben Elemente zu verschiedenen Zeitpunkten miteinander vergleicht, oder sie wird im Raum vorgenommen, indem analoge Vorgänge einander gegenübergestellt werden. Eine Begrenzung der komparativen Methode kann es dabei im Bereich der Sozialwissenschaften prinzipiell nicht geben. Die Klassenbildung, die wir mit sozialen Tatbeständen vornehmen, ist eine unerläßliche intellektuelle Operation, um der unendlichen Vielfalt der Erscheinungen Herr zu werden. „Aus dem Chaos sucht erst unser Verstand einen geschichtlichen Kosmos zu machen, wenn er die geschichtliche Welt wissenschaftlich gestaltet" (*F. Eulenburg* 1923, S. 63). Diese Klassenbildung aus „vergleichbaren" oder „ähnlichen" Tatsachen ist deshalb nur derselbe Vorgang, mit dem wir wesentliche von unwesentlichen Merkmalen an diesen Tatbeständen selbst unterscheiden. Das „Feststellen" und „Beschreiben" solcher Tatbestände involviert dabei in gewissem Maße immer bereits ein „Erklären". „Denn jede Tatsachenfeststellung ist ein Beitrag zum Verständnis des Tatsachenzusammenhanges und erhöht die Chance, richtige Annahmen über die Gestaltung noch unbekannter oder unvollständig bekannter anderer Tatsachen dieses Zusammenhanges zu machen" (*F. Kaufmann* 1936, S. 239). Diese Klassifizierung von Tatbeständen vollzieht sich, wie die Sprache belegt, großenteils schon im vorwissenschaftlichen Bereich.

Auf diese Weise steigen wir, auf dem Wege des früher geschilderten Prozesses von Abstraktion und Isolation über die praktische Annahme von sozialen Gleichförmigkeiten, indem wir analytisch im Abstrakten zergliedern, was im Konkreten synthetisch miteinander verbunden ist, um vermittels der komparativen Methode die mehr variablen Elemente der sozialen Tatsachen von den konstanteren zu unterscheiden, ohne daß diese noch eine unmittelbare empirische Entsprechung zu besitzen brauchten, derart zu wissenschaftlichen sozialen Gleichförmigkeiten auf. Wir haben demnach eine Hierarchie von drei Stufen „historischer Gesetze" auf sozialem Gebiet zu unterscheiden. Zunächst haben wir es mit *Regelmäßigkeiten* oder Erfahrungsregeln zu tun, die durch Vergleichen verschiedener Beobachtungen, indem das Typische, Generelle, Gemeinsame dieser beobachteten und erfahrenen Tatsachen und Verläufe zu allgemeinen Sätzen der Erfahrung verdichtet wird, gewonnen werden. Es handelt sich dabei implizit um allgemeine Urteile, denn es findet darin bereits ein Kritisieren und Auswählen, Sichten und Ordnen, Systematisieren und Generalisieren statt. Dies sind jene soziologischen Gesetze, die *Max Weber* definiert als „durch Beobachtung erhärtete typische *Chancen* eines bei Vorliegen gewisser Tatbestände zu *gewärtigenden* Ablaufes von sozialem Handeln" (*M. Weber* 1956, S. 9; vgl. S. 10, 15, 17). Er illustriert dies durch das Greshamsche Gesetz, nach dem „schlechtes" Geld „gutes" Geld verdränge, das offenkundig *auch* ein soziologisches Gesetz darstellt, zumal nach herrschender Lehre Geld ein soziologisches Faktum, konstituiert durch seine Akzeptabilität, ist („Zigarettenwährung"), eine Generalisierung von Beobachtungen und Erfahrungen, derzufolge „bei Vorliegen gewisser Tatbestände" Menschen es vorziehen, Zahlungen mit „schlechtem" Geld vorzunehmen und stattdessen „gutes" Geld zurückzuhalten. Die Zahl der konkreten Regelmäßigkeiten, die auf der bewußten oder unbewußten Anwendung der „vergleichenden Methode" in bezug auf eine Vielzahl von jeweils historisch bedingten Beobachtungen und Erfahrungen beruht, ist unübersehbar. Nicht die Soziologie, noch die Jurisprudenz, weder Kunstwissenschaft oder Volkswirtschaftslehre noch etwa das praktische Leben können solcher „Gesetze" entraten. Sie enthalten Urteile über typisches Geschehen, die Wiederkehr gleichartiger — nicht „gleicher" — Geschehnisse.

Sodann haben wir die *statistischen Gesetze* zu unterscheiden. Die Meinung, als ob die Anwendung der statistischen Methode gegenüber den vorerwähnten Regelmäßigkeiten etwas Neues darstelle oder schaffe, ist dabei ganz und gar irrig. „Die *vergleichende* Methode, die auf komplexe Erscheinungen angewendet wird, führt eben dorthin, wo die statistische Methode ihren Abschluß findet: zu den Gesetzmäßigkeiten des Geschehens. Eines zahlenmäßigen Ausdrucks bedarf es dazu nicht" (*F. Eulenburg* 1911, S. 719/720). Schon in dem Umstand der wiederholten Beobachtung von Tatbeständen und der Erfahrung von der Wiederkehr gleichartiger Geschehnisse liegt indes die Bedeutung *quantitativer* Merkmale begründet. Die Anwendung der statistischen Methode auf die ja immer historisch bedingten und mithin „einmaligen" Tatbestände soziologischen Interesses setzt dabei stets voraus, daß Begriffe und Elemente der Analyse exakt definiert werden. Daraus resultiert zugleich ihre Beschränkung, denn es sind relativ nur sehr einfache Eigenschaften, deren Definition sich derart exakt festlegen läßt.

Ist die statistische Methode einerseits nur der Idealfall von Beobachtung und Erfahrung überhaupt, dem deshalb zweifellos besondere Bedeutung für die Soziologie zukommt, schon weil ein quantitativer Ausdruck von Tatbeständen, die sich überhaupt quantifizieren lassen, ihn dem bloßen Auffassungs- und Meinungsstreit entrückt, so besitzt sie andererseits a priori für die Soziologie, da wir es bei den sozialen Tatbeständen mit sehr komplexen Phänomenen zu tun haben, nur einen begrenzten Anwendungsbereich. „In solchen Fällen können Statistiken von sehr komplexen Phänomenen, die man an die Stelle von direkten Beobachtungen einfacher Phänomene setzt, die man erkennen will, nur in die Irre führen" (*V. Pareto* 1962, § 2232). Dennoch verdankt die Soziologie dieser Methode, die von vornherein nur mit qualitativ-homogenen

Reihen befaßt ist, außerordentlich viele Hinweise auf Regelmäßigkeiten, die uns dort, wo unsere Aufmerksamkeit nur auf die komplexen Verschiedenheiten gerichtet ist, kaum auffindbar wären.

Endlich haben wir es mit einer dritten Gruppe von „historischen Gesetzen" zu tun, den eigentlichen *soziologischen Gleichförmigkeiten*. Es handelt sich hierbei um die Auffindung eines Komplexes von Elementen innerhalb der sozialen Tatbestände und Geschehnisreihen, der relativ persistiert und immer gleich wirksam bleibt. An sich kann die statistische Methode bei ihrer Aufdekkung in einem gewissen Grade bereits behilflich sein, indem sie, wie es schon *Emile Durkheim* mit seiner berühmten Untersuchung über den Selbstmord gemacht hat, experimentierend verfährt und willkürlich die Kombination verschiedener Elemente durchführt, indem sie mehrere isolierte Reihen miteinander vergleicht und so nacheinander verschiedene Variable miteinander konfrontiert und kombiniert. Die Statistik nimmt dabei durch ihre Abstraktion bereits an den komplexen Erscheinungen des sozialen Lebens eine bestimmte Vereinfachung und Isolierung der Elemente vor. Doch reicht diese Isolation der komplexen Phänomene noch nicht für einen hinreichenden Abstraktionsprozeß zur Formulierung eines generellen gesetzmäßigen Ausdrucks für die Beziehungen zwischen mehreren Phänomenen hin. „Solche Erwägungen gelten a fortiori für die Soziologie. Aus der einfachen Beschreibung der Phänomene kann man hier wenig oder nichts unmittelbar entnehmen, und in diesem Sinne ist der Ausspruch ‚Die Geschichte wiederholt sich nie' völlig richtig. Man muß diese konkreten Phänomene in andere, ideale, einfachere zerlegen, so daß wir derart zu etwas viel Konstanterem in dem sehr komplexen und variablen Phänomen, das wir im Konkreten vor uns haben, zu gelangen vermögen" (*V. Pareto* 1962, § 2410). Denn das Ganze der „Geschichte" im Sinne des „Geschehens" oder der „Gesellschaft" oder des historisch-soziologischen Prozesses kann totaliter selbstverständlich nicht erforscht werden. Sondern wir müssen auswählen, indem wir durch die gedankliche Operation von Abstraktion und Isolierung den sozialen Erfahrungsgegenstand, das menschliche Zusammenleben, in das Erkenntnisobjekt der soziologischen Analyse verwandeln. „Dann zeigt sich die sonst unsichtbare Gesetzmäßigkeit" (*J. A. Schumpeter* 1953). Der dagegen, zumal von historischer Seite, oft erhobene Einwand, diese rationalen Schemata seien nicht lebensecht, ist zu banal, um ausführliche Auseinandersetzung zu verdienen: „Wirklich lebenstreu ist keine Wissenschaft, sondern nur das Leben selbst" (*G. Eisermann* 1965, S. 306).

Die soziologischen Gleichförmigkeiten sind daher notwendigerweise Abstraktionsformeln, die, an bestimmte, ideal angenommene Bedingungen geknüpft, die nicht vollzählig in dem „Gesetz" aufgeführt werden können, sich in der Realität nie in absoluter Weise durchsetzen, weil hier diese Bedingungen in der Regel komplizierter sind. „Die ideellen (abstrakten) Gesetze aber verlangen und setzen sich durch unter der Annahme ideeller Vereinfachung, gleichsam als ein hinter den äußeren Erscheinungen sich abspielender Vorgang, der erst der schärferen Analyse bedarf. Sehr oft kann der Augenschein gegen sie sprechen. Nur dann wird man von Gesetzen sprechen, wenn solche vereinfachten Annahmen vorliegen" (*F. Eulenburg* 1923, S. 62). *Keine* soziologische Gleichförmigkeit — und übrigens überhaupt kein wissenschaftliches Gesetz und keine Theorie — kann daher auf mehr als approximative Richtigkeit Anspruch erheben. In diesem Sinne kann man sagen, daß die theoretischen Sozialwissenschaften nur Tendenzen der Wirklichkeit darstellen und niemals die volle Wirklichkeit selbst. Da wir es ferner bei den soziologischen Gleichförmigkeiten immer mit dem abstrakten Zusammenhang zwischen Bedingung und Folge, nur in erster Annäherung mit der konkreten ursächlichen Bestimmtheit einer Wirkung zu tun haben, handelt es sich um Funktionalzusammenhänge. Eine soziologische Gleichförmigkeit „ist demnach ein allgemeines und hypothetisches Urteil über den Zusammenhang von sozialen Elementarerscheinungen" (*F. Eulenburg* 1911, S. 746 f.). Ist sie auf einem zureichenden historischen Material aufgebaut, so vermag sie uns zu lehren, „daß auch auf sozialem Gebiet eine unerbittliche Logik herrscht, die man nicht ungestraft ignorieren kann", und „daß man nicht jedem Politiker glauben darf, der erklärt, daß von morgen ab das soziale Geschehen wesentlich anders verlaufen werde als bisher" *(J. A. Schumpeter)*. Wenn bei ihr völlige Abstraktheit der Komponenten, eindeutige Begriffsbestimmung und Größenanschauung zusammentreffen, so ist prinzipiell, wenn auch bereits durch die Natur ihrer Komponenten längst nicht de facto, sogar ihre mathematische Formulierung möglich. Freilich wäre es wiederum ein logischer Fehlschluß, aus der mathematisch-exakten Formulierung irgendeiner Gleichförmigkeit schon auf ihre Richtigkeit zu schließen, sondern der sachliche Beweis für ihre Richtigkeit muß, da die Mathematik bekanntlich lediglich eine Formalwissenschaft ist, aus anderen Quellen stammen.

Aus alledem folgt aber, daß es, wie wir es von Anfang an auch immer wieder getan haben, schon wegen der falschen und irreführenden Assoziationen, die sich an den Ausdruck „Gesetz" knüpfen, bei weitem vorzuziehen ist, von *Gleichförmigkeiten* zu sprechen. Indem wir derart eine Transposition der konkreten „historischen" Phänomene in die abstrakte Terminologie der soziologischen Analyse vornehmen, kann es uns „sehr wohl gelingen, Regeln aufzustellen, welche sich Jahrtausende hindurch an den verschiedensten Orten historisch nachprüfen lassen und diese Prüfung bestehen" (*F. Kaufmann* 1936, S. 220). Auf jeden Fall existiert kein Gegensatz zwischen der „historischen Methode" und dem Vorgehen der Soziologie, vielmehr ergänzen sich beide. Abgesehen davon, daß die Fragestellungen, mit denen wir an die wissenschaftliche Bearbeitung des historisch-gesellschaftlichen Geschehens herantreten, zumeist einen präwissenschaftlichen Akt darstellen, ist ein Grund dafür, daß sich die Geschichte, trotz des unzweifelhaften Bestehens solcher sozialen Gleichförmigkeiten selten „wiederholt", darin zu erblicken, daß die dramatis personae häufig Menschen historischen Bewußtseins sind, die bei der Wiederholung derselben Konstellation sich der vorangegangenen erinnern und durch dieses Wissen ihre Handlungsweise beeinflussen lassen.

IV. Geschichte und Soziologie

Die soziologische Analyse ist auf die sozialen Tatsachen gerichtet, die stets und unveräußerlich „historisch" sind, wobei wir freilich immer eingedenk des berühmten Diktums von *Bronislaw Malinowski* bleiben müssen, daß es keine Tatsachen ohne Probleme gibt. Die unanalysierte Tatsache ist stumm. Die Tatsachen aber müssen stumm bleiben, reine „stupid facts", wie sie uns unter statistischen Friedhöfen begraben leider in so vielen zeitgenössischen „empirischen" Untersuchungen begegnen, wenn sie nicht methodisch geklärt und in systematischem Zusammenhang, d. h. unter einem, wenn auch nur vorläufigem theoretischen Ansatz, einer Hypothese, befragt werden. Auch dies gilt übrigens selbstverständlich für den Historiker nicht anders. „Die Tatsachen sprechen nur, wenn der Historiker sich an sie wendet: er nämlich entscheidet, welchen Fakten Raum gegeben werden soll und in welcher Abfolge oder in welchem Zusammenhang" (*E. H. Carr* 1963, S. 11). Dieses Herantreten an die historischen Fakten kann selbstverständlich nicht nur unter Verzicht auf jede Art von Fortschritts- und Determinismus-Metaphysik, sondern muß auch mit jener logisch-erfahrungsmäßigen, d. h. werturteilsfreien Haltung geschehen, die seit *Max Weber, Vilfredo Pareto* und *Emile Durkheim* dem Soziologen als selbstverständlich erscheinen sollte und die auch *Wilhelm Dilthey*, dem es für einen Historiker nicht geboten erschien, Partei zu nehmen, sondern strikte Neutralität und Objektivität zu wahren (*C. Antoni* 1950, S. 11 ff.), bereits als unerläßlich ansah.

Jedes soziologische Forschungsproblem involviert daher stets die zeitliche Dimension allen menschlichen Geschehens und somit die Geschichte, wenn auch das Ausmaß, in dem diese Dimension herangezogen werden muß, sicherlich wechselt. Es ist jedoch evident, daß es unmöglich ist, das Urteil über ein soziales Faktum vom Studium und Verständnis seiner historischen Entstehung zu trennen, es sei denn, man wollte leugnen, daß jedes soziale Faktum nur in seinem Zusammenhang mit anderen Fakten, in seiner Transformation und in seiner Teilhabe am ewigen Werden zu existieren vermag.

Wissenschaftliche Fakten sind aber Fakten für jedermann, der sie zu nutzen willens ist. Historiker besitzen keinerlei Privileg auf die in der Geschichte überlieferten sozialen Fakten, noch etwa auf eine besondere Einsicht in das innere Getriebe der Geschichte. Die historischen Fakten können derart von hundert verschiedenen Gesichtspunkten aus analysiert werden — vom juristischen, ästhetischen, volkswirtschaftlichen, historischen, ethischen und z. B. auch soziologischen Standpunkt aus. Es gibt keinerlei Erfahrungsgegenstände, die etwa spezifisch historisch wären, und solche, die z. B. lediglich soziologisch, ökonomisch oder juristisch sind. Es besteht daher nicht allein gar kein wirklicher Gegensatz zwischen „formaler" und „historisch gesättigter" Soziologie, denn auch die „formale" Soziologie beruht, wie übrigens die sogenannte „empirische Sozialforschung" sive Soziographie ebenso, restlos auf „historischem" Material, sondern die Beziehungen zwischen Soziologie und Geschichte beschränken sich auch keineswegs, wie man in letzter Zeit vielfach einschränken zu müssen glaubte, auf die Sozialgeschichte. Es handelt sich hier überdies um gar keine selbständige historische Unterdisziplin der Geschichte, denn „Sozialgeschichte ist nicht Sondergebiet und historische Einzeldisziplin, sondern Aspekt, Betrachtungsweise, Prinzip", ist selbst schon „Geschichtsbetrachtung unter soziologischem Aspekt, ist aber nicht Soziologie" (*K. Bosl* 1964, S. 478 ff.). Schon die unbezweifelbare Historizität von Sozialstrukturen, Ideologien und Interessen verweist den Soziologen auf das Reich der Geschichte, auf die er, als auf eine Republik, die nicht dem monarchischen Absolutheitsanspruch der Historiker unterworfen ist, unbestreitbar legitime Ansprüche vindizieren kann.

Die soziologische Analyse, die sich dabei weithin dankbar der von den Historikern aufbereiteten und möglichst methodisch abgeklärten Fakten bedienen wird, ist darauf ausgerichtet, nicht Ideen, sondern handelnde Menschen als das letzte Movens des historischen Gesellschaftsprozesses sichtbar zu machen. Wenn wir z. B. vom „Kampf zwischen Freiheit und Gleichheit" oder zwischen „Individualismus und Kollektivismus" oder dergleichen in der Geschichte sprechen hören, so dürfen wir darüber nicht vergessen, daß es sich dabei nicht um den Kampf zwischen abstrakten Ideen oder den Kampf zwischen Individuen als solchen, sondern stets um den Kampf zwischen einzelnen Gruppen in der Gesellschaft oder zwischen sozialen Systemen als solchen handelt. Was geschieht, ist viel mehr der Effekt des sozialen Systems, d. h. der Parallelogramme sozialen Handelns einer Vielzahl von gesellschaftlich integrierten Menschen, als etwa einsamer Ratschlüsse „großer Männer". Als Ergebnis der historisch-soziologischen Prozesse oder — anders ausgedrückt — als Effekt dieser sozialen Handlungsparallelogramme tritt daher gewöhnlich das ein, was kein einzelner der Beteiligten in dieser Form gewollt hat, kurz es handelt sich um die „alte Wahrheit", wie sie *Joseph A. Schumpeter* gelegentlich genannt hat, „daß die Personen und Chöre, die im Drama der Geschichte auftreten, fast nie verstehen und noch weniger wollen, was tatsächlich geschieht und über alle Köpfe hinweg von der unerbittlichen Logik der Dinge durchgesetzt wird". Das liegt in Struktur und Bedingungen sozialen Handelns vorgezeichnet. Der sozial handelnde Mensch hat ja die „historischen" Ergebnisse des vorangegangenen Handelns der gesamten Menschheit, d. h. das konkrete Resultat ihrer „Geschichte", als Bedingung seines eigenen Handelns stets vor sich. Denn die Menschen machen zweifellos ihre eigene Geschichte — aber nicht unter von ihnen etwa selbst geschaffenen, sondern unter vorgefundenen Bedingungen.

Jener Glaube, als bewirkten die „großen Männer" die Geschichte, „als Schachtelmännchen, die auf wunderbare Weise aus dem Unbekannten auftauchen, um die tatsächliche Kontinuität der Geschichte zu unterbrechen" (*Gordon Childe* 1947, S. 43), kann daher nur als Ausfluß jenes mystifizierenden wissenschafts-mythologischen Irrationalismus angesehen werden, der dem Historismus als Weltanschauung eigen ist. Nicht nur sind die „großen Männer" zunächst einmal soziale Phänomene, aus bestimmten sozialen Bedingungen und Verhältnissen selbst erwachsen, und nicht nur Individuen, für die das „Individuum est ineffabile" als ebenso triviale wie unauflösbare Formel gilt, sondern sie sind in ihrer spezifischen Wirksamkeit auch an die spezifischen Bedingungen und Eigenschaften des sozialen Systems, dem sie angehören, gebunden. Es ist dies jene, bereits für *Edward Gibbon* "offenkundige Wahrheit, daß die Zeiten den außerordentlichen Charakteren angemessen sein müssen, und daß das Genie eines Cromwell oder Retz heutzutage unerkannt bleiben könnte" (*Gibbon* 1954). Man braucht sich die Figur eines *Hitler* zur Kontrolle dieser Einsicht nur aus den Verhältnissen der deutschen Gesellschaft in das historisch gleichzeitige englische oder französische soziale System versetzt vorzustellen, um dieser offenkundigen Wahrheit inne zu werden. Das Schicksal des Bankiersohns *Octavian*, der als Augustus der Welt sein Zeichen aufzuprägen wußte, würde unter den veränderten sozialen Gegebenheiten der Gegenwart wahrscheinlich höchstens dem des Bankiersohns *Spellman* ähneln.

Diejenigen Soziologen aber, die ihrerseits die Geschichte aus dem legitimen Forschungsbereich der Soziologie ausklammern möchten, verfallen in den umgekehrten Fehler wie die historistischen Historiker. Zunächst bietet die „Gegenwart", wie wir früher sahen, als jene zerbrechliche Grenzscheide zwischen Vergangenheit und einer stetig hereinbrechenden Zukunft ein viel zu dubioses und begrenztes Erfahrungsfeld, als daß wir darauf mit einer auch nur einigermaßen hinreichenden Sicherheit die Suche nach Gleichförmigkeiten aufbauen könnten. Die oberflächlichste Überlegung lehrt, von einem wie unendlich begrenzten Ausschnitt des Geschehens, selbst im Zeitalter der Massenmedien, wir tatsächlich eine, höchst bruchstückhafte, Kenntnis besitzen. Es ist nichts als ein Vorurteil, daß wir über die Gegenwart weitaus besser unterrichtet wären als über die Vergangenheit. Durch die Öffnung der Archive, durch die Publikation von Memoiren, Briefwechseln usw. sind wir im Gegenteil über die Vergangenheit oftmals besser und „objektiver" als über die Gegenwart informiert, die uns vielfach nur durch den Zerrspiegel von unmittelbar beteiligten Interessen und Leidenschaften bekannt wird. Im Gegensatz zu der höchst unwahrscheinlichen Geschichte z. B., die uns der Warren-Report über die Ermordung des amerikanischen Präsidenten *John F. Kennedy*[25], zugemutet hat, sind wir über Umstände, Täter und Beweggründe der Ermordung *C. Julius Cäsars* ausgezeichnet unterrichtet.

Es ist auch, entgegen einem weitverbreiteten Vorurteil, nicht wahr, daß unser Wissen um die Vergangenheit im Gegensatz zur Gegenwart prinzipiell zu lückenhaft sei, um für die Soziologie nützlich zu sein. Menschliches Wissen und folglich wissenschaftliches Prognostizieren ist zunächst einmal grundsätzlich lückenhaft. „Denn unser Wissen ist Stückwerk und unser Weissagen ist Stückwerk" (1. Kor. 13,9). Sodann sind wir im Gegensatz zu den Vorgängen in der Sowjetunion oder im zeitgenössischen China beispielsweise über das Jahrhundert der Römischen Revolution, insbesondere die

Zeit des Ausgangs der Republik, oder die Ära der Französischen Revolution und des Napoleonischen Imperiums in einer Art und Weise über Beweggründe, Handlungen und Umstände informiert, die den Zeitgeschichtler vor Neid erblassen lassen könnte. Schließlich stehen wir vor der Tatsache, daß für die Soziologie, wenn sie in ihrem Forschungsinteresse von der Gegenwart ausgeht, „als unabdingbare Forderung der vergleichenden Methode" (*R. König* 1960, S. 302) der historische Vergleich die Voraussetzung für Erfassung dieser Gegenwart darstellt. „Der Vergleich führt aber zur Analogie und zu den typischen Zügen des geschichtlichen Lebens. Damit aber bewegen wir uns", wie ein zeitgenössischer Historiker mit Recht feststellt, „methodisch auf der gleichen Ebene wie die Soziologie" (*K. Bosl 1964*, S. 478).

Drittens können wir die Vergangenheit nur mit den Augen der Gegenwart sehen, können das uns weniger Bekannte nur durch das etwas Bekanntere erklären. „Im allgemeinen muß man das Unbekannte durch das Bekannte erklären, und deswegen erklärt man die Vergangenheit durch die Gegenwart besser als die Gegenwart durch die Vergangenheit, wie es die meisten bei der Entstehung der Soziologie getan haben und viele auch heute noch fortfahren zu tun" (*V. Pareto* 1962, § 548). Auch die Historiker gehören ihrer eigenen Generation an, sind durch die Bedingungen ihrer menschlichen Existenz an ihren Standort gebunden, so daß einzelne von ihnen folgerichtig zu der Erkenntnis gelangten: „Wenn man daran glaubt, daß das Geschichtsstudium eine besondere Bedeutung für die gegenwärtigen Ereignisse hat, dann wird man in der heutigen Welt mehr gewinnen, wenn man das Leben und die Zeit Alexanders des Großen oder Cäsars und der Römischen Revolution studiert" (*G. Barraclough* 1957, S. 255). Vielleicht sollte man hinzufügen, daß die Geschichte der Rivalität zwischen Karthago und Rom und ihrer Austragung oder die Geschichte des Byzantinischen Reiches, das ebenfalls bereits „Entwicklungshilfe" an die Barbaren zahlte, nicht geringere Aufschlüsse zu geben vermöchten. Alle die Historiker, die der Auffassung sind, daß die Beschäftigung mit der Geschichte zu mehr diene als der Befriedigung bloßer Neugier, daß man aus ihr irgend etwas „lernen" könne – und handele es sich dabei nur um das berühmte pessimistische Fazit *Hegels*, die Geschichte lehre, daß die Völker nichts aus ihr lernten – unterstellen implizit, daß sie nach irgendwelchen Gleichförmigkeiten verlaufe.

Die sozialen Fakten der Geschichte, die auch deswegen für uns zuweilen den Vorzug gegenüber den gegenwärtigen besitzen können, weil sie weniger die Gefühle und Interessen des Betrachters erregen, werden von uns rein von „außen", als Daten und Verläufe, ohne Beimischung von metaphysischen, sentimentalen, patriotischen, religiösen o. ä. Empfindungen analysiert, um in ihnen Gleichförmigkeiten aufzudecken. Glücklicherweise sind wir Soziologen nicht mit dem „Sinn" der Geschichte befaßt. Wer den „Sinn der Geschichte" erfragen will, der muß „diese maßlose Frage" (*K. Löwith* 1961, S. 13) an Philosophie und Theologie richten, deren Vorrecht es ist, Fragen zu beantworten, die sich empirisch nicht beantworten lassen, nicht aber an die Soziologie. Heutzutage hegen Wissenschaftler generell wie auch die Historiker speziell nur die bescheidenere Hoffnung, nach und nach von einer fragmentarischen und vorläufigen Hypothese zur nächsten voranzuschreiten, indem sie ihre Fakten vermittels abstrahierender Interpretation isolieren und sodann wiederum ihre Interpretation der Realität an Hand der Fakten überprüfen. Der Weg — und das ist nur eine Verdeutschung des griechischen Wortes μέθοδος —, den sie dabei einschlagen, unterscheidet sich, wie wir uns früher überzeugten, im Grunde nicht wesentlich voneinander.

In der Tat sprechen wir deshalb, worauf wir ebenfalls bereits hindeuteten, nicht nur theoretisch von der Möglichkeit solcher historischen Gleichförmigkeiten, sondern wir können als Beweis ihrer faktischen Existenz hier vier Beispiele anführen. Zunächst sei *Crane Brintons* (1959) auf dem Erfahrungsmaterial der vier klassischen neuzeitlichen Revolutionen aufgebaute soziologische Analyse der Revolution angeführt, die zumindest vier in ihnen sich durchsetzende Gleichförmigkeiten nachweisen kann. Dabei verzichtet der Verfasser bewußt auf die eigentliche Aufgabe der soziologischen Analyse, die das gesellschaftliche Gleichgewicht des sozialen Systems vorübergehend störenden Variablen von Gefühlen und Interessen in ihrer Wandlung zu erfassen, weil wir sie nach seiner Auffassung zwar niemals mathematisch, aber doch nach dem gegenwärtigen Stand unseres Wissens prinzipiell nicht hinreichend quantifizieren können, so daß er sich auf einem relativ niedrigeren Niveau der Kompliziertheit begnügt, zu klassifizieren und zu systematisieren. Die von ihm aufgefundenen Gleichförmigkeiten gehören also der am Ende des vorigen Abschnitts aufgeführten untersten Gruppe „historischer Gesetze", den Regelmäßigkeiten oder Erfahrungsregeln an.

Sodann sei auf des Deutschamerikaners *George W. F. Hallgarten* (1957) historisch-soziologische Analyse der uns seit den ältesten Zeiten bis zur Gegenwart bekannten Diktaturen verwiesen, der in ihnen unter dem historischen Kostüm verborgen eine überraschende Vielzahl von Strukturgemeinsamkeiten und Gleichförmigkeiten aufdeckt und nachweist, daß die Machtergreifung solcher Männer ebensowenig etwa wie ihr Auftreten und Gebaren das Ergebnis bloßen Zufalls ist und daß bestimmte gesellschaftliche Umstände den Aufstieg bestimmter sozialpsychologisch geprägter Typen solcher Männer befördern und das Emporkommen anderer Typen schwierig gestalten.

Ferner können wir das bekanntgewordene Werk von *Otto Brunner* (1965) anführen, das soziologische Denkformen mit den Ergebnissen landesgeschichtlicher Einzelforschung verknüpft und dem es auf diese Weise gelingt, auf neue und überzeugende Weise den Prozeß staatlichen Werdens „gleichförmig" aus seinen gesellschaftlichen Wurzeln zu erklären. Schließlich sei auf den Beitrag verwiesen, den *George Rudé* (1961, 1964) zur Soziologie der Massen geliefert und den er inzwischen, auf ein verbreitertes Erfahrungsmaterial bezogen, noch vertieft hat. Er hat uns gezeigt, daß die aufrührerischen Volksmassen durchaus nicht aus Verbrechern und Vagabunden zusammengesetzt, nicht einfach Mob, Abschaum der Gesellschaft oder die „Canaille" von *Hippolyte Taine* waren, sondern le menu peuple, keine Abstraktion, vielmehr gewöhnliche Menschen, die in ihren Gefühlen und Interessen gemäß den soziologischen Gleichförmigkeiten angerührt und verändert wurden, wodurch wiederum Veränderungen im sozialen System auftraten. Dadurch werden die Untersuchungen von *Crane Brinton* nicht nur in wertvoller Weise ergänzt, sondern der Verfasser wirft mit Recht die teilweise schon von ihm selbst beantwortete Frage auf, ob diese Schlußfolgerungen nur innerhalb des verhältnismäßig engen Bereichs der Französischen Revolution Geltung beanspruchen können oder ob sie sich auch auf andere revolutionäre Massen übertragen lassen.

Damit sind wir keineswegs an der Grenze der anführbaren Beispiele angelangt, sondern haben uns nur mit einigen Belegen begnügt. So haben außer dem bereits erwähnten *O. Brunner* unter den deutschen Historikern *K. Bosl, W. Conze* und *Th. Schieder* bewußt und eindrucksvoll in zunehmendem Maße von soziologischen Fragestellungen, Konzeptionen und Theorien Gebrauch gemacht, obschon generell noch keineswegs von einer „Geschichtswissenschaft jenseits des Historismus" *(W. J. Mommsen)* gesprochen werden kann. Hingegen könnten die oben angeführten vier Beispiele u. a. leicht durch die einschlägigen Werke von *Barrington Moore* und *Karl A. Wittfogel* erweitert werden. Zunehmend zeigt sich derart die moderne Geschichtsschreibung von der Suche nach und der Anerkenntnis von soziologischen Gleichförmigkeiten durchdrungen.

Ja, ein zeitgenössischer Historiker beispielsweise möchte „das Gesetz aufstellen, daß die Gruppe — mag man sie nun Klasse, Nation, Kontinent, Kultur oder wie immer nennen — die zu einer bestimmten Zeit die führende Rolle im Fortschritt der Kultur spielt, sehr wahrscheinlich in der nächsten Periode nicht mehr dieselbe Rolle spielen wird, aus dem einfachen Grund, weil sie zu sehr von den Traditionen, Interessen und Ideologien der früheren Zeit durchdrungen sein dürfte, um sich den Anforderungen und Bedingungen der nächsten Periode anpassen zu können" (*E. H. Carr* 1963, S. 114). Während dieses „Gesetz" offenbar nur eine Erfahrungsregel im oben angeführten Sinne *Max Webers* enthält, stellt es andererseits doch nur eine Vorstufe der viel abstrakteren soziologischen Gleichförmigkeit dar, die unter dem mißverständlichen Namen „Zirkulation der Eliten" bekannt ist und die richtiger „Gesetz der ständigen Sukzession der herrschenden Gruppen" heißen müßte, die ihrerseits wiederum nur einen Anwendungsfall der generellen Gleichförmigkeit von den Wellenbewegungen aller sozialen Phänomene bildet. „Niemand bezweifelt, daß Geschichte auf und ab verläuft, daß sie Perioden wirklichen Verfalls aufweist; sie hat ihre dunklen Zeitalter. Aber man sagt uns, wenn wir diese Einschnitte betonen, begehen wir den Fehler, sie nur nicht lange genug betrachtet zu haben. Bei längerer Betrachtung versenkt kein dunkles Zeitalter ganz die Errungenschaften einer vorhergehenden Kultur; keine Generation beginnt ganz neu von den Grundlagen" (*G. Barraclough* 1957, S. 56 f.). Oder wie es *Alfred Vierkandt* gelegentlich ausdrückte, das Haus der Gesellschaft wird zwar ständig eingerissen und umgebaut, aber es wird niemals ganz abgerissen. Auch die ökonomischen Konjunkturbewegungen sind nur ein spezieller Anwendungsfall dieser generellen Gleichförmigkeit der Wellenbewegungen aller sozialen Phänomene.

Nach alldem kann es nicht mehr überraschen, daß das Werk der drei großen Begründer der modernen soziologischen Analyse durch und durch von einer historischen Dimension erfüllt ist. Dies darf für *Max Weber* und seine zielsichere Gratwanderung zwischen generalisierender soziologischer Theorie und konkreter Anschaulichkeit des jeweils historisch Gegebenen wohl auch als unbestritten gelten, eine „eisig kalte, rein theoretisch gebändigte, stark soziologisch erleuchtete Seinsforschung auf dem historischen Gebiet" (*E. Troeltsch* 1961 ff., Bd. III, S. 161), so daß man gelegentlich sogar fälschlich von ihm behauptet hat, Geschichte und Theorie fielen für ihn in eins zusammen. Jedenfalls war durch diese Beziehung zur Geschichte auch sein ganzes Verhältnis zu Amerika bestimmt (*G. Eisermann* 1964). Nicht anders verhält es sich im Grunde mit *Vilfredo Pareto,* der seine soziologischen Theorien ausdrücklich auf dem historischen Erfahrungsmaterial Europas und der Länder rings um das Mittelmeerbecken aufbaut und in den mit Recht berühmten Kapiteln zwölf und dreizehn seines Hauptwerkes, in dem er sich in das „ewige Romgespräch" einschaltet, in exemplarischer Weise Aufstieg, Krise und Untergang der antiken, insbesondere der römischen sozialen Systeme analysiert. Entgegen einem darüber weitverbreiteten Vorurteil konnte es dem Kenner von jeher nicht verborgen bleiben und ist unlängst überzeugend nachgewiesen worden, daß auch das Werk von *Emile Durkheim* durch und durch von einer historischen Dimension erfüllt und sein Verhältnis zur Geschichte mit demjenigen *Max Webers* und *Vilfredo Paretos* prinzipiell konvergent ist (*R. Bellah* 1959). Bedürfte es noch eines Beweises dafür, so könnte man z. B. auf seinen gegenüber *Montesquieu,* der ihm selbstverständlich als legitimer Vorläufer der modernen soziologischen Analyse gut bekannt ist, zu Unrecht erhobenen Vorwurf verweisen, *Montesquieu* habe nicht erkannt, daß eine Gesellschaft ihren Ursprung immer in einer vorherigen hat, daß also die historische Vergangenheit ein wichtiger Bestimmungsfaktor eines gegenwärtigen sozialen Systems darstelle (*E. Durkheim* 1953, S. 105 ff.). Diese Konvergenz sollte jenen zu denken geben, die davon träumen, man könne Soziologie ohne Berücksichtigung der Geschichte als eine pure strukturell-funktionale „Wissenschaft von der Gegenwart" betreiben.

Die Geschichte bildet daher für die Soziologie nicht nur den unerläßlichen Fundus sozialer Fakten, auf dem allein in hinreichender Breite soziologische Beobachtungen aufgebaut werden können. Sondern sie ist darüber hinaus ein riesiges Experimentierfeld, ein Laboratorium der Akteure und Beobachter, eine Dimension, die bis ins letzte jedes soziale Faktum in der Geschichtlichkeit des Menschen, der Gesellschaft und der Kultur durchdringt, die selbst als gesellschaftliches Produkt geschaffen und individuell und kollektiv zugleich nur in der Vergesellschaftung (Sozialisation) angeeignet und fortgebildet zu werden vermag. Für die Soziologie ist alle Geschichte Gegenwart. Infolgedessen ist die Soziologie genötigt, der Historizität ihres Erfahrungsgegenstandes Rechnung zu tragen. „Die Begriffsbildung der Soziologie entnimmt ihr *Material,* als Paradigmata, sehr wesentlich, wenn auch keineswegs ausschließlich, den auch unter den Gesichtspunkten der Geschichte relevanten Realitäten des Handelns" (*M. Weber* 1956, S. 9).

Aber dies ist nur die eine Seite. Denn andererseits liefert die Geschichte aber auch wieder den unerläßlichen Fundus, mit Hilfe dessen die Soziologie ihre Begriffe und rationalen Schemata beispielhaft exemplifizieren kann. Alle jene jedenfalls, die wähnen, eine reine „Gegenwartsanalyse“ könne irgendwelche zureichenden Aufschlüsse geben, seien u. a. an das Beispiel des Meisterspions *Sorge* erinnert, dessen Überlegenheit in Analyse und Prognostik auf seiner grundlegenden Kenntnis der japanischen Geschichte beruhte[26]. Der begrifflich-methodische Apparat der Soziologie transzendiert notwendig alles bloß Singuläre und Zeitliche, um Kontinuität und Disparität im Wandel zu erfassen, zumal es gerade das Spezifikum differenzierenden Fragens darstellt, das je Konkret-Allgemeine voneinander auch begrifflich zu sondern (Problem der Begriffsbegrenzung). „Das Mißverständnis der Gegenwart ist die unvermeidliche Konsequenz der Unkenntnis der Vergangenheit. Aber ein Mann kann ebenso daran verzweifeln, die Vergangenheit zu verstehen, wenn er kein Wissen über die Gegenwart besitzt“ (*M. Bloch* 1959, S. 43). Auch alles zeitgeschichtlich-empirische Material der prinzipiell aktualitätsbezogenen Soziologie ist, wie wir sahen, ein geschichtlich gewordenes, das in seiner Historizität in diese Aktualität hineinragt. Alle analytischen Modelle, ohne die wissenschaftlich überhaupt nicht gearbeitet werden kann, überschreiten deshalb den Horizont des Einmaligen und Zeitlichen und sichern begrifflich-methodisch die Universalität der Erfahrungswelt, gerade auch im Raum des „historischen“ Geschehens.

Je mehr zudem die Soziologie gegenwärtig, zwangsläufig durch die Art der sich ihr auferlegenden Probleme geleitet, dazu geführt wird, über die Gegenwartsanalyse hinaus den sozialen Wandel zu erforschen, der die Gegenwart in die Zukunft hin übersteigt, umso mehr muß sie sich der Geschichte zuwenden. Denn je mehr der soziale Wandel in den Mittelpunkt des soziologischen Interesses rückt, um so mehr müssen die Soziologen unvermeidlicherweise alle Theoretiker von Gesamtgesellschaften werden. Das Material für eine Theorie des sozialen Wandels, die nicht allein vermittels der „komparativen Methode“ aus dem Vergleich von Sequenzen zu gewinnen ist, vermag die Soziologie zureichend nur aus der Geschichte zu entnehmen. In diesem Zusammenhang muß die Leichtfertigkeit bestürzend wirken, mit der die von der Diskussion um die von *Karl Marx* und *Max Weber* aufgestellten Kapitalismustheorien aufgehäuften Resultate beiseitegeschoben wurden (vgl. dazu neuerdings *F. v. Hayek* 1954; *R. W. Green* 1959; *H. Lüthy* 1967). Nur die Geschichte kann zufriedenstellend das Material für die so dringend benötigte, auch unter dem Gesichtspunkt der Problematik der Entwicklungsländer vordringliche, Theorie des sozialen Wandels liefern.

Die Soziologie wird derart zu einer „Strukturphänomenologie der Geschichte" (*J. Winckelmann*). Nicht nur für den Historiker ist der ständige Wandel das einzig Gewisse, sondern auch für den Soziologen, der im sozialen Wandel ein kontinuierliches, unaufhaltsames und stetiges Phänomen erblickt. Insofern ähneln die Beziehungen zwischen Geschichte und Soziologie mehr den natürlichen Tendenzen zur Arbeitsteilung als etwa einem Konkurrenzverhältnis. Im Phänomen des sozialen Wandels manifestiert sich aber auch die doppelt dimensionierte Möglichkeit der Geschichte: nach „rückwärts" als Fundus wirklich gewordener Möglichkeiten, nach „vorwärts" als Raum künftiger objektiver Möglichkeiten. Allerdings ist die Bestimmung des je „objektiv Möglichen" Derivat des „universalen Empirismus" der Vergangenheit, aus der die induktiv gewonnenen Gleichförmigkeiten stammen. Aus der Vielfalt der realen, nicht der in die theoretischen Modelle involvierten Variablen resultiert aber auch das (zeit)geschichtliche Überraschungsmoment des tatsächlich Möglichen, d. h. als wirklich gewordene, von „Bedingungen" adäquat bestimmte Möglichkeit, wobei kausale oder funktionale Adäquation dieser real gewordenen Möglichkeiten ein empirisches Urteil umgreift.

V. Schlußbetrachtung

Die Art ihres Vorgehens vermittels Isolierung und Abstraktion bringt die notorische Gefahr für die Soziologie mit sich, in inhaltsleere und das will heißen: realitäts- und geschichtsferne Schemata zu verfallen. „Wie bei jeder generalisierenden Wissenschaft bedingt die Eigenart ihrer Abstraktionen es, daß ihre Begriffe gegenüber der konkreten Realität des Historischen relativ inhalts*leer* sein müssen. Was sie dafür zu bieten hat, ist gesteigerte *Eindeutigkeit* der Begriffe" (*Max Weber* 1956, S. 9 f.). Gerade deswegen ist die Geschichte mit ihrem unendlichen Gestalten- und Faktenreichtum für die Soziologie unerläßlich, um sich immer wieder voll Anschauung zu saugen und die Richtigkeit ihrer rationalen Schemata in echt wissenschaftlicher Manier immer wieder neu zu überprüfen. Noch immer aber gilt auch *Schumpeters* Urteil: „Die Soziologie beruht zum Teil auf einem so gesicherten Materiale, daß das Hauptgewicht bei Studium wie bei Forschung auf seiner gedanklichen Durcharbeitung liegt." Mit anderen Worten, das Reich, das Soziologie und Historiographie gleichermaßen eigen ist, ist die wirkliche Welt des Liebens und Hassens, die Welt der Werte und des lebendigen Lebens, die Welt der Geschichte. Verlust der Geschichte ist Verlust der Orientierung und Verlust der Erfahrung. Geht der Mensch aber einer realitäts- und erfahrungsbezogenen

Orientierung verlustig, so wird er sich durch irreale und irrationale Orientierungsschemata leiten lassen. „Der Mensch ist ein historisches Tier mit einem tiefen Gefühl für seine eigene Vergangenheit; und wenn er die Vergangenheit nicht durch eine deutliche und wahre Geschichte ergänzen kann, wird er sie durch eine blinde und falsche Geschichte ergänzen" (*G. Barraclough* 1957, S. 32). Kurz, „je soziologischer die Geschichte und je historischer die Soziologie wird, desto besser für beide Teile" (*E. H. Carr* 1963, S. 65). Die Geschichtsschreibung selbst verwandelt sich schließlich aus einem Gegner der Soziologie zu ihrem Helfer und endlich zu ihrem Studienobjekt.

Der tiefste Grund für die bisherige Rivalität von Soziologie und Geschichte, an deren Stelle aus sachlichen Gründen nur Kooperation stehen sollte, und der Ablehnung der Geschichte durch nicht wenige zeitgenössische Soziologen ist jedoch nicht ein irgendwie gearteter „Streit der Fakultäten". Wir alle *wollen* vielmehr wider alle Vernunft glauben, daß „alles" möglich und darum die Zukunft „offen" und „frei" sei von allen „gesetzmäßigen" Bindungen an Vergangenheit und Gegenwart. Die Erkenntnis des *Polybios,* daß die Geschichte vom Gesetz der Veränderlichkeit beherrscht wird, oder besser gesagt, daß sich in ihr die soziologische Gleichförmigkeit der Wellenbewegung aller sozialen Phänomene durchsetzt, der plötzliche Umschlag von einem Extrem in sein Gegenteil, die Einsicht, daß alle Völker, Städte und Autoritäten vergehen und durch andere ersetzt werden, „wollen" wir nicht wahrhaben. Dies will uns zu pessimistisch scheinen, obschon schwerlich jemand, z. B. als Pessimist gescholten werden kann, weil er weiß, daß die Jugend der Reife Platz macht, die Leidenschaft der Ruhe, die Tätigkeit der Erschlaffung, obwohl unser Intellekt dabei ungetrübt bleiben mag, oder weil er weiß, daß dem Leben immer der Tod folgt und es deshalb für die Kausalitätsfanatiker als die „Ursache" des Todes erscheinen muß.

Noch aber haben wir, die wir so gern, wenn nicht an die Unsterblichkeit unserer individuellen Existenz, so doch an die Ewigkeit, Unveränderlichkeit und äußere und innere Machtentfaltung eines bestimmten sozialen Systems zu glauben geneigt sind — der Fehler, den der naive Mensch immer in bezug auf die Gesellschaft, in der er sich eingerichtet hat, zu machen pflegt — die skeptische Einsicht des *Thukydides* nicht widerlegt, daß sich die menschliche Natur nicht wesentlich ändern und sich deshalb alles, was in der Vergangenheit geschah, „in gleicher oder ähnlicher Weise" auch in Zukunft wieder ereignen werde. Dieses Wunschdenken, oftmals genährt von einer politisch inspirierten Propaganda, wird jedoch der Dynamik des historisch-sozialen Geschehens nicht gerecht. „Nur aus der Betrachtung der Vergangenheit gewinnen wir einen Maßstab der Geschwindigkeit und Kraft *der* Bewegung, in welcher wir selber leben" (*J. Burckhardt* 1955 ff., Bd. IV, S. 11), des sozialen Wandels, der uns selbst und die Welt, in der wir leben, mit sich fortreißt. Nur für die Konstruktion der Geschichte als einer „Geschichte der Freiheit", der Fabelwelt des Historismus, wird die seit der Antike begründete wissenschaftliche Betrachtung des historischen Geschehens zur Absurdität.

Anmerkungen

1 *Emile Durkheim,* Préface, in: L'année sociologique, Bd. 1 (1898), S. III.

2 Vgl. *Ernst Howald,* Vom Geist antiker Geschichtsschreibung, München 1964; *Wilhelm Roscher,* Leben, Werk und Zeitalter des Thukydides, Göttingen 1842; *Eduard Schwartz,* Das Geschichtswerk des Thukydides, 2. Aufl., Bonn 1929; *Wolfgang Schadewaldt,* Die Geschichtsschreibung des Thukydides, Berlin 1929; *Helmut Berve,* Thukydides, Frankfurt 1938; *Hans-Joachim Diesner,* Wirtschaft und Gesellschaft bei Thukydides, Halle/Saale 1956; *Hans-Peter Stahl,* Thukydides. Die Stellung des Menschen im geschichtlichen Prozeß, München 1966; *Adolf Kirchhoff,* Thukydides und sein Urkundenmaterial, 2. Aufl. Darmstadt 1968; *Michael Grant,* Klassiker der antiken Geschichtsschreibung, München 1973, S. 65—107. Vgl. zu *Herodot* ebd. S. 29—64.

3 Vgl. *Walter Siegfried,* Studien zur geschichtlichen Anschauung des Polybios, Leipzig 1928; *Karl Lorenz,* Untersuchungen zum Geschichtswerk des Polybios, Stuttgart 1931; *K. F. Eisen,* Polybios-Interpretationen, Heidelberg 1966; *Mathias Gelzer,* Die pragmatische Geschichtsschreibung des Polybios, in: Festschrift für Carl Weickert, Berlin 1955, S. 87—91; *Paul Pedech,* La méthode historique de Polybe, Paris 1964; *Max Treu,* Biographie und Historie bei Polybios, in: Historia, Bd. 3 (1954), S. 219—228; *Ernst Howald,* a. a. O., S. 87—112; *Michael Grant,* a. a. O., S. 124—142.

4 *Rudolf Hirzel,* Plutarch, Leipzig 1912; *Ulrich von Wilamowitz-Moellendorf,* Plutarch als Biograph, in: *Ulrich von Wilamowitz-Moellendorf,* Reden und Vorträge, Bd. 2; 4. Aufl., Berlin 1926, S. 247 ff.; *Adolf Weizsaecker,* Untersuchungen über Plutarchs biographische Technik, Berlin 1931; *Hartmut Erbse,* Die Bedeutung der Synkrisis in den Parallelbiographien Plutarchs, in: Hermes, Bd. 84 (1956), S. 398—424; *Carl Theander,* Plutarchs Forschungen in Rom. Zur mündlichen Überlieferung als Quelle der Biographien, in: Eranos, Bd. 75 (1959), S. 99 bis 131; *Carl Theander,* Plutarch und die Geschichte, in: Bulletin de la Société Royale des Lettres de Lund, 1950/51, S. 1—86; *Konrad Ziegler,* Plutarchos von Chaironeia, Stuttgart 1949; *Michael Grant,* a. a. O., S. 260—276.

[5] *Ludwig Gumplowicz*, Ibn Khaldun. Ein arabischer Soziologe des XIV. Jahrhunderts, in: *Ludwig Gumplowicz*, Ausgewählte Werke (hrsg. von *Gottfried Salomon*), Bd. 4, Innsbruck 1928, S. 90—114 (S. 113, Hervorhebung im Original). Vgl. ferner *Charles Rappoport*, La philosophie de l'histoire comme science de l'évolution, Paris 1923; *M. Kamil Ayad*, Die Geschichts- und Gesellschaftslehre Ibn Khalduns, Stuttgart und Berlin 1930; *Nathaniel Schmidt*, Ibn Chaldun. Historian, Sociologist, and Philosopher, New York 1930; *Anneliese Schimmel*, Ibn Khalduns Wissenschaft von der menschlichen Kultur, Leipzig 1959; *Yves Lacoste*, Ibn Khaldun, Paris 1966; *Peter von Sivers*, Khalifat, Königtum und Verfall, München 1968.

[6] *Howard Becker* und *Harry E. Barnes*, Social Thought from Lore to Science, Bd. 1, 3. Aufl., New York 1961, S. 302. Vgl. ferner *Hans Ernst Kinck*, Machiavelli. Seine Geschichte und seine Zeit, Basel 1938; *René König*, Niccolò Machiavelli, Erlenbach-Zürich 1941; *Marc Duconseil*, Machiavell et Montesquieu, Paris 1943; *Gerhard Ritter*, Die Dämonie der Macht, 6. Aufl., München 1948; *Lauri Huovinen*, Das Bild des Menschen im politischen Denken Niccolò Machiavellis, Helsinki 1951; *Guido Parazzoli*, Niccolò Machiavelli e la lezione liviana, Mailand 1955; *Gennaro Sasso*, Niccolò Machiavelli, Stuttgart — Berlin — Köln — Mainz 1965; *Kurt Kluxen*, Politik und menschliche Existenz bei Machiavelli, Stuttgart 1967; *Felix Gilbert*, Machiavelli e Guicciardini, Torino 1970; *Leonardo Olschki*, Machiavelli scienzato, in: Il Pensiero Politico, Bd. 2 (1969), S. 509—535.

[7] Vgl. *Max Barkhausen*, Francesco Guicciardinis politische Theorien in seinen Opere inedite, Heidelberg 1908; *Francesco Guicciardini*, Das politische Erbe der Renaissance, 2. Aufl., Bern 1946; *V. Luciani*, Francesco Guicciardini and his European Reputation, New York 1936; *Ugo Spirito*, Machiavelli e Guicciardini, Rom 1944; *V. de Caprariis*, F. Guicciardini, Bari 1950; *Rudolfo Ridolfi*, Vita di F. Guicciardini, Roma 1960; *Giacomo Salizi*, Guicciardini storico europeo, in: Parallelo Bd. 10 (1970), S. 327-340; *Felix Gilbert*, a. a. O.

[8] *Joseph A. Schumpeter*, Geschichte der ökonomischen Analyse, Bd. 2, Göttingen 1965, S. 965; s. auch Bd. 1, S. 188 f. Bezeichnenderweise hat sich auch *Karl Marx* ausdrücklich auf *Vico* berufen (*Karl Marx*, Das Kapital, Bd. 1, Berlin 1947, S. 389). Vgl. ferner *Richard Peters*, Der Aufbau der Weltgeschichte bei Giambattista Vico, Berlin 1929; *Victor Rüfner*, Die Geschichtsphilosophie Giambattista Vicos, Bonn 1946; *Benedetto Croce*, La filosofia di Giambattista Vico, 4. Aufl., Bari 1947; *Karl Löwith*, Weltgeschichte und Heilsgeschehen, 3. Aufl., Stuttgart 1953, S. 109—120; *Thomas C. P. Berry*, The Historical Theory of G. Vico, Washington, D. C., 1949; *A. Robert Caponigri*, Time and Idea. The Theory of History in G. Vico, London 1953; *Luigi Bellofiori*, La dottrina della providenza in G. B. Vico, Padova 1962.

[9] Vgl. hierzu *Walter Struck*, Montesquieu als Politiker, Berlin 1933, S. 33; *Bernard Groethuysen*, Montesquieu, Paris 1956, S. 24 f.; *Franck Alengry*, Essai historique et critique sur la sociologie chez Auguste Comte, Paris 1900, S. 399. Vgl. ferner *Emile Durkheim*, Montesquieu et

Rousseau, précurseurs de la sociologie, Paris 1953; *Enrico Vidal*, Saggio sul Montesquieu, Mailand 1950; *Martin Göhring*, Montesquieu, Historismus und moderner Verfassungsstaat, Wiesbaden 1956; *Marc Duconseil*, a. a. O.; *S. Cotta*, Montesquieu e la scienza della società, Torino 1953; *Isaha Berkin*, Montesquieu, London 1956; *Louis Althusser*, Montesquieu, Paris 1959; *Robert Shackleton*, Montesquieu, London 1961.

[10] *Paul Sakmann*, Die Probleme der historischen Methodik und der Geschichtsphilosophie bei Voltaire, in: Historische Zeitschrift, Jg. 1906; *Alfred von Martin*, Motive und Tendenzen in Voltaires Geschichtsschreibung, ebd., Jg. 1917; *John B. Black*, The Art of History. A Study of Four Great Historians of the 18th Century, New York 1926; *Henry Noel Brailsford*, Voltaire, London 1949; *Karl Löwith*, a. a. O., S. 99—108; *Walter Rehm*, Der Untergang Roms im abendländischen Denken, Darmstadt 1966, S. 97—109; *John Henry Brumfitt*, Voltaire, Historian, London 1958; *Alfred Noyes*, Voltaire, München 1958.

[11] *John B. Black*, a. a. O.; *Julius Goldstein*, Die empiristische Geschichtsauffassung David Humes, Leipzig 1903; *F. Ernest C. Mossner*, Life of David Hume, Austin, Tex., 1954; *Laurence L. Bougie*, David Hume. Prophet of the Counterrevolution. Oxford 1965; *Alfred Schaefer*, David Hume, Meisenheim/Glan 1963; *John B. Stewart*, The Moral and Political Philosophy of David Hume, New York 1963.

[12] Vgl. *Theodor Buddeberg*, Adam Ferguson als Soziologe, in: Jahrbücher für Nationalökonomie und Statistik, Bd. 123 (1925); *Hermann Huth*, Soziale und individualistische Auffassung im 18. Jahrhundert, vornehmlich bei Adam Smith und Adam Ferguson, in: Staats- und sozialwissenschaftliche Forschung, Bd. 125, Leipzig 1907; *William C. Lehmann*, Adam Ferguson and the Beginning of Modern Sociology, New York 1930.

[13] *Wilhelm Dilthey*, Gesammelte Schriften, Bd. 3, 2. Aufl., Leipzig und Berlin 1942, S. 230; vgl. ebenso *John B. Black*, a. a. O.; *Giuseppe Giarrizzo*, Edward Gibbon e la cultura europea del settecento, Neapel 1954; *James E. Oliver*, Gibbon and Rome, London 1958; *George M. Young*, Edward Gibbon, London 1932; *Walter Rehm*, a. a. O., S. 120—130; *Morris Janowitz* (Hrsg.), The Scottish Moralists, Chicago u. London 1967; *David P. Jordan*, Gibbon and His Roman Empire, Urbana u. Chicago, London 1971.

[14] *Henry Thomas Buckle*, Geschichte der Civilisation in England, Bd. 1, 6. Aufl., Leipzig und Heidelberg, 1881, S. 19 f.; vgl. *Albert H. Huth*, The Life and Writings of Henry Thomas Buckle, New York 1880; *Franz Fränkel*, Buckle und seine Geschichtsphilosophie, Bern 1906; *John M. Robertson*, Buckle and his Critics, London 1895.

[15] *Rudolf Kötzschke* und *Alexander Tille*, Karl Lamprecht, Gotha 1915; *Friedrich Seifert*, Der Streit um Lamprechts Geschichtsphilosophie, Augsburg 1925; *Harry E. Barnes*, The New History and the Social Studies, New York 1925, S. 198—204; *Franz Arens*, Karl Lamprecht, in: Preußische Jahrbücher, Bd. 23 (1926), S. 191—213, 306—328; *Herbert*

Schoenebaum, Heinrich von Treitschke und Karl Lamprecht, Hannover 1960; *G. P. Gooch*, Geschichte und Geschichtsschreiber im 19. Jahrhundert, Frankfurt a. M. 1964, S. 609—616.

[16] Vgl. *Walter Rehm*, Jacob Burckhardt, Marienfeld und Leipzig 1930; *Alfred von Martin*, Nietzsche und Burckhardt, 3. Aufl., Basel 1945; *Werner Kaegi*, Jacob Burckhardt, 4 Bde., Basel 1947 ff.; *Edgar Salin*, Jacob Burckhardt und Nietzsche, 2. Aufl., Heidelberg 1948; *Heinrich Knittermeyer*, Jacob Burckhardt, Zürich 1949; *Karl Löwith*, Jacob Burckhardt, Stuttgart — Berlin — Köln — Mainz 1966.

[17] Vgl. zu alledem *Robert Edward David Clark*, Darwin, Before and After. The Story of Evolution, London 1948; *Fritz Kern*, Geschichte und Entwicklung, Bern 1952; *Hedwig Conrad-Martius*, Utopien der Menschenzüchtung. Der Sozialdarwinismus und seine Folgen, München 1955; *Richard Hofstadter*, Social Darwinism in American Thought, 2. Aufl., Boston 1955; *Charles R. Darwin* und *Alfred R. Wallace*, Evolutions by Natural Selection, Cambridge 1958; *Gerhard Heberer*, Was heißt heute Darwinismus?, 2. Aufl., Göttingen 1960; *Michael Banton* (Hrsg.), Darwinism and the Study of Society, London und Chicago 1961; *Karl Lorenz*, Darwin hat recht gesehen, Pfullingen 1965; *H. W. Burrow*, Evolution and Society, Cambridge 1966; *Marston Bates*, Der Mensch und seine Umwelt. Biologie und Soziologie, Stuttgart 1967; *Reinhard Goll*, Der Evolutionismus, München 1972.

[18] *Rudolf Stadelmann*, Der historische Sinn bei Herder, Halle/Saale 1928, S. 28. Vgl. ferner *Reinhard Adam*, Wesen und Grenzen der organischen Geschichtsauffassung bei Johann Gottfried Herder, in: Historische Zeitschrift 155 (1937); *Benno von Wiese*, Herder. Grundzüge seines Weltbildes, Leipzig 1939; *Marc Rouché*, La philosophie de l'histoire de Herder, Paris 1940: *Theodor Litt*, Die Befreiung des geschichtlichen Bewußtseins durch Johann Gottfried Herder, Leipzig 1943; *Louis W. Spitz*, Natural Law and the Theory of History in Herder, in: Journal of the History of Ideas, Bd. 16 (1955), S. 453—475; *Robert T. Clark*, Herder, His Life and Thought, Berkeley, Los Angeles 1955; *Dietrich Walter Jöns*, Begriff und Problem der historischen Zeit bei Johann Gottfried Herder, Göteborg 1956; *G. A. Wells*, Herder and after. A Study in the Development of Sociology, 's-Gravenhage 1959; *William C. Lehmann*, Herder's Contribution toward an Empirical Sociology and Cultural Anthropology, in: Sociologus, N. F., Bd. 10 (1960), S. 17—33.

Ohne Zweifel finden sich auch Grundzüge der *Hegel*schen Dialektik bereits bei *Herder*, überhaupt: „Man sollte sich", wie *Joachim Wach* mit Recht hervorhebt, „nicht verführen lassen, den großen Einfluß Herders auf Hegel deshalb, weil er noch fast ununtersucht ist, zu gering anzuschlagen" (*Joachim Wach*, Das Verstehen, Bd. 1, Tübingen 1926, S. 21 f.). Vgl. hierzu *Wilhelm Dilthey*, Die Jugendgeschichte Hegels, in: *Wilhelm Dilthey*, Gesammelte Schriften, Bd. 5, 2. Aufl., Leipzig und Berlin 1942, S. 148, und *Eduard Fueter*, Geschichte der neueren Historiographie, 3. Aufl., München und Berlin 1936, S. 410.

[19] Mit der Darstellung von *Goethes* Bedeutung für den Historismus, die ein Viertel seines Werkes einnimmt, beschließt *Friedrich Meinecke*

bekanntlich sein Buch über die Entstehung des Historismus [*Friedrich Meinecke,* Werke (hrsg. von *Hans Herzfeld, Carl Hinrichs* und *Walther Hofer*), Bd. 5, Stuttgart — München — Darmstadt 1961]. Seiner Überschätzung von *Goethes* Beitrag zur Ausbildung des Historismus ist daher *Benedetto Croce* mit einer im wesentlichen berechtigten Kritik entgegengetreten (*Benedetto Croce,* Die Geschichte als Gedanke und als Tat, Bern 1946). Vgl. neuerdings auch *H. B. Nisbet,* Herder, Goethe, and the Natural „Type", in: Publications of the English Goethe Society, N. S. Bd. 37 (1967), S. 83—119, und *Emil Adler,* Herder und die deutsche Aufklärung, Zürich 1968.

[20] Wenn daher von der angeblichen positivistischen „Forderung, die Geschichte endlich zu einer Naturwissenschaft zu erheben", behauptet wird: „Diesem Ansturm standzuhalten, war in Deutschland das Unternehmen von Wilhelm Dilthey und seinem Kreis", so liegt darin eine Einseitigkeit der Betrachtung, die den letztlich historistischen Standpunkt des Verfassers verrät (*Joseph Vogt,* Gesetz und Handlungsfreiheit in der Geschichte, Stuttgart 1955, S. 10). Außer den im Text hervorgehobenen Auffassungen findet sich bei *Dilthey* vielmehr implizit schon die Konzeption des „Idealtypus", auch muß er als Wegbereiter der Religionssoziologie angesehen werden (vgl. *Carlo Antoni,* Vom Historismus zur Soziologie, Stuttgart 1950, S. 28 f. und S. 22).

[21] Vgl. *Wilhelm Simon,* Zeitmarken der Erde. Grund und Grenze geologischer Forschung, Braunschweig 1948; *Otto H. Schindewolf,* Grundlagen und Methoden der paläontologischen Chronologie, Stuttgart 1954; *Wilhelm Simon,* Die Zeit in der Erdgeschichte, in: Studium Generale, Bd. 19 (1966).

[22] Dies ist implizit auch die Auffassung von *Karl R. Popper,* der mit seinen bekannten Schriften und seiner nicht geringen Klientel angeblich als Protagonist, Methodologe und Wissenschaftstheoretiker einer streng wissenschaftlichen Auffassung hervorzutreten suchte. Sein eigentliches Anliegen ist die „Freiheit" des Menschen, als deren inhärenten Bestandteil er den Gedanken auffaßt, daß das Anwachsen unseres Wissens mit wissenschaftlichen Mitteln nicht prognostizierbar ist und daß *daher* der zukünftige Verlauf der Weltgeschichte auch nicht vorausgesagt werden könne (*K. R. Popper* 1957). Nicht nur unterstellt er z. B. *Marx* den „zentralen Fehler des Historizismus", ein Ausdruck, der bislang als englische Übersetzung des deutschen „Historismus" galt, und den er in sein begriffliches Gegenteil verkehrt, die Auffassung, daß historische Tendenzen unmittelbar und ausschließlich von universalen Gesetzen abgeleitet werden könnten, eine Auffassung, die jedoch gerade von *Marx* bestritten wurde, sondern er erfindet, wie er selbst zugibt, „historizistische Argumente", die niemals von einem bekannten „Historizisten" gebraucht worden sind. Seine Auffassung, daß wir „alles" tun könnten (*Karl R. Popper* 1950), ist wahrhaft metaphysischer Natur, denn niemand wird im täglichen Leben so etwas glauben wollen oder können. Sie ist freilich zugleich an die Ermahnung geknüpft, „daß es unsere Aufgabe ist, die Gesellschaft in der angegebenen Weise umzuformen" (ebd.), woraus deutlich wird,

daß die präwissenschaftlichen Prämissen *Poppers* eine politische Philosophie enthalten, aus der er — nicht überraschenderweise — sodann ableitet und beweist, was er zu beweisen wünscht (vgl. auch *Karl R. Popper,* Logik der Forschung, 2. Aufl., Tübingen 1966). Noch expliziter wird er in seinem Buch über den „Historizismus": „Wir *können* aus unseren Fehlern lernen; darum (sic) ist es *unsere* Pflicht, aus unseren Fehlern zu lernen", und „das alles führt direkt zu einer Begründung der Forderung nach politischer Freiheit und bestmöglicher Vermeidung aller politischen Machtanhäufung" (1957; dtsch. 1965 S. IX; Hervorhebungen von *Popper*). Zwischen einem politisch oder praktisch wünschenswerten Ziel und einem wissenschaftlichen Axiom, zwischen dem, was man im allgemeinen aus unzureichenden, unsicheren oder falschen Gründen für wahr hält, und dem, was wissenschaftlich nachweisbar oder — wenigstens — wahrscheinlich ist, unterscheiden zu lernen, das ist freilich der Anfang. *Poppers* „Wissenschaftstheorie" ist daher längst noch nicht wissenschaftlich genug. Seine Argumentation, obschon sie einmal mehr die bekannten weltanschaulichen Zielsetzungen als unbewiesene und unbeweisbare axiomatische Prämissen voraussetzt, denen wir im Verlauf unserer Darstellung bereits begegnet sind, ist freilich sehr kultiviert.

[23] *Talcott Parsons* und *Edward Shils,* Toward a General Theory of Action, 3. Aufl., London 1954, S. 167.

[24] Vgl. *Marston Bates,* der Mensch und seine Umwelt, a. a. O., S. 49 f. Hiermit konvergiert z. B. auch ein so angesehener Historiker wie *Marc Bloch* (1949). Interessant ist es, die Aufassung von *Goethe, Meineckes* angeblichem Protagonisten des Historismus, hierzu zu vernehmen: „Wenn man auch alle Geschichtsquellen zu klären und zu durchforschen vermöchte; was würde man finden? Nichts anderes als eine große Wahrheit, die längst entdeckt ist, und deren Bestätigung man nicht weit zu suchen braucht, die Wahrheit nämlich, daß es zu allen Zeiten und in allen Ländern miserabel gewesen ist. Die Menschen haben sich stets geängstigt und geplagt; sie haben sich untereinander gequält und gemartert; sie haben sich und anderen das bißchen Leben sauer gemacht und die Schönheit der Welt und die Rüstigkeit des Daseins, welche die schöne Welt ihnen darbietet, weder zu achten noch zu genießen vermocht. Die meisten haben wohl, wenn sie das Leben eine Zeitlang mitgemacht hatten, lieber hinausscheiden als von neuem beginnen mögen. Was ihnen noch etwa einige Anhänglichkeit an das Leben gab oder nicht, das war und ist die Furcht vor dem Sterben. So ist es gewesen, so wird es wohl auch bleiben, das ist nun einmal das Los der Menschen. Was brauchen wir weiter Zeugnis?" (*Flodoard Freiherr von Biedermann,* Goethes Gespräche, 5 Bde., Leipzig 1909/11; zitiert nach der Insel-Ausgabe o. J., S. 734 f., zu dem Historiker *Luden*). Es ist das gleiche Bild des Menschen seit *Theophrast* und *Montaigne* bis zu *La Bruyère* und darüber hinaus. Streng empirisch gesprochen ist seine Widerlegung noch nicht gelungen.

[25] Vgl. *Joachim Joesten,* Oswald. Assassin or Fall Guy, New York 1964; *Edward J. Epstein,* Inquest. The Warren Commission and the Establish-

ment of Truth, New York 1966; *Mark Lane*, Rush to Judgement, New York 1966.

[26] Vgl. *F. W. Deakin* und *G. R. Storry*, Richard Sorge, München 1965, S. 196 f. und S. 200.

Ausgewählte Literatur

Abramowski, Günter, Das Geschichtsbild Max Webers, Stuttgart 1966.

Adler, Max, Das Rätsel der Gesellschaft, Wien 1936.

Antoni, Carlo, Vom Historismus zur Soziologie, Stuttgart 1950.

Anderle, Othmar F., Theoretische Geschichte, In: Historische Zeitschrift, 185 (1958).

Aron, Raymond, Dimensions de la conscience historique, Paris 1961.

Aron, Raymond, Les étapes de la pensée sociologique, Paris 1967 (dtsch. Hauptströmungen des soziologischen Denkens, 2 Bde., Köln 1971).

Aron, Raymond, La philosophie critique de l'histoire, Paris 1969.

Aron, Raymond, De la condition historique du sociologue, Paris 1971.

Aydelotte, W. O., Quantification in History, Reading, Mass., 1970.

Bäumler, Alfred, Das mythische Zeitalter, München 1965.

Baier, Horst, Soziologie und Geschichte, in: Archiv für Rechts- und Sozialphilosophie, Bd. 52 (1966), S. 67—91.

Barnes, Harry E., Historical Sociology. Its Origin and Development, New York 1948; dtsch.: Soziologie der Geschichte. Theorien zur Entwicklungsgeschichte der menschlichen Gesellschaft, Stuttgart und Wien 1951.

Barnes, Harry E., A History of Historical Writing, 2. Aufl., New York 1962.

Barth, Paul, Die Philosophie der Geschichte als Soziologie, Bd. 1, 2. Aufl., Leipzig 1915, 3. und 4. Aufl., Leipzig 1922, zuerst 1897.

Barraclough, Geoffrey, Geschichte in einer sich wandelnden Welt, Göttingen 1957.

Barraclough, Geoffrey, Tendenzen der Geschichte im 20. Jahrhundert, München 1967.

Baumgartner, Hans M., Kontinuität und Geschichte, Suhrkamp, Frankfurt a. M. 1972.

Beard, Charles A., The Economic Basis of Politics, 3. Aufl., New York 1945, zuerst 1922.

Bellah, Robert N., Durkheim and History, in: American Sociological Review, Bd. 24 (1959).

Bendix, Reinhard, Die vergleichende Analyse historischer Wandlungen, in: Kölner Zeitschrift für Soziologie und Sozialpsychologie, Bd. 17 (1965), S. 424—446.

Berkhofer, R. F., A Behavioral Approach to Historical Analysis, New York 1969.

Bernal, John Desmond, Wissenschaft, 4 Bde., Reinbeck 1970.

Bernheim, Ernst, Lehrbuch der historischen Methode und der Geschichtsphilosophie, 5. und 6. Aufl., Leipzig 1908, zuerst 1889.

Bernheim, Ernst, Geschichtsforschung und Geschichtsphilosophie, Leipzig 1880.

Blake, Christopher, Can History be Objective?, in: *P. Gardiner* (Hrsg.), Theories of History, Glencoe, Ill., 1959, S. 329—343.

Bloch, Marc, Apologie pour l'histoire ou métier d'historien, 3. Aufl., Paris 1959, zuerst 1949; engl.: The Historian's Craft, Manchester 1954.

Bobinska, Celina, Historiker und historische Wahrheit, Berlin 1967.

Bollhagen, Peter, Soziologie und Geschichte, Berlin 1966.

Borgatta, Ernst (Hrsg.), Sociological Methodology, San Francisco 1969.

Bosl, Karl, Geschichte und Soziologie, in: *Karl Bosl,* Frühformen der Gesellschaft im mittelalterlichen Europa, Wien und München 1964.

Bosl, Karl, Der „Soziologische Aspekt" in der Geschichte, in: *Karl Engisch, Bernhard Pfister* und *Johannes Winkkelmann* (Hrsg.), Max Weber, Berlin 1966.

Bosl, Karl, Mensch und Gesellschaft in der Geschichte Europas, München 1972.

Brandenburg, Erich, Der Begriff der Entwicklung und seine Anwendung auf die Geschichte, in: Schriften der Sächsischen Akademie der Wissenschaften, Leipzig 1941.

Brandi, Karl, Geschichte der Geschichtswissenschaft, 2. Aufl., Bonn 1952, zuerst 1947.

Braudel, Fernand, Histoire et sociologie, in: *Georges Gurvitch* (Hrsg.), Traité de Sociologie, Bd. 1, 2. Aufl., Paris 1962, zuerst 1958.

Braun, Otto, Geschichtsphilosophie, in: *Aloys Meister* (Hrsg.), Grundriß der Geschichtswissenschaft, Bd. 1, Leipzig und Berlin 1913.

Breysig, Kurt, Die Meister der entwickelnden Geschichtsforschung, Berlin 1936.

Breysig, Kurt, Gestaltungen des Entwicklungsgedankens, Berlin 1940.

Briggs, Asa, Sociology and History, in: *Alan Traviss Welford, Michael Argyle, David V. Glass, J. N. Morris* (Hrsg.), Society. Problems and Methods of Study, 2. Aufl., London 1968.

Briggs, Asa, History and Society, in: *Norman MacKenzie* (Hrsg.), A Guide to the Social Sciences, Letchworth 1966.

Brinton, Crane, Die Revolution und ihre Gesetze, Frankfurt/Main 1957.

Brunner, Otto, Land und Herrschaft. Grundfragen der territorialen Verfassungsgeschichte Süddeutschlands im Mittelalter, 5. Aufl., Darmstadt 1965, zuerst 1943.

Bucharin, Nikolai, Theorie des historischen Materialismus, Verlag der Kommunistischen Internationale 1922.

Burckhardt, Jacob, Gesammelte Werke, 10 Bde., Basel 1955—1959.

Cahnmann, Werner J., und *Alvin Boskoff,* Sociology and History. Theory and Research, New York und London 1964.

Carr, Edward H., What Is History?, London 1961; dtsch.: Was ist Geschichte?, Stuttgart 1963.

Childe, V. Gordon, History, London 1947.

Cicourel, Aaron V., Method and Measurement in Sociology, London 1964.

Clark, S. D., Sociology: History and the Problem of Social Change, in: The Canadian Journal of Economics and Political Science, Bd. 25 (1959), S. 389—400.

Cobban, A., History and Sociology, in: Historical Studies, Bd. 3 (1961), S. 1—8.

Collingwood, Robert G., Philosophie der Geschichte, Stuttgart 1955.

Croce, Benedetto, Theorie und Geschichte der Historiographie, Tübingen 1930.

Croce, Benedetto, Die Geschichte als Gedanke und als Tat, Bern 1946.

Cuvillier, Armand, Histoire et sociologie. Teil II, in: *Armand Cuvillier,* Partis pris sur l'art, la philosophie, l'histoire, Paris 1956.

Danto, Arthur O., Analytical Philosophy of History, Cambridge, Mass., 1965.

Dietrich, Richard (Hrsg.), Historische

Theorie und Geschichtsforschung der Gegenwart, Berlin 1964.

Dilthey, Wilhelm, Gesammelte Schriften, 12 Bde., Leipzig und Berlin 1923 ff.

Dobretsberger, Josef, Historische und soziale Gesetze, in: *Alfred Vierkandt* (Hrsg.), Handwörterbuch der Soziologie, Stuttgart 1959, zuerst 1931.

Dovring, F., History as a Social Science, Den Haag 1960.

Dreitzel, Hans Peter, Über die historische Methode in der Soziologie, in: *Hans Peter Dreitzel* (Hrsg.), Sozialer Wandel, Neuwied und Berlin 1967, S. 439—465.

Dray, William, Laws and Explanation in History, Oxford 1964.

Droysen, Johann G., Historik (hrsg. von *Rod. Hübner*), 4. unveränd. Aufl., Darmstadt 1960, zuerst 1937.

Durkheim, Emile, Montesquieu et Rousseau, précurseurs de la sociologie, Paris 1953.

Durkheim, Emile, Die Regeln der soziologischen Methode (hrsg. von *René König*), 3. Aufl., Neuwied und Berlin 1971, zuerst 1961.

Eckermann, Walther, Neue Geschichtswissenschaft, Rudolfstadt o. J.

Eisermann, Gottfried, Die Grundlagen des Historismus in der deutschen Nationalökonomie, Stuttgart 1956.

Eisermann, Gottfried, Vilfredo Pareto als Nationalökonom und Soziologe, Tübingen 1961.

Eisermann, Gottfried, Max Weber und Amerika, in: Cahiers Vilfredo Pareto, Revue Européenne d'Histoire des Sciences Sociales, Bd. 4 (1964).

Eisermann, Gottfried, Vilfredo Paretos wissenschaftliche Methode und erkenntnistheoretische Haltung, in: *Norbert Kloten, Wilhelm Krelle* u. a. (Hrsg.), Systeme und Methoden in den Wirtschafts- und Sozialwissenschaften, Tübingen 1964.

Eisermann, Gottfried, Bedeutende Soziologen, Stuttgart 1968.

Eisermann, Gottfried, Soziologisches Wörterbuch, Stuttgart 1969.

Eisermann, Gottfried, Geschichte der Soziologie, in: *Gottfried Eisermann* (Hrsg.), Die Lehre von der Gesellschaft, 3. (Studien-) Aufl., Stuttgart 1973.

Eisermann, Gottfried, Sociologia e Storia, in: Rivista di Sociologia, Bd. 9 (1971), S. 5—56.

Eisermann, Gottfried, und *Paul Honigsheim*, Geschichte der Soziologie, in: *Gottfried Eisermann* (Hrsg.), Die Lehre von der Gesellschaft, Stuttgart 1958.

Eliade, Mircea, Kosmos und Geschichte, Düsseldorf 1953.

Elias, Norbert, Was ist Soziologie?, München 1970.

Engel-Janosi, Friedrich, The Growth of German Historism, Baltimore 1944.

Eulenburg, Franz, Naturgesetze und soziale Gesetze, in: Archiv für Sozialwissenschaft und Sozialpolitik, Bd. 31 u. 32 (1910 u. 1911).

Eulenburg, Franz, Über Gesetzmäßigkeiten in der Geschichte, in: Archiv für Sozialwissenschaft und Sozialpolitik, Bd. 35 (1914).

Eulenburg, Franz, Sind historische Gesetze möglich?, in: *Melchior Palyi* u. a. (Hrsg.), Hauptprobleme der Soziologie, München und Leipzig 1923.

Febvre, Lucien, Combats pour l'histoire, Paris 1953.

Finberg, Herbert Patrik R. (Hrsg.), Approaches to History, London 1962.

Fischer, Dietrich, Die deutsche Geschichtswissenschaft von J. G. Droysen bis V. Hintze in ihrem Verhältnis zur Soziologie, Köln 1966.

Fisher, H. A. L., Die Geschichte Europas, Bd. 1, Stuttgart 1951.

Fitzsimmons, Matthew A., u. a., The

Development of Historiography, Harrisburg, Pa., 1954.

Fleischer, Helmut, Marxismus und Geschichte, Frankfurt 1969.

Fletcher, Ronald, The Making of Sociology, 3 Bde., London 1971.

Flitner, Wilhelm, Vom Gesetz der Geschichte, in: *Joachim Jungius-Gesellschaft der Wissenschaften Hamburg e. V.* (Hrsg.), Das Problem der Gesetzlichkeit, Bd. 1, Geisteswissenschaften, Hamburg 1949.

Frank, Philipp, Das Kausalgesetz und seine Grenzen, Wien 1932.

Freyer, Hans, Gesellschaft und Geschichte, Leipzig und Berlin 1930.

Fueter, Eduard, Geschichte der neueren Historiographie, 3. Aufl., München und Berlin 1936, zuerst 1911.

Gadamer, Hans G., Wahrheit und Methode, 2. Aufl., Tübingen 1965.

Gardiner, Patrik L., The Nature of Historical Explanation, Oxford 1952.

Gerth, Hans H., und *Saul Landau,* The Relevance of History to the Sociological Ethos, in: *Maurice Stein* und *Arthur Vidich* (Hrsg.), Sociology on Trial, Englewood Cliffs, N. J., 1963.

Gibbon, Edward, Decline and Fall of the Roman Empire, New York und London 1954.

Ginsberg, Morris, History and Sociology, in: *Morris Ginsberg,* On the Diversity of Morals, London 1956, S. 163—179.

Goldfriedrich, Johann, Die historische Ideenlehre in Deutschland, Berlin 1902.

Goldstein, L. J., Theory in History, in: Philosophy of Science, Bd. 34 (1967), S. 23—40.

Gooch, George P., History and Historians in the Nineteenth Century, 2. Aufl., London 1952, zuerst 1913; dtsch.: Geschichte und Geschichtsschreiber im 19. Jahrhundert, Frankfurt/Main 1964.

Gothein, Eberhard, Typen und Stufen, in: Kölner Vierteljahreshefte für Soziologie, Bd. 2 (1922).

Gottschalk, Louis R. (Hrsg.), Generalization in the Writing of History, Chicago 1963.

Green, R. W. (Hrsg.), Protestantism and Capitalism. The Weber Thesis and Its Critics, Boston 1959.

Gurvitch, Georges, Continuité et discontinuité en histoire et en sociologie, in: Annales: Economies, Sociétés, Civilisations, Bd. 12 (1957).

Hahn, Erich, Historischer Materialismus und marxistische Soziologie, Berlin 1968.

Hallgarten, George W. F., Dämonen oder Retter?, Frankfurt/Main 1957.

Hamon, Léo, Acteurs et données de l'histoire, 1 Bd., Paris 1970.

Harnack, Adolph von, Über die Sicherheit und die Grenzen geschichtlicher Erkenntnis, München 1917.

Hartmann, Ludo Moritz, Über die historische Entwicklung, Gotha 1905.

Hayek, Friedrich A. von (Hrsg.), Capitalism and the Historians, Chicago 1954.

Heinemann, Fritz, Neue Wege der Philosophie, Leipzig 1929.

Hempel, Carl G., The Function of General Laws in History, in: *Herbert Feigl* und *Wilfried Sellars* (Hrsg.), Readings in Philosophical Analysis, New York 1949.

Hempel, Carl G., The Function of General Laws in History, in: *P. Gardiner* (Hrsg.), Theories of History, Glencoe, Ill., 1959, S. 344—356.

Heuß, Alfred, Verlust der Geschichte, Göttingen 1959.

Heussi, Karl, Die Krisis des Historismus, Berlin 1932.

Hintze, Otto, Soziologie und Geschichte, 2. Aufl., Göttingen 1964, zuerst 1941.

Hirsch, Wolfgang, Über die Grundlagen einer universalen Methode der Philosophie, Bad Homburg v. d. H., Berlin, Zürich 1969.

Hirsch, Wolfgang, Philosophie und Sozialwissenschaften, Stuttgart 1974.

Holloway, S. W. F., Sociology and History, in: History, Bd. 48 (1963), S. 154—180.

Homans, George Caspar, Bringing Man Back In, in: American Sociological Review, Bd. 29 (1964), S. 809—818.

Honigsheim, Paul, Über Objekt, Methode und wissenssystematische Stellung der Soziologie, Köln und Opladen 1961.

Hook, Sidney, Der Held in der Geschichte, Nürnberg 1951.

Hughes, Stuart H., Consciousness and Society, New York 1958.

Huizinga, Johan, Im Banne der Geschichte, Amsterdam 1942.

Huizinga, Johan, Geschichte und Kultur, Stuttgart 1954.

Iggers, Georg G., Deutsche Geschichtswissenschaft, München 1971.

Joseph, Berthold, Der Gesetzesbegriff in den Sozialwissenschaften, in: Jahrbücher für Nationalökonomie und Statistik, Bd. 130 (3. F. Bd. 75), 1929 I.

Kagan, Georges, Sur le rôle de l'individu dans l'histoire, in: Revue d'Histoire Economique et Sociale, Bd. 25 (1939), S. 109—130.

Kaufmann, Felix, Methodenlehre der Sozialwissenschaften, Wien 1936.

Kern, Fritz, Schöpferische Entwicklung in Natur und Geschichte, in: Schmollers Jahrbuch, Bd. 57 (1933).

Keyser, Erich, Die Geschichtswissenschaft, München und Berlin 1931.

Klempt, Adalbert, Die Säkularisation der universal-historischen Auffassung, Göttingen 1960.

König, René, Niccolò Machiavelli. Zur Krisenanalyse einer Zeitenwende. Erlenbach-Zürich 1941.

König, René, Soziologie und Geschichte, in: Kölner Zeitschrift für Soziologie und Sozialpsychologie, Bd. 12 (1960).

Kofler, Leo, Geschichte und Dialektik. Methodenlehre der dialektischen Geschichtsbetrachtung, Hamburg 1955.

Kracauer, Siegfried, Geschichte. Vor den letzten Dingen, Frankfurt a. M. 1973.

Kraft, Victor, Geschichtsforschung als strenge Wissenschaft, in: *Ernst Topitsch* (Hrsg.), Logik der Sozialwissenschaften, Köln—Berlin 1965, S. 72 bis 82.

Kreckel, Reinhard, Soziologische Erkenntnis und Geschichte, Opladen 1972.

Labriola, Antonio, La concezione materialistica della storia, Bari 1965.

Lacombe, Paul, De l'histoire, considérée comme science, Paris 1894.

Lamprecht, Karl, Über die Entwicklung der Geschichtswissenschaft, in: Zeitschrift für Kulturwissenschaft, N. F. Bd. 5 und 6 (1898 f.).

Lamprecht, Karl, Alte und neue Richtungen in der Geschichtswissenschaft, Berlin 1898.

Landes, D., und *C. Tilly* (Hrsg.), History as Social Science, Englewood Cliffs 1971.

Langlois, Charles-Victor, und *Charles Seignobos,* Introduction aux études historiques, Paris 1898.

Leff, G., History and Social Theory, London 1969.

Lerner, Daniel, Cause and Effect, Cambridge, Mass., 1965.

Lévi-Strauss, Claude, L'Anthropologie structurale, Paris 1958; dtsch. 1967.

Lieber, Hans-Joachim, Geschichte und Gesellschaft im Denken Diltheys, in: Kölner Zeitschrift für Soziologie und

Sozialpsychologie, Bd. 17 (1965); auch: Politologie und Soziologie. Otto Stammer zum 65. Geburtstag, Köln-Opladen 1965.

Lipset, Seymour, Bemerkungen zum Verhältnis von Soziologie und Geschichtswissenschaft, in: *Ernst Topitsch* (Hrsg.), Logik der Sozialwissenschaften, Köln—Berlin 1965, S. 477—486.

Lipset, Seymour, History and Sociology, in: *Seymour Lipset*, Revolution and Counterrevolution, 2. Aufl., New York 1970, S. 3—38.

Lipset, Seymour Martin, und *Hofstadter, Richard* (Hrsg.), Sociology and History Methods, New York 1968.

Litt, Theodor, Geschichte und Leben, 3. Aufl., Leipzig und Berlin 1930, zuerst 1918.

Litt, Theodor, Wege und Irrwege geschichtlichen Denkens, München 1948.

Löwith, Karl, Max Weber und Karl Marx, in: *Karl Löwith*, Gesammelte Abhandlungen, Stuttgart — Berlin — Köln — Mainz 1960.

Löwith, Karl, Mensch und Geschichte, in: *Karl Löwith*, Gesammelte Abhandlungen, Stuttgart — Berlin — Köln — Mainz 1960.

Löwith, Karl, Weltgeschichte und Heilsgeschehen, 4. Aufl., Stuttgart — Berlin — Köln — Mainz 1961, zuerst 1953.

Ludz, Peter Chr. (Hrsg.), Soziologie und Sozialgeschichte, Sonderheft 16 der Kölner Zeitschrift für Soziologie und Sozialpsychologie, Köln 1972.

Lüthy, Herbert, In Gegenwart der Geschichte, Köln — Berlin 1967.

Lukács, Georg, Geschichte und Klassenbewußtsein, Berlin 1923.

Lukács, Georg, Die Zerstörung der Vernunft, Berlin 1954.

Maier, Heinrich, Das geschichtliche Erkennen, Leipzig 1914.

Mandelbaum, Maurice, The Problem of Historical Knowledge, New York 1938.

Mannheim, Karl, Strukturanalyse der Erkenntnistheorie, Berlin 1922.

Mannheim, Karl, Historismus, in: Archiv für Sozialwissenschaften und Sozialpolitik, Bd. 52 (1924).

Mannheim, Karl, Ideologische und soziologische Interpretation der geistigen Gebilde, in: Jahrbuch für Soziologie, Bd. 2 (1926).

Mannheim, Karl, Das konservative Denken. Soziologische Beiträge zum Werden des politisch-historischen Denkens in Deutschland, in: Archiv für Sozialwissenschaft und Sozialpolitik, Bd. 57 (1927).

Mannheim, Karl, Ideologie und Utopie, erw. Neuaufl., Frankfurt 1952, zuerst 1929.

Mantoux, Paul, Histoire et sociologie, in: Revue de Synthèse Historique, Bd. 7 (1903).

Marbe, Karl, Die Gleichförmigkeit in der Welt, München 1916.

Marczewski, J., Quantitative History, in: Journal of Contemporary History, Bd. 3 (1968), S. 179—191.

Marrou, Henri I., De la connaissance historique, Paris 1954; dtsch.: Über die historische Erkenntnis, Freiburg 1973.

Marrou, Henri I., Comment comprendre le métier d'historien, in: *G. Samaran* (Hrsg.), L'histoire et ses méthodes, Paris 1961, S. 1465—1540.

Marx, Karl, und *Friedrich Engels*, Gesamtausgabe, 35 Bde., Berlin 1961 ff.

Masur, Gerhard, Geschehen und Geschichte, in: Archiv für Kulturgeschichte, Bd. 19 (1929).

Mayr, Georg von, Gesetzmäßigkeit im Gesellschaftsleben, München 1877.

Mazlish, Bruce, The Riddle of History. The Great Speculators from Vico to Freud, New York und London 1966.

Mehlis, Georg, Lehrbuch der Geschichtsphilosophie, Berlin 1915.

Meinecke, Friedrich, Werke (hrsg. von

Hans Herzfeld, Carl Hinrichs und *Walther Hofer)*, 6 Bde., Stuttgart — München — Darmstadt 1957 ff.

Meister, Carl, Über die Möglichkeit historischer Gesetze, Leipzig 1928.

Mennet, Jean, Histoire et sociologie, in: Revue Historique, Bd. 189 (1938).

Menzel, Adolf, Griechische Soziologie, Wien u. Leipzig 1936.

Mises, Ludwig von, Theory and History, London 1958.

Mommsen, Wolfgang J., Die Geschichtswissenschaft jenseits des Historismus, Düsseldorf 1971.

Mongardini, Carlo, L'epoca della società, Rom 1970.

Moore, Barrington, Soziale Ursprünge von Diktatur und Demokratie, Frankfurt a. M. 1969.

Müller, Herbert J., The Uses of the Past, Oxford 1952; dtsch.: Geschichte ohne Mythos, Köln und Berlin 1965.

Nadel, George (Hrsg.), Studies in the Philosophy of History, in: History and Theory, Bd. 5 (1966).

Neeff, Fritz, Gesetz und Geschichte, Tübingen 1917.

Neurath, Otto, Empirische Soziologie. Der wissenschaftliche Gehalt der Geschichte und Nationalökonomie, Wien 1931.

Niebuhr, Reinhold, Glaube und Geschichte, München 1951.

Nietzsche, Friedrich, Werke in drei Bänden (hrsg. von *Karl Schlechta*), Darmstadt 1963.

Nisbet, Robert A., Social Change and History, New York 1969.

Nisbet, Robert A., History and Sociology, in: *Robert A. Nisbet,* Tradition and Revolt, New York 1968, S. 91 bis 105.

Oppenheimer, Franz, System der Soziologie, 4 Bde., 2. Aufl., Stuttgart 1964, zuerst Jena 1922—1934.

Oppenheimer, Franz, History and Sociology, in: *William F. Ogburn* und *Alexander Goldenweiser* (Hrsg.), The Social Sciences and Their Interrelations, Cambridge, Mass., 1927.

Ossowski, Stanislaw, Two Conceptions of Historical Generalizations, in: The Polish Sociological Bulletin, Bd. 1 (1964), S. 28—34.

Ossowski, Stanislaw, Die Besonderheiten der Sozialwissenschaften, Frankfurt a. M. 1973.

Pareto, Vilfredo, Manuale di economia politica, Mailand 1906.

Pareto, Vilfredo, Vilfredo Paretos System der allgemeinen Soziologie (hrsg. und eingeleitet von *Gottfried Eisermann)*, Stuttgart 1962.

Pareto, Vilfredo, Oeuvres complètes, 14 Bde., Genf 1964 ff.

Parsons, Talcott, Die Stellung der Soziologie innerhalb der Sozialwissenschaften, in: *G. Eisermann* (Hrsg.), Soziologisches Lesebuch, Stuttgart 1969, S. 379—395.

Pfister, Bernhard, Die Entwicklung zum Idealtypus, Tübingen 1928.

Piovani, Pietro, Philosophie et histoire des idées, in: Cahiers Vilfredo Pareto, Bd. 10 (1972).

Pitz, Ernst, Geschichtliche Strukturen. Betrachtungen zur angeblichen Grundlagenkrise der Geschichtswissenschaft, in: Historische Zeitschrift, 198 (1964), S. 265—305.

Plechanow, Georgij Walentinowitsch, Über die Rolle der Persönlichkeit in der Geschichte, Berlin 1951.

Plechanow, Georgij Walentinowitsch, Über materialistische Geschichtsauffassung, Berlin 1946.

Poincaré, Henri, Wissenschaft und Methode, Berlin 1914.

Popper, Karl R., The Open Society and Its Enemies, 2 Bde., 4. veränd. Aufl., London 1962, zuerst 1950; dtsch.: Die offene Gesellschaft und ihre Feinde, Bern 1957 f.

Popper, Karl R., The Poverty of Historicism, London 1957; dtsch.: Das Elend des Historizismus, Tübingen 1965.

Postan, M. M., Fact and Relevance. Essays on Historical Method, Cambridge 1971.

Proesler, Hans, Hauptprobleme der Sozialgeschichte, Erlangen 1951.

Proesler, Hans, Die Entwicklungsgeschichte des historischen Sinnes, in: Historische Studien, Bd. 142 (1920).

Rehm, Walther, Der Untergang Roms im abendländischen Denken, 2. Aufl., Darmstadt 1960, zuerst 1930.

Reichenbach, Hans, Der Aufstieg der wissenschaftlichen Philosophie, Berlin o. J.,; engl. zuerst 1951.

Richter, M. (Hrsg.), Essays in Theory and History, Cambridge, Mass., 1970.

Rickert, Heinrich, Kulturwissenschaft und Naturwissenschaft, Tübingen 1899.

Rickert, Heinrich, Die Probleme der Geschichtsphilosophie, 3. Aufl., Heidelberg 1924, zuerst 1904 f.

Rickert, Heinrich, Die Grenzen der naturwissenschaftlichen Begriffsbildung, 6. Aufl., Tübingen 1928, zuerst 1896/1902.

Riezler, Kurt, Über den Begriff der historischen Entwicklung, in: Deutsche Vierteljahresschrift für Literaturwissenschaft und Geistesgeschichte, Bd. 4 (1926).

Ritter, Moritz, Die Entwicklung der Geschichtswissenschaft, München 1919.

Rossi, Dieter, Lo storicismo tedesco contemporaneo, o. O. 1956.

Rothacker, Erich, Einleitung in die Geisteswissenschaften, 2. Aufl., Tübingen 1930, zuerst 1920.

Rothacker, Erich, Theorie und Geschichte, in: *Arthur Spiethoff* (Hrsg.), Festgabe für Werner Sombart, München 1933.

Rothacker, Erich, Geschichtsphilosophie, in: Handbuch der Philosophie, Abt. IV, München und Berlin 1934.

Rothacker, Erich, Logik und Systematik der Geisteswissenschaften, Bonn 1947, zuerst 1926.

Rothenbücher, Karl, Über das Wesen des Geschichtlichen und die gesellschaftlichen Gebilde, Tübingen 1926.

Rowney, D. K., und *J. Q. Graham* (Hrsg.), Quantitative History, Homewood, Ill., 1969.

Rudé, George, The Crowd in the French Revolution, Oxford 1959; dtsch.: Die Massen in der französischen Revolution, München und Wien 1961.

Rudé, George, The Crowd in History. A Study of Popular Disturbances in France and England, 1730—1848, New York und London 1964.

Rüstow, Alexander, Ortsbestimmung der Gegenwart, 3 Bde., Erlenbach und Zürich 1950—1957.

Salomon-Delatour, Gottfried, Geschichte als Ideologie, in: *Robert Wilbrand* u. a., Wirtschaft und Gesellschaft. Beiträge zur Ökonomik und Soziologie der Gegenwart, Frankfurt/Main 1924.

Salomon-Delatour, Gottfried, Historischer Materialismus und Ideologienlehre. Teil I, in: Jahrbuch für Soziologie, Bd. 2 (1926).

Salvemini, Gaetano, Historian and Scientist. An Essay on the Nature of History and Social Sciences, Cambridge, Mass., 1939.

Samaran, Charles (Hrsg.), L'histoire et ses méthodes, Paris 1961.

Schaaf, Julius, Geschichte und Begriff, Tübingen 1946.

Schaff, Adam, Geschichte und Wahrheit, Wien, Frankfurt, Zürich 1970.

Schieder, Theodor, Der Typus in der Geschichtswissenschaft, in: Studium Generale, Bd. 5 (1952); auch in: *Theodor Schieder*, Staat und Gesellschaft im Wandel unserer Zeit, München 1958.

Schieder, Theodor, Zum gegenwärtigen Verhältnis von Geschichte und Soziologie, in: Geschichte in Wissenschaft und Unterricht, Bd. 3 (1952).

Schieder, Theodor, Unterschiede zwischen historischer und sozialwissenschaftlicher Methode, in: Festschrift für Hermann Heimpel, Bd. 1, Göttingen 1971.

Schieder, Theodor, Strukturen und Persönlichkeiten in der Geschichte, in: *Theodor Schieder,* Geschichte als Wissenschaft, 2. Aufl., München 1968.

Schieder, Theodor, Geschichte als Wissenschaft, München und Berlin 1965.

Schmidt, Alfred, Struktur und Geschichte, München 1971.

Schottlaender, Rudolf, Römisches Gesellschaftsdenken, Weimar 1969.

Schütz, Alfred, Der sinnhafte Aufbau der sozialen Welt, 2. Aufl., Wien 1960, zuerst 1932.

Schulz, Gerhard (Hrsg.), Geschichte heute. Positionen, Tendenzen, Probleme, Göttingen 1973.

Schumpeter, Joseph A., Aufsätze zur Soziologie, Tübingen 1953.

Sée, Henri E., Interprétation d'une controverse sur les relations de l'histoire et de la sociologie, in: Archiv für Sozialwissenschaft, Bd. 65 (1931).

Seignobos, Charles, La méthode historique appliquée aux sciences sociales, 2. Aufl., Paris 1909, zuerst 1901.

Seligman, Edwin R. A., The Economic Interpretation of History, New York 1917.

Shotwell, James T., An Introduction to the History of History, 2. Aufl., New York 1939, zuerst 1922.

Simiand, François, Méthode historique et science sociale, in: Revue de Synthèse Historique, Bd. 6 (1903).

Simmel, Georg, Die Probleme der Geschichtsphilosophie, 2. Aufl., Leipzig 1905, zuerst 1892.

Simmel, Georg, Das Problem der historischen Zeit, Berlin 1916.

Simmel, Georg, Vom Wesen des historischen Verstehens, Berlin 1918.

Small, Albion, Origins of Sociology, New York 1924.

Stein, Maurice, und *Arthur Vidich* (Hrsg.), Sociology on Trial, Englewood Cliffs, N. J., 1963.

Stern, Fritz Richard (Hrsg.), The Varieties of History, New York 1957.

Sternberg, Kurt, Zur Logik der Geschichtswissenschaft, Berlin 1914.

Sturzo, Luigi, La Società, sua natura e leggi. Sociologia storistica, in: Opere omnia, 1. Serie, Bd. 3, 2. Aufl., Bologna 1960, zuerst 1949.

Sybel, Heinrich von, Über die Gesetze des historischen Wissens, Bonn 1864.

Teggart, Frederick J., The Theory of History, New Haven, Conn., 1925.

Thompson, James W., und *B. J. Holm,* A History of Historical Writing, London 1942.

Thrupp, Sylvia L., History and Sociology, in: American Journal of Sociology, Bd. 63 (1957), S. 11–16.

Topitsch, Ernst, Geschichtswissenschaft und Soziologie, in: *Ernst Topitsch,* Sozialphilosophie zwischen Ideologie und Wissenschaft, Neuwied 1961, S. 93–105.

Troeltsch, Ernst, Gesammelte Schriften, 4 Bde., Tübingen 1991 ff, zuerst 1912–1925.

Troeltsch, Ernst, Der Historismus und seine Überwindung, Berlin 1924.

Valentin, Veit, Perspektiven und Profile, Frankfurt a. M., 1965.

Vico, Giambattista, Die neue Wissenschaft über die gemeinschaftliche Natur der Völker, Reinbek bei Hamburg 1966; ital. zuerst 1725.

Vogt, Joseph, Gesetz und Handlungsfreiheit in der Geschichte, Stuttgart 1955.

Vogt, Joseph, Wege zum historischen Universum von Ranke bis Toynbee, Stuttgart und Berlin 1961.

Wagner, Fritz, Moderne Geschichtsschreibung, Berlin 1960.

Wagner, Fritz, Begegnungen von Geschichte und Soziologie bei der Deutung der Gegenwart, Dortmung 1960.

Walsh, W. H., Meaning in History, in: *P. Gardiner* (Hrsg.), Theories of History, Glencoe, Ill., 1959, S. 296 bis 307.

Walter, Emil J., Psychologische Grundlagen der geschichtlichen und sozialen Entwicklung, Zürich 1947.

Warynski, Stanislaw, Die Wissenschaft von der Gesellschaft, Bern 1944.

Weber, Alfred, Kulturgeschichte als Kultursoziologie, Leiden 1935.

Weber, Alfred, Abschied von der bisherigen Geschichte, 2. Aufl., Hamburg 1946, zuerst 1945.

Weber, Max, Wirtschaft und Gesellschaft, 4. Aufl., Tübingen 1956, zuerst 1921.

Weber, Max, Gesammelte Aufsätze zur Wissenschaftslehre, 2. Aufl., Tübingen 1951, zuerst 1922.

Wehler, Hans-Ulrich (Hrsg.), Geschichte und Soziologie, Köln 1972.

Wehler, Hans-Ulrich, Geschichte als historische Sozialwissenschaft, Frankfurt a. M. 1973.

Windelband, Wilhelm, Geschichte und Naturwissenschaft, 2. Aufl., Straßburg 1900, zuerst 1894.

Wittfogel, Karl A., Geschichte der bürgerlichen Gesellschaft, Wien 1926.

Wittfogel, Karl A., Die orientalische Despotie. Eine vergleichende Untersuchung totaler Macht, Köln — Berlin 1962.

Wittram, Reinhard, Das Interesse an der Geschichte, 3. Aufl., Göttingen 1968.

Wittram, Reinhard, Anspruch und Fragwürdigkeit der Geschichte, Göttingen 1969.

Xenopol, Alexandru Dimitru, La théorie de l'histoire, 2. Aufl., Paris 1908, zuerst 1899.

Xenopol, Alexandru Dimitru, Sociologia e storia, in: Rivista Italiana di Sociologia, Bd. 10 (1906).

Zetterberg, Hans L., On Theory and Verification in Sociology, 2. Aufl., Totowa, N. J., 1963.

Interkultureller Vergleich

Von Peter Heintz

Wenn man in den Sozialwissenschaften von interkulturellem Vergleich spricht, meint man in der Regel den Vergleich zwischen Globalgesellschaften, die sich durch ihre Kultur voneinander unterscheiden. Die Kultur würde demnach die Parameter der verglichenen Gesellschaften bestimmen. Unter Kultur versteht man den Code, der den Mitgliedern einer Gesellschaft gemeinsam ist. Der Forscher bedient sich seinerseits eines eigenen, von seiner Disziplin geprägten Codes. Interkulturelle Vergleiche setzen voraus, daß der Code des Forschers interkulturell ist, d. h. in die am Vergleich beteiligten kulturellen Codes übersetzbar bzw. aus ihm ableitbar ist. Nur wenn diese Bedingung erfüllt ist, können die kulturologischen Hypothesen über die Parameter der verglichenen Gesellschaften mit den sozialwissenschaftlichen transkulturellen Hypothesen konfrontiert werden.

Die ökonomische Theorie z. B. erhebt den Anspruch, für jegliches wirtschaftliche Handeln der Menschen gültig zu sein; sie abstrahiert also von den Unterschieden zwischen den Codes der einzelnen Gesellschaften und betrachtet diese Unterschiede als irrelevant.

Eine der Hauptschwierigkeiten des interkulturellen Vergleichs ergibt sich daraus, daß die Codes der sozialwissenschaftlichen Disziplinen oft aus einzelnen kulturellen Codes abgeleitet und damit stark an die betreffende Kultur gebunden sind. Solche sozialwissenschaftlichen Codes sind nicht interkulturell. Damit sie interkulturell werden, müssen sie hin und her übersetzt werden. Zudem hat diese Übersetzungsaufgabe keine eindeutige Lösung. Die Lösungen schwanken zwischen perfekter Transkulturalität und perfekter kulturgebundener Sinnhaftigkeit. Die oben genannte ökonomische Theorie behauptet, daß sie transkulturell sei.

Die einzelnen als gemeinsame Codes definierten Kulturen sind Gegenstand der Kulturanthropologie, wogegen die Soziologie und Sozialpsychologie im Prinzip das Ziel verfolgen, transkulturelle Gesetzmäßigkeitn über das gesellschaftliche Zusammenleben von Menschen zu formulieren. So möchte die Soziologie z. B. zu allgemeinen Aussagen über bürokratische Organisationen gelangen. Dies, obwohl sich die meisten Vertreter beider Disziplinen bewußt sind, daß sie ihr Ziel bisher nur ganz vereinzelt oder sogar niemals erreicht haben. Die soziologische und sozialpsychologische empirische Forschung untersucht in der Regel Individuen oder Gruppen, die ein und derselben — meist westlichen — Gesellschaft angehören, an denen aber oft Hypothesen überprüft werden, die aus Sätzen über transkulturelle Gesetzmäßigkeiten abgeleitet sind. Mit anderen Worten: Beide Disziplinen haben das Ziel, die jeweils bestehenden kulturellen Codes als Randbedingungen in ihre Hypothesen aufzunehmen, die ohne Bezugnahme auf eine konkrete Kultur formuliert werden. Insoweit die Sozialforschung in dieser Weise vorgeht, wird sie dem Geltungsbereich ihrer Hypothesen nicht gerecht. Diesem Geltungsbereich wird auch dadurch nicht Genüge getan, daß als Randbedingung ein bestimmter Gesellschaftstypus eingeführt wird, z. B. die moderne Industriegesellschaft, zu dem man die Gesellschaft gemeinhin rechnet, in der die Untersuchung durchgeführt wird. In diesem Falle wird lediglich die hypothetische Randbedingung konzeptualisiert. So hat z. B. *William F. Ogburn* für die modernen Industriegesellschaften einen „cultural lag" gegenüber dem technischen Fortschritt postuliert. Erst neuere Forschungen haben aber gezeigt, daß diese Problematik tatsächlich in den hochentwickelten Ländern eine andere Bedeutung hat als in den heutigen unterentwickelten Gesellschaften. In solchen Fällen wird also eine zusätzliche Hypothese eingeführt, nämlich die, daß die untersuchte Hypothese in anderen Gesellschaften oder in Gesellschaften eines anderen Typus nicht gelte. Das heißt nichts anderes, als daß bestimmte — z. B. der modernen Industriegesellschaft eigentümliche — Merkmale als Bedingungen für die Gültigkeit der untersuchten Hypothese betrachtet werden. Diese einschränkende zusätzliche Hypothese kann aber ebensowenig in dem so gewählten Kontext überprüft werden wie die generelle Ausgangshypothese. Wenn eine Forschung auf eine bestimmte Gesellschaft beschränkt ist, können die Ergebnisse nichts darüber aussagen, welches der tatsächliche Geltungsbereich der festgestellten Gesetzmäßigkeit ist (betreffend Vergleich zwischen vertikaler Mobilität in verschiedenen Gesellschaften siehe z. B. *Bernard Barber* 1957; *Natalie Rogoff* 1953). Man kann aus einer solchen auf einen bestimmten gesellschaftlichen Kontext beschränkten Forschung unmöglich ableiten, ob die festgestellte Gesetzmäßigkeit auch außerhalb dieses Kontextes gilt, und welches die eventuell dafür verantwortlichen Faktoren sind, daß sie außerhalb nicht gilt. Das heißt, daß die üblichen Hinweise auf die Begrenztheit des Geltungsbereiches der von Soziologen und Sozialpsychologen überprüften Hypothesen im Grunde unverbindlich sind, ja häufig sogar den Anschein einer wissenschaftlich motivierten Bescheidenheit wecken, die wissenschaftlich nicht begründet ist.

Bei dieser Praxis scheint zudem die Gefahr zu bestehen, daß innergesellschaftliche Differenzierungen, z. B. schichtspezifische Unterschiede, gegenüber den zwischengesellschaftlichen überschätzt werden. Die meisten Soziologen sind wohl eher bereit, die Bedeutung der innergesellschaftlichen Klassenunterschiede anzuerkennen als die der zwischengesellschaftlichen Entwicklungsunterschiede. Die Fragwürdigkeit dieser Tendenz deutet sich z. B. in einem Hinweis an, den *Theodore Caplow* in seinem Beitrag *„The Modern Latin American City"* zu dem Sammelband *„Acculturation in the Americas"* (Hrsg. *Sol Tax* 1952) gibt. Dort schreibt *Caplow*, daß sich — im Gegensatz zur Oberschicht — die Unterschicht der lateinamerikanischen Städte in ihrem Verhalten von der entsprechenden Schicht in den europäischen und amerikanischen Städten stark unterscheidet. Das könnte bedeuten, daß die ziemlich einheitliche Subkultur der urbanen Unterschicht in Europa und den USA aus einem Prozeß der Verstädterung erklärt werden kann, der sich vom Prozeß der Verstädterung in Lateinamerika unterscheidet.

Der interkulturelle Vergleich setzt nicht nur einen interkulturellen Code voraus, der in die Codes der verglichenen Kulturen übersetzbar ist, sondern auch einen Abstrahierungsvorgang, der es erlaubt, für die verglichenen Gesellschaften gleichermaßen relevante Phänomene zu identifizieren. So ist z. B. zu entscheiden, mit welchen Indikatoren abweichenden Verhaltens operiert werden soll.

Dieselbe grundsätzliche Problematik stellt sich auch bei der Analyse einzelner Gesellschaften. Auch hier gibt es z. B. nach Regionen oder Klassen verschiedene kulturelle Codes. Trotz solcher internen Unterschiede hat eine Reihe von Forschern versucht, die für einzelne Gesellschaften kennzeichnende modale Persönlichkeitsstruktur (basic personality structure) herauszuarbeiten (*Abram Kardiner* 1939, 1945; *Mikel Dufrenne* 1953). Obwohl sich die Kulturanthropologie auch für Subkulturen interessiert, will sie doch im Prinzip zu allgemeinen Aussagen über bestimmte Gesellschaften — so z. B. *Cora Dubois* (1945) über die Alor-Insulaner — gelangen. In dieser Hinsicht wirft sie dann oft die Frage nach dem jeweiligen gesamtgesellschaftlichen Zusammenhang auf.

Einerseits beschränkt sich also die Sozialforschung bei der Wahl des Kontextes der Untersuchung in der Regel auf westliche Gesellschaften, und es dürfen deshalb ihre Ergebnisse nicht ohne weiteres verallgemeinert werden. Andererseits neigt sie dazu, Hypothesen zu überprüfen, deren maximaler Geltungsbereich *mindestens* mit den Grenzen der betreffenden Gesellschaft zusammenfällt. Mit Hilfe des interkulturellen Vergleichs kann nun der Versuch unternommen werden, diejenigen von den in einzelnen Gesellschaften überprüften Hypothesen zu eruieren, die keine allgemeine Gültigkeit für sich beanspruchen können. Mehr als dies kann — streng genommen — mit Hilfe des interkulturellen Vergleichs nicht erreicht werden. Es geht also in der Regel bei solchen Vergleichen darum, einzelne Hypothesen daraufhin zu überprüfen, ob sie auch in anderen Gesellschaften Gültigkeit haben oder nicht. Die Falsifizierung einer Hypothese kann darauf zurückgeführt werden, daß entweder die postulierte Gesetzmäßigkeit nicht allgemeingültig ist oder daß die Formulierung der Hypothese einem besonderen kulturellen Code entnommen und nicht in einen anderen kulturellen Code angemessen übersetzt worden ist. In dem zweiten Falle sind die Bedingungen für den Falsifizierungsprozeß bei den verglichenen Gesellschaften nicht gleichmäßig erfüllt worden und sind deshalb die Resultate faktisch nicht vergleichbar. So liegt es z. B. nahe, daß man sich angesichts des raschen Wachstums der großen Städte nicht mit einem Einzelergebnis des Inhalts zufrieden geben kann, daß das Anerbenrecht in einem bestimmten Untersuchungsgebiet für die Landflucht verantwortlich sei.

Mit Hilfe des interkulturellen Vergleichs können wir also streng genommen nur diejenigen Hypothesen bestimmen, die keine allgemeine Gültigkeit besitzen. Umgekehrt ist es nicht möglich, damit diejenigen Hypothesen zu eruieren, die in dem Sinne allgemeingültig sind, daß sie in einer Klasse gesellschaftlicher Kontexte Gültigkeit haben. Dies hat mit dem bekannten Satz zu tun, wonach keine allgemeine Hypothese durch die empirische Forschung jemals endgültig bestätigt werden kann, und daß auch dann, wenn eine Hypothese in allen uns bekannten Gesellschaften verifiziert worden wäre, damit die Allgemeingültigkeit der betreffenden Hypothese noch nicht gewährleistet wäre. Wir können auch in einem solchen Falle lediglich feststellen, daß innerhalb des durch die miteinander verglichenen gesellschaftlichen Kontexte bestimmten Variationsbereiches die betreffende Hypothese eine vorläufige Bestätigung gefunden hat. Diese Einschränkung braucht nicht nur von rein theoretischem Interesse zu sein. So mögen Gesellschaften im Entstehen begriffen sein, die sich von den bisherigen in einer Weise unterscheiden, die verschieden ist von den Unterschieden, die zwischen den uns bekannten Gesellschaften bestehen. Man kann das auch so ausdrücken: Die begrenzte Zahl der heute und in der Vergangenheit existierenden Gesellschaften berechtigt uns nicht zur Annahme, daß ihre Gesamtheit ein repräsentatives Sample für das Universum: menschliche Gesellschaften darstellt. Das gilt im übrigen genau so für den Fall, daß wir uns nicht für *die* menschliche Gesellschaft, sondern für eine bestimmte Klasse von Gesellschaften, z. B. für die kleinen Globalgesellschaften, interessieren. Das Kriterium für eine allgemeine Aussage ist ja lediglich deren abstrakte Formulierung.

Allerdings steckt der interkulturelle Vergleich noch so sehr in den Anfängen, daß uns die genannte niemals zu überwindende Begrenzung nicht besonders zu bekümmern braucht. Ein hervorragendes Beispiel für die Fruchtbarkeit von im Ziel begrenzten interkulturellen Vergleichen gibt *Georges Balandier* (1955), der durch Vergleich nur zweier afrikanischer Gesellschaften, nämlich der Fang von Gabon und der Ba-Kongo vom Kongo, zu einer Interpretation der ihnen gemeinsamen Kolonialsituation vorgestoßen ist. Auf dem jetzigen Stand der Sozialwissenschaften scheint die Aussicht wichtig zu sein, daß mit der Zahl der interkulturellen Verifizierungen einer Hypothese die Wahrscheinlichkeit steigt, daß im Falle einer einzigen Falsifizierung der universale Charakter der betreffenden Hypothese endgültig widerlegt ist. Eine Falsifizierung wirft dann ihrerseits die Frage auf, welche der zwischen den betreffenden gesellschaftlichen Kontexten bestehenden Unterschiede als Randbedingungen für die tatsächliche Gültigkeit der untersuchten Hypothese in einer oder mehreren der miteinander verglichenen Gesellschaften zu betrachten seien. Ein bekanntes Beispiel für eine solche Falsifizierung ist *Margaret Meads* (1928) *„Coming of Age in Samoa"*, wo die These von der Universalität bestimmter soziopsychischer Krisenerscheinungen in der Pubertät in Frage gestellt wird. Umgekehrt bedeutet jede Verifizierung, daß die konträre kulturologische Hypothese falsifiziert worden ist. Die kulturologische Hypothese, die besagt, daß die halbintegrierte Familie mit Dominanz des Ehegatten eine Folge des hispanischen Männlichkeitskomplexes sei, wird z. B. durch die Tatsache widerlegt, daß dieser Familientypus auch in der Unterschicht nicht-hispanischer Gesellschaften vorkommt.

Solche Fragen sind keineswegs belanglos. Ihre Beantwortung erfordert, daß der interkulturelle Vergleich mit dem Ziele fortgesetzt wird, die Zahl der Unterschiede, die als Randbedingungen in Frage kommen, zu reduzieren. Eine solche Reduktion ergibt sich daraus, daß die Zahl der gemeinsamen Unterschiede zwischen der Gruppe der die Hypothese bestätigenden Gesellschaften und der Gruppe der sie widerlegenden Gesellschaften mit der Größe dieser Gruppen abnimmt. Aus einem solchen fortgesetzten Vergleich ergeben sich eventuell Hypothesen über die genannten Bedingungen. Die Hypothesen kann man ihrerseits einem interkulturellen Vergleich zugrunde legen. Es ist z. B. die Hypothese aufgestellt worden, daß die Staatsbildung Folge einer durch Eroberung begründeten Überschichtung (von Hirten- über Ackerbauvölker) sei. Diese Hypothese ist in ihrer Universalität widerlegt worden. Dabei hat sich die Frage gestellt, worin sich die falsifizierenden Kontexte von den staatenlosen Gesellschaften unterscheiden. Auch sie scheinen durch eine hierarchische Ordnung ethnisch verschiedener Gruppen gekennzeichnet zu sein, die sich jedoch nicht als Folge einer gewaltsamen Überschichtung ergeben hat (*I. Schapera* 1956; *W. E. Mühlmann* 1964; *A. Kammler* 1966).

Für den Vergleich einer großen Zahl verschiedener Gesellschaften bedient man sich gelegentlich der Faktorenanalyse. Unter vorwiegend methodologischem Gesichtspunkt haben dies *K. F. Schuessler* und *Harold Driver* (1956, S. 493 ff.) getan; sodann sind insbesondere die Untersuchungen von *Raymond B. Cattell* (1950, S. 215 ff.) und von *Bruce M. Russett* (1967) zu nennen. Die hier verwendete sogenannte Q-Analyse bedient sich der „factor scores" einer vorausgehenden Faktoren-Analyse, deren Einheiten Gesellschaften sind, mit dem Ziel, Faktoren zu bestimmen, die es erlauben, homogene Regionen abzugrenzen.

Dazu kommt noch eine weitere Eigenart des interkulturellen Vergleichs, die z. B. *John W. M. Whiting* (1954, S. 523 ff.) in seiner Übersicht über diese Methode im *„Handbook of Social Psychology"* hervorgehoben hat. Der innergesellschaftliche Variationsbereich mancher Variablen ist nämlich sehr viel kleiner als der Variationsbereich, mit dem der interkulturelle Vergleich zu tun hat. Manche Hypothesen können deshalb nur in einem solchen Vergleich überprüft werden. *Whiting* führt als Beispiel den Zusammenhang zwischen Zeitpunkt der Entwöhnung und emotionalen Störungen beim Kinde an. Ein weiteres Beispiel wäre der Variationsbereich des Lebensstandards, der im interkulturellen Vergleich sehr viel größer ist als in einer einzelnen hochentwickelten Gesellschaft. Damit hängt dann auch zusammen, daß der interkulturelle Vergleich dank des großen Variationsbereiches mancher Variablen besonders geeignet ist, Anregungen zur Formulierung neuer Hypothesen zu geben (vgl. dazu z. B. *D. C. McClelland* 1959, S. 12 ff.).

Der interkulturelle Vergleich stößt auf erhebliche prinzipielle Schwierigkeiten. Diese Schwierigkeiten haben zum Teil damit zu tun, daß der kulturelle Code einer Gesellschaft für die tatsächliche Integration des Verhaltens ihrer Mitglieder relevant ist. Das bedeutet, daß im Prinzip menschliches Verhalten immer auch von den einzelnen Gesellschaften her verstanden werden muß. Diese Tatsache hängt damit zusammen, das menschliches — im Gegensatz zu animalischem – Verhalten immer auch das Ergebnis von Manipulationen mit gesellschaftlichen Vorstellungen, die als solche kulturgebunden sind, enger ausgedrückt, das Resultat der Benutzung einer Sprache ist. In diesem Sinne spricht *Peter R. Hofstätter* (1957) von dem Unterschied zwischen der deutschen und der amerikanischen Einsamkeit. Die Kultur ist eine soziale Realität eigener Art, nämlich z. B. die Basis, auf der sich ein Gruppenbewußtsein aufbaut, das über innere soziale Differenzierungen hinweg einigend wirkt.

Dies läßt sich auch an der modernen Kulturanthropologie verdeutlichen (z. B. *R. König* und *A. Schmalfuß* 1972). Diese Wissenschaft befaßt sich u. a. mit der Analyse einzelner Gesellschaften im Sinne umfassender Integrationszusammenhänge zwischen Persönlichkeit, Kultur und Gesellschaft. Sie wendet zwar einzelne Sätze aus den allgemeinen Wissenschaften vom Menschen, d. h. der Soziologie, Sozialpsychologie und Psychologie (insbesondere Psychoanalyse) an, jedoch nicht mit der Absicht, diese Sätze auf ihre Validität zu überprüfen, sondern mit dem Ziel, die von ihr untersuchten Gesellschaften als einzigartige Konstellationen oder Syndrome zu begreifen. Ein klassisches Beispiel hierfür stellt das Werk von *Ruth Benedict* (1934) *„Patterns of Culture"* dar. Bei der Anwendung allgemeiner Sätze wie auch bei der Benutzung psychologischer Teste sieht sich der Kulturanthropologe dazu veranlaßt, eine der untersuchten Kultur adäquate Umdeutung der von ihm verwendeten Begriffe und Meßinstrumente vorzunehmen. So wird in kulturanthropologischen Untersuchungen z. B. vom *Thematic Apperception Test* zwar Gebrauch gemacht, jedoch werden die Tafeln zu diesem Zweck oft neu gezeichnet (*Jules Henry* und *Melford E. Spiro* 1953, S. 417 ff.). Das kann der Kulturanthropologe nur insofern ohne weiteres tun, als die Maßeinheiten der von ihm benutzten Indikatoren mit den entsprechenden Maßeinheiten, die bei der Untersuchung anderer Gesellschaften verwendet werden, nicht vergleichbar zu sein brauchen.

In kulturanthropologischen Analysen kommt es aber auch vor, daß kulturelle Randbedingungen von aus anderen Wissenschaften vom Menschen entnommenen Sätzen zu Variablen erhoben werden. Auch wenn ein Kulturanthropologe bei der Untersuchung der Berg-Arapesh von Neuguinea z. B. vom Universaltatbestand des Inzest-Verbotes ausgeht, kann doch für seine Analyse entscheidend sein, daß dort der Inzest als absurd erscheint, weil er die erwünschte Erweiterung der Verwandtschaft verhindert, wogegen er in den westlichen Gesellschaften mit eigentlichem Horror betrachtet wird. Dieser Unterschied mag seinerseits mit der verschiedenartigen Emanzipation der Kinder von ihrer Familie in Zusammenhang stehen.

In dieser Hinsicht können kulturanthropologische Analysen einzelner Gesellschaften gelegentlich auch für die allgemeinen Wissenschaften vom Menschen fruchtbar gemacht werden. Als Beispiel hierfür mag die Funktion der Zauberei als Kompensation für die Unterdrückung offener Formen der Aggression angeführt werden, wie dies *Irving A. Hallowell* (1940, S. 395 ff.) für die Saulteaux-Indianer behauptet hat. Auf Grund neuerer Untersuchungen besteht sogar die Vermutung, daß oft erst die Kolonialisierung primitiver Völker diesen Kompensationsmechanismus ausgelöst hat (*B. B. Whiting* 1950).

Eine der Hauptschwierigkeiten des interkulturellen Vergleichs besteht darin, daß die Anwendung allgemeiner Sätze auf Gesellschaften, an denen diese nicht entwickelt worden sind, damit zu rechnen hat, daß diese Sätze kulturgebundene Elemente enthalten. So braucht der Begriff des Reichtums nicht an die Verfügung über materielle Güter gebunden zu sein. Die Verfügung über Menschen mag in manchen Gesellschaften ein echtes Äquivalent für unseren Reichtumsbegriff sein. Wenn es nicht gelingt, die kulturgebundenen Elemente zu eliminieren, dann ist die Chance, daß die untersuchte Hypothese im interkulturellen Vergleich bestätigt wird, geringer, als wenn dies tatsächlich gelingt. Das heißt aber wiederum, daß die Hypothesen für den Vergleich umgedeutet, bzw. daß andere Indikatoren als die in der eigenen Gesellschaft benutzten gesucht werden müssen. Das gilt natürlich analog auch für den Zeitvergleich. Dem interkulturellen Vergleich bietet sich für solche Umdeutungen kein allgemein anwendbares Verfahren an, das dem Forscher die Gewißheit geben würde, daß die nicht-kulturgebundene Substanz des Satzes gewahrt bleibt. Das schließt allerdings im einzelnen Fall eine befriedigende Lösung nicht aus. Die hier angedeutete Schwierigkeit ergibt sich daraus, daß dem Sozialforscher die soziale Realität nur über die Vermittlung kultureller Codes zugänglich ist. Es mögen alle die zu einem Clan gehörenden Männer sich als Brüder bezeichnen, jedoch kann man mit einem solchen Begriff des Bruders das Problem der Geschwisterrivalität nicht angehen. Daß es hinter der kulturellen Realität biologische, psychische und soziale Universalien gibt, dürfte trotz dieser Schwierigkeit nach wie vor eine fruchtbare Grundhypothese sein (*Clyde Kluckhohn* 1953, S. 507 ff.; *G. P. Murdock* 1945, S. 123 ff.). Obwohl der interkulturelle Vergleich die eben angedeutete Schwierigkeit nicht ein für allemal aus dem Wege zu schaffen vermag, so kann er doch versuchen, denjenigen Hypothesen den Vorzug zu geben, bei denen diese Schwierigkeit vermutlich wenig ins Gewicht fällt. Das ist dann auch — faktisch vor allem unter dem Einfluß der modernen amerikanischen Kulturanthropologie — in auffallendem Maße geschehen. Das heißt, der interkulturelle Vergleich wird in der Praxis nicht nur von dem Bedürfnis gesteuert, allgemeine Sätze hinsichtlich ihres tatsächlichen Geltungsbereiches zu überprüfen, sondern er wird auch unter dem Gesichtspunkt der praktischen Durchführbarkeit vorgenommen. Dabei scheint folgender Gedanke leitend zu sein. Ein umfassender interkultureller Vergleich verspricht dort besonders erfolgreich zu sein, wo die verglichenen Gesellschaften eine Regelung zu treffen haben für ein Problem, das sich mit höchster Wahrscheinlichkeit in ihnen ohne Unterschied stellt (*D. Aberle, A. Cohen, A. Davis, M. Levy* und *F. Sutton* 1950, S. 100 ff.). Dafür scheint sich insbesondere die Familie zu eignen, die eine Fülle von Lösungen für relativ spezifische Probleme trifft, die in allen Gesellschaften auftreten. Und innerhalb dieses Problemkreises spielt der Sozialisierungsprozeß eine verhältnismäßig wichtige Rolle. Diese Tendenz kommt besonders deutlich zum Ausdruck in dem Versuch von *Claude Lévi-Strauss* (1949), sämtliche Verwandtschaftsstrukturen auf die Antwort auf zwei Fragen zurückzuführen, nämlich auf die Frage nach der Wohnfolge und auf die nach der Abstammung. Es ist aus diesem Grunde und im Hinblick auf die besondere Ausrichtung eines Teils der modernen amerikanischen Kulturanthropologie nicht verwunderlich, daß namentlich psychoanalytische Sätze (*Heinz Hartmann, Ernst Kris* und *Rudolph M. Lowenstein* 1951), die sich auf die frühen Phasen des Sozialisierungsprozesses beziehen, verhältnismäßig häufig zum Gegenstand interkultureller Vergleiche gemacht worden sind. Die ältere kulturvergleichende Forschung auf diesem Gebiet ist von *Irvin L. Child* in dem Artikel *„Socialization“* im *„Handbook of Social Psychology“* (1954) zusammengefaßt worden. Ferner gibt es darüber auch methodologische Abhandlungen (z. B. von *John W. M. Whiting* 1953). Es wird angenommen, daß die entsprechenden gesellschaftlichen Regelungen deshalb miteinander vergleichbar sind, weil sie auf allgemein menschliche Probleme Bezug nehmen und durch diese in relativ spezifischer Weise determiniert sind.

Allerdings benutzt der Kulturvergleich die Variablen des Sozialisierungsprozesses nicht nur aus diesem Grund. In der kulturvergleichenden Untersuchung von *David C. McClelland* und *G. E. Friedman* (1952) wird der Grad der Leistungsmotivation der Erwachsenen mit der Erziehung der Kinder zur Unabhängigkeit verknüpft. Dabei wird die Erziehung zur Unabhängigkeit an der anfänglichen Nachgiebigkeit gegenüber dem Säugling, am Alter, in dem das Unabhängigkeitstraining beginnt, und an der Strenge dieses Trainings (Plötzlichkeit des Beginns, Intensität sowie Häufigkeit der Strafe für abhängiges Verhalten) gemessen.

Auch die wirtschaftliche Betätigung gehört in den Bereich gesellschaftlicher Regelungen, die auf allgemeine menschliche Probleme Bezug haben, jedoch scheint die Determination des wirtschaftlichen Verhaltens durch den ihm entsprechenden Problemkreis weniger spezifisch zu sein. Die wirtschaftliche Tätigkeit scheint fast immer auch nicht-wirtschaftliche Aspekte zu besitzen, d. h. sie wird meist nicht nur im Hinblick auf ihr Erzeugnis vorgenommen (*Stanley H. Udy* 1959; *Julian H. Stewart* 1955).

Allgemeiner ausgedrückt kann man von sog. Grundbedürfnissen ausgehen unter der Annahme, daß sich bei ihrer Befriedigung gewisse Regelmäßigkeiten zeigen. So kann man z. B. die Unterscheidung zwischen Primärgruppen, Statusgruppen und Organisationen im engeren Sinne damit begründen. Diese Problematik kommt besonders klar in der 75 Gesellschaften umfassenden Untersuchung von *John B. M. Whiting* und *Irvin L. Child* (1953) zum Ausdruck, in der Erziehungsmaßnahmen gegenüber dem Kinde (child training practices) mit Einstellungen gegenüber der Krankheit, einer ebenfalls universalen Erscheinung, korreliert werden.

Auf diese Weise mag es gelingen, mehr und mehr Bereiche abzugrenzen, die für einen umfassenden Kulturvergleich besonders erfolgversprechend sind. So hat sich der eben genannte *Stanley H. Udy* erfolgreich mit dem interkulturellen Vergleich von Arbeitsorganisationen befaßt (vgl. auch *M. Berger* 1957).

Es gibt auch makrosoziologische Problematiken, die sich für den interkulturellen Vergleich eignen. Es geht hier z. B. um die Frage nach der Verteilung knapper Güter, nach der Transformation dieser Verteilung in Machtverhältnisse zwischen jenen, die einen Überschuß besitzen, und jenen, die nur wenig haben, nach den Quellen sozialen Prestiges, nach der funktionalen Differenzierung der Gesellschaft sowie nach dem Grad vertikaler Arbeitsteilung.

Nicht minder groß sind beim interkulturellen Vergleich die praktischen Schwierigkeiten. Die Erhebung von Primärdaten setzt eine partielle Integration der Forschungstätigkeit und des Forschers in die untersuchte Gesellschaft voraus, welche z. B. durch die Wahl des Übersetzers beeinflußt wird. Dieses Erfordernis beeinflußt u. a. die Auswahl der Methoden und Techniken, obwohl deren Leistungsfähigkeit eine spezifische ist (*Irwin T. Saunders* 1956; *Eleanor E.* und *Nathan Maccoby* 1954).

Außerdem scheint die Bereitschaft und Fähigkeit zur Beantwortung systematisch gestellter Fragen, auf die man beim interkulturellen Vergleich kaum verzichten kann, von Gesellschaft zu Gesellschaft Unterschiede aufzuweisen (*Benjamin D. Paul* 1953). Dabei mag die Tatsache eine Rolle spielen, daß Ignoranz in den einen Gesellschaften stärker verpönt ist als in anderen. Ferner kommen gelegentlich Verhaltensmuster vor, die im Verkehr mit fremden Personen angewendet werden und bei denen es sich um verfestigte Abwehrhaltungen handelt, die nur mit großer Mühe durchbrochen werden können (vgl. insbesondere *Daniel Lerner* 1958, Introduction by *David Riesman,* S. 3 ff.).

Die Verhaltensforschung durch Befragung mag noch durch einen anderen Umstand erschwert werden, der sich vor allem in denjenigen Gesellschaften bemerkbar macht, deren Kontakt mit anderen Kulturen bisher verhältnismäßig wenig intensiv und intim gewesen ist. Es handelt sich darum, daß manche Verhaltensmuster in einfacheren Gesellschaften keine verbale Formulierung erfahren, wenn sie auch deswegen nicht weniger Geltung besitzen. Der Explizierung von kulturellen Selbstverständlichkeiten scheint in der Regel ein Kulturkonflikt vorauszugehen, wie überhaupt die „Intellektualisierung" einer Kultur erst als Folge intensiver Kontakte mit anderen Kulturen einzutreten pflegt. Die kulturellen Codes sind vermutlich dort besonders stark formalisiert, wo die Rolle des Sozialisierungsagenten gesamtgesellschaftlich geregelt ist, wo in anderen Worten eine formale Bildungsinstitution besteht. Bei geringer Formalisierung mag mit Gleichnissen geantwortet werden, die einen völlig anderen Charakter haben als die gesellschaftlichen Clichés, auf die die Forscher in unseren Gesellschaften stoßen. Es dürfte schwer sein, diesem Unterschied zwischen den miteinander verglichenen Gesellschaften durch Anwendung geeigneter Techniken Rechnung zu tragen. In dieser Beziehung mögen sich die projektiven Teste als besonders brauchbar erweisen, da sie keine gesellschaftlich festgelegten Stimuli geben (*Irving A. Hallowell* 1955 a und b).

Zu einer wichtigen Datenquelle für interkulturelle Vergleiche hat sich der *Cross-Cultural Survey* des *Institute of Human Relations* an der Yale University entwickelt. Die 1949 geschaffenen *Human Relations Area Files* bieten nach Gegenstand geordnete geographische, soziale und kulturelle Daten über eine große Zahl von Gesellschaften (*George P. Murdock* 1950, S. 476 ff.; *Clellan S. Ford* 1954; *Clyde Kluckhohn* 1953, S. 508 ff.). Sie sollen „Informationen sammeln, organisieren und vermitteln, die für die Natur-, Sozial- und Kulturwissenschaften von Bedeutung sind". Es handelt sich um eine Art Konsultationsbibliothek. Das vielleicht bedeutendste daraus hervorgegangene Werk ist *George P. Murdock* (1949) *„Social Structure"*, das sich auf Material über 250 verschiedene Gesellschaften stützt. Das ermöglicht eine statistische Behandlung des Stoffes, nämlich Familie und Verwandtschaft und deren Beziehung zur Regelung von Geschlecht und Heirat.

Die jüngere Entwicklung ist durch die wachsende Bedeutung des interkulturellen Vergleichs in der Soziologie und den politischen Wissenschaften gekennzeichnet (vgl. insbesondere *A. Banks* und *R. Textor* 1964 und *B. M. Russet* u. a. 1964). Dabei haben wahrscheinlich folgende Faktoren eine entscheidende Rolle gespielt:

1. die Diffusion von Lehre und Forschung auf dem Gebiete der modernen Soziologie über große Teile des Erdballs und

2. die Entwicklung eines neuen Zweiges der Soziologie, der sich mit der Problematik des soziokulturellen Wandels unterentwickelter Gesellschaften befaßt.

Diese beiden Faktoren können soziologisch als eine späte Konsequenz der Tatsache angesehen werden, daß die internationale Gesellschaft immer mehr Züge einer relativ offenen Klassengesellschaft angenommen hat, in der gewisse gemeinsame Werte (Entwicklung) und die Schichtung der nationalen Einheiten hervortreten. Damit ist eine Problematik entstanden, die für alle nationalen Gesellschaften relevant ist (vgl. insbesondere *G. A. Almond* und *J. S. Coleman* 1960; *D. Apter* 1965; *J. S. Coleman* 1965; *K. W. Deutsch* 1960, 1963; *L. W. Doob* 1961; *P. Heintz* 1969, 1972; *S. M. Lipset* 1960; *D. C. McClelland* 1961; *L. W. Pye* 1963; *L. F. Schnore* und *Ph. M. Hauser* 1965; *A. L. Stinchcombe* 1965; *S. Verba* und *G. A. Almond* 1963).

Aus dieser Tatsache ergibt sich für die komparative Forschung folgendes:

1. Die Parameter der verglichenen Kontexte werden keineswegs mehr einfach mit Kultur oder einem historischen Gesellschaftstyp gleichgesetzt. Vielmehr treten an deren Stelle immer mehr Parameter, die den Dimensionen des internationalen Schichtungssystems entsprechen (ökonomische, politische und soziale Entwicklung; politische und militärische Macht).

2. Damit eröffnet sich der Forschung und der Theorie eine neuartige Problematik, nämlich die Möglichkeit, eine Gruppe zusammenhängender Parameter zu verbalen oder formalisierten Modellen zu integrieren, die als Instrumente vergleichender Forschung verwendet werden können (*P. Heintz* 1972). Damit ergibt sich

dann die Möglichkeit, die reichlich primitiven Typologien, mit denen meist gearbeitet worden ist und die die hypothetischen Parameter zum Ausdruck gebracht haben, durch höchst komplexe und empirisch untermauerte Modelle zu ersetzen. Die genannten Typologien entstammen oft einer historischen Betrachtungsweise mit der Dimension traditionell-modern, die für die Analyse der Gegenwartsgesellschaften wenig angemessen ist.

Während derselben Zeit ist die Methodologie zur theoretischen Integration vergleichbarer Studien *(secondary analysis)* weiter fortgeschritten (vgl. z. B. *S. M. Lipset* 1960 und — vorbildlich für methodologische Strenge — *J. P. Gibbs* und *W. T. Martin* 1964; ferner *O. J. Harvey, D. E. Hunt* und *H. M. Schroder* 1961; sowie *M. Freilich* 1964) und sind Versuche unternommen worden, die Resultate vergleichbarer Forschungen im weitesten Sinne zu kodifizieren (*B. Berelson* und *G. A. Steiner* 1964).

Vergleichende Untersuchungen zum Thema Familie und Sozialisierung (*W. J. Goode* 1963; *B. B. Whiting* 1963; *R. Hill* und *R. König* 1970) sowie zum Thema Organisation (*S. N. Eisenstadt* 1963; *A. Etzioni* 1961; *W. J. Siffin* 1959; *A. L. Stinchcombe* 1965) haben ihre Fortsetzung gefunden, und schließlich ist auch ein Versuch unternommen worden, eine theoretische Grundlage für den systematischen Vergleich allgemeiner Wertorientierungen in der kulturvergleichenden Tradition zu schaffen (*F. Kluckhohn* und *F. L. Strodtbeck* 1961).

Die jüngste Entwicklung im Bereich von Untersuchungen, die sich des interkulturellen Vergleichs im weitesten Sinne bedienen, kann folgendermaßen charakterisiert werden.

Die Frage nach der kulturellen Variationsbreite, d. h. nach dem autonomen Spielraum der Kultur, die durch interkulturelle Vergleiche beantwortet werden soll, ist nach wie vor relevant. Da es hier um die Variationsbreite und nicht um die Frequenzverteilung geht, gilt das besondere Interesse jenen Gesellschaften, die gerade nicht der Majorität entsprechen. So stellt sich z. B. die Frage nach den seltenen herrschaftlosen Gesellschaften (*J. Middleton* und *D. Tait* 1958; *Chr. Siegrist* 1967) oder nach Gesellschaften mit Prestigeökonomie. Das Problem hat sich außerdem insofern ausgeweitet, als es auch die möglichen Gesellschaften umfaßt. Solche möglichen Gesellschaften würden demnach innerhalb der hypothetischen kulturellen Variationsbreite liegen. Diese Frage kann allerdings nur dann sinnvoll beantwortet werden, wenn man die nichtkulturellen Bedingungen kontrolliert. Nur dann kann man von einem kulturellen Spielraum für bestimmte Gesellschaften sprechen. Die umfassendste Fragestellung wäre hier die nach der Variationsbreite des kulturellen Codes gegenüber der allen gemeinsamen Weltgesellschaft, wobei zusätzlich die besondere Interessenlage innerhalb dieser Gesellschaft beachtet werden müßte. Hier geht es also nicht darum, allgemeine Gesetzmäßigkeiten zu formulieren, sondern den kulturellen Spielraum gegenüber ein und derselben Struktur zu eruieren.

In diesen Zusammenhang gehört auch die Vorstellung von *S. N. Eisenstadt*, wonach die gesellschaftlichen Problemlösungsmodi über die Zeit hinweg relativ konstant bleiben, umgekehrt aber zwischen den verschiedenen Gesellschaften stark variieren können. Das würde heißen, daß z. B. Probleme, die sich aus der Urbanisierung ergeben, von verschiedenen Gesellschaften unterschiedlich gelöst werden und daß auch die Fähigkeit der Gesellschaften, bestimmte Problem zu lösen, stark variiert.

Auch die früher erwähnte Vorstellung, wonach verschiedene soziokulturelle Kontexte zusammen ein System bilden können, ist weiterentwickelt worden. Nach diesem Ansatz lassen sich kontextuelle Unterschiede mit den unterschiedlichen Positionen der Kontexte in einem System in Verbindung bringen. In diesem Falle sind solche Unterschiede nicht Ausdruck einer gewissen Autonomie der kulturellen Dimension, d. h. sie fallen nicht in den oben erwähnten kulturellen Spielraum, sondern sind vielmehr eine Funktion der Struktur des umfassenden Systems. Dabei ist besonders zu beachten, daß die aggregierten Variablenwerte, mit deren Hilfe die kontextuellen Einheiten charakterisiert werden, deren Status im umfassenden System beschreiben und demnach gerade nicht als kontextinterne Charakteristika gedeutet werden können. Diese Konzeption bedeutet, daß neben Gesetzmäßigkeiten, die für alle Einheiten des Weltsystems gleichermaßen gültig sind, es auch Gesetzmäßigkeiten geben kann, die nur für bestimmte Regionen zutreffen, die auf gewissen Dimensionen des Weltsystems abgegrenzt werden können. Diese Unterschiede lassen sich ebenfalls auf die Konstitution des Weltsystems zurückführen.

Im Zuge neuerer logischer und kybernetischer Entwicklungen beginnt sich die Auffassung immer mehr durchzusetzen, daß die für Kulturen typischen Alltagssprachen in der Regel eine recht große Assimilations- und Erneuerungsfähigkeit besitzen und daß demnach die ihnen zugeschriebene differenzierende Wirkung nicht allzu hoch eingeschätzt werden sollte. Damit können auch die Beziehungen zwischen wissenschaftlichen und kulturellen Codes besser beschrieben werden. Wenn man diesem Tatbestand Rechnung tragen will, treten an die Stelle von Kulturunterschieden im Sinne von Unterschieden zwischen als geschlossen konzipierten Sinnsphären Konzepte wie z. B. die Lern- und Innovationsfähigkeit der mit einem kulturellen Code versehenen Bevölkerung. Ein akkumulativer Lernprozeß ist nur dann möglich, wenn die Bedeutungsinhalte der Konzepte sich wandeln können. Dem steht die dogmatische Erstarrung von Codes gegenüber, die dann bei sich wandelnden Umständen immer weniger Information zu verarbeiten vermögen. Nach dieser Auffassung ist also der interkulturelle Vergleich ein Vergleich zwischen der Lern- und Innovationskapazität von verschiedenen kulturellen Codes. Ein solcher Vergleich ist allerdings nur sinnvoll, wenn gleichzeitig die Information kontrolliert wird, d. h. gegenüber derselben Information, die für die verglichenen Gesellschaften gleichermaßen relevant ist.

Eine genau entgegengesetzte Auffassung wird neuerdings durch die Phänomenologie, insbesondere die Ethnomethodologie, vertreten, die die partikulären Bewußtseinsinhalte angemessen zu beschreiben behauptet, die Einzigartigkeit von nur empatisch zu eruierenden Bewußtseinsinhalten betont und damit einen Kulturvergleich im engeren Sinne nicht mehr zuläßt.

Die beiden zuletzt genannten Richtungen haben gemein, daß sie — sowohl bezüglich des diachronen wie auch des synchronen interkulturellen Vergleichs — die Frage nach der kulturellen Identität aufwerfen, die das Kriterium der vergleichbaren bzw. nicht vergleichbaren Einheiten darstellt. Damit wird der Bezugsrahmen in die kulturelle Dimension zurückverlegt. Das heißt, Identität ist hier ein kultureller Begriff.

Aus all diesen Entwicklungen ergeben sich — analytisch gesehen — zumindest folgende Arten von kontextuellen Vergleichen:

1. Vergleich von als autonom konzipierten Globalgesellschaften (funktionalistisch im engeren Sinne);

2. Vergleich von Globalgesellschaften als Einheiten eines umfassenden Systems (strukturalistisch im engeren Sinne);

3. Vergleich von kulturellen Identitäten (kulturalistisch);

4. Vergleich von Gesellschaften nach unterschiedlichen Umweltbedingungen (ökologisch).

Diese Unterscheidung ist auch deshalb wichtig, weil die verglichenen Einheiten aufgrund verschiedener Kriterien ausgewählt werden. Eine nach ihrer kulturellen Identität bestimmte Gesellschaft fällt nicht notwendigerweise mit einem relevanten sozietalen Akteur in der Struktur des Weltsystems zusammen. Die Basis für einen funktionalistischen Vergleich ist vermutlich in der Regel die Existenz eines relativ dichten Interaktionsfeldes, das nach außen stark isoliert ist, das heißt die Existenz von Globalgesellschaften im engeren Sinne. Das minimale Volumen von Globalgesellschaften ist allerdings variabel, und diese Variabilität hält sich nicht an kulturelle Grenzen. Jedoch sind die verschiedenen Klassen von Einheiten nicht völlig unabhängig voneinander. Alle haben etwas mit Globalgesellschaften zu tun, und zwar zumindest bezüglich ihrer Entstehung. Deshalb und wegen der Interaktion zwischen Kultur und soziologischer Dimension ist es sicher nicht sinnvoll, die genannten verschiedenen Arten von Vergleichen faktisch voneinander völlig zu trennen.

Damit ist natürlich über die Relevanz der verschiedenen Arten von Vergleichen nichts ausgesagt. Nur der Vergleich von kulturellen Identitäten ist interkultureller Vergleich im engeren Sinne und gerade in diesem Bereich sind die Gegensätze wie angedeutet besonders groß.

Es ist möglich, daß die Lernfähigkeit mit der Information variiert, daß sie also nicht allein aus der Konstitution des Codes abgeleitet werden kann. Es ist möglich, daß Über- und Unterflutung mit Information die Konstitution eines Codes verändern, daß dadurch das Verarbeitungspotential geschwächt wird, daß im Falle von Überflutung dogmatische Verhärtungen eintreten, die den Informationsinput verkleinern, und daß es im Falle von Unterflutung zur Atrophie des Codes kommt.

Für die Zukunft vergleichender Forschungen mögen die enormen Fortschritte auf dem Gebiete der systematischen Sammlung und Kodifizierung komparativer Daten (z. B. Data-Bank des Survey-Center der University of California, Berkeley; Zentralarchiv für empirische Sozialforschung an der Universität zu Köln; European Consortium for Political Research in Bergen, Norwegen, und viele andere mehr; siehe dazu *St. Rokkan* 1965, 1966) besonders bedeutsam sein.

Es fehlt aber noch immer an einer Forschungsstrategie, welche in systematischer Weise die zu vergleichenden Gesellschaften auswählen würde (sampling of contexts). Ein solches sampling setzt voraus, daß vorhandene und leicht zugängliche Informationsquellen über die theoretisch relevanten Parameter Auskunft geben und daß über die theoretische Relevanz dieser Parameter Klarheit herrscht. Dazu gehört auch eine vertiefte Kenntnis der „background variables" (*St. Rokkan* 1965; *R. König* 1967), die allererst ein adäquates Erkennen der respektiven Bedeutung einer Erscheinung in einem Kontext ermöglichen (vgl. hierzu auch das Kapitel über „Neuere Entwicklungsrichtungen in der Analyse sozialwissenschaftlicher Daten").

Ausgewählte Literatur

Aberle, D., A. Cohen, A. Davis, M. Levy und *F. Sutton*, The Functional Prerequisites of a Society, in: Ethics, Bd. 60 (1950).

Almond, Gabriel A., und *James S. Coleman* (Hrsg.), The Politics of Developing Areas, Princeton 1960.

Andrzejewski, Stanislaw, Military Organization and Society, London 1954.

Apter, Davis, The Politics of Modernization, Chicago 1965.

Balandier, Gorges, Sociologie actuelle de l'Afrique noire, Paris 1955.

Banks, Arthur S., und *Robert B. Textor*, A Cross Polity Survey, Cambridge, Mass., 1964.

Barber, Bernard, Social Stratification, New York 1957.

Bendix, Reinhard, Work and Authority in Industry, New York 1956.

Benedict, Ruth, Patterns of Culture, Boston 1934.

Berelson, Bernhard, und *Gary A. Steiner*, Human Behavior, New York 1964.

Berger, Morroe, Bureaucracy and Society in Modern Egypt: A Study of the Higher Civil Service, Princeton 1957.

Brown, Julia S., A Comparative Study of Deviations from Sexual Mores, in: American Sociological Review, Bd. 17 (1952).

Cattell, Raymond., The Principle Culture Patterns Discoverable in the Syntal Dimension of Existing Nations, in: Journal of Social Psychology, Bd. 32 (1950).

Child, Irvin L., Socialization, in: *G. Lindzey* (Hrsg.), Handbook of Social Psychology, Cambridge, Mass., 1954, Bd. 2.

Coleman, James S. (Hrsg.), Education and Political Development, Princeton 1965.

Comparative Studies on Society and History. An International Quarterly, Oktober 1958 ff.

Davis, Kingsley, und *Hilda Hertz*, The World Distribution of Urbanization, in: *J. J. Spengler* und *O. D. Duncan*, Hrsg., Demographic Analysis, Glencoe 1956.

Den Hollander, A. N. J., Visie en verwoording; sociologische essays over het eigene en het andere, Assen 1968.

Deutsch, Karl W., Toward an Inventory of Basic Trends and Patterns in Comparative and International Politics, in: American Political Science Review, Bd. 54 (1960).

Deutsch, Karl W., The Nerves of Government, New York 1963.

Deutsch, Karl W., Nationalism and Social Communication, 2. Aufl., Cambridge, Mass., und London 1966 (zuerst 1953).

Deutsch, Karl W., Lewis J. Edinger, Roy C. Macridis, Richard L. Merritt, France, Germany, and the Western Alliance, New York 1967.

Dieckmann, Bernhard, Zur Strategie des systematischen internationalen Vergleichs. Probleme der Datenbasis und der Entwicklungsbegriffe, Stuttgart 1970.

Dogan, Mattei, und *Stein Rokkan* (Hrsg.), Quantitative Ecological Analysis in the Social Sciences, Cambridge, Mass. 1969.

Doob, Leonard W., Communication in Africa, New Haven 1961.

Driver, Harold E., und *William P. Massey*, Comparative Studies of North American Indians, Philadelphia 1957.

DuBois, Cora, The People of Alor, Minneapolis 1945.

Dufrenne, Mikel, La personalité de base, Paris 1953.

Eisenstadt, Shmuel N., The Political System of Empires: The Rise and Fall of the Historical Bureaucratic Societies, New York 1963.

Etzioni, Amitai, A Comparative Analysis of Complex Organizations, Glencoe, Ill., 1961.

Ford, Clellan S., Some Potential Contributions of Anthropology to Psychology, in: *R. A. Patton*, Hrsg., Current Trends in Psychology and the Behavioral Sciences, Pittsburgh 1954.

Freilich, Morris, The Natural Triad in Kinship and Complex Systems, in: American Sociological Review, Bd. 29 (1964).

Gibbs, Jack P., und *Walter T. Martin*, Status Integration and Suicide, Eugene, Oregon, 1964.

Goode, William J., World Revolution and Family Patterns, New York 1963.

Hallowell, Irving A., Aggression in Saulteaux Society, in: Psychiatry, Bd. 3 (1940), abgedruckt in: *C. Kluckhohn* und *H. A. Murray* (Hrsg.), Personality in Nature, Society and Culture, 2nd ed., New York 1953.

Hallowell, Irving A., The Rorschach Test in Personality and Culture Studies, in: Culture and Experience, Philadelphia 1955.

Hallowell, Irving A., Acculturation and the Personality of the Ojibwa, in: op. cit.

Hartmann, Heinz, Ernst Kris und *Rudolph M. Lowenstein*, Some Psychoanalytique Comments on „Culture and Personality", in: Psychoanalysis and Culture, 1951.

Harvey, O. J., David E. Hunt und *Harold M. Schroder*, Conceptual Systems and Personality Organization, New York 1961.

Heath, Dwight B., Sexual Division of Labor and Cross-Cultural Research, in: Social Forces, Bd. 37 (1958).

Heintz, Peter, Ein soziologisches Paradigma der Entwicklung mit besonderer Berücksichtigung Lateinamerikas, Stuttgart 1969.

Heintz, Peter (Hrsg.), A Macrosociological Theory of Societal Systems with Special Reference to the International System, Vol. 1 und 2, Bern 1972.

Henry, Jules, und *Melford E. Spiro*, Psychological Techniques: Projective Tests in Field Work, in: *A. L. Kroeber* (Hrsg.), Anthropology Today, Chicago 1953.

Hofstätter, Peter R., Die deutsche und die amerikanische Einsamkeit, in: Verhandlungen des 13. Deutschen Soziologentages in Bad Meinberg, 1.–4. November 1956, Köln/Opladen 1957.

Holt, Robert R., und *John E. Turner* (Hrsg.), The Methodology of Comparative Research, New York 1970.

Janowitz, Morris, Soziale Schichtung und Mobilität in Westdeutschland, in: Kölner Zeitschrift für Soziologie und Sozialpsychologie, Bd. 10 (1958).

Kammler, Hans, Der Ursprung des Staates, Köln/Opladen 1966.

Kaplan, Bert (Hrsg.), Studying Personality Cross-Culturally, Evanston, Ill., 1961.

Kardiner, Abram, The Individual and His Society, New York 1939.

Kardiner, Abram, The Psychological Frontiers of Society, New York 1945.

Kluckhohn, Clyde, Universal Categories of Culture, in: *A. L. Kroeber*

(Hrsg.), Anthropology Today, Chicago 1953.

Kluckhohn, Florence, und *Fred. L. Strodtbeck,* Variations in Value Orientations, Evanston, Ill., 1961.

König, René, Interkultureller Vergleich, in: *W. Bernsdorf* (Hrsg.), Wörterbuch der Soziologie, 2. Aufl., Stuttgart 1967.

König, René, und *Axel Schmalfuß* (Hrsg.), Kulturanthropologie, Düsseldorf-Wien 1972.

Lambert, William W., Leigh Minturn Triandis und *Margery Wolf,* Some Correlates of Beliefs in the Malevolence and Benevolence of Supernatural Beings. A Cross-Societal Study, in: Journal of Abnormal and Social Psychology, Bd. 58 (1959).

Lerner, Daniel, The Passing of Traditional Society. Modernizing the Middle East, Glencoe, Ill., 1958.

Lévi-Strauss, Claude, Les structures élémentaires de la parenté, Paris 1949.

Lipset, Seymour M., Political Man, Garden City 1960; dtsch. (gek.): Soziologie der Demokratie, Neuwied — Berlin 1962.

Lipset, Seymour M., und *Reinhard Bendix,* Social Mobility in Industrial Society, Berkeley — Los Angeles 1959.

Maccoby, Eleanor E., und *Nathan Maccoby,* Interviewing in Other Societies, in: *G. Lindzey* (Hrsg.), Handbook of Social Psychology, Bd. 1, Cambridge, Mass., 1954.

Marsh, Robert M., The Bearing of Comparative Analysis on Sociological Theory, in: Social Forces, Bd. 43 (1964).

Marsh, Robert M., Comparative Sociology, 1950—1963, in: Current Sociology Bd. 14 (1966).

McClelland, David C., The Achieving Society, Princeton 1961; dtsch.: Die Leistungsgesellschaft, Stuttgart 1966.

McClelland, David C., und *G. A. Friedman,* A Cross-Cultural Study of the Relationship between Child-Training Practices and Achievement Motivation Appearing in Folk Tales, in: *G. E. Swanson, Th. M. Newcomb* und *E. L. Hartley* (Hrsg.), Readings in Social Psychology, überarb. Aufl., New York 1952.

McClelland, David C., Issues in the Identification of Talent, in: *D. McClelland et al.* (Hrsg.), Talent and Society, New York 1959.

Mead, Margaret, Coming of Age in Samoa, New York 1928.

Mead, Margaret (Hrsg.), Cooperation and Competition among Primitive Peoples, New York — London 1937.

Merritt, Richard L., und *Stein Rokkan* (Hrsg.), Comparing Nations. The Use of Quantitative Data in Cross-National Research, New Haven und London 1966.

Middleton, John, und *David Tait* (Hrsg.), Tribes without Rulers, London 1958.

Miller, Delbert C., Industry and Community Power Structure. A Comparative Study of an American and a British City, in: American Sociological Review Bd. 23, 1958.

Mühlmann, Wilhelm E., Rassen, Ethnien, Kulturen, Neuwied 1964.

Murdock, George P., The Common Denominator of Culture, in: *R. Linton* (Hrsg.), The Science of Man in the World Crisis, New York 1945.

Murdock, George P., Social Structure, New York 1949.

Murdock, George P., The Processing of Anthropological Materials, in: *A. L. Kroeber* (Hrsg.), Anthropology Today, Chicago 1953.

Murdock, George P., et al., Outline of Cultural Materials, 3rd ed., New Haven 1950.

Ogburn, William F., Social Change, Neuauflage New York 1966.

Parsons, Talcott, Societies, Evolutionary and Comparative Perspectives, Englewood Cliffs, N. J., 1966.

Parsons, Talcott, The System of Modern Societies, Englewood Cliffs, N. J., 1967.

Paul, Benjamin D., Interview Techniques and Field Relationships, in: *A. L. Kroeber* (Hrsg.), Anthropology Today, Chicago 1953.

Przeworski, Adam, und *Henry Tenne*, The Logic of Comparative Social Inquiry, New York 1970.

Pye, Lucian W. (Hrsg.), Communications and Political Development, Princeton 1963.

Rogoff, Natalie, Recent Trends in Occupational Mobility, Glencoe, Ill., 1953.

Rokkan, Stein, Trends and Possibilities in Comparative Social Science, in: Social Science Information, Bd. 4 (1965).

Rokkan, Stein, Data Archives for the Social Sciences, Paris 1966.

Rokkan, Stein (Hrsg.), Comparative Research Across Cultures and Nations, Paris 1967.

Rokkan, Stein, et al. (Hrsg.), Comparative Survey Analysis, The Hague 1969.

Rudolph, Wolfgang, Der kulturelle Relativismus. Kritische Analyse einer Grundsatzfragen-Diskussion in der amerikanischen Ethnologie, Berlin 1968.

Russett, Bruce M., International Regions and the International System. A Study in Political Ecology, Chicago 1967.

Russet, Bruce M., et al., World Handbook of Political and Social Indicators, New Haven 1964.

Saunders, Irwin T., Research with Peasants in Underdeveloped Areas, in: Social Forces, Bd. 35 (1956).

Schapera, I., Government and Politics in Tribal Societies, London 1956.

Schnore, Leo F., und *Philip M. Hauser* (Hrsg.), The Study of Urbanization, New York 1965.

Schramm, Wilbur, Mass Media and National Development, Stanford, Cal., 1964.

Schuessler, K. F., und *Harold Driver*, A Factor Analysis of 16 Primitive Societies, in: American Sociological Review, Bd. 21 (1956).

Shibutani, Tamotsu, und *Kian M. Kwan*, Ethnic Stratification. A Comparative Approach, New York und London 1965.

Siegrist, Christian, Regulierte Anarchie, Olten und Freiburg 1967.

Siffin, William J. (Hrsg.), Toward the Comparative Study of Public Administration, Bloomington,Indiana, 1959.

Steward, Julian H., A Theory of Culture Change, Urbana, Ill., 1955.

Stinchcombe, Arthur L., Social Structure and Organizations, in: *James G. March* (Hrsg)., Handbook of Organizations, Chicago 1965.

Stoodley, Bartlett H., A Cross-Cultural Study of Structure and Conflict in Social Norms, in: American Journal of Sociology, Bd. 65 (1959).

Taylor, Charles Louis (Hrsg.), Aggregate Data Analysis. Political and Social Indicators in Cross-National Research, Paris 1968.

Tullio-Altan, Carlo, Manuale di antropologia Culturale, Milano 1971.

Udy, Stanley H., "Bureaucracy" and "Rationality" in Weber's Organization Theory: An Empirical Study, in: American Sociological Review, Bd. 24 (1959).

Udy, Stanley H., Bureaucratic Elements in Organizations: Some Research Findings, in: American Sociological Review, Bd. 23 (1958).

Udy, Stanley H., Organization of Work. A Comparative Analysis of Production among Non-Industrial Peoples, New Haven 1959.

Verba, Sidney, und *Gabriel A. Almond*, The Civic Culture, Princeton 1963.

Weber, Max, Wirtschaft und Gesellschaft, 3. Aufl., 2 Halbbände, Tübingen 1947.

Whiting, Beatrice B., Paiute Sorcery, Viking Fund Publications, in: Anthropology 1950, Nr. 15.

Whiting, Beatrice E. (Hrsg.), Six Cultures: Studies of Child Rearing, New York 1963.

Whiting, John W. M., The Cross-Cultural Method, in: *G. Lindzey* (Hrsg.), Handbook of Social Psychology, Bd. 1, Cambridge, Mass., 1954.

Whiting, John W. M., Field Manual for the Cross-Cultural Study of Child Rearing, New York 1963.

Whiting, John W. M., und *Irving L. Child*, Child Training and Personality, New Haven 1953.

Wittvogel, Karl A., Oriental Despotism: A Comparative Study of Total Power, New Haven 1957.

Namenregister

Sachregister